Laurell K. Hamilton est née en 1963 en Arkansas. En 1993, elle crée le personnage d'Anita Blake, auquel elle consacrera un roman chaque année. Portées par un formidable bouche-à-oreille, les aventures de sa tueuse de vampires sont aujourd'hui d'énormes best-sellers.

Du même auteur, en poche :

Anita Blake :
1. *Plaisirs Coupables*
2. *Le Cadavre Rieur*
3. *Le Cirque des Damnés*
4. *Lunatic Café*
5. *Le Squelette Sanglant*
6. *Mortelle Séduction*
7. *Offrande Brûlée*
8. *Lune Bleue*
9. *Papillon d'Obsidienne*
10. *Narcisse Enchaîné*
11. *Péchés céruléens*

Ravenloft – L'Alliance :
Mort d'un sombre seigneur

En grand format :

Anita Blake :
10. *Narcisse Enchaîné*
11. *Péchés céruléens*
12. *Rêves d'Incube*
13. *Micah*
14. *Danse macabre*

www.milady.fr

Pour J.,
qui dit plus souvent « oui » que « non »,
qui ne me donne jamais l'impression d'être tarée
et qui a trouvé le titre de ce livre.

Remerciements

Merci à Karen et à Bear, qui m'ont aidée à trouver de nouveaux endroits où cacher les corps. À Joanie et Melissa, qui se sont occupées de Trinity quand elle avait besoin de plus de temps de jeu qu'une maman qui bosse dur pouvait lui en consacrer. À Trinity, qui m'a aidée à finir ce livre en étant assez grande pour s'occuper toute seule. Chaque année est encore meilleure que la précédente. À Carniffex et Maerda, qui m'ont aidée dans mes recherches et que j'aurais dû mentionner il y a déjà plusieurs tomes. À Darla, sans qui tant de choses ne seraient jamais faites. À Sherry, qui garde les lieux habitables. Au sergent Robert Cooney de l'Unité de réserve mobile de la police de Saint Louis, pour avoir répondu à mes questions de dernière minute. Il n'a pas eu le temps de relire ce manuscrit, de sorte que toutes les erreurs restantes sont entièrement de mon fait. Et comme toujours, à mon groupe d'écriture : Tom Drennan, N. L. Drew, Rhett McPhearson, Deborah Millitello, Marella Sands, Sharon Shinn et Mark Sumner.

Chapitre premier

C'était début septembre, une période chargée dans le secteur de la relève de morts. On dirait que le coup de feu pré-Halloween débute un peu plus tôt chaque année. Tous mes collègues de chez Réanimateurs Inc. avaient un emploi du temps chargé jusqu'à la gueule. Je ne faisais pas exception à la règle ; en fait, on m'avait proposé plus de boulot que je pouvais en fournir, même en tenant compte de ma capacité à me passer de sommeil pendant plusieurs jours.

M. Léo Harlan aurait dû être reconnaissant d'avoir obtenu un rendez-vous. Or, il n'en avait pas l'air. En vérité, il n'avait pas l'air de grand-chose. Harlan était moyen en tout. Un mètre soixante-dix et des poussières, cheveux châtains, teint ni trop pâle ni trop bronzé. Yeux d'un marron très banal. En fait, la chose la plus remarquable en lui, c'est qu'il n'avait rien de remarquable. Même son costume était sombre et d'une coupe classique. Une tenue d'homme d'affaires à la mode depuis vingt ans, et qui le sera probablement encore dans vingt ans. Sa chemise était blanche, sa cravate correctement nouée, et ses mains ni trop grandes ni trop petites avaient l'air soignées mais pas manucurées.

En résumé, son apparence m'apprenait si peu de choses sur lui que ce fait en soi était intéressant, et vaguement perturbant.

Je bus une gorgée de café dans mon mug sur lequel on lisait : « Si tu me refiles du déca, je t'arrache la tête ». Je l'ai apporté au boulot quand Bert, notre patron, a mis du déca dans la machine à café sans nous prévenir, croyant que personne ne s'en apercevrait. Pendant une semaine, la moitié du personnel a cru avoir chopé la mononucléose, jusqu'à ce que la ruse sournoise de Bert soit éventée.

Le café que Mary, notre secrétaire, avait apporté à M. Harlan était posé sur le bord de mon bureau, dans un mug portant le logo de Réanimateurs Inc. Mon client en avait siroté une minuscule gorgée quand Mary le lui avait tendu. Il l'avait réclamé noir, mais il le buvait comme s'il n'en sentait pas le goût, ou plutôt, comme si le goût n'avait pas d'importance. Il l'avait accepté par politesse, pas parce qu'il en avait envie.

J'avalai le mien, plein de sucre et de crème, pour compenser le fait que j'avais bossé très tard la veille. Le café et le sucre sont mes deux groupes d'aliments basiques.

La voix de Harlan était, comme le reste de sa personne, si ordinaire qu'elle en devenait extraordinaire. Il parlait sans aucun accent permettant de deviner de quelle région ou de quel pays il était originaire.

— Je veux que vous releviez mon ancêtre, mademoiselle Blake.

— C'est ce que vous m'avez dit.

— Vous semblez en douter.

— Mettez ça sur le compte de mon scepticisme naturel.

— Pourquoi viendrais-je ici pour vous mentir ?

Je haussai les épaules.

— Ce n'est pas comme si ça n'était jamais arrivé.

— Je vous assure que je dis la vérité, mademoiselle Blake.

Le problème, c'était que je n'arrivais pas à le croire. Je suis peut-être parano. Mais sous ma jolie veste de tailleur bleu marine, mon bras gauche est couturé de cicatrices : depuis la brûlure en forme de croix à l'endroit où le serviteur d'un vampire m'a marquée jusqu'aux traces de griffes d'un sorcier métamorphe. Sans compter les coups de couteau, qui forment des lignes fines et nettes comparées au reste. Je n'ai qu'une seule cicatrice sur le bras droit; autant dire rien du tout. Ma jupe bleu marine et mon chemisier bleu roi dissimulaient des tas d'autres traces de blessures plus ou moins anciennes. La soie se fiche de glisser sur du tissu cicatriciel ou sur de la peau intacte. J'estime donc avoir gagné le droit d'être parano.

— Lequel de vos ancêtres voulez-vous que je relève, et pourquoi?

Je l'avais demandé avec un sourire affable mais qui ne montait pas jusqu'à mes yeux. Un défaut que j'allais devoir apprendre à corriger.

Harlan me sourit aussi, et ses yeux ne firent pas plus écho à son expression que les miens. Il se contentait d'imiter ma mimique sans que cela ne signifie rien pour lui. Quand il tendit la main pour reprendre son café, je remarquai une lourdeur dans le pan gauche de sa veste. Il ne portait pas de holster d'épaule – je m'en serais aperçue –, mais sa poche de poitrine contenait quelque chose de plus lourd qu'un portefeuille. Ça aurait pu être un tas de choses, mais la première qui me vint à l'esprit fut: *un flingue*. Au fil du temps et des mésaventures, j'ai appris à me fier à ma première impression. Si vous pensez que les gens vous en veulent vraiment, ce n'est pas de la parano, juste de la lucidité.

Mon propre flingue était niché sous mon aisselle gauche dans un holster d'épaule. Ce qui égalisait les chances, mais je voulais éviter que mon bureau se transforme en OK Corral. Harlan avait un flingue… peut-être. Probablement. Pour ce que j'en savais, ça aurait pu être une boîte à cigares plus lourde que la moyenne. Mais j'aurais parié presque n'importe quoi qu'il s'agissait d'une arme. Je pouvais rester là et tenter de me convaincre du contraire, ou je pouvais réagir comme si j'étais sûre d'avoir raison. Si je me trompais, je m'excuserais plus tard. Si j'avais raison, je serais toujours vivante. Malpolie et vivante, c'est toujours mieux que polie et morte.

J'interrompis son exposé sur son arbre généalogique, dont je n'avais quasiment pas écouté un mot. J'étais trop obnubilée par cette lourdeur dans la poche de sa veste. Jusqu'à ce que je découvre de quoi il s'agissait, je ne pourrais m'intéresser à rien d'autre. Je me forçai à sourire.

— Quel métier exercez-vous exactement, monsieur Harlan ?

Il prit une inspiration un tout petit peu plus profonde et se tassa légèrement dans son siège. C'était le premier signe de tension qu'il manifestait depuis le début de notre entretien. Le premier mouvement humain. La plupart des gens passent leur temps à s'agiter. Harlan ne faisait que des gestes efficaces.

Le commun des mortels n'aime pas avoir affaire à un réanimateur. Ne me demandez pas pourquoi, mais nous rendons les gens nerveux. Harlan était assis face à moi, de l'autre côté de mon bureau, parfaitement immobile et détendu, avec un regard neutre que j'aurais presque qualifié de vide. J'étais quasi sûre qu'il mentait sur la raison de sa présence et qu'il portait un flingue dissimulé dans un endroit où il serait difficile à repérer.

En bref, ce type me plaisait de moins en moins.

Sans me départir de mon sourire, je posai doucement mon mug sur mon bureau. J'avais libéré mes mains, ce qui était l'étape numéro un. Dégainer serait l'étape numéro deux, et j'espérais ne pas devoir en arriver là.

— Je veux que vous releviez un de mes ancêtres, mademoiselle Blake. Je ne vois pas le rapport avec mon travail.

— Faites-moi plaisir, dis-je en continuant à sourire, mais en sentant mon expression affable fondre comme neige au soleil.

— Pourquoi ?

— Parce que si vous refusez de me répondre, je refuserai de m'occuper de votre affaire.

— M. Vaughn, votre patron, a déjà accepté mon argent de votre part.

Je souris, et cette fois, je n'eus pas à me forcer.

— En fait, Bert n'est plus que le gérant de Réanimateurs Inc., désormais. Nous sommes ses partenaires pour la plupart d'entre nous, comme dans un cabinet d'avocats. Bert continue à s'occuper de l'administratif et de la compta, mais il n'est plus mon patron.

L'expression de Harlan se fit encore plus neutre, plus fermée, plus secrète. Je n'aurais pas cru que ce soit possible. Il ressemblait à un mauvais portrait : irréprochable sur le plan technique mais dénué d'âme. Les seuls humains de ma connaissance capables de faire cette tête-là me foutent tous les jetons.

— Je n'étais pas au courant de votre changement de statut, mademoiselle Blake.

Sa voix avait baissé d'une octave, mais elle restait aussi inexpressive que son visage.

Il faisait sonner toutes mes alarmes intérieures. Mes épaules étaient crispées par l'envie de dégainer la première. Sans que je m'en rende compte, mes mains glissèrent vers le bas. Je ne m'en aperçus que lorsqu'il posa les siennes sur les accoudoirs de son fauteuil. Nous avions tous les deux pris la meilleure position pour dégainer.

Soudain, une tension lourde et épaisse envahit la pièce comme de l'électricité. Aucun doute ne subsistait. Je le lisais dans ses yeux et dans son petit sourire… un vrai sourire qui n'avait rien d'hypocrite ou de forcé. Nous étions à quelques secondes de faire la chose la plus réelle qu'un être humain puisse faire à un autre. Nous étions sur le point de tenter de nous tuer mutuellement… et nous le savions tous les deux.

Je surveillais, non pas les yeux de Harlan, mais son torse, attendant le mouvement qui le trahirait.

Dans cette tension si lourde, sa voix tomba comme une pierre dans un puits très profond. Et à elle seule, elle me fit presque dégainer.

— Je suis un assassin mercenaire, mais je n'ai pas de contrat sur votre tête, mademoiselle Blake.

La tension ne se relâcha pas, et je gardai le regard rivé sur son torse.

— Dans ce cas, pourquoi me le dire ? demandai-je d'une voix plus douce que la sienne, presque essoufflée.

— Parce que je ne suis pas venu à Saint Louis pour tuer qui que ce soit. Je veux vraiment faire relever mon ancêtre.

— Pourquoi ?

— Même les assassins ont des passe-temps, mademoiselle Blake.

Son ton était détendu, mais son corps demeurait parfaitement immobile. Soudain, je pris conscience qu'il faisait de son mieux pour ne pas m'effrayer.

Je laissai mon regard remonter vers son visage. Celui-ci était toujours dépourvu d'expression, presque surnaturellement vide. Pourtant, je crus y déceler une trace de… d'humour.

— Qu'y a-t-il de si drôle ?

— J'ignorais qu'en venant vous voir je tentais le destin.

— Que voulez-vous dire ?

J'essayai de m'accrocher à cette tension vibrante, mais je la sentis s'évanouir. Harlan semblait désormais trop réel pour que je songe sérieusement à dégainer et à lui tirer dessus dans mon bureau. L'idée me semblait tout à coup vaguement ridicule, et pourtant… Il me suffisait de scruter ses yeux morts pour savoir qu'elle ne l'était pas tant que ça.

— Il existe de par le monde des tas de gens qui aimeraient me voir mort, mademoiselle Blake. Certains ont dépensé des sommes et déployé des efforts considérables pour y parvenir, mais aucun d'eux ne s'est approché du résultat souhaité… Jusqu'à aujourd'hui.

Je secouai la tête.

— Je n'étais pas si près que ça.

— En temps normal, je serais d'accord avec vous. Mais je connais votre réputation. C'est pourquoi je n'ai pas porté mon arme de la même façon que d'habitude. Vous avez remarqué son poids la dernière fois que je me suis penché en avant, n'est-ce pas ?

J'acquiesçai.

— Si nous avions vraiment dû dégainer, vous auriez eu quelques secondes d'avance sur moi. Ce holster de poitrine, c'est vraiment de la merde.

— Alors pourquoi le porter ? m'étonnai-je.

— Je ne voulais pas vous rendre nerveuse en venant avec mon flingue, mais je ne vais jamais nulle part sans arme. Alors, je me suis dit que j'allais le dissimuler et que vous ne vous en apercevriez pas.

— Ce qui a failli être le cas.

— Merci, mais nous savons tous les deux ce qu'il en est.

Je n'en étais pas si certaine. Néanmoins, je laissai filer : inutile de discuter quand on a l'avantage.

— Que voulez-vous réellement, monsieur Harlan… si tel est bien votre nom ?

Il sourit.

— Comme je vous l'ai dit et répété, je veux que vous releviez mon ancêtre d'entre les morts. Je n'ai pas menti à ce sujet. (Il parut réfléchir l'espace d'un instant.) En fait, c'est bizarre, mais je n'ai menti à aucun sujet. (Il secoua la tête d'un air perplexe.) Ça ne m'était pas arrivé depuis longtemps.

— Toutes mes condoléances.

Il fronça les sourcils.

— Pardon ?

— Ce doit être dur de ne jamais pouvoir dire la vérité. Personnellement, je trouverais ça épuisant.

Le coin de ses lèvres se releva imperceptiblement pour esquisser ce qui semblait être son vrai sourire.

— Je n'y ai pas réfléchi depuis une éternité. (Il haussa les épaules.) Je suppose qu'on finit par s'habituer.

— Peut-être. Lequel de vos ancêtres voulez-vous que je relève, et pourquoi ?

— Pourquoi quoi ?

— Pourquoi voulez-vous que je relève cette personne en particulier ?

— Ça a de l'importance ?

— Oui.

— Pourquoi ?

— Parce que je ne pense pas qu'il faille déranger les morts sans une bonne raison. (De nouveau, ce léger sourire.) Cette ville grouille de réanimateurs qui, chaque nuit, relèvent des zombies pour s'amuser.

J'opinai.

— N'hésitez donc pas à vous adresser à l'un d'eux. Ils feront à peu près n'importe quoi si vous les payez assez cher.

— Mais seraient-ils capables de relever un cadavre vieux de presque deux siècles ?

Je secouai la tête.

— Hors de leur portée.

— J'ai entendu dire qu'un réanimateur pouvait relever pratiquement n'importe qui s'il était disposé à faire un sacrifice humain, murmura Harlan.

De nouveau, je fis un signe de dénégation.

— Il ne faut pas croire tout ce qu'on raconte. *Certains* réanimateurs pourraient relever un cadavre vieux de plusieurs siècles en recourant à un sacrifice humain. Évidemment, ce serait un meurtre… et donc, illégal.

— La rumeur prétend que vous l'avez fait.

— La rumeur peut bien prétendre ce qu'elle veut, je ne donne pas dans le sacrifice humain.

— Donc, vous ne pouvez pas relever mon ancêtre.

C'était une affirmation.

— Je n'ai pas dit ça.

Il écarquilla les yeux : l'expression la plus surprise que je lui aie vue depuis le début de notre entretien.

— Vous pouvez relever un cadavre de presque deux siècles sans procéder à un sacrifice humain ?

J'acquiesçai.

— La rumeur le disait aussi, mais je ne l'ai pas crue.

— Donc, vous avez cru que je pratiquais les sacrifices humains, mais pas que je pouvais relever des morts vieux de plusieurs siècles grâce à mes seules capacités ?

Il haussa les épaules.

— J'ai l'habitude de voir des gens en tuer d'autres. En revanche, je n'ai jamais vu aucune de leurs victimes se relever.

— Petit veinard.

Il grimaça et son regard se fit légèrement moins froid.

— Alors, vous allez relever mon ancêtre ?

— Si vous me fournissez une assez bonne raison de le faire.

— Vous ne vous laissez pas facilement distraire, n'est-ce pas, mademoiselle Blake ?

— Je suis du genre tenace, concédai-je en souriant.

Peut-être ai-je passé trop de temps à fréquenter les méchants, mais à présent que je savais que Léo Harlan n'était pas là pour me tuer, ni pour tuer personne d'autre en ville, sa présence ne me posait pas de problème. Pourquoi le croyais-je ? Pour la même raison que je ne l'avais pas cru au départ : l'instinct.

— J'ai remonté les archives généalogiques de ma famille aussi loin que possible, mais mon ancêtre originel ne figure sur aucun document officiel. Je pense qu'il a donné un faux nom dès le début. Et tant que je ne connaîtrai pas le vrai, je ne pourrai pas rechercher mes aïeux en Europe. Ce que je souhaite vivement pouvoir faire.

— Vous voulez que je le relève, que je lui demande son vrai nom, la raison pour laquelle il est venu aux États-Unis, et que je le remette dans sa tombe ?

Harlan opina du chef.

— Exactement.

— Ça me paraît raisonnable.

— Donc, vous acceptez ?

— Oui, mais ça va vous coûter bonbon. Je suis probablement la seule réanimatrice dans ce pays capable de relever un mort aussi ancien sans recourir à un sacrifice humain. Nous sommes dans un marché au plus offrant, si vous voyez ce que je veux dire.

— À ma façon, mademoiselle Blake, je suis aussi bon dans ma partie que vous l'êtes dans la vôtre. (Il tenta de prendre l'air humble et échoua. Il paraissait trop content de lui, jusqu'à ses yeux marron si banals et si effrayants.) N'ayez crainte, je peux payer.

Je citai un chiffre astronomique. Harlan ne frémit même pas. Il voulut glisser la main à l'intérieur de sa veste.

— Stop ! ordonnai-je.

— Je voulais juste prendre ma carte de crédit, mademoiselle Blake. Rien de plus.

Il tendit ses mains devant lui, doigts écartés, pour que je puisse les voir clairement.

— Vous pourrez finir la paperasse et payer au secrétariat. J'ai d'autres rendez-vous.

Il faillit sourire.

— Bien sûr.

Il se leva, et je l'imitai. Aucun de nous n'offrit sa main à l'autre pour qu'il la serre.

Arrivé devant la porte, Harlan hésita. Je m'arrêtai plusieurs pas derrière lui. Je ne l'avais pas suivi d'aussi près que je le fais d'habitude en raccompagnant mes clients… histoire de garder la place de manœuvrer.

— Quand pouvez-vous vous en occuper ?

— Mon agenda est déjà plein à craquer cette semaine. J'arriverai peut-être à vous trouver un créneau mercredi prochain. Ou jeudi.

— Que se passe-t-il le lundi et le mardi ?

Je haussai les épaules.

— Je suis déjà prise.

— Vous avez dit, et je cite : « Mon agenda est déjà plein à craquer cette semaine. » Puis vous avez parlé de mercredi prochain.

De nouveau, je haussai les épaules. Il fut un temps où je n'étais pas douée pour mentir et, aujourd'hui encore, je ne ferais pas une bonne actrice… mais pas pour les mêmes raisons. Je sentis mon regard devenir neutre et froid tandis que je répondais :

— Je voulais dire que mon emploi du temps est déjà bouclé pour l'essentiel des deux semaines à venir.

Harlan me regarda assez intensément pour me donner envie de me tortiller devant lui. Mais je me retins et me contentai de lui offrir une expression vaguement aimable.

— Mardi prochain, c'est le soir de la pleine lune, dit-il tout bas.

Je clignai des yeux, luttant pour ne pas manifester ma surprise. Et si mon visage parvint à ne pas l'exprimer, mon corps, lui, échoua. Mes épaules se raidirent ; mes mains se crispèrent. La plupart des gens ne prêtent attention qu'au visage, mais Harlan était le genre de type à remarquer tout le reste. Et merde.

— Oui, et alors ? demandai-je sur le ton le plus désinvolte que je pus invoquer.

Harlan me fit son petit sourire.

—Vous n'êtes pas très douée pour feindre l'indifférence, mademoiselle Blake.

—Non, mais, puisque je ne feins rien du tout, ce n'est pas un problème.

—Mademoiselle Blake, insista-t-il d'une voix presque enjôleuse, je vous saurais gré de ne pas me prendre pour un imbécile.

Je me retins de répliquer: «Mais c'est si tentant!» D'abord, parce que ça ne l'était pas vraiment; ensuite, parce que je n'aimais pas beaucoup la tournure que prenait cette conversation. Mais il était hors de question que je l'aide en lui fournissant des informations. Moins on en dit, plus ça énerve les gens.

—Je ne vous prends pas pour un imbécile.

Il fronça les sourcils, et cette expression me parut aussi sincère que son petit sourire: une réaction du véritable Harlan.

—La rumeur dit que vous ne travaillez plus les soirs de pleine lune depuis quelques mois déjà.

Il semblait très sérieux tout à coup, mais pas d'une façon menaçante, plutôt comme si j'avais été impolie... comme si j'avais oublié mes bonnes manières à table et qu'il tentait de me corriger.

—Je suis peut-être wiccane. La pleine lune est un jour... ou plutôt, une nuit sacrée pour eux, vous savez.

—Êtes-vous wiccane, mademoiselle Blake?

Je me lasse toujours très vite des joutes verbales.

—Non, monsieur Harlan, pas du tout.

—Dans ce cas, pourquoi ne travaillez-vous pas les soirs de pleine lune?

Il étudiait mon visage, le scrutait comme si la réponse à sa question était plus importante qu'elle aurait dû l'être.

Je savais ce qu'il voulait me faire dire. Il voulait que j'avoue être une métamorphe d'une espèce ou d'une autre. Le problème, c'était que je ne pouvais rien avouer du tout puisque ce n'était pas vrai.

Je suis la première Nimir-Ra humaine de toute l'histoire, la reine d'un groupe de léopards-garous (ou « pard »). J'ai hérité d'eux quand j'ai été forcée de tuer leur ancien chef pour l'empêcher de me trucider. Par ailleurs, je suis le Bolverk de la meute de loups-garous locale. Un Bolverk est quelque part à mi-chemin entre le garde du corps et l'exécuteur. En gros, c'est quelqu'un qui fait les choses que l'Ulfric ne veut ou ne peut pas faire lui-même.

Richard Zeeman est l'Ulfric de Saint Louis. Je sors avec lui par intermittence depuis deux ou trois ans. Pour l'instant, nous ne sommes pas du tout, du tout ensemble. « Je ne veux pas être amoureux de quelqu'un qui se sent plus à l'aise que moi parmi les monstres », telle est la phrase par laquelle il m'a signifié notre rupture. Que voulez-vous répondre à ça ? Que pouvez-vous répondre ? Le diable m'emporte si je le sais. On dit que l'amour triomphe de tout. C'est un mensonge.

En tant que Nimir-Ra et que Bolverk, je suis responsable de certaines personnes. Si je ne travaille pas les soirs de pleine lune, c'est afin d'être disponible pour elles. C'est très simple, en fait, mais je n'avais aucune envie de raconter ça à Léo Harlan.

— Il m'arrive de prendre des jours de congé, monsieur Harlan. S'ils tombent en même temps que la pleine lune, je vous assure que c'est une coïncidence.

— La rumeur dit que vous avez été griffée par un métamorphe il y a quelques mois et que vous êtes l'une des leurs maintenant.

Sa voix était toujours aussi basse et calme, mais je m'attendais à celle-là. Mon visage et mon corps demeurèrent impassibles, parce qu'il se trompait.

—Je ne suis pas une métamorphe, monsieur Harlan.

Il plissa les yeux.

—Je ne vous crois pas, mademoiselle Blake.

Je soupirai.

—Peu m'importe. Le fait que je sois une lycanthrope ou non n'a aucune incidence sur mes performances de réanimatrice.

—La rumeur affirme que vous êtes la meilleure, mais vous ne cessez de me dire que la rumeur est fausse. Êtes-vous vraiment aussi douée qu'on le raconte ?

—Non. Je le suis encore plus.

—Il paraît que vous avez relevé des cimetières entiers.

Je haussai les épaules.

—Vous alors, vous savez faire tourner la tête des filles.

—Dois-je comprendre que c'est vrai ?

—Qu'est-ce que ça peut faire ? Je vous le répète, monsieur Harlan : je suis capable de relever votre ancêtre. Je suis l'une des rares, sinon la seule, réanimatrice de ce pays qui puisse le faire sans recourir à un sacrifice humain. (Et je lui adressai mon sourire le plus professionnel, celui qui est aussi brillant et dépourvu de signification qu'une ampoule de cent watts.) Mercredi ou jeudi prochain, ça vous va ?

Il hocha la tête.

—Je vais laisser mon numéro de portable au secrétariat. Vous pouvez me joindre vingt-quatre heures sur vingt-quatre.

—Vous êtes pressé ?

—Disons que je ne sais jamais à quel moment on peut me faire une offre irrésistible.

—Et vous ne parlez pas juste d'argent.

Une fois de plus, ce petit sourire.

—Non, en effet, mademoiselle Blake. De l'argent, j'en ai déjà assez. Mais un boulot qui présente un nouvel intérêt, un nouveau défi… je suis toujours preneur.

— Faites attention à ce que vous souhaitez, monsieur Harlan. On finit toujours par tomber sur plus gros et plus méchant que soi.

— Jusqu'ici, ça ne m'est jamais arrivé.

Je fus forcée de sourire.

— Ou vous êtes plus redoutable que vous en avez l'air, ou vous ne fréquentez pas les bonnes personnes.

Il me regarda pendant un long moment, jusqu'à ce que je sente mon sourire s'évanouir. Je soutins son regard mort avec le mien. Et à cet instant, je me sentis basculer dans ce puits de tranquillité, cet endroit paisible où je me rends quand je tue. Un lieu plein de bruit blanc où rien ne peut m'atteindre, où je n'éprouve rien.

En scrutant les yeux immobiles de Harlan, je me demandai si sa tête était aussi vide que la mienne. Je faillis lui poser la question, mais je m'abstins parce que, l'espace d'une seconde, je crus qu'il avait menti à propos de tout et qu'il allait tenter de dégainer. Ça aurait expliqué pourquoi il tenait tant à savoir si j'étais une métamorphe. Pendant un instant, je crus que j'allais être obligée de le tuer. Mais je n'étais plus ni effrayée ni nerveuse. J'étais juste prête. À lui de choisir : la vie ou la mort. Il ne restait rien d'autre que cette seconde infinie où les décisions se prennent et où les existences s'achèvent.

Puis Harlan se secoua, un peu comme un oiseau qui remet ses plumes en place.

— J'étais sur le point de vous rappeler que je suis quelqu'un d'effrayant, mais j'ai changé d'avis. Il serait stupide de jouer ainsi avec vous… à peu près aussi stupide que d'exciter un serpent à sonnette en le poussant avec un bâton.

Je continuai à le fixer de mon regard vide, toujours enveloppée par mon calme et mon silence intérieurs.

— J'espère que vous ne m'avez pas menti, aujourd'hui, monsieur Harlan, dis-je d'une voix aussi détendue que l'était mon corps.

Il eut de nouveau ce sourire crispant.

— Moi aussi, mademoiselle Blake. Moi aussi.

Sur cet étrange commentaire, il ouvrit prudemment la porte sans jamais me quitter des yeux. Puis il se détourna et sortit très vite, refermant derrière lui et me laissant seule avec l'adrénaline qui s'évacuait en formant une flaque invisible à mes pieds.

Ce n'était pas la peur qui me faisait mollir les jambes, mais l'adrénaline. Je gagne ma vie en relevant les morts et je suis une exécutrice de vampire patentée. N'est-ce pas suffisant ? Faut-il qu'en plus de ça j'attire des clients dangereux ?

Je savais que j'aurais dû refuser la demande de Harlan, mais je lui avais dit la vérité. Je pouvais relever son ancêtre, et personne d'autre dans le pays n'en était capable à moins de sacrifier un humain. J'étais à peu près sûre que si je refusais sa demande, Harlan s'adresserait à quelqu'un d'autre. Quelqu'un qui n'aurait ni mon pouvoir ni mes scrupules. Parfois, on traite avec le diable non parce qu'on en a envie, mais pour éviter que quelqu'un d'autre le fasse.

Chapitre 2

Le cimetière de Lindel est un de ces cimetières modernes où les pierres tombales restent à ras de terre et où on n'est pas autorisé à planter des fleurs. C'est plus facile pour tondre la pelouse, mais aussi beaucoup plus déprimant. Juste un grand terrain plat avec de petites formes oblongues dressées dans le noir… Aussi dépourvu de relief que la face cachée de la lune, et à peu près aussi gai. Donnez-moi un cimetière avec des caveaux et des mausolées, des anges de pierre qui pleurent sur des portraits d'enfants et la Sainte Vierge qui prie pour nous tous, les yeux levés vers le ciel. Un cimetière devrait rappeler aux visiteurs qu'il y a un paradis, et pas juste un trou dans le sol avec une dalle par-dessus.

J'étais là pour relever Gordon Bennington d'entre les morts parce que la compagnie d'assurances Fidélis espérait qu'il s'était suicidé. En jeu, une prime d'assurance-vie de plusieurs millions de dollars. La police avait déclaré la mort accidentelle, mais cela ne satisfaisait pas Fidélis. Ils avaient choisi de payer mes émoluments plus que substantiels dans l'espoir d'économiser quelques millions de dollars. Je suis chère, mais pas à ce point. Comparé à ce qu'ils risquaient de perdre, je suis même carrément donnée.

Trois groupes de voitures s'étaient garées dans le cimetière. Ceux de droite et de gauche étaient séparés par quinze mètres au moins parce qu'un tribunal avait émis une ordonnance interdisant à Mme Bennington et à Arthur Conroy, l'avocat en chef de Fidélis, de s'approcher l'un de l'autre à une distance inférieure. Le groupe du milieu se composait d'une patrouilleuse et d'une voiture de police banalisée. Ne me demandez pas comment je savais que c'était une voiture banalisée… je le savais, un point c'est tout.

Je me garai un peu à l'écart du premier groupe de véhicules et descendis de ma nouvelle Jeep Grand Cherokee achetée en partie avec la prime de ma défunte Jeep Country Squire. Au début, la compagnie d'assurances n'avait pas voulu payer. Elle refusait de croire que la Country Squire avait été bouffée par des hyènes-garous. Des gens étaient venus prendre des mesures et des photos des taches de sang. Ils avaient fini par cracher le fric, mais avaient résilié mon contrat dans la foulée.

Maintenant, je fais des paiements mensuels à une nouvelle compagnie qui ne continuera à m'assurer tous risques que si et seulement si je parviens à ne pas détruire une autre bagnole pendant deux ans. Autant dire que les chances sont minces, et ma sympathie allait donc entièrement à la famille de Gordon Bennington. Évidemment, c'est dur d'avoir de la sympathie pour une compagnie qui veut spolier une veuve et trois enfants.

Les voitures les plus proches se révélèrent être celles de Fidélis. Arthur Conroy s'avança vers moi, une main tendue. Il était à la limite supérieure de la petitesse, avec des cheveux blonds clairsemés qu'il peignait par-dessus son début de calvitie sans réussir à le dissimuler, et des lunettes à monture argentée qui encadraient de grands yeux gris. S'il avait eu des cils et des sourcils plus foncés, ses yeux auraient été son plus grand atout. Là, ils lui donnaient vaguement l'air d'une grenouille. D'un autre côté, mon récent différend avec ma compagnie d'assurances m'a peut-être rendue peu charitable envers Arthur Conroy et ses semblables. Peut-être.

Il était accompagné d'un mur compact de types en costume sombre, mesurant tous au minimum un mètre quatre-vingts. Je lui serrai la main et jetai un coup d'œil aux malabars par-dessus son épaule.

— Des gardes du corps ?

Conroy écarquilla les yeux.

— Comment le savez-vous ?

Je secouai la tête.

— Ils ont exactement l'air de ce qu'ils sont.

Je serrai la main des deux autres assureurs, mais me dispensai de cette formalité avec leur escorte. La plupart des gardes du corps ne pratiquent pas la poignée de main. J'ignore si c'est pour préserver leur image de gros durs ou parce qu'ils veulent pouvoir dégainer rapidement en cas de besoin. Bref, je ne leur tendis pas la main, et ils ne le firent pas non plus.

Celui qui avait des cheveux noirs et les épaules presque aussi larges que je suis haute me sourit néanmoins.

— Alors, vous êtes Anita Blake...

— Et vous ?

— Rex. Rex Canducci.

Je haussai les sourcils.

— C'est votre vrai prénom ?

Il éclata de ce rire surpris et si masculin qui sert généralement à se moquer d'une femme.

— Non.

Je ne me donnai pas la peine de lui demander quel était son vrai prénom... sans doute un truc embarrassant comme Florence ou Rosie. Son collègue était blond et n'avait encore rien dit. Il me détaillait de ses petits yeux clairs. Il me déplaisait déjà.

— Et vous êtes ? demandai-je.

Il cligna des yeux comme si ma question le prenait au dépourvu. La plupart des gens ignorent les gardes du corps, certains par peur de ne pas savoir comment se comporter parce qu'ils n'en ont jamais rencontré ; d'autres parce qu'ils en ont déjà rencontré et qu'ils les considèrent comme des meubles auxquels on ne s'intéresse que si on a besoin d'eux.

Mon interlocuteur hésita avant de répondre :

— Balfour.

J'attendis une seconde, mais il n'ajouta rien.

— Balfour tout court, comme Madonna ou Cher ? lançai-je sur un ton neutre.

Il plissa les yeux et crispa légèrement les épaules. Il était trop facile à agacer. Il savait toiser les gens plus petits que lui et exsuder la menace, mais il n'était qu'un tas de muscles. Il faisait peur et il le savait ; ça s'arrêtait probablement là.

— Je vous imaginais plus grande, intervint Rex sur un ton taquin.

Les épaules de Balfour se détendirent comme la tension s'écoulait de lui. Ils avaient déjà bossé ensemble, et Rex savait que le sang-froid n'était pas le point fort de Balfour. Je soutins son regard. En cas de problème, Balfour péterait les plombs et en ferait trop. Pas Rex.

Puis des voix se firent entendre, dont une voix de femme. Et merde. J'avais demandé aux avocats de Mme Bennington de la laisser à la maison. Ou bien ils se fichaient de mes conseils, ou bien ils n'avaient pas pu résister à son charme renversant.

Un policier en civil lui parlait calmement, d'une voix qui me parvenait comme un grondement inintelligible tandis qu'il tentait de l'empêcher d'approcher Conroy à moins de quinze mètres. Quelques semaines auparavant, elle avait giflé l'avocat de Fidélis, qui le lui avait rendu. Alors, elle lui avait décoché un coup de poing qui l'avait mis sur le cul. C'était à ce moment que les huissiers avaient dû intervenir pour les séparer.

J'avais assisté à toutes les réjouissances parce que je faisais partie de l'arrangement proposé par le tribunal… en quelque sorte. Ce qui se passerait ce soir déterminerait l'issue du procès. Si Gordon Bennington se relevait de sa tombe et déclarait qu'il était mort d'un accident, Fidélis devrait payer. S'il admettait s'être suicidé, sa veuve ne recevrait pas le moindre cent. Je l'appelais Mme Bennington parce qu'elle avait insisté. Quand j'avais dit « mademoiselle » par erreur, elle avait failli m'arracher la tête avec les dents. Ce n'était pas une femme libérée. Elle aimait être une épouse et une mère. Tant mieux ; ça faisait plus de liberté pour nous autres.

Avec un soupir, je traversai l'allée de gravier blanc en direction des voix de plus en plus fortes. En passant devant le flic en uniforme adossé à sa patrouilleuse, je le saluai de la tête et lançai :

— Bonsoir.

Il me jeta un bref coup d'œil et me rendit mon salut avant de reporter son attention sur les gens de Fidélis, comme si quelqu'un lui avait dit que sa mission consistait à les empêcher d'approcher. Ou peut-être se méfiait-il simplement de Rex et de Balfour. Il était mince pour un flic, et il avait cet air hésitant du type qui n'est pas là depuis longtemps et qui ne sait pas encore s'il veut rester ou non.

Mme Bennington hurlait au visage du gentil policier qui lui barrait le chemin.

— Ce sont ces salopards qui l'ont engagée ! Elle dira ce qu'ils veulent. Elle fera mentir Gordon, je le sais !

Je soupirai. J'avais déjà expliqué à tout le monde que les morts ne mentent pas. Le juge et les flics étaient les seuls qui m'avaient crue. Les gens de Fidélis pensaient sans doute que leur fric garantissait l'issue de la confrontation… et, de toute évidence, Mme Bennington aussi.

Elle finit par me repérer par-dessus les larges épaules du policier. Avec ses talons hauts, elle le dépassait de quelques centimètres. Ce qui signifiait qu'elle était grande, et pas lui. Il devait culminer à un mètre soixante-douze au maximum.

Elle tenta de le contourner en m'invectivant. Il se déplaça juste assez pour continuer à s'interposer sans devoir l'empoigner. Elle le bouscula brutalement et le foudroya du regard. Ce qui la fit taire l'espace d'une seconde.

— Écartez-vous de mon chemin ! aboya-t-elle.

— Madame Bennington, gronda le policier. Mlle Blake est ici sur ordre du tribunal. Vous devez la laisser faire son travail.

Il avait de courts cheveux gris, légèrement plus longs sur le dessus. Je ne crois pas que c'était pour une question de mode, mais plutôt parce qu'il n'avait pas eu le temps de passer chez le coiffeur depuis un bail.

La veuve tenta de nouveau de le contourner et, cette fois, elle le prit par les épaules comme pour l'écarter de son chemin. Il n'était pas grand, mais il était large, bâti comme un taureau… un taureau musclé. Très vite, elle comprit qu'elle ne parviendrait pas à le pousser. Aussi fit-elle un pas sur le côté pour me foncer dessus et me dire mes quatre vérités.

Le policier dut lui saisir le bras pour l'en empêcher. Elle leva une main menaçante, et la voix basse du flic résonna très clairement dans la nuit tranquille.

— Si vous me frappez, je vous passe les menottes, et vous resterez à l'arrière du véhicule de patrouille jusqu'à ce que nous ayons fini.

Mme Bennington hésita, la main toujours en l'air, mais quelque chose dans l'expression du policier qui me tournait le dos dut lui faire comprendre qu'il ne plaisantait pas. Pour ma part, le ton de sa voix m'aurait suffi. Je n'aurais pas insisté.

Enfin, Mme Bennington baissa le bras.

— Si vous me touchez, je vous ferai renvoyer.

— Frapper un officier de police est un délit, Mme Bennington, répliqua-t-il de sa voix grave.

Le faible éclat du clair de lune me permit de voir la stupéfaction de la veuve, comme si, jusque-là, elle n'avait pas compris que la loi s'appliquait aussi à elle. Quand elle s'en rendit compte, une grande partie de son indignation s'envola. Elle recula et laissa son escorte d'avocats en costume sombre l'entraîner un peu à l'écart du gentil officier.

Du coup, je restai la seule personne assez proche pour l'entendre grommeler :

— Si j'avais été marié avec elle, moi aussi, je me serais tiré une balle.

Je ne pus m'empêcher d'éclater de rire. Il tourna vers moi un regard coléreux, mais, en me voyant, il se radoucit.

— Estimez-vous heureux, lui dis-je. J'ai rencontré Mme Bennington à plusieurs reprises.

Je lui tendis la main. Il la serra franchement.

— Lieutenant Nicols. Toutes mes condoléances. Cette femme est…

Il hésita.

— Une putain de mégère, achevai-je à sa place. Je crois que c'est l'expression que vous cherchez.

Il acquiesça.

— Absolument. Je suis pour le fait qu'une veuve et ses enfants reçoivent l'argent qui leur est dû, mais c'est difficile de la soutenir à titre personnel.

Je grimaçai.

— Oui, j'ai remarqué.

Le lieutenant Nicols éclata de rire et sortit un paquet de cigarettes de sa poche.

— Ça ne vous dérange pas ?

— Pas tant que nous sommes dehors. Et puis vous l'avez bien mérité.

Il tapota sa cigarette sur le paquet avec ce geste des gens qui fument depuis longtemps.

— Si Gordon Bennington se relève de sa tombe et avoue qu'il s'est supprimé, elle va péter les plombs, mademoiselle Blake. Je n'ai pas le droit de lui tirer dessus, mais je ne sais pas ce que je pourrai faire d'autre.

— Ses avocats pourraient peut-être s'asseoir sur elle. Ils ont l'air assez nombreux pour réussir à l'immobiliser.

Sans cesser de parler, il fourra sa clope entre ses lèvres.

— Peuh ! Ils ont tellement peur de perdre leurs honoraires qu'ils sont fou... complètement inutiles.

— Foutrement inutiles, inspecteur. Je crois que c'est l'expression que vous cherchez.

Il rit de nouveau, assez fort pour être obligé d'enlever la cigarette de sa bouche.

— Foutrement inutiles, c'est bien ça.

Il remit sa clope dans sa bouche et sortit un de ces gros briquets métalliques qu'on voit de moins en moins. Une flamme rouge orangé en jaillit, autour de laquelle il mit les mains par réflexe malgré l'absence de vent. Lorsque le bout de sa cigarette se fut changé en braise, il referma le briquet et le glissa dans sa poche, puis ôta la clope de sa bouche et souffla un long trait de fumée.

Instinctivement, je fis un pas en arrière, mais nous étions à l'air libre et Mme Bennington était une raison bien suffisante pour pousser même un cancéreux du poumon à s'en griller une.

— Vous pouvez appeler des renforts ?

— Ils n'auront pas le droit de la flinguer non plus.

Je souris.

— Non, mais ils pourraient former un mur de chair pour l'empêcher de blesser quelqu'un.

— Je pourrais peut-être obtenir un agent supplémentaire. Voire deux. Mais c'est tout. Elle a des relations haut placées parce qu'elle a du fric, et qu'elle risque d'en avoir encore plus après ce soir. Mais elle est aussi foutrement déplaisante.

Dire « foutrement » semblait le soulager presque autant que fumer sa cigarette, comme s'il avait été obligé de tenir sa langue en présence de la veuve et que ça lui avait fait mal au fondement.

— Ses contacts commencent à se lasser ?

— La photo d'elle en train de casser la gueule à Conroy a fait la une des journaux. Les pouvoirs en place craignent que ça tourne mal et ils ne veulent pas que la merde les éclabousse.

— Donc, ils prennent un peu de recul au cas où elle ferait quelque chose d'encore plus regrettable.

Le lieutenant Nicols tira à fond sur sa clope, la tenant entre le pouce et l'index comme s'il fumait un joint ; puis il laissa la fumée s'échapper par le nez et par le coin de sa bouche tandis qu'il me répondait :

— Ils « prennent du recul », c'est une façon de présenter les choses.

— J'aurais aussi pu dire : « Ils abandonnent le navire. »

Nicols éclata de rire et, comme il n'avait pas encore recraché toute sa fumée, il se mit à tousser. Mais ça n'eut pas l'air de le gêner.

— Je ne sais pas si vous êtes si marrante que ça ou si j'avais juste besoin de rigoler un bon coup.

— C'est le stress, lui assurai-je. La plupart des gens ne me trouvent pas drôle du tout.

Il me jeta un regard en coin de ses yeux étonnamment clairs. Au soleil, ils devaient être bleu pâle.

— C'est ce que j'ai entendu dire sur vous, oui. Que vous étiez une chieuse et que vous aviez le chic pour vous mettre tout le monde à dos.

Je haussai les épaules.

— Je fais mon possible.

Nicols sourit.

— Mais les mêmes personnes qui vous ont traitée de chieuse n'ont jamais vu d'objection à bosser avec vous. En fait, mademoiselle Blake… (il jeta son mégot), la plupart d'entre elles disent que si elles devaient choisir leurs renforts, elles vous préféreraient à beaucoup de flics.

Je ne sus pas quoi répondre. Dans la police, il n'est pas de plus grand compliment que de dire à quelqu'un qu'on le prendrait en renfort dans une situation de vie ou de mort.

— Vous allez me faire rougir, inspecteur, dis-je sans le regarder.

Il semblait fixer le bout toujours rougeoyant de sa cigarette sur le gravier blanc.

— Zerbrowski de la BIS dit que vous ne rougissez pas souvent.

— Zerbrowski est une petite merde sympathique doublée d'un gros cochon, répliquai-je.

Nicols gloussa et écrasa son mégot, éteignant la braise dans le noir.

— On peut dire ça. Vous connaissez sa femme ?

— Katie ? Oui.

— Vous vous êtes déjà demandé comment il avait réussi à l'emballer ?

— Chaque putain de fois que je la vois, acquiesçai-je.

Il soupira.

— Je vais réclamer une autre patrouilleuse et deux gars en uniforme. Dépêchons-nous d'en finir et d'envoyer tous ces gens au diable.

— Faisons ça.

Il alla passer son appel et j'allai chercher mon équipement de réanimatrice. Dans la mesure où l'un de mes instruments principaux est une machette plus longue que mon avant-bras, je le laisse généralement dans la voiture pendant les présentations. Il a tendance à foutre la trouille aux gens.

Ce soir-là, j'allais faire de mon mieux pour n'effrayer ni les gardes du corps ni les gentils policiers. J'étais à peu près certaine que rien de ce que je pourrais faire ne ferait peur à Mme Bennington. J'étais presque aussi certaine que rien de ce que je pourrais faire ne me rendrait sympathique à ses yeux.

Chapitre 3

Je range mon équipement de réanimatrice dans un sac de sport Nike gris. Certains de mes collègues ont des mallettes avec un compartiment pour chaque chose. J'en connais même un dont la petite valise se transforme en table, comme celle d'un magicien ou d'un camelot. Moi, je fais en sorte que tout soit bien calé pour éviter que quelque chose s'abîme ou se casse, mais ça s'arrête là. Je ne vois vraiment pas l'intérêt d'en faire des tonnes. Si les gens veulent un spectacle avec accessoires, ils peuvent se rendre au *Cirque des Damnés* et regarder des zombies ramper hors de leur tombe devant des acteurs qui font semblant d'être terrifiés. Je ne suis pas une saltimbanque mais une réanimatrice.

Tous les ans, je refuse des soirées de Halloween dont les organisateurs voudraient que je relève des morts au douzième coup de minuit ou une ânerie dans le même genre. Et plus j'ai la réputation d'être effrayante, plus les gens veulent que je vienne les effrayer. J'ai dit à Bert que je pourrais toujours y aller et menacer de flinguer les invités. Il n'a pas trouvé ça drôle, mais il m'a lâché la grappe avec ces foutues soirées.

On m'a appris à m'enduire le visage, les mains et le cœur avec un onguent. Comme celle des sapins de Noël, l'odeur du romarin continue à me rendre nostalgique, mais ça fait belle lurette que j'ai cessé de l'utiliser. En cas d'urgence, il m'est arrivé de relever des morts sans. Ça m'a donné à réfléchir. Certains pensent que l'onguent aide les esprits à entrer en vous, afin que les puissances supérieures puissent se servir de vous pour rappeler les défunts. D'autres, plus nombreux (en Amérique, du moins), croient que l'odeur et la texture du mélange de plantes augmentent vos capacités psychiques ou les aident à se manifester. Je n'ai jamais eu de problème pour relever les morts. Mes capacités psychiques sont disponibles vingt-quatre heures sur vingt-quatre. Donc, j'ai toujours un pot d'onguent dans mon sac au cas où, mais je ne l'utilise plus beaucoup.

Les trois choses dont j'ai toujours besoin pour animer un zombie sont l'acier, le sang frais et le sel. Même si, techniquement, le sel sert à renvoyer le mort dans sa tombe quand j'en ai terminé avec lui. Je n'ai jamais trimballé beaucoup de matériel et, récemment, je l'ai réduit au strict minimum.

Ce soir-là, ma main gauche était couverte de pansements. J'achète toujours ceux qui sont transparents pour ne pas ressembler à la version bronzée d'une momie. Des bandages dissimulaient la plus grande partie de mon avant-bras. Je m'étais infligé toutes ces blessures moi-même, et ça commençait à me prendre sérieusement la tête.

Depuis un bon moment déjà, j'apprends à contrôler mes pouvoirs psychiques en étudiant avec Marianne, qui était médium quand je l'ai rencontrée, mais qui entre-temps est devenue une sorcière… une wiccane. Toutes les sorcières ne sont pas wiccanes, et si Marianne avait opté pour une autre religion, je n'aurais pas eu à me charcuter.

Parce qu'elle est mon professeur, Marianne partage ma dette cosmique ; du moins son chapitre en est-il convaincu. Le fait que je tue un animal chaque fois que je relevais un mort (soit trois ou quatre fois par nuit, presque chaque nuit) avait fait péter les plombs aux autres membres de son groupe. Pour les wiccans, la magie qui utilise le sang est de la magie noire. Et prendre une vie, fût-ce celle d'un poulet, pour faire de la magie, c'est carrément maléfique. Comment Marianne avait-elle pu s'attacher à quelqu'un d'aussi néfaste que moi ? C'est ce que voulaient savoir ses compagnons.

Pour soulager sa dette karmique (et la mienne, m'avaient-ils assuré), je devais relever les morts sans tuer aucune bestiole. Ça m'était déjà arrivé plusieurs fois en cas d'urgence, je savais donc que c'était possible. Mais, surprise, surprise, je savais aussi que je ne pouvais pas le faire sans du sang frais. Ce qui signifiait que mon travail restait maléfique aux yeux des wiccans. Que faire alors ?

Nous étions arrivés à un compromis : j'utiliserais mon propre sang. Je n'avais pas été sûre que ça fonctionnerait. Mais ce fut le cas et ça continuait… du moins, pour les défunts récents.

Au début, je m'entaillais l'avant-bras gauche. Le problème, c'était que je devais le faire au moins trois fois par nuit. J'ai alors essayé de limiter les dégâts en me piquant le bout des doigts. Quelques gouttes de sang semblaient suffire pour les morts de moins de six mois. Mais j'ai fini par tomber à court de doigts, et mon bras était déjà assez amoché comme ça. De plus, en m'entraînant à tirer de la main gauche, je me suis rendu compte que ça me ralentissait parce que les coupures me faisaient mal. Je refuse de toucher à ma main droite, qui doit absolument rester à cent pour cent opérationnelle. Au final, j'ai décidé que, même si je suis navrée pour les poulets et les chèvres que je dois tuer, leur vie ne vaut pas la mienne. Voilà, c'est dit. Oui, je suis une grosse égoïste.

J'espérais vraiment que les petites coupures guériraient très vite. Grâce à mes liens avec Jean-Claude, le Maître de la Ville, je régénère à une vitesse surhumaine. Mais pas dans ces cas-là. D'après Marianne, c'est parce que je me coupe avec une lame chargée de magie. Mais j'adore cette machette. Et je ne suis pas totalement sûre de pouvoir relever les morts avec seulement quelques gouttes de sang tirées par une lame ordinaire. Ce qui est un problème.

Il va falloir que j'appelle Marianne pour la prévenir que j'ai raté le test de pureté des wiccans. Après tout, la plupart des groupes chrétiens de droite me détestent. Pourquoi les wiccans réagiraient-ils différemment ?

Je jetai un coup d'œil à mon public par-dessus mon épaule. Deux nouveaux officiers en uniforme avaient rejoint le lieutenant Nicols et son subordonné. Ils se tenaient entre les deux groupes, que j'avais autorisés à approcher suffisamment de la tombe pour entendre ce que dirait le zombie. Du coup, ils se trouvaient à beaucoup moins de quinze mètres les uns des autres, mais le juge avait décrété que les deux camps devaient entendre les paroles de Gordon Bennington. Juge qui nous avait d'ailleurs rejoints en compagnie d'une greffière du tribunal et de sa petite machine. Il avait également amené deux huissiers gaulés comme des bahuts campagnards, ce qui me fit penser qu'il était encore plus malin qu'il en avait l'air... et il m'avait déjà impressionnée. Rares sont les magistrats qui acceptent les témoignages de zombies.

Pour ce soir, le cimetière de Lindel nous tiendrait lieu de tribunal. Je me réjouissais que Justice-TV n'ait pas eu vent de la chose : c'est exactement le genre de cas bizarre et sensationnel qu'ils adorent diffuser. Comme les batailles juridiques pour la garde d'un enfant dont l'un des parents est transsexuel, les histoires de profs qui couchent avec leurs élèves mineurs ou de joueurs de foot américain accusés de meurtre. L'affaire O.J. Simpson n'a pas eu une bonne influence sur la télé américaine.

De sa voix tonnante, qui résonna étrangement dans le vide du cimetière, le juge déclara :

— Nous sommes tous là. Vous pouvez procéder, mademoiselle Blake.

En temps normal, j'aurais décapité un poulet et utilisé son corps pour tracer un cercle de sang, un cercle de pouvoir, afin de contenir le zombie une fois qu'il serait redressé pour qu'il ne lui prenne pas l'idée d'aller se balader dans le coin. En outre, le cercle m'aurait aidée à focaliser mon pouvoir et à invoquer de l'énergie. Mais je n'avais pas de poulet sous la main. Et si j'essayais de tracer le cercle avec mon propre sang, je ne pourrais plus rien faire de la nuit : je serais trop faible pour ça. Alors, quelle solution restait-il à une réanimatrice à cheval sur la morale ?

En soupirant, je dégainai ma machette et entendis plusieurs hoquets surpris derrière moi. La lame est impressionnante, mais il faut bien ça pour décapiter un poulet d'une seule main. Baissant les yeux vers ma main gauche, je cherchai un endroit qui ne soit pas couvert par un pansement. Je posai le tranchant de la machette sur mon majeur (un geste dont le symbolisme ne m'échappa pas) et appuyai. Je ne voulais pas m'entailler avec une lame aussi bien aiguisée : ça m'aurait fait chier de devoir me faire recoudre parce que j'avais coupé trop profond.

La coupure ne me fit pas mal tout de suite, ce qui signifiait que j'avais probablement appuyé trop fort. Je levai ma main dans le clair de lune et vit le sang sombre affluer sur ma peau... et à cet instant, je commençai à avoir mal. Pourquoi ça devient toujours plus douloureux quand on prend conscience qu'on saigne ?

Je me mis à marcher en décrivant un cercle, la pointe de la machette vers le bas, mon doigt à l'horizontale pour que les gouttes tombent sur le sol. Je n'avais jamais vraiment senti le cercle se tracer jusqu'à ce que je cesse de tuer des animaux. Ça a probablement toujours été ainsi, mais la perception de la vie s'écoulant de ma victime oblitérait toutes les autres. Là, je sentais chaque goutte qui tombait ; je sentais la terre la boire goulûment, comme la pluie après une longue sécheresse.

Mais ce n'était pas l'humidité qu'elle absorbait : c'était le pouvoir. Je sus à quel moment j'achevai mon cercle autour de la pierre tombale parce que, à l'instant où je revins à mon point de départ, le cercle se referma dans un souffle de pouvoir qui me donna la chair de poule.

Sentant le cercle autour de moi tel un tremblement invisible dans l'air, je fis face à la pierre tombale qui se trouvait à l'autre bout et m'en approchai. Je la tapotai avec la machette.

— Gordon Bennington, avec cet acier, je t'ordonne de sortir de ta tombe. (Je posai ma main ensanglantée sur la pierre froide.) Avec ce sang, je t'ordonne de sortir de ta tombe. (Je reculai vers le pied de la tombe.) Entends-moi, Gordon Bennington. Entends-moi et obéis. Avec l'acier, le sang et le pouvoir, je t'intime de te relever. Sors de ta tombe et reviens parmi nous.

La terre ondula comme de l'eau et parut simplement recracher le corps. Dans les films, les zombies rampent toujours hors de leur tombe, les bras tendus comme si le sol tentait de les retenir. Mais la plupart du temps, la terre ne résiste pas, et le défunt remonte à la surface comme un corps plongé dans du liquide. Cette fois, il n'y eut pas de pots de fleurs pour le gêner tandis qu'il s'asseyait et regardait autour de lui.

Une chose que j'ai remarquée : quand je ne tue pas d'animaux, mes zombies ne sont pas aussi présentables. Avec un poulet, j'aurais pu donner à Gordon Bennington la même apparence que sur la photo de sa notice nécrologique. Avec mon propre sang, il ressemblait juste à ce qu'il était : un cadavre ranimé.

Il n'était pas hideux ; j'avais vu bien pire. Mais sa veuve poussa un long hurlement et se mit à sangloter. Son caractère détestable n'était pas la seule raison pour laquelle j'aurais préféré qu'elle reste chez elle.

La belle chemise bleue de Gordon dissimulait la blessure à la poitrine qui l'avait tué. Mais on voyait quand même qu'il était mort. À cause de la teinte étrange de sa peau. À cause de sa chair qui avait fondu sur les os de son visage. À cause de ses yeux qui, du coup, paraissaient trop ronds, trop gros, trop nus et qui roulaient dans leurs orbites creuses. Ses cheveux blonds étaient clairsemés et semblaient avoir poussé depuis son enterrement. Mais ce n'était qu'une illusion due au flétrissement de sa chair. Contrairement à une croyance populaire, les cheveux et les ongles ne continuent pas à pousser après la mort.

Il me restait une chose à faire pour aider Gordon Bennington à parler. *L'Odyssée* évoque un sacrifice de sang pour aider le fantôme d'un oracle défunt à donner des conseils à Ulysse. Un très vieux truisme prétend que les morts ont soif de sang. Je me dirigeai vers Gordon Bennington et m'agenouillai près de son visage desséché à l'expression hagarde. Impossible de rabattre ma jupe sous mes genoux parce que j'avais une main occupée par la machette et l'autre qui saignait copieusement. Tout le monde put admirer mes cuisses, mais ça n'avait pas d'importance. J'étais sur le point de faire la chose qui me perturbait le plus depuis que j'avais cessé de sacrifier de la volaille.

Je tendis ma main vers le visage de Gordon Bennington.

— Bois, Gordon. Bois mon sang et parle-nous.

Ses yeux ronds et mobiles me fixèrent, puis ses narines flétries captèrent l'odeur du sang et il attrapa ma main dans les siennes avant d'approcher sa bouche de la plaie. Ses doigts ressemblaient à des bâtonnets recouverts de cire glacée. Il n'avait presque plus de lèvres, de sorte que je sentis ses dents appuyer sur ma peau tandis qu'il suçait mon sang. Sa langue léchait la plaie comme une créature vivante et distincte de lui.

Je pris une grande inspiration pour me calmer. Non, je n'allais pas gerber. Je ne me foutrais pas la honte devant une telle quantité de gens.

Quand j'estimai qu'il en avait eu assez, je l'appelai.

— Gordon Bennington.

Il ne réagit pas ; sa bouche resta collée à ma plaie et ses mains agrippées à mon poignet.

Je lui tapotai le sommet du crâne avec ma machette.

— Monsieur Bennington, ces gens attendent pour vous parler.

J'ignore si ce furent mes paroles ou le contact de la lame, mais il leva la tête et s'écarta lentement de moi. Ses yeux étaient redevenus plus humains. Le sang a toujours cet effet : il semble littéralement ramener les morts à eux.

— Êtes-vous bien Gordon Bennington ? demandai-je conformément à la procédure.

Il hocha la tête.

— Nous avons besoin que vous répondiez à voix haute, monsieur Bennington, dit le juge. Pour la transcription.

Le zombie continuait à me regarder. Je répétai ce que venait de dire le juge, et il répondit :

— Oui. Je suis, ou j'étais, Gordon Bennington.

L'avantage de relever les défunts avec mon propre sang, c'est qu'ils savent toujours qu'ils sont morts. Il m'est déjà arrivé d'animer des zombies qui l'ignoraient, et devoir annoncer à quelqu'un que non seulement il était mort, mais que j'allais le renvoyer dans sa tombe quelques instants plus tard ; franchement, ça craint. Un vrai cauchemar.

— Comment êtes-vous mort, monsieur Bennington ? l'interrogeai-je.

Il soupira, puis prit une grande inspiration que j'entendis siffler parce qu'il lui manquait la moitié droite de la poitrine. Même si son costume le dissimulait, j'avais vu les photos du légiste. Et puis je sais quel genre de dégâts un fusil à pompe peut causer à bout portant.

— D'une balle dans la poitrine.

Derrière moi, je sentis la tension grandir par-dessus le bourdonnement du pouvoir du cercle.

— Qui vous a tiré dessus ? demandai-je d'une voix calme, apaisante.

— Moi, en descendant l'escalier de la cave.

Un cri de triomphe s'éleva d'un côté du public, tandis qu'un hurlement inarticulé résonnait de l'autre.

— Vous êtes-vous suicidé ?

— Non, bien sûr. C'était un accident. J'ai trébuché et le coup est parti tout seul. Je sais, c'est idiot.

Les cris redoublèrent derrière moi. J'entendis surtout Mme Bennington glapir :

— Je vous l'avais bien dit, espèce de connasse !

Je pivotai et lançai :

— Juge Fletcher, vous avez bien tout entendu ?

— L'essentiel, oui.

Poussant le volume à fond, il tonna :

— Madame Bennington, si vous vouliez bien vous taire une minute ! Votre mari vient de dire que sa mort était accidentelle.

— Gail ? appela Gordon d'une voix hésitante. Gail, tu es là ?

Je ne voulais pas de retrouvailles larmoyantes sur sa tombe.

— Avons-nous terminé, monsieur le juge ? Puis-je le libérer ?

— Non, protesta l'un des assureurs.

Conroy s'avança.

— Nous avons quelques questions à poser à M. Bennington.

Au début, je dus répéter afin que Gordon puisse répondre mais, très vite, il fit des progrès. Il n'avait pas l'air plus frais physiquement, mais il rassemblait ses esprits, devenait plus conscient de ce qui l'entourait. Apercevant sa femme, il lui dit :

— Gail, je suis vraiment désolé. Tu avais raison à propos des fusils. Je n'ai pas fait assez attention. Je suis vraiment désolé de vous laisser, toi et les enfants.

Mme Bennington s'approcha, suivie de ses avocats. Je crus que j'allais devoir lui demander de reculer, mais elle s'arrêta à l'extérieur du cercle, comme si elle sentait ce dernier. Parfois, on est surpris de constater quelles personnes se révèlent psychiquement douées. Je ne pense pas qu'elle ait eu conscience de la raison pour laquelle elle s'était arrêtée. Bien entendu, ses bras étaient plaqués le long de son corps. Elle ne les tendait pas vers son époux. À mon avis, elle ne voulait pas éprouver le contact de cette peau cireuse. Je ne pouvais pas l'en blâmer.

Conroy et les autres assureurs continuaient à poser des questions. Le juge dut intervenir.

— Messieurs, Gordon Bennington nous a fourni tous les éléments nécessaires. Il est temps de le laisser… se reposer.

J'étais d'accord avec lui. La veuve pleurait, et le défunt en aurait fait autant si ses canaux lacrymaux ne s'étaient pas asséchés depuis des mois.

J'attirai son attention.

— Monsieur Bennington, je vais vous remettre dans votre tombe, à présent.

— Gail et les enfants vont-ils toucher l'argent de l'assurance ? s'inquiéta-t-il.

Je jetai un coup d'œil au juge qui se tenait derrière moi. Il acquiesça.

— Oui, monsieur Bennington.

Il sourit, ou tenta de sourire.

— Alors, merci. Je suis prêt. (Il regarda une dernière fois sa femme, qui était à genoux dans l'herbe près de sa tombe.) Je suis content d'avoir pu te dire « au revoir ».

Gail Bennington ne cessait pas de secouer la tête, le visage ruisselant de larmes.

— Moi aussi, Gordie. Moi aussi. Tu me manques.

— C'est réciproque, ma petite furie.

Alors, elle éclata en sanglots et enfouit le visage dans ses mains. Si l'un des avocats ne l'avait pas retenue, elle se serait écroulée.

« Ma petite furie » ne me paraissait pas un surnom très tendre, mais il prouvait au moins que Gordon connaissait bien sa femme. Et qu'il lui manquerait pour le restant de ses jours. Je suppose que, face à une telle douleur, je pouvais bien pardonner quelques débordements hystériques.

Je pressai sur les bords de ma plaie et parvins à en exprimer quelques gouttes de sang. Dieu merci. Certains soirs, je suis obligée de rouvrir une coupure ou de m'en faire une autre pour remettre le zombie dans sa tombe. Je touchai son front de la main gauche, y laissant une petite trace sombre.

— Avec ce sang, je te lie à ta tombe, Gordon Bennington. (Je le touchai doucement avec ma machette.) Avec cet acier, je te lie à ta tombe.

Je fis passer la machette dans ma main gauche et ramassai la boîte ouverte que j'avais posée à l'intérieur du cercle. Je le saupoudrai de sel, dont les grains le touchèrent en faisant un bruit d'averse de grêle.

— Avec ce sel, je te lie à ta tombe, Gordon Bennington. Endors-toi et ne te relève plus.

Au contact du sel, son regard se fit vague. Lorsqu'il se recoucha sur le sol, son corps était de nouveau vide. La terre l'engloutit telle la fourrure ondulante d'une énorme bête. L'instant d'après, il avait regagné sa tombe. Son cadavre était de nouveau à sa juste place, et rien ne permettait de distinguer cet emplacement des autres… pas même un brin d'herbe écrasée. C'était de la pure magie.

Je devais encore faire le tour du cercle à l'envers pour le dissiper. En temps normal, je n'ai pas de public pour cette partie-là. Une fois le zombie disparu, tout le monde s'en va. Mais Conroy se disputait avec le juge, qui menaçait de l'inculper pour outrage à magistrat. Et Mme Bennington n'était pas encore en état de marcher.

Les policiers se contentaient d'observer le spectacle. Le lieutenant Nicols me regarda et secoua la tête en souriant. Lorsque le cercle se fut volatilisé et que j'entrepris de désinfecter la plaie avec une lingette antiseptique, il s'approcha de moi.

— Je n'aurais pas laissé cette chose me sucer le sang pour tout l'or du monde, dit-il à voix basse afin que la veuve éplorée ne l'entende pas.

Je haussai vaguement les épaules, enveloppant mon majeur d'une compresse pour qu'il cesse de saigner.

— Vous seriez surpris de ce que les gens peuvent payer pour ce genre de boulot.

— Pas pour tout l'or du monde, répéta-t-il, une cigarette déjà dans la main.

Je faillis lui répondre par une plaisanterie quand je perçus la présence d'un vampire tel un frisson sur ma peau. Quelque part dans l'obscurité, quelqu'un attendait. Une rafale me balaya alors qu'il n'y avait pas de vent ce soir-là. Je levai les yeux, et je fus la seule parce que les humains ne s'attendent jamais que la mort leur tombe dessus depuis le ciel.

Je n'eus que quelques secondes pour crier : « Ne tirez pas, c'est un ami ! » avant qu'Asher apparaisse parmi nous, très près de moi, ses longs cheveux flottant derrière lui tandis que ses pieds bottés touchaient le sol. Il dut faire un demi-pas en avant pour compenser l'élan de son vol, ce qui l'amena tout contre moi.

Je pivotai pour lui faire un bouclier de mon corps. Il était trop grand pour que je le masque entièrement, mais je fis de mon mieux pour que toute personne voulant lui tirer dessus sache qu'elle risquait de me toucher à sa place. Tous les policiers, tous les gardes du corps avaient dégainé, et tous leurs flingues étaient braqués sur Asher… et sur moi.

Chapitre 4

Je balayai du regard le demi-cercle de flingues, essayant de garder l'œil sur tous leurs porteurs en même temps. Sans succès, évidemment, parce qu'ils étaient trop nombreux. Je gardai les mains bien en évidence, à l'écart de mon corps et les doigts écartés : l'attitude universelle pour signifier « je suis inoffensif ». Je ne voulais pas que quiconque s'imagine que j'étais sur le point de dégainer.

— C'est un ami, dis-je d'une voix un peu trop aiguë mais calme dans l'ensemble.

— L'ami de qui ? répliqua Nicols.

— Le mien.

— En tout cas, ce n'est pas le mien, lança un des flics en tenue.

— Il ne vous menace pas, insistai-je, avec un mouvement de recul qui me pressa contre Asher.

Celui-ci dit quelque chose en français, et toutes les mains se crispèrent sur les flingues qu'elles brandissaient.

— En anglais, s'il te plaît, réclamai-je. En anglais.

Asher prit une grande inspiration frissonnante.

— Je n'avais pas l'intention de vous effrayer.

Il n'y a pas si longtemps, la police était autorisée à abattre les vampires à vue, juste à cause de ce qu'ils étaient. Cinq ans seulement se sont écoulés depuis que l'affaire Addison contre Clark les a rendus vivants… du moins, d'un point de vue légal. À présent, ce sont des citoyens avec les mêmes droits que les autres, et les abattre sans cause valable est considéré comme un meurtre. Mais ça arrive encore de temps en temps.

— Si vous tirez alors que je suis devant, vous pouvez dire adieu à votre insigne.

— Moi, je n'ai pas d'insigne à perdre.

Évidemment, c'était Balfour qui se sentait obligé de jouer les durs, mais il avait un gros flingue pour aller avec sa grande gueule.

Je le dévisageai.

— Si vous tirez, je vous conseille de ne pas me rater, parce que je ne vous laisserai pas de seconde chance.

— Personne ne va tirer sur personne, dit Nicols.

Et j'étais assez près de lui pour l'entendre marmonner « putain de merde » entre ses dents.

Il braqua son flingue sur les gardes du corps.

— Rangez vos armes immédiatement.

Les autres policiers l'imitèrent et, soudain, le demi-cercle de flingues se retrouva pointé sur Balfour et sur Rex plutôt que sur moi. Je poussai un soupir de soulagement et m'affaissai un chouïa contre Asher.

Il n'était pas assez stupide ni ignorant des réactions humaines pour avoir surpris un groupe de gens armés – surtout des flics – en se posant parmi eux. Rien ne fait davantage flipper les gens que de voir un vampire faire une chose *a priori* impossible. Et puis il avait parlé en français, ce qui signifiait qu'il était assez effrayé – ou assez furieux – pour avoir oublié son anglais. Quelque chose clochait, mais je ne pouvais pas lui demander quoi, pas encore. D'abord, se sortir de la ligne de mire. Ensuite, s'occuper du reste.

Nous nous tenions si près l'un de l'autre que ses cheveux dorés ondulés frôlaient mes boucles noires. Il posa les mains sur mes épaules et je sentis la tension de son corps. Il avait peur. Que se passait-il ?

Les flics avaient convaincu les gardes du corps de rengainer. Ils se séparèrent pour raccompagner les deux parties à leurs véhicules respectifs. Asher et moi nous retrouvâmes donc seuls avec Nicols, le juge et la greffière. Au moins celle-ci avait-elle cessé de taper sur sa machine.

Nicols se tourna vers moi, le canon de son flingue pointé vers le sol le long de la jambe de son pantalon. Les sourcils froncés, il dévisagea Asher puis reporta son attention sur moi. Il était assez malin pour ne pas regarder un vampire dans les yeux… et risquer de se faire hypnotiser. En tant que servante humaine du Maître de la Ville, je suis partiellement immunisée contre ce pouvoir. Et contre la plupart des autres pouvoirs d'Asher… mais pas contre tous.

Nicols était visiblement mécontent.

— D'accord. Qu'y a-t-il de si urgent pour qu'il doive se pointer ici en volant ?

Et merde, c'était un trop bon flic. Même s'il n'avait sans doute que rarement eu affaire à des vampires, il était parvenu à la conclusion logique que seul un problème de taille avait pu pousser Asher à apparaître de la sorte.

Il jeta un nouveau coup d'œil au vampire – aussi bref que le précédent –, mais ce fut en me regardant qu'il lança :

— C'est un bon moyen de vous faire tirer dessus, monsieur… ?

— Asher, répondis-je à sa place.

— Ce n'est pas à vous que j'ai posé la question, mademoiselle Blake, c'est à lui.

— Je m'appelle Asher, dit l'intéressé d'une voix semblable à la caresse du vent.

Il utilisait ses pouvoirs vampiriques pour détendre son interlocuteur. Si Nicols s'en apercevait, ça se retournerait contre nous. Par chance, ce ne fut pas le cas.

— Qu'est-ce qui ne va pas, monsieur Asher ?

— Juste Asher, corrigea-t-il, et sa voix apaisante glissa sur ma peau.

J'étais partiellement immunisée contre ce pouvoir, mais pas Nicols. Il cligna des yeux et fronça les sourcils, perplexe.

— Très bien, Asher. Pourquoi diable êtes-vous si pressé ?

Asher crispa légèrement les mains sur mes épaules, et je le sentis prendre une inspiration. J'espérai qu'il n'allait pas nous faire le coup d'Obi-Wan. Vous savez, « Ce ne sont pas les droïdes que vous cherchez ». Ça ne marcherait pas sur Nicols. Il n'était pas assez influençable.

— Musette a été grièvement blessée. Je suis venu chercher Anita pour l'emmener auprès d'elle.

Je sentis toute couleur déserter mon visage et mon souffle s'étrangler dans ma gorge. Musette est l'un des lieutenants de Belle Morte, la source (ou « sourdre de sang ») de la lignée de Jean-Claude et d'Asher. Elle est également membre du Conseil vampirique dont le siège se situe quelque part en Europe. Chaque fois que des envoyés du Conseil nous ont rendu visite, il y a eu des morts. Parfois dans notre camp, parfois dans le leur. Mais Belle Morte ne nous avait encore jamais envoyé personne.

Récemment, nous avons négocié une future visite de Musette. Celle-ci devait arriver trois mois plus tard, juste après Thanksgiving. Alors, que fichait-elle en ville un bon mois et demi avant Halloween ? Je ne crus pas une minute qu'elle était réellement blessée. C'était juste la façon d'Asher de me dire que les choses allaient vraiment mal sans révéler de quoi il retournait devant témoins.

Je n'eus pas à faire semblant d'être choquée ou effrayée. Mon expression devait ressembler à celle de quelqu'un qui vient d'apprendre une très mauvaise nouvelle. Nicols hocha la tête comme s'il était satisfait.

— Vous êtes proches de cette Musette ?

— Lieutenant, je vous en prie, pouvons-nous y aller ? Je suis très pressée de la rejoindre.

Je cherchai aussitôt mon sac de sport du regard. Heureusement que j'avais déjà tout remballé. La pensée de ce que Musette était peut-être en train de faire aux gens que j'aimais me donnait des frissons. La seule mention de son nom avait toujours suffi à faire blêmir Jean-Claude et Asher.

Nicols acquiesça de nouveau en rengainant son flingue.

— Oui, allez-y. J'espère que votre… amie va s'en tirer.

Je levai les yeux vers lui sans tenter de dissimuler ma confusion.

— Je l'espère aussi.

Ce n'était pas à Musette que je pensais, mais à tous les autres. À tous les gens auxquels elle pouvait faire du mal avec la bénédiction du Conseil, ou du moins avec celle de Belle Morte. Au fil du temps, j'ai découvert que si un membre du Conseil en a après vous, ça ne signifie pas nécessairement que tout le Conseil vous déteste et veut votre peau. En fait, la plupart de ses membres ont l'air d'adhérer au vieil adage sicilien : « L'ennemi de mon ennemi est mon ami. »

Le juge murmura des remerciements et des vœux de prompt rétablissement pour Musette. La greffière ne dit rien : elle regardait Asher comme si elle était pétrifiée. Je ne pensais pas qu'il l'avait hypnotisée. À mon avis, elle n'avait tout simplement jamais rien vu d'aussi beau.

Dans la lumière des phares, ses cheveux ressemblaient à de l'or filé : un rideau presque métallique descendait telle une cascade scintillante sur le côté droit de son visage. Il portait une chemise en soie couleur chocolat à manches longues par-dessus un jean et des boots marron. On aurait pu croire qu'il s'était vêtu à la hâte, mais je savais qu'il s'habillait toujours ainsi. Et qu'il se débrouillait toujours pour que le côté gauche de son visage, ce profil absolument parfait, soit le seul exposé à la lumière. Asher est passé maître dans l'art d'utiliser les ombres pour souligner ce qu'il veut montrer et dissimuler le reste. Son œil visible était d'un bleu très pâle, comme ceux des huskys. Les êtres humains n'ont pas ce genre de regard. De son vivant déjà, il devait être extraordinairement beau.

Il était possible d'entrevoir l'ensemble du tracé de ses lèvres pleines et l'éclat de son autre œil bleu glacier. En revanche, il prenait garde à ne pas exposer à la lumière les cicatrices qui commençaient quelques centimètres sous son œil droit… des cicatrices semblables à des coulées de cire fondue à l'endroit où on lui avait versé de l'eau bénite sur la figure. D'autres cicatrices du même genre couraient le long du côté droit de son corps, sous ses vêtements.

La greffière était figée, comme si elle avait cessé de respirer. Asher le vit et se raidit contre moi… peut-être parce qu'il savait qu'il lui suffirait d'un simple mouvement pour écarter le rideau de ses cheveux, dévoiler ses cicatrices et voir l'adoration de cette femme se muer en horreur, ou pire, en pitié.

Je lui touchai le bras.

—Allons-y.

Il se dirigea vers ma Jeep. En temps normal, on dirait qu'il glisse, comme si ses pieds ne touchaient pas le sol, mais flottaient quelques millimètres au-dessus. Ce soir-là, son pas était aussi lourd que celui d'un humain.

Nous gardâmes le silence jusqu'à ce que nous soyons à l'intérieur de la Jeep. Dans la pénombre de l'habitacle, personne n'entendrait ce que nous dirions.

Tout en bouclant ma ceinture de sécurité, je demandai :

—Alors, qu'est-ce qui se passe ?

—Musette est arrivée il y a une heure.

Je démarrai et entrepris de contourner prudemment les voitures de police toujours stationnées. J'agitai la main pour dire au revoir à Nicols lorsque nous le dépassâmes, et il me rendit mon salut, une clope allumée dans l'autre main.

— Je croyais que nous n'avions pas fini de négocier le nombre de personnes qu'elle pouvait amener avec elle.

— En effet.

La voix d'Asher était tellement chargée de chagrin qu'on aurait pu la presser comme un citron et faire tomber ses larmes dans un verre. Jean-Claude est plus doué pour exprimer sa joie ou son désir, mais nul ne sait aussi bien qu'Asher partager ses émotions les plus sinistres.

Je lui jetai un coup d'œil. Il regardait droit devant lui, le visage impassible et inexpressif.

— Dans ce cas, n'a-t-elle pas enfreint une loi ou un traité quelconque en envahissant ainsi notre territoire ?

Asher acquiesça, ses cheveux me dissimulant toujours la moitié de son visage. Je déteste qu'il fasse ça. Je lui ai déjà dit et répété que je le trouve sublime, même avec ses cicatrices, mais il refuse de me croire. À mon avis, il s'imagine que mon attirance pour lui provient en partie des souvenirs de Jean-Claude dans ma tête, et en partie de la pitié qu'il m'inspire. Pour la pitié, il a tort, mais pour les souvenirs, je ne peux pas le nier. Je suis la servante humaine de Jean-Claude, ce qui me confère toutes sortes d'avantages en nature très intéressants : comme celui d'entrevoir les pensées du Maître de la Ville.

Je sais exactement de quelle façon la peau satinée d'Asher glisse sous les doigts ; je connais par cœur chaque centimètre carré de son corps. Mais c'est Jean-Claude qui l'a caressé, pas moi. Pourtant, la vivacité de ce souvenir était telle que j'avais envie de prendre la main d'Asher pour voir si elle correspondait aux souvenirs. C'est l'une des choses les plus étranges dont je dois m'accommoder.

Même si Jean-Claude avait été dans la voiture, il n'aurait pas touché Asher non plus. Plusieurs siècles se sont écoulés depuis l'époque où ils formaient un ménage à trois avec Julianna, la servante humaine d'Asher. Julianna a été brûlée vive par les mêmes personnes qui ont utilisé de l'eau bénite pour purger Asher du mal qui l'habitait prétendument. Jean-Claude a réussi à sauver Asher, mais il est arrivé trop tard pour Julianna. Asher ne le lui a jamais pardonné… et Jean-Claude ne se l'est jamais pardonné non plus.

— Si Musette a enfreint la loi, ne pouvons-nous pas la punir ou la chasser de notre territoire ?

J'étais arrivée à la sortie du cimetière et je scrutai la route.

— Si un autre maître vampire s'était invité si impudemment, nous aurions parfaitement le droit de l'exécuter. Mais c'est Musette. Tout comme tu es le Bolverk des loups-garous, Musette est… (il parut chercher le mot juste), disons, le bourreau de Belle. Notre croque-mitaine. Un rôle qu'elle tient depuis plus de six cents ans.

— J'ai pigé : elle est dangereuse. Mais ça ne change rien au fait qu'elle nous a envahis. Si nous laissons passer ça, qui sait ce qu'elle tentera la prochaine fois ?

— Anita, tu ne comprends pas. Musette est le… (de nouveau, son vocabulaire anglais l'abandonnait ; ce qui prouvait à quel point il était effrayé), le vaisseau de Belle Morte. La blesser, c'est blesser Belle.

— Au sens littéral ? demandai-je en tournant dans Mackenzie.

— Non, c'est une question d'étiquette plus que de magie. Belle a donné son sceau à Musette, la bague qui symbolise son rang. Ce qui signifie que Musette s'exprime en son nom, et que nous devons la traiter comme nous traiterions Belle Morte en personne. Nous ne nous y attendions pas du tout.

— Et quelle différence ?

Nous étions arrêtés au feu de Watson, face au McDonald's et à l'Union Planters Bank.

— Si Musette n'était pas le vaisseau de Belle, nous pourrions la punir pour être arrivée en avance et avoir rompu les négociations. Mais si nous la punissons maintenant, c'est comme si nous punissions Belle pour la même chose.

— Et alors ? Pourquoi ne punirions-nous pas Belle si elle s'invitait si impudemment, comme tu dis ?

Asher tourna la tête vers moi, mais je ne pus soutenir son regard parce que le feu venait enfin de passer au vert.

— Tu ne te rends pas compte, Anita.

— Alors explique-moi.

— Belle est notre sourdre de sang, notre source. La créatrice de notre lignée. Nous ne pouvons pas lui faire de mal.

— Pourquoi donc ?

Il me regarda bien en face, laissant ses cheveux s'écarter pour révéler tout son visage. Sans doute était-il trop choqué par ma question pour songer à se cacher.

— Ça ne se fait pas, c'est tout.

— Qu'est-ce qui ne se fait pas ? défendre son territoire contre les envahisseurs ?

— Attaquer la créatrice de ta lignée, ton sourdre de sang, ta fontaine de pouvoir.

— Et je répète : pourquoi donc ? Belle nous a insultés. Pas l'inverse. Jean-Claude a négocié de bonne foi. C'est Musette qui s'est mal comportée. Et si elle l'a fait avec la bénédiction de Belle Morte, c'est que Belle Morte abuse de sa position. Elle pense que nous subirons sans broncher tous les affronts qu'elle voudra bien nous infliger.

— Elle a raison, répliqua Asher.

Je tournai la tête vers lui, les sourcils froncés, puis reportai mon attention sur la route.

— Pourquoi ? Pourquoi ne pouvons-nous réagir de la même façon à une menace ou à une insulte, quelle que soit sa provenance ?

Il passa une main dans son épaisse chevelure, la repoussant en arrière. Les lampadaires zébraient son visage d'ombre et de lumière. Nous étions arrêtés à un autre feu, à côté d'un 4x4 qui se trouvait dans la file voisine. La conductrice nous jeta un coup d'œil et sursauta. Asher ne remarqua pas l'expression stupéfaite qui se peignit sur son visage. Je la regardai et elle détourna les yeux, embarrassée. Dans ce pays, il est impoli de regarder avec trop d'insistance toute chose imparfaite… comme si ça la rendait plus réelle et plus douloureuse. Alors que si on n'y prête pas attention, c'est comme si elle disparaissait d'elle-même.

Asher ne remarqua même pas que le feu était passé au vert et que j'avais redémarré. Il exposait son visage à des inconnus sans se soucier de l'effet qu'il pouvait produire. Or, si furieux, si triste, si quoi que ce soit qu'il se sente, jamais il n'oublie ses cicatrices. Elles dominent ses pensées, ses actions, toute son existence. Qu'il n'y pense plus pour une fois disait bien à quel point la situation était grave, et je ne comprenais toujours pas pourquoi.

— Je ne pige pas, Asher. Quand des membres du Conseil nous ont envahis, il y a quelque temps, nous nous sommes défendus. Nous les avons blessés, et nous les aurions tués si nous avions pu. Pourquoi est-ce différent, cette fois ?

Il lâcha ses cheveux, qui retombèrent tel un rideau. Pas parce qu'il était moins bouleversé tout à coup, mais juste par habitude.

— La dernière fois, ce n'était pas Belle Morte.

— Et alors ?

— Mon Dieu, ne comprends-tu pas ce que ça signifie qu'elle soit la mère de notre lignée ?

— Apparemment pas. Explique-moi. Nous allons au *Cirque des Damnés*, n'est-ce pas ? Il va nous falloir un moment pour y arriver. Tu as tout ton temps.

— Oui.

Il regarda par la fenêtre de la Jeep, comme pour chercher de l'inspiration dans la vue des lampadaires, des centres commerciaux et des fast-foods qui défilaient de son côté de la route.

Enfin, il me fit face.

— Comment pourrais-je t'expliquer ? Tu es américaine et jeune ; tu n'as jamais eu de roi ou de reine. Tu ne sais pas ce que c'est d'avoir des devoirs envers un souverain.

Je haussai les épaules.

— Je suppose que non.

— Donc, tu ne peux pas comprendre ce que nous devons à Belle Morte, et la trahison que ce serait de lever la main sur elle.

Je secouai la tête.

— C'est une belle théorie, Asher, mais j'ai suffisamment trempé dans la politique vampirique pour savoir une chose. Si nous la laissons abuser, elle considérera ça comme un signe de faiblesse, et elle abusera de plus en plus jusqu'à ce qu'elle découvre nos limites.

— Nous ne sommes pas en guerre contre Belle Morte.

— Non, mais si elle nous juge assez vulnérables, ça pourrait bien ne pas tarder. Les gros poissons vampires mangent les petits poissons vampires. Nous ne pouvons pas nous permettre de lui laisser croire que nous sommes du menu fretin.

— Anita, n'as-tu toujours pas compris ? Comparés à Belle Morte, nous sommes du menu fretin. Du très menu fretin.

Chapitre 5

J'avais du mal à croire que nous soyons du si menu fretin. D'accord, nous n'étions peut-être pas de grands requins mais, entre les deux, il y avait une marge. Pourtant, Asher semblait si convaincu de ce qu'il disait que je ne protestai pas.

En revanche, je passai quelques coups de fil avec mon portable et laissai des messages un peu partout en ville pour prévenir les gens de l'arrivée de Musette. Richard est peut-être fâché contre moi, mais il reste le troisième membre de notre triumvirat de pouvoir, l'Ulfric qui fait pendant au Maître de la Ville et à la nécromancienne que Jean-Claude et moi sommes respectivement. Que ça nous plaise ou non, depuis un petit moment déjà, Richard est l'animal que Jean-Claude peut appeler et moi sa servante humaine. Et ce n'est pas près de changer.

J'appelai également Micah Callahan, qui est mon Nimir-Raj et qui s'occupe de tous les métamorphes quand je suis occupée ailleurs. Et je suis souvent occupée ailleurs ; du coup, son aide m'est précieuse. Micah est également mon petit ami… comme Jean-Claude. Ni l'un ni l'autre ne semblent s'en formaliser, même si ça continue à me mettre mal à l'aise. On m'a élevée dans l'idée qu'une fille ne peut pas sortir avec deux garçons en même temps, du moins pas si c'est sérieux.

Je ne tombai que sur des répondeurs et laissai des messages aussi calmes et succincts que possible. Du genre : « Salut,

Micah, c'est Anita. Musette est arrivée en avance ; autrement dit, elle a envahi le territoire de Jean-Claude. Asher et moi sommes en route pour le *Cirque*. Si tu n'as pas de nouvelles de moi avant l'aube, envoie des secours. Mais ne viens pas avant, à moins que je t'appelle personnellement. Moins il y aura de gens dans la ligne de mire, mieux ça vaudra. »

Je laissai à Asher le soin d'appeler Richard, qui a une fâcheuse tendance à effacer mes messages sans les écouter… selon son humeur du jour. Alors que c'est lui qui m'a plaquée et pas l'inverse, il se comporte comme s'il était la victime et me considère comme responsable de tout. Je l'évite autant que possible, mais parfois (comme maintenant), nous sommes obligés de collaborer pour que nos gens restent vivants et en bonne santé. La survie passe avant les émotions. Il le faut. J'espérais que Richard s'en souviendrait.

Le *Cirque des Damnés* est un mélange d'attractions de foire traditionnelles accommodées à la sauce macabre, de fête foraine avec manèges, jeux, hot-dogs et barbe à papa, et de spectacle dramatique capable de filer des cauchemars à n'importe qui… moi y compris.

Derrière, tout était sombre et immobile. La musique bruyante que vomissaient les haut-parleurs ne nous parvenait que comme les échos d'un rêve lointain. Il fut un temps où je ne venais ici que pour tuer des vampires. Aujourd'hui, j'utilise le parking des employés. C'est ce qui s'appelle tomber de haut.

J'étais déjà à quelques pas de la Jeep quand je pris conscience qu'Asher était toujours assis dans la voiture. Je soupirai et rebroussai chemin. Je dus toquer à la vitre pour attirer son attention. Je m'attendais presque qu'il sursaute, mais ce ne fut pas le cas. Il se contenta de tourner lentement la tête vers moi, comme un dormeur en plein cauchemar qui sait que, s'il bouge trop vite, le monstre lui sautera dessus.

Je pensais qu'il allait ouvrir la portière, mais il se contenta de me regarder. Je pris une grande inspiration et comptai jusqu'à dix. Je n'avais pas le temps de panser ses blessures émotionnelles. Jean-Claude, mon amoureux, était en train de faire la conversation au croque-mitaine du monde vampirique dans les entrailles du *Cirque*. Asher m'avait dit que personne n'était blessé pour le moment. Mais je ne le croirais que quand je le verrais de mes propres yeux. Même si j'aimais beaucoup Asher, je ne pouvais pas perdre de temps à le réconforter. Sinon, quelqu'un d'autre risquait de le payer très cher.

J'ouvris sa portière. Il ne bougea toujours pas.

— Asher, pitié, ne craque pas maintenant. Nous avons besoin de toi.

Il secoua la tête.

— Il faut que tu saches. Anita, Jean-Claude ne m'a pas envoyée te prévenir parce que je suis le plus rapide d'entre nous. Il l'a fait pour m'éloigner d'elle.

— Tu étais censé ne pas revenir ? demandai-je.

De nouveau, il secoua la tête, et ses cheveux dorés volèrent autour de son visage. Dans la lumière du dôme, ses yeux avaient leur couleur bleu glacier habituelle.

— Je suis le témoin de Jean-Claude, son second. Je dois y retourner.

— Dans ce cas, tu vas devoir descendre de la Jeep, fis-je remarquer.

Il baissa les yeux vers ses mains, qui gisaient inertes sur ses cuisses.

— Je sais.

Pourtant, il n'esquissa pas le moindre geste.

Je posai une main sur la portière, l'autre sur le toit, et me penchai vers lui.

— Asher… Si tu ne t'en sens pas capable, vole jusqu'à chez moi et cache-toi dans la cave. Il y a un cercueil en rab.

Alors, il leva la tête, et je vis son expression de colère.

— Te laisser y aller seule ? Non, pas question. S'il t'arrivait quelque chose… (Il baissa de nouveau le nez, ses cheveux dissimulant son visage comme le ferait un rideau.) Je ne pourrais pas vivre en sachant que je n'ai pas été là pour toi.

Je soupirai.

— Génial, merci beaucoup. Je sais que tu es sincère, mais ça signifie que tu dois descendre de la voiture. Maintenant.

Une rafale de vent me cingla le dos, semblable à celle qu'Asher avait soulevée dans le cimetière. Je me laissai tomber à genoux en dégainant.

Damian atterrit devant moi. Le canon de mon flingue était braqué sur son ventre. S'il avait fait moins d'un mètre quatre-vingts, j'aurais visé sa poitrine.

J'expirai lentement et détendis le doigt que j'avais crispé sur la détente.

— Putain, Damian, tu m'as foutu la trouille, et tu sais que c'est jamais une bonne idée.

Je me relevai.

— Désolé, dit-il, mais Micah voulait que quelqu'un d'autre t'accompagne.

Il écarta les mains pour me montrer qu'il était désarmé et inoffensif. D'accord, il était peut-être sans arme… mais sans danger, jamais. Et pas seulement à cause de sa beauté. Il existe des tas de mecs séduisants, morts ou vivants.

Les cheveux de Damian tombent dans son dos tel un rideau écarlate et soyeux. Une cascade de sang : voilà à quoi ressemblent des cheveux roux qui n'ont pas vu le soleil depuis six cents ans. Ses yeux sont d'un vert que n'importe quel félin lui envierait, de trois tons plus vif que le tee-shirt qui moulait son torse. Ce soir-là, il portait aussi un pantalon noir retenu par une ceinture noire à boucle d'argent, et d'élégantes chaussures à lacets. Il ne s'était pas habillé pour la circonstance. Simplement, la plupart des vampires arrivés d'Europe depuis peu ne se sentent pas bien en jean et en baskets.

Oui, Damian est plus qu'agréable à regarder, mais le problème n'est pas là. Le problème, c'est que j'ai toujours envie de le toucher, de faire courir mes mains sur la peau si blanche de ses bras. Ça n'a rien à voir avec de l'amour, ni même avec du désir. À cause d'une série d'accidents et d'urgences auxquelles il a bien fallu parer, j'ai lié Damian à moi. Il est devenu mon serviteur vampirique. Ce qui est théoriquement impossible. En principe, les vampires ont des serviteurs humains, pas l'inverse. Je commence à comprendre pourquoi le Conseil tuait les nécromanciens à vue, autrefois.

Damian irradiait la vigueur, ce qui signifiait qu'il s'était nourri récemment. Mais je savais qu'il avait bu le sang d'une victime consentante, parce que je lui ai interdit de chasser et qu'il fait exactement ce que je lui demande… ni plus ni moins. Il m'obéit en tout parce qu'il n'a pas le choix.

— Je savais que je pourrais te rejoindre avant que tu entres, dit-il.

— Être capable de voler a ses avantages, concédai-je.

Je secouai la tête et rangeai mon flingue. Je dus me frotter la main sur ma jupe pour me retenir de la tendre vers lui. Ma paume avait soif du contact de sa peau. Damian n'est pas mon amant, et encore moins mon petit ami ; pourtant, chaque fois qu'il se tient près de moi, je brûle d'envie de le toucher d'une façon étrangement familière.

Je pris une grande inspiration à peine tremblante.

— J'ai dit à Micah de n'envoyer personne jusqu'à ce que je découvre de quoi il retourne.

Damian haussa les épaules, les paumes vers le haut.

— Micah m'a ordonné de venir, et me voilà.

Son expression était neutre, mais je le sentais tendu parce qu'il devait croire que j'allais m'en prendre à lui.

— Touche-le, dit Asher.

Venant de derrière moi, sa voix pourtant douce me fit sursauter. Au moins il était descendu de la Jeep.

— Quoi ?
— Touche-le, ma chérie. Touche ton serviteur.
Je me sentis rougir.
— C'est si évident que ça ?
Asher eut un sourire sans joie.
— Je me souviens comment c'était avec… Julianna.
Il prononça son nom dans un murmure que le vent d'automne emporta. Cela m'étonna un peu car, d'habitude, il évitait de la mentionner autant que possible.
— Je suis la servante humaine de Jean-Claude ; pourtant, je n'éprouve pas un besoin irrésistible de le toucher chaque fois que je le vois.
— Vraiment ?
Je faillis répondre « non », puis me ravisai. Oui, j'avais envie de toucher Jean-Claude quand je le voyais, mais c'était normal puisque nous étions un couple. N'est-ce pas ?
Je fronçai les sourcils, préférant me concentrer sur autre chose.
— Et Jean-Claude ? Éprouve-t-il le même besoin de me toucher ?
Je n'ajoutai pas « … que moi de toucher Damian ». C'était inutile.
— Presque certainement, affirma Asher.
Je me rembrunis davantage.
— Il le cache bien.
— Parce que, s'il t'avait exposée à un besoin, tu aurais pris tes jambes à ton cou. (Asher posa la main sur mon coude.) Je ne veux pas révéler de secrets trop intimes mais, ce soir, nous devons présenter un front uni devant… elle. Quand tu touches Damian, tu acquiers du pouvoir de la même façon que Jean-Claude en acquiert quand il vous touche, Richard et toi.
Je pris une grande inspiration et la relâchai lentement. Une chose dont j'étais quasi certaine, c'est que Richard ne viendrait pas ce soir. Il n'avait pas mis les pieds au *Cirque des*

Damnés depuis notre rupture. L'absence d'un tiers de notre triumvirat nous affaiblissait. Il avait promis de venir dans trois mois pour accueillir Musette, mais il ne viendrait pas avant. J'aurais parié ma vie là-dessus… et j'étais peut-être en train de le faire. Qui diable savait ce qui nous attendait à l'intérieur ?

Je dévisageai les deux vampires l'un après l'autre et secouai la tête. Nous devions entrer, et je devais mettre mes réticences de côté. Asher aussi, mais je ne pouvais pas contrôler ses actions… seulement les miennes.

Je touchai le bras de Damian, et le pouvoir jaillit entre nous comme le souffle du vent. Je fis glisser ma main gauche sur sa peau lisse, bien à plat pour éviter que le bout de mes doigts blessés me fasse mal. Damian poussa une espèce de soupir sifflant quand je logeai ma main dans la sienne et la pressai doucement, prudemment. C'était si bon ! Je ne pouvais pas expliquer pourquoi, parce que ce contact n'avait rien de sexuel. Ce n'était pas comme quand je touchais Jean-Claude, Micah ou Richard. Même si je n'arrête pas de me disputer avec ce dernier, sa présence m'affecte toujours. Le jour où je pourrai me trouver dans la même pièce que lui sans sentir mon bas-ventre se contracter, je saurai que je ne suis vraiment plus amoureuse de lui.

— Ça ne me dérange pas que Micah ait envoyé des renforts.

Je sentis la main, le bras, tout le corps de Damian se vider de la tension perçue un peu plus tôt. Il sourit et me pressa les doigts en retour.

— Tant mieux.

— Tu ramollis en vieillissant, lança une voix derrière nous.

Nous fîmes tous volte-face, pour voir Jason traverser le parking dans notre direction, un large sourire aux lèvres. À mon avis, il était tout fier de nous avoir fait peur.

—Tu es drôlement furtif pour un loup-garou, fis-je remarquer.

Il portait un jean, des baskets et un court blouson de cuir noir. Jason est aussi américain que moi ; nous aimons les tenues décontractées. Ses cheveux blonds étaient toujours coupés comme ceux qu'un jeune cadre dynamique, ce qui lui donnait l'air un peu plus âgé, plus mature. Et qui faisait ressortir davantage le bleu de ses yeux : la couleur d'un ciel printanier. Une teinte dont l'innocence s'accorde mal avec la lueur taquine de son regard.

—Il fait un peu chaud pour porter un blouson en cuir, non ? lançai-je.

Jason baissa la fermeture Éclair d'un mouvement fluide, révélant sa poitrine et son ventre nus sans cesser de marcher vers nous. Parfois, j'oublie qu'il gagne sa vie comme strip-teaseur au *Plaisirs Coupables*, un des autres établissements que possède Jean-Claude. Et parfois, il suffit d'un geste de lui pour que je m'en souvienne.

—Je n'ai pas eu le temps de m'habiller quand Jean-Claude m'a demandé de monter t'attendre.

—Pourquoi tant de hâte ?

—Musette a offert de partager sa pomme de sang avec Jean-Claude s'il me partageait avec elle.

Dans l'argot vampirique, « pomme de sang » désigne quelqu'un qui est beaucoup plus qu'un simple donneur de sang. Jean-Claude compare ce statut à celui d'une maîtresse bien-aimée auprès de laquelle on n'irait pas chercher du sexe mais du sang. Une femme entretenue… ou un homme, dans le cas de Jason.

—Je croyais que c'était un manquement à l'étiquette de demander à se nourrir de la pomme de sang de quelqu'un d'autre.

— C'est parfois considéré comme un grand honneur, m'informa Asher. Fais confiance à Musette pour transformer les coutumes en tortures si possible.

— Donc, elle ne propose pas sa pomme de sang à Jean-Claude pour se montrer polie, mais parce qu'elle sait qu'il ne voudra pas partager Jason, devinai-je.

— Oui.

— Génial. Vraiment génial. Quelles autres petites manies vampiriques risquent de venir nous casser les pieds ou nous mordre l'arrière-train ?

Asher sourit et porta ma main aux lèvres pour un baiser aussi rapide que chaste.

— Elles sont trop nombreuses pour que je t'en dresse la liste, ma chérie, beaucoup trop nombreuses. (Il jeta un coup d'œil à Jason.) En vérité, je suis stupéfait que Musette t'ait laissé t'éloigner d'elle sans lui avoir d'abord donné ton sang.

La bonne humeur du métamorphe s'évapora.

— Sa pomme de sang est illégale dans ce pays, Jean-Claude a donc dû refuser, expliqua-t-il.

— Illégale, répétai-je. Mais encore ?

Il soupira, l'air franchement chagriné.

— Elle ne doit pas avoir plus de quinze ans…

— … et la loi interdit de boire le sang d'un mineur, achevai-je.

— Jean-Claude en a informé Musette, et voilà pourquoi j'ai eu le privilège de t'attendre dans le froid.

— Il ne fait pas froid, répliqua Damian.

Jason frissonna.

— Question de point de vue. (Il resserra son blouson toujours ouvert autour de son torse.) Jean-Claude ne veut pas que tu sois surprise, Anita, mais deux des vampires qui accompagnent Musette sont des enfants.

Je sentis la colère crisper mes traits.

— Ce n'est pas si terrible, ajouta très vite Jason. Ce ne sont pas des nouveau-nés. Je dirais qu'ils ont deux ou trois siècles au minimum. Même aux États-Unis, ils seraient considérés comme des exceptions à la règle actuelle.

Je tentai de me détendre. J'avais lâché la main de tout le monde parce que j'éprouvai subitement le besoin d'être en mesure de dégainer. Il n'y avait personne sur qui tirer pour l'instant, mais ça n'y changeait rien.

Damian me toucha le bras d'un geste hésitant. Sans doute craignait-il que je passe ma colère sur lui. Ma théorie habituelle, c'est qu'il vaut mieux la passer sur n'importe qui plutôt que de la garder pour soi. Je fais des efforts pour être plus juste mais, putain, qu'est-ce que c'est dur !

Voyant que je ne me dérobais pas et que je ne criais pas après lui, Damian me toucha la main, et le contact de ses doigts me calma légèrement.

— À votre avis, Musette a-t-elle amené une pomme de sang mineure juste pour voir notre réaction ?

— Musette les aime jeunes, répondit Asher tout bas, presque dans un murmure, comme s'il craignait que quelqu'un nous écoute.

Ce qui était peut-être le cas.

Je levai les yeux vers lui. Damian me caressait doucement le dos.

— Par pitié, dis-moi qu'elle n'est pas une pédophile.

Il secoua la tête.

— Pas pour ce qui est du sexe. Mais elle aime boire le sang des enfants et des adolescents.

Beurk.

— Elle ne peut pas s'attaquer à un mineur tant qu'elle se trouve dans ce pays. Sinon, elle risque de retrouver son nom sur un mandat d'exécution. Et l'Exécutrice, c'est moi.

— Je pense que Belle Morte a soigneusement choisi Musette. Elle a d'autres lieutenants aux habitudes moins répugnantes. À mon avis, Musette est une épreuve qu'elle nous envoie. Elle veut nous tester… surtout toi, et peut-être Richard.

— Pourquoi avons-nous droit à un traitement de faveur ?

— Parce que Belle ne vous connaît pas, et qu'elle aime se familiariser avec ses armes avant de les employer.

— Je ne suis pas son arme. Ni quoi que ce soit d'autre pour elle.

— Elle est notre sourdre de sang, répéta patiemment Asher, la source de notre lignée. Considère-la comme une impératrice, et tous les maîtres vampires qui descendent d'elle comme des rois qui lui doivent allégeance. Et donc qui doivent lui prêter leurs troupes pour servir sa cause.

— Quelle cause ?

Il poussa un soupir exaspéré.

— La cause de son choix.

Je secouai la tête.

— Je ne comprends rien à ce que tu racontes.

Damian continuait à me caresser doucement le dos. Sans ça, je crois que j'aurais été beaucoup plus énervée.

— Belle considère que tous ceux qui descendent d'elle lui appartiennent. Donc, à travers Jean-Claude, Richard et toi êtes siens.

J'ouvris la bouche pour protester, mais Asher leva la main.

— Laisse-moi finir, s'il te plaît. Peu importe que tu sois d'accord avec elle. Tout ce qui compte, c'est qu'elle est persuadée de vous posséder. Elle vous considère comme des armes supplémentaires dans son arsenal. Ce n'est quand même pas si compliqué !

— Je comprends ce que tu dis. Je n'appartiens à personne, mais je conçois que Belle Morte pense le contraire.

Asher acquiesça, l'air vaguement soulagé, comme s'il se demandait ce qu'il aurait fait si je n'avais pas dit ça.

— Bon. Dans ce cas, tu comprendras aussi que Belle veuille tester le métal de ses deux nouvelles armes.

— Tester de quelle façon ?

— D'abord, en amenant une pomme de sang mineure aux États-Unis et en l'agitant sous le nez de l'Exécutrice en personne. Ensuite, si Musette a proposé à Jean-Claude de partager leurs pommes de sang, elle peut faire de même avec leurs serviteurs humains. C'est considéré comme un grand honneur.

— Partager ? répétai-je, méfiante.

Damian avait accéléré ses caresses, mais je ne lui demandai pas d'arrêter parce que je sentais la colère me crisper les épaules et les bras.

— Du sang, probablement, puisque la plupart des vampires boivent celui de leur serviteur humain. Ne t'en fais pas pour ce qui est du sexe : Musette n'aime pas les femmes.

Je haussai à demi les épaules.

— C'est toujours ça de pris. (Je fronçai les sourcils.) Si elle nous considère comme faisant partie de son… je ne sais quoi, Richard et moi, qu'en est-il de la meute et de mon pard ? Part-elle du principe que nos gens sont aussi les siens ?

Asher s'humecta les lèvres, et je sus ce qu'il allait répondre avant que les mots sortent de sa bouche.

— Ce serait bien son genre, oui.

— Donc, Musette et Cie vont tester non seulement Richard et moi, mais aussi le reste de nos gens.

Ce n'était pas une question.

— Il est logique de le supposer.

Je fermai les yeux et secouai la tête.

— Je déteste la politique vampirique.

— Elle ne crie pas encore, constata Jason, surpris. Je ne l'ai jamais vue rester aussi calme après avoir appris autant de mauvaises nouvelles.

Je rouvris les yeux et le foudroyai du regard.

— Je pense que c'est grâce à l'influence de Damian, dit Asher.

Jason jeta un coup d'œil à la main du vampire, qui jouait avec la mienne.

— Tu veux dire que le simple fait qu'il la touche l'aide à ne pas péter les plombs ?

Asher opina du chef.

J'aurais voulu dire à Damian de me lâcher, mais je n'en fis rien parce que j'étais furieuse. Comment quelqu'un osait-il nous envahir et nous mettre à l'épreuve ? Tant d'arrogance… c'était typiquement un truc de vampire. Et j'étais fatiguée, fatiguée d'avance des jeux qui allaient suivre. Si Jean-Claude acceptait de me laisser buter Musette et toute son escorte, ça nous épargnerait bien des problèmes, j'en étais convaincue.

Je ne rabrouai pas Damian, mais je serrai fermement sa main pour l'empêcher de continuer à me caresser. Ma colère s'émoussa. J'en voulais toujours à Musette, mais d'une manière distante, gérable. Et merde, Asher avait raison. Je détestais ça. Je détestais qu'une nouvelle entourloupe métaphysique me force à entretenir des contacts très personnels – trop personnels – avec un vampire de plus. Si seulement ces conneries pouvaient fonctionner sans qu'on ait besoin de se tripoter, juste une fois !

Jason nous observait avec une expression étrange.

— Je crois que nous devrions attacher Damian à Anita pour cette nuit.

— Parce qu'à ton avis Musette va me foutre dans une rogne noire ?

— Elle n'a encore fait de mal à personne, Anita. Elle n'a pas levé le petit doigt, et tout le monde est déjà terrifié. Moi y compris, et je ne sais même pas pourquoi. C'est une petite chose blonde, gaulée comme une poupée Barbie avec des seins moins gros… mais bon, un homme n'a pas besoin de plus que ce qu'il peut prendre dans sa bouche, pas vrai ?

— Trop de détails, protestai-je.

Jason ne sourit pas. Il était foutrement sérieux.

— En temps normal, ça ne me dérangerait pas qu'une belle poupée vampire me plante ses crocs dans le cou, mais celle-là... Anita, je ne veux pas qu'elle me touche. (Soudain, il avait l'air effrayé, et encore plus jeune que ses vingt-deux ans.) Je ne veux pas qu'elle me touche, répéta-t-il en me dévisageant de ses yeux hantés. Jean-Claude m'a promis que Musette n'est pas un de ces vampires qui vous pourrissent dessus. Mais peu importe. Elle me fait tellement peur que j'en ai mal au ventre.

Je lui tendis ma main libre, et il s'approcha de moi. Je le serrai avec un seul bras et sentis qu'il tremblait. Il avait froid, mais toutes les parkas du monde n'auraient pas pu y remédier.

— Elle ne t'approchera pas, Jason.

Il me rendit mon étreinte avec tant de force qu'il faillit me couper le souffle.

— Ne fais pas de promesses que tu n'es pas en mesure de tenir, Anita, dit-il, le nez enfoui dans mon cou.

J'ouvris la bouche pour répliquer, mais Asher intervint.

— Non, Anita. Ne nous promets pas de sauf-conduits. Pas encore. Pas avant d'avoir rencontré Musette.

Je me dégageai des bras de Jason et levai les yeux vers Asher.

— Si je lui tire dessus dès l'instant où j'entre dans la pièce, comment réagira Belle ?

Asher blêmit, et croyez-moi, ce n'est pas facile pour un vampire, même s'il vient juste de se nourrir.

— Tu ne peux pas faire ça, Anita. Ne le fais pas. Je t'en supplie.

— Tu sais pourtant que, si je la butais ce soir, nous serions beaucoup plus en sécurité.

Il ouvrit la bouche, la referma et dit enfin :

— Anita, ma chérie, par pitié...

Jason recula et fit un geste rapide. Damian se plaça derrière moi, les mains posées sur mes épaules. À l'instant où il me toucha, je me sentis mieux. Pas exactement plus calme ni plus lucide. Parce que j'avais raison : nous aurions dû tuer Musette dès ce soir. À court terme, ça nous épargnerait beaucoup d'ennuis. Mais à long terme, Belle Morte, voire tout le reste du Conseil, risquait de débarquer en force pour nous massacrer. Je le savais. Et tant que les mains de Damian pétrissaient les muscles crispés de mes épaules, je pouvais même l'admettre.

— Pourquoi le contact de Damian diminue-t-il mon envie de tuer ? demandai-je.

— J'ai remarqué que tu sembles toujours un peu plus posée, un peu plus réfléchie quand il te touche.

— Jean-Claude n'est absolument pas plus miséricordieux en ma présence.

— Tu ne peux tirer d'un serviteur que ce qu'il a à t'offrir, répliqua Asher. Je dirais qu'au contraire tu as rendu Jean-Claude encore plus impitoyable, parce que telle est ta nature. (Il jeta un coup d'œil au vampire qui se tenait debout derrière moi.) Damian a survécu pendant des siècles sous l'emprise d'une maîtresse qui ne tolérait ni fierté ni mouvements d'humeur. Seule sa volonté à elle comptait. Alors, il a appris à se maîtriser, à se contenir pour ne pas être détruit.

Les mains de Damian s'étaient figées sur mes épaules. J'en tapotai une comme je l'aurais fait avec un ami auquel on aurait annoncé une mauvaise nouvelle.

— Tout va bien, Damian. Elle ne peut plus t'atteindre.

— Non. Jean-Claude a négocié ma liberté avec elle, et je lui serai toujours immensément reconnaissant pour ça. Mais ça n'avait rien à voir avec des serments de sang ou des liens vampiriques. J'ai une dette envers lui parce qu'il m'a arraché à une terrible servitude.

— Si tu peux empêcher Anita d'agir malencontreusement ce soir, tu auras remboursé une part de cette dette, déclara Asher.

Je sentis Damian acquiescer.

— Dans ce cas, descendons, car je connais Musette depuis longtemps, et je n'ai pas peur d'elle... Du moins, pas autant que de celle qui m'a créé.

Je tournai la tête vers lui.

— Veux-tu dire que tu crains Musette à peine moins que ta maîtresse ?

Il parut réfléchir pendant une seconde ou deux avant d'acquiescer lentement.

— Je crains davantage mon ancienne maîtresse, mais ça ne m'empêche pas de trembler devant Musette.

— Elle fait peur à tout le monde, lâcha Asher.

Damian opina du chef.

— Elle fait peur à tout le monde.

J'appuyai le sommet de mon crâne contre sa poitrine et secouai la tête. J'allais être toute décoiffée, mais je m'en fichais comme de l'an quarante.

— Et merde ! Si vous me laissiez la tuer ce soir, ce serait tellement plus simple ! J'ai raison, vous savez que j'ai raison.

Damian me souleva le menton pour me forcer à le regarder en face.

— Si tu tues Musette, Belle Morte détruira Jean-Claude.

— Et si Musette fait quelque chose de vraiment terrible ?

Par-dessus ma tête, Damian jeta un coup d'œil à Asher. Je pivotai pour assister à l'échange de regards entre les deux vampires. Asher finit par répondre :

— Je ne te dirai jamais que nous ne pouvons pas tuer Musette quelles que soient les circonstances, parce qu'un moment viendra peut-être où elle ne te laissera pas le choix. Et si cela arrivait, je ne voudrais pas que tu hésites et que cette hésitation te mette en danger. Mais je pense qu'elle est assez subtile en politique pour ne pas te donner de prétexte assez grave.

Je soupirai.

— Si tu ne menottes pas Damian à Anita, jamais elle ne tiendra jusqu'au bout du petit numéro de Musette, prédit Jason.

— Je ne pense pas que ce soit nécessaire, répliqua Asher. N'est-ce pas, Anita ?

Je fronçai les sourcils.

— Comment veux-tu que je le sache ? De toute façon, je n'ai pas de menottes sur moi.

Jason en sortit une paire de la poche de son blouson.

— Je te prête les miennes, si tu veux.

— Tu peux m'expliquer pourquoi tu te balades avec des menottes ? (Je levai la main.) Non, attends. En fait, je préfère ne pas savoir.

Jason grimaça.

— Je suis stripteaseur, Anita. Ça fait partie des accessoires de base.

D'un côté, c'était bon d'apprendre qu'il ne s'en servait pas pour sa propre vie amoureuse. D'un autre côté, je me demandais quel rôle des menottes pouvaient bien jouer dans son numéro de striptease. Quel genre de spectacle donnait-on au *Plaisirs Coupables* ces temps-ci ? Non, ça non plus, je ne voulais pas vraiment le savoir.

Nous nous dirigeâmes vers la porte de service du *Cirque des Damnés*. Nous n'utilisâmes pas les menottes de Jason, mais je descendis l'escalier sans lâcher la main de Damian. La liste des gens avec lesquels me promener main dans la main m'aurait paru romantique ou excitant ne cessait de s'allonger. Dommage que Damian ne figure pas dessus.

Chapitre 6

Dans les profondeurs du *Cirque des Damnés* s'étendent des kilomètres de souterrains... du moins, c'est ce qu'il me semble. Ils sont le domaine du Maître de Saint Louis en exercice depuis aussi loin que remonte la mémoire de quiconque, vivant ou mort. Seul l'énorme entrepôt qui se dresse en surface a changé. Jean-Claude a fait moderniser les sous-sols et en a redécoré une partie, mais c'est tout. Ils restent une interminable succession de pièces aux murs de pierre éclairés par des torches.

Pour adoucir cet aspect austère, Jean-Claude a fait suspendre de gigantesques rideaux de tulle qui forment une sorte de tente à l'intérieur de son salon. De l'extérieur, on ne voit que du blanc ; mais une fois franchies les premières tentures, on découvre des « murs » blancs, or et argent. Jason venait justement de tendre la main pour écarter les fameuses tentures lorsque Jean-Claude se faufila entre elles et nous fit signe de reculer, un doigt sur les lèvres.

Je retins mon « bonsoir ». Il portait un pantalon de cuir noir moulant rentré dans des cuissardes, de sorte qu'il était difficile de dire où finissait l'un et où commençaient les autres. Comme d'habitude, il avait complété sa tenue par une chemise à la mode du XVIIIe siècle, pleine de froufrous autour du col et des manches. Mais jamais encore je ne l'avais vu revêtir de la soie de cette couleur : un bleu vibrant, à mi-chemin entre le bleu roi et le bleu marine, qui faisait ressortir l'éclat de ses yeux bleu nuit. Avec son visage d'une perfection sans tache, il ressemblait à un rêve humide incarné, trop beau pour être vrai, trop sensuel pour ne pas être dangereux.

Mon cœur battait la chamade dans ma gorge. Je voulais me jeter sur lui, m'envelopper comme d'une couverture. Je voulais que ses boucles noires me balaient le corps, me caressent telle de la soie vivante. Je le voulais, lui. J'ai presque toujours envie de lui, mais ce soir, je le VOULAIS. Avec tout ce qui était en train de se passer, tout ce qui était sans doute sur le point de se passer, je ne pouvais penser qu'à une seule chose : faire l'amour avec Jean-Claude.

Il glissa vers moi, et je tendis une main pour l'empêcher de me toucher. S'il posait ne serait-ce qu'un doigt sur moi, je ne répondrais plus de rien.

Il eut l'air perplexe, et j'entendis sa voix dans ma tête.

— *Qu'est-ce qui ne va pas, ma petite ?*

Je ne maîtrise toujours pas la télépathie, aussi ne tentai-je pas de lui répondre de la même façon. Je me contentai de lui désigner ma montre, qui indiquait minuit moins dix.

Comme Cendrillon, je dois être rentrée chez moi tous les soirs à minuit. Je dis à mes collègues que c'est ma pause-déjeuner et, d'une certaine façon, ça l'est. Il m'arrive même de manger quelque chose pendant. Mais ce que je dois nourrir toutes les douze heures n'a pas grand-chose à voir avec mon estomac. Non, ça se passe un peu plus bas… définitivement plus bas.

Jean-Claude écarquilla les yeux, et sa voix résonna de nouveau dans ma tête.

— *Ma petite, dis-moi que tu as déjà apaisé l'ardeur.*

Je haussai les épaules.

— Oui, il y a douze heures.

Je ne me donnai pas la peine de chuchoter, parce que les vampires qui se trouvaient derrière les rideaux m'entendraient quand même. De toute façon, il n'y avait aucune chance que je puisse leur dissimuler l'ardeur, l'une des conséquences d'être liée à Jean-Claude en tant que sa servante humaine.

En une autre époque, Jean-Claude aurait été considéré comme un incube parce qu'il peut se nourrir de désir sexuel, et aussi susciter le désir chez autrui : une bonne manière de se procurer ce dont il a besoin. En cas d'urgence, il peut même se passer de sang pendant quelques jours. Il est très rare qu'un vampire possède un pouvoir secondaire de ce type. La maîtresse de Damian se nourrissait de peur ; elle était ce qu'on appelle une guenaude, ou mora.

Belle Morte, évidemment, détient aussi le pouvoir de l'ardeur. Elle l'a utilisé pendant des siècles pour manipuler les rois et les empereurs. Seuls quelques-uns de ses descendants en ont hérité ; Jean-Claude fait partie du nombre. Et je suis, à ma connaissance, la seule servante humaine qui l'ait jamais obtenu.

Quand l'ardeur s'éveille pour la première fois chez un vampire, elle le contrôle comme la soif de sang ; puis, graduellement, il apprend à la maîtriser. Du moins, en théorie. Depuis que je l'ai contractée, je me bats comme une diablesse pour n'être obligée de la nourrir que toutes les douze heures environ. Ça n'implique pas forcément de faire l'amour, mais un minimum de contact sexuel est nécessaire.

Toutes ces histoires d'incubes et de succubes qui tuent des gens en baisant avec eux jusqu'à ce que mort s'ensuive sont vraies. Je ne peux pas me nourrir de la même personne chaque fois. Micah me laisse faire. Jean-Claude attendait depuis des années que je partage ça avec lui, même s'il pensait que c'était lui qui se nourrirait de moi et non l'inverse. J'ai été forcée de faire de Nathaniel (un de mes léopards-garous) ma propre version d'une pomme de sang. Ce qui est foutrement embarrassant, mais pas autant que la perspective de me jeter sur la braguette d'un inconnu : une possibilité très réelle si je m'obstinais à combattre l'ardeur. Comme Belle Morte, c'est une maîtresse impitoyable.

Mon plan pour ce soir avait été de rentrer chez moi afin de retrouver Micah. Au lieu de ça, j'étais au *Cirque des Damnés*. Ce qui n'avait rien d'alarmant en soi, puisque Jean-Claude est toujours volontaire pour coucher avec moi. Malheureusement, de grands méchants vampires nous attendaient dans la pièce voisine, et je doutais qu'ils attendent que nous ayons fini de nous envoyer en l'air. Mon petit doigt me disait que Musette ne se montrerait sans doute guère compréhensive.

Le problème, c'était que l'ardeur ne l'était pas non plus.

Les hommes se tenaient autour de moi dans un silence consterné. Nous regardions tous Jean-Claude, attendant qu'il trouve une solution.

— Que fait-on ? demandai-je.

L'espace d'un instant, Jean-Claude eut l'air paumé. Puis il éclata de ce rire palpable, caressant. Je frissonnai et, si Damian ne m'avait pas retenue, je serais tombée. J'attendis que l'ardeur se communique à lui comme la maladie contagieuse qu'elle peut être parfois, mais ce ne fut pas le cas. Bien au contraire. À l'instant où il me toucha, l'ardeur reflua comme l'océan se retire à marée basse. Je me sentis tout à coup propre et légère, parfaitement lucide. J'étais de nouveau capable de réfléchir. J'agrippai le bras de Damian comme si c'était le dernier bout de bois flotté dans toutes les mers du monde.

Les yeux écarquillés, je tournai le regard vers Jean-Claude.

— Je le sens aussi, ma petite, dit-il gravement.

Pour nous être beaucoup exercés, nous savions que, si Jean-Claude se concentrait pour contrôler l'ardeur, il pouvait m'aider dans mes efforts. Mais le reste du temps, elle brûlait en nous comme un incendie dévastateur.

Au contact de ma peau redevenue fraîche, je perçus le chagrin de Damian, le sentis sur ma langue comme le goût de la pluie… si la pluie avait un goût.

Je sais que Damian me désire, de cette façon qui n'a pas grand-chose à voir avec les petits cœurs roses et les bouquets de fleurs, et tout à voir avec le sexe. Il a soif de moi comme il a soif de sang, parce que sans moi il mourrait. Il a plus de six siècles, mais il ne sera jamais un maître vampire. Ce qui signifie que son ancienne maîtresse faisait battre son cœur au sens littéral du terme. Puis Jean-Claude est devenu la force qui l'animait. Puis, sans le vouloir, je l'ai volé à Jean-Claude et, à présent, c'est ma nécromancie qui fait couler le sang dans ses veines.

J'ai été horrifiée de découvrir que j'avais un familier vampire. J'ai essayé de fermer les yeux là-dessus, de m'enfuir en le laissant derrière moi… comme je me suis enfuie devant un tas d'autres choses. Mais Damian n'est pas une chose que l'on peut laisser de côté.

Si je me coupais de lui… d'abord, il deviendrait fou, puis il mourrait pour de bon. Évidemment, les autres vampires seraient contraints de l'exécuter bien avant ça. On ne peut pas laisser un mort-vivant de six cents ans fou à lier errer dans les rues d'une ville en massacrant ses habitants. C'est mauvais pour les affaires.

Comment je sais ce qui arrivera si je repousse Damian ? Parce que, pendant les six premiers mois, je n'ai pas su qu'il était mon serviteur vampire. Il a pété les plombs et tué des innocents. Jean-Claude a dû l'emprisonner en attendant que je rentre à la maison, que j'assume mes responsabilités au lieu de les fuir. Damian m'a enseigné par l'exemple que, lorsqu'on nie son propre pouvoir, ce sont les autres qui en paient le prix.

Je dévisageai Jean-Claude. Il était toujours aussi beau, mais je pouvais le regarder sans avoir envie de me jeter sur lui.

— C'est stupéfiant, commentai-je.

— Si tu avais laissé Damian te toucher plus tôt, nous aurions pu le découvrir il y a des mois, répliqua Jean-Claude.

Il fut un temps pas si lointain où je lui en aurais voulu de me rappeler mes torts, mais une de mes nouvelles résolutions consiste à ne pas prendre systématiquement la mouche. Choisir mes batailles, tel est désormais mon but.

Jean-Claude hocha la tête, s'approcha de moi et me tendit la main.

— Mes excuses pour mon indiscrétion de tout à l'heure, ma petite, mais je suis un maître désormais… plus le pion de ce feu qui nous brûle tous les deux.

Je détaillai sa main si pâle, aux doigts si longs et si gracieux. Même sans l'ardeur, je le trouvais fascinant de mille et une façons indescriptibles. Je pris sa main tout en continuant à agripper le bras de Damian. Il referma les doigts sur les miens, et mon cœur conserva son rythme normal. L'ardeur ne redressa pas sa tête libidineuse.

Lentement, Jean-Claude porta ma main à la bouche et effleura mes doigts de ses lèvres. Rien ne se produisit. Il risqua un frôlement de sa bouche le long de ma peau. Je retins mon souffle, mais l'ardeur ne se manifesta pas.

Il se redressa, ma main toujours dans la sienne, et m'adressa ce sourire éblouissant que j'aime tant parce qu'il est sincère… ou du moins, aussi sincère que possible pour un maître vampire. Jean-Claude a passé des siècles à s'entraîner pour contrôler son expression et le moindre de ses gestes, afin d'être gracieux et de ne rien laisser paraître de ses émotions ou de ses pensées. Résultat : il a du mal à réagir de manière spontanée.

— Viens, ma petite. Viens faire la connaissance de nos invités.

Je hochai la tête. Il passa son bras sous le mien et jeta un coup d'œil à Damian.

— Prends son autre bras, mon ami, et escortons-la à l'intérieur.

Damian posa ma main sur la peau lisse de son avant-bras musclé.

— Avec plaisir, maître.

En temps normal, Jean-Claude n'aime pas que ses vampires l'appellent « maître », mais ce soir-là, mieux valait être cérémonieux. Nous tentions d'impressionner des gens que rien n'impressionnait plus depuis des siècles.

Asher se plaça devant nous sur la gauche ; Jason fit de même sur la droite, et ils écartèrent les tentures pour nous permettre de passer sans devoir faire de grands moulinets. Si on a cessé de suspendre des rideaux devant les portes, c'est pour une bonne raison.

Le seul inconvénient d'avoir un séduisant vampire pendu à chaque bras, c'est que je ne pourrais pas dégainer rapidement. Évidemment, si je devais dégainer à peine le seuil franchi, la nuit se présentait mal. Assez mal pour que nous survivions à celle-là, mais sans doute pas à la prochaine.

Chapitre 7

Musette se tenait près de la cheminée de brique blanche. C'était sûrement elle, parce qu'il n'y avait pas d'autre mini-Barbie blonde dans la pièce… pour reprendre l'expression de Jason, qui a beaucoup de défauts mais qui ne manque pas de sens de la formule quand il s'agit de décrire une femme.

Et de fait, elle était petite : environ huit centimètres de moins que moi, à vue de nez, ce qui signifiait qu'elle atteignait tout juste le mètre cinquante. Et si elle portait des talons hauts sous sa longue robe blanche, elle était encore plus minuscule que ça.

Ses cheveux tombaient sur ses épaules en vagues blondes, mais ses sourcils étaient noirs et parfaitement arqués. Ou bien elle se teignait, ou elle était une de ces rares blondes dont la couleur des poils ne correspond pas à celle des cheveux. Ce qui arrive, mais pas souvent. Dans son visage très pâle brillaient des yeux bleus comme un ciel printanier, d'une teinte à peine plus vive que ceux de Jason, mais que ses sourcils et ses cils noirs accentuaient.

Elle nous sourit. Sa bouche en forme de bouton de rose était si rouge que je devinais qu'elle portait du rouge à lèvres. Alors, je me rendis compte que tout son visage était maquillé… d'une façon subtile, mais qui rehaussait sa beauté presque enfantine.

Sa pomme de sang était agenouillée à ses pieds, tel un animal familier. Ses longs cheveux bruns s'empilaient sur sa tête en un échafaudage de boucles sophistiqué qui lui donnait l'air encore plus jeune qu'elle l'était. Elle avait le teint pâle, et le bleu glacier de sa longue robe à la mode d'antan ne faisait rien pour lui redonner des couleurs. Son cou gracile était intact. Si Musette buvait son sang, à quel endroit le prenait-elle ? Et est-ce que je voulais le savoir ? Pas vraiment.

Un homme se tenait entre la cheminée et le grand canapé blanc couvert de coussins dorés et argentés. Il était l'opposé de Musette à tous points de vue, ou presque : plus de deux mètres, bâti comme un nageur est-allemand avec une taille mince, des hanches étroites et des jambes qui semblaient plus longues que moi.

Il avait des cheveux aussi noirs que les miens, de ce noir aux reflets bleutés, rassemblés en une tresse épaisse dans son dos. Sa peau était aussi sombre que pouvait l'être celle de quelqu'un qui n'a pas vu le soleil depuis des siècles. J'aurais parié qu'il bronzait facilement, s'il en avait eu la possibilité.

Ses yeux étaient d'un étrange bleu-vert, turquoise comme la mer des Caraïbes… mais de glace. Il aurait dû être séduisant et n'y parvenait pas : l'amertume de son expression l'en empêchait. Il avait l'air d'être perpétuellement de mauvais poil. Peut-être était-ce la faute de ses vêtements. Il était habillé comme s'il sortait d'un tableau du XIXe siècle. Si je devais me balader en collants par les temps qui courent, moi aussi je ferais la gueule.

Même si j'avais un homme à chaque bras, ce fut Jean-Claude et lui seul qui nous guida vers les fauteuils rembourrés, l'un doré et l'autre argenté, tous deux croulant sous les coussins blancs. Il s'arrêta devant la table basse en bois blanc sur laquelle était posé un vase en cristal plein d'œillets jaunes et blancs. Damian s'arrêta lui aussi et resta parfaitement immobile sous ma main. Jason s'affala avec grâce dans le fauteuil doré le plus proche de la cheminée. Asher se planta de l'autre côté du fauteuil argenté, aussi loin que possible de Musette sans pour autant quitter la pièce.

Musette dit quelque chose en français ; Jean-Claude lui répondit dans la même langue, et je réussis à comprendre qu'il lui expliquait que je ne parlais pas le français. Musette répliqua quelque chose qui m'échappa complètement, puis se mit à parler en anglais avec un fort accent. La plupart des vampires n'ont pas d'accent (du moins, en Amérique), mais le sien était à couper au couteau, assez prononcé pour que je cesse de la comprendre si elle devait parler plus vite.

— Damian, cela fait bien longtemps que tu ne nous as pas honorés de ta présence.

— Mon ancienne maîtresse n'appréciait guère la vie de la cour.

— Morvoren est quelqu'un de très étrange.

Je sentis Damian réagir à ce nom comme si on l'avait giflé. Je caressai le dos de sa main en un geste apaisant.

— Elle est assez puissante pour briguer un siège au Conseil. On lui a proposé celui que le Trembleterre occupait autrefois. Elle n'aurait même pas eu à se battre pour l'obtenir. C'était un cadeau. (Musette observait Damian, étudiant son expression et sa posture.) À ton avis, pourquoi Morvoren a-t-elle refusé ?

Damian déglutit, le souffle court. Il se racla la gorge.

— Comme je viens de vous le dire, mon ancienne maîtresse n'est pas portée sur les mondanités. Elle apprécie la solitude.

— Mais renoncer à un siège au Conseil qu'on vous offre sur un plateau, c'est de la folie ! Pourquoi Morvoren aurait-elle fait une chose pareille ?

Chaque fois qu'elle prononçait ce nom, Damian frémissait.

— Il vous a déjà répondu, lançai-je. Son ancienne maîtresse préfère rester seule dans son coin.

Musette tourna la tête vers moi et l'hostilité de son regard me fit presque regretter mon intervention.

— Alors, voilà la nouvelle.

Elle se dirigea vers nous d'un pas qui n'était pas juste glissant. Pour balancer ses hanches de cette façon, elle portait forcément des talons hauts sous sa robe.

Le grand type effrayant la suivit comme une ombre. La jeune fille resta assise devant la cheminée, les plis de sa jupe bleu clair artistiquement déployés autour d'elle, les mains immobiles sur ses cuisses. On aurait dit qu'on l'avait posée là telle une poupée, en lui ordonnant de ne pas bouger, et qu'elle ne bougerait pas jusqu'à ce que Musette le lui demande. Ça me foutait les jetons.

— Puis-je te présenter Anita Blake, ma servante humaine, la première que j'aie jamais appelée à moi ? Il n'y a qu'elle, et il n'y a jamais eu personne d'autre.

De la main qui tenait la mienne, Jean-Claude me fit contourner la table basse et, incidemment, me mena vers Musette. On aurait dit un pas de danse de salon et je me demandai si j'étais censée faire la révérence. Damian suivit le mouvement. Les deux vampires s'inclinèrent et je n'eus pas d'autre choix que de les imiter. Ce n'était sûrement pas un hasard si Jean-Claude m'avait placée entre eux.

Musette s'approcha, le balancement de ses hanches faisant onduler sa jupe blanche autour de ses jambes.

— Tu sais très bien de qui je parle. La servante d'Asher. Comment s'appelait-elle, déjà ?

Quelque chose dans ses yeux bleus me disait qu'elle s'en souvenait parfaitement.

— Julianna, répondit Jean-Claude sur un ton aussi neutre que possible.

Mais ni lui ni Asher ne pouvaient prononcer ce nom sans une certaine émotion.

— Ah, oui, Julianna. Un bien joli prénom pour quelqu'un d'aussi ordinaire.

Musette s'arrêta devant nous. Le grand homme aux cheveux noirs s'immobilisa derrière elle, sa masse seule constituant une menace implicite. Il devait mesurer pas loin de deux mètres dix.

— Comment se fait-il qu'Asher et toi jetiez toujours votre dévolu sur des femmes aussi quelconques ? Je suppose que leur genre « paysanne robuste » vous paraît réconfortant.

Je m'esclaffai sans réfléchir. Jean-Claude me pressa la main. Damian se figea.

Musette n'aimait pas qu'on lui rie au nez… ça se voyait à la tête qu'elle faisait.

— Tu ris, fillette. Pourquoi ?

Jean-Claude serra ma main assez fort pour que ce soit presque douloureux.

— Désolée, dis-je, mais me traiter de paysanne, c'est assez pitoyable comme insulte.

— Pourquoi ? demanda-t-elle, sincèrement perplexe.

— Parce que vous avez raison : aussi loin que remonte mon arbre généalogique, je descends d'une famille de soldats et de laboureurs. Et j'en suis fière.

— Je ne vois vraiment pas pourquoi.

— Parce que tout ce que nous possédons, nous l'avons fabriqué de nos propres mains, à la sueur de notre front, vous voyez le topo. Nous avons dû travailler pour l'obtenir. Personne ne nous a jamais rien donné.

— Je ne comprends pas.

— Je ne sais pas si je peux vous l'expliquer.

Je pensais que c'était sans doute difficile, comme quand Asher avait tenté de m'expliquer ce qu'un vampire devait au sourdre de sa lignée. Rien dans ma vie ne m'avait préparée à gérer ce genre de chose. Je me gardai bien de le dire à voix haute, parce que je ne voulais surtout pas émettre l'idée que je puisse devoir quoi que ce soit à Belle Morte… vu que je n'en avais nullement l'impression.

— Je ne suis pas stupide, Anita. Je comprendrais si tu me l'expliquais clairement.

Asher s'approcha de nous par-derrière, se tenant toujours autant que possible à l'écart de Musette, mais c'était quand même courageux de sa part d'attirer ainsi l'attention sur lui.

— Tout à l'heure, j'ai tenté d'expliquer à Anita ce que l'on doit à un souverain, et elle n'a pas réussi à comprendre. Elle est jeune et américaine ; les gens d'ici n'ont jamais eu… la chance d'être gouvernés de la sorte.

Musette tourna la tête comme un oiseau qui s'apprête à couper un ver de terre en deux avec son bec.

— Et quel est le rapport avec son ignorance des mœurs civilisées ?

Un être humain se serait humecté les lèvres. Asher s'immobilisa comme s'il était pétrifié. Si vous évitez de bouger ou même de respirer, le renard ne s'apercevra peut-être pas de votre présence.

— Charmante Musette, tu n'as jamais connu d'existence où tu n'étais pas soumise à un seigneur. Tu as toujours su ce qu'était le devoir d'allégeance.

— Oui ? dit-elle sur un ton d'une froideur glaciale, comme pour dire : « Vas-y, continue à t'enfoncer. »

— Tu ne peux donc pas concevoir que le fait d'être une paysanne et de ne rien devoir à personne puisse être une expérience libératrice.

Musette agita une main manucurée comme pour dissiper cette pensée.

— C'est absurde. « Expérience libératrice », qu'est-ce que ça signifie ?

— Je crois, dit Jean-Claude, que c'est justement là qu'Asher veut en venir. Tu ne peux pas comprendre.

Elle fronça les sourcils.

— Si je ne comprends pas, ça ne doit pas être important.

Et elle clôtura la conversation d'un geste méprisant. Puis elle tourna son attention vers moi. Son regard était toujours aussi effrayant. Je ne savais pas pourquoi, mais il me glaçait jusqu'à la moelle.

— As-tu vu notre présent pour Jean-Claude et Asher ?

Je dus avoir l'air particulièrement perplexe, car elle pivota et voulut désigner quelque chose derrière elle, mais je ne vis que la montagne de muscles qui lui tenait lieu de serviteur humain.

— Angelito, pousse-toi pour qu'elle puisse le voir.

Angelito ? « Petit ange » ? Ça ne lui allait pas vraiment. Mais il obtempéra, et Musette acheva son geste en direction de la cheminée.

C'était toujours la même cheminée surmontée d'un tableau. Puis je me rendis compte que le tableau, lui, n'était plus le même. Le portrait de Jean-Claude, Asher et Julianna vêtus à la mode des trois mousquetaires avait disparu. Sans les visiteurs qui occupaient la pièce à mon arrivée, je suis sûre que je m'en serais aperçue plus tôt. Oh oui, je m'en serais aperçue.

Ce tableau-là représentait Psyché et Cupidon, la scène traditionnelle où la lumière de la bougie de Psyché révèle enfin Cupidon endormi. La Saint-Valentin a complètement déformé l'image de Cupidon. À la base, ce n'est pas un bébé grassouillet, dépourvu de sexe mais doté d'ailes. C'est un dieu, le dieu de l'amour.

Il n'était pas difficile de deviner qui avait posé à la place de Cupidon, car personne d'autre n'a jamais eu de cheveux si dorés, un corps si parfait. J'ai des souvenirs d'Asher tel qu'il était avant, mais je ne l'avais encore jamais vu de mes propres yeux. Je m'approchai de la cheminée telle une fleur se tournant vers le soleil. Il exerçait sur moi une attirance irrésistible.

Sur ce tableau, Asher était allongé sur le flanc, une main posée sur le ventre, l'autre gisant mollement près de lui. Dans la lumière de la bougie, sa peau semblait dorée, à peine plus claire de quelques nuances que la chevelure mousseuse qui encadrait son visage et ses épaules.

Il était nu, mais ce mot ne lui rendait pas justice. L'éclat de la chandelle traçait une ligne tiède le long de son flanc, depuis l'arrondi de son épaule jusqu'à la protubérance de son talon. Ses mamelons étaient deux halos sombres sur le bombé de sa poitrine ; son nombril se détachait sur son ventre plat telle la délicate empreinte laissée par le toucher d'un ange ; une ligne de poils blond foncé, presque auburn, descendait jusqu'à son membre à demi gonflé, à jamais figé entre sommeil et passion. La courbe de sa hanche offrait à ma vue les quelques centimètres carrés de peau les plus parfaits que j'aie jamais contemplés et guidait mon regard vers sa cuisse, vers le tracé de ses longues jambes.

À travers les souvenirs de Jean-Claude, j'éprouvais le contact de cette hanche sous mes doigts ; j'entendais des voix se chamailler pour savoir qui avait le plus beau corps. Belle Morte avait déclaré que leur silhouette à tous deux était ce qu'elle avait vu de plus proche de la perfection absolue chez un homme. Mais Jean-Claude avait toujours pensé qu'Asher était le plus séduisant, et réciproquement.

L'artiste avait doté l'homme endormi d'ailes blanches si détaillées qu'elles semblaient douces au toucher, et si énormes qu'elles me rappelaient celles des anges de la Renaissance. Je ne les trouvais pas à leur place sur ce corps doré.

Psyché regardait par-dessus le bord d'une aile qui masquait les trois quarts du haut de son corps tout en révélant son épaule et son flanc jusqu'au renflement de sa hanche. Je fronçai les sourcils. Je connaissais le dessin de cette épaule, la saillie des côtes sous cette peau blanche. Malgré la lumière dorée qui la nimbait, je reconnaissais cette silhouette. Je m'attendais que Belle Morte incarne Psyché ; je m'étais trompée.

Je regardai au-delà des longues boucles noires qui ne dissimulaient pas tant son visage qu'elles l'auréolaient. Les traits à l'expression curieuse étaient bien ceux de Jean-Claude. Il me fallut un petit moment pour en être certaine, parce que sa beauté semblait plus délicate que d'habitude. Puis je remarquai qu'il était maquillé comme il y a quelques siècles. Des fards adoucissaient la ligne de sa mâchoire et faisaient paraître ses lèvres plus boudeuses. Mais ses yeux… ses yeux n'avaient pas changé avec leur dentelle noire de cils et leur bleu dans lequel on aurait pu se noyer.

Le tableau était trop grand pour que je puisse l'embrasser tout entier du regard alors que je me tenais si près de la cheminée, mais quelque chose me perturbait dans les yeux de Cupidon. Je dus m'approcher encore pour voir qu'ils étaient entrouverts… juste assez pour laisser apercevoir le feu bleu glacial de la faim d'Asher.

Jean-Claude me toucha le visage, et je sursautai. Damian avait reculé pour nous laisser un peu d'intimité. Jean-Claude suivit le tracé des larmes sur mes joues. Son regard disait assez clairement que je pleurais pour nous deux. Il ne pouvait pas se permettre d'avoir l'air faible devant Musette. Et moi, je ne pouvais pas m'en empêcher.

Nous pivotâmes tous deux vers Asher, mais il se tenait aussi loin de nous que possible. Il s'était détourné, de sorte qu'on ne voyait pas son visage… juste un rideau de cheveux dorés. Et ses épaules étaient légèrement voûtées, comme si on l'avait frappé.

Musette vint aux côtés de Jean-Claude.

— Notre maîtresse a pensé que, puisque vous voilà de nouveau réunis, vous apprécieriez ce petit souvenir d'une époque révolue.

Le regard que je lui jetai par-dessus l'épaule de Jean-Claude n'eut rien d'amical. La jeune fille qui lui servait de pomme de sang se tenait de l'autre côté du canapé. Je ne m'étais même pas rendu compte qu'elle s'était levée et éloignée de la cheminée. Si les méchants avaient voulu m'éliminer, ils auraient pu le faire sans problème, parce que, l'espace de quelques minutes, je n'avais rien vu d'autre que ce tableau.

— C'est le cadeau que nous faisons à notre hôte en tant que visiteurs, mais nous avons apporté un présent plus personnel juste pour Asher.

Angelito s'avança, un tableau beaucoup plus petit dans les mains. Des restes du papier et de la ficelle qui avaient servi à l'envelopper gisaient sur le sol telle la mue d'un serpent. Le portrait faisait la moitié de la taille de l'autre ; il était peint dans le même style réaliste, mais avec des couleurs trop vivaces, comme les œuvres de Titien.

La seule lumière était celle du feu qui brûlait dans les entrailles d'une forge, jetant sur la peau d'Asher des reflets dorés et écarlates. Là encore, il était nu, et un coin de l'enclume dissimulait son bas-ventre, mais le côté droit de son corps était exposé à la lumière. Même ses cheveux étaient attachés négligemment sur sa nuque pour exposer son visage. Il faisait semblant de forger la lame posée sur l'enclume, et ses bras étaient toujours aussi musclés, mais tout le côté droit de son visage, de sa poitrine et de son ventre, ainsi que la chair de la cuisse qu'on apercevait en dessous, avaient fondu comme de la cire.

Ce n'était pas les cicatrices blanches et anciennes que j'avais l'habitude de voir, mais des boursouflures rouge vif, aussi choquantes que des traces de griffes monstrueuses. Soudain, je fus submergée par un souvenir qui ne m'appartenait pas.

Asher est prostré sur le sol de la chambre de torture, libéré de ses chaînes en argent. Autour de lui, ses bourreaux gisent taillés en pièces dans une mare de sang. Il tend une main vers nous, et son visage… son visage…

La tête me tourna, et Jean-Claude et moi nous écroulâmes parce que nous avions tous deux eu la même vision.

Damian et Jason s'approchèrent de nous, mais Asher resta en arrière. Je ne l'en blâmai pas le moins du monde.

Chapitre 8

— Asher, viens voir ton cadeau, appela Musette.

Damian était déjà à genoux derrière moi, les mains posées sur mes épaules, enfonçant ses doigts dans ma chair. Je crois qu'il craignait ma réaction. Et il avait bien raison.

— J'ai déjà vu ce tableau, répondit Asher d'une voix tendue mais claire. Je le connais bien.

— Veux-tu qu'à notre retour nous disions à Belle Morte que tu n'as pas apprécié son cadeau ?

— Vous pourrez dire à Belle Morte que son cadeau m'a fait exactement l'effet qu'elle souhaitait.

— Mais encore ?

— Il m'a rappelé ce que j'étais autrefois et ce que je suis désormais.

Je me levai, Damian agrippant toujours mes épaules. Jean-Claude se mit debout d'un mouvement aussi fluide que celui d'une marionnette tirée par des fils invisibles. Je ne serais jamais aussi gracieuse mais, ce soir, ça n'avait pas d'importance.

Musette reporta son attention sur Jean-Claude.

— Nous vous avons remis nos deux présents, le tien et celui d'Asher. Nous attendons les nôtres en retour.

— Je te l'ai déjà dit, Musette, répondit Jean-Claude d'une voix aussi neutre que le silence. Ils ne seront terminés que dans plusieurs semaines.

— Je suis certaine que tu trouveras quelque chose pour les remplacer, insinua Musette en me regardant.

Je recouvrai l'usage de ma voix, et ce fut sans la moindre neutralité que je m'exclamai :

— Comment osez-vous venir ici avec trois mois d'avance, sachant que nous ne serons pas prêts, et nous imposer quand même vos demandes ?

Damian se cramponnait à moi avec une panique grandissante, mais j'étais restée polie… selon mes critères. Après ce que Musette et Belle Morte venaient de faire, je me trouvais presque aimable.

— Vous ne vous servirez pas de votre grossièreté comme excuse pour nous forcer à faire des choses contre notre gré.

Damian fit glisser ses mains le long de mes bras tandis qu'il me serrait contre lui. Je ne résistai pas, car sans lui, j'aurais probablement frappé Musette… ou je lui aurais tiré dessus. Une idée plus que tentante.

Jean-Claude essaya d'intervenir pour empêcher la discussion de s'envenimer davantage, mais Musette l'écarta d'un geste.

— Laisse ta servante parler, si elle a quelque chose à dire.

J'ouvris la bouche pour la traiter de salope sans cœur, mais telles ne furent pas les paroles qui parvinrent à mes oreilles.

— Pensez-vous que des cadeaux d'une telle magnificence puissent être fabriqués dans la précipitation ? Accepteriez-vous vraiment un pathétique substitut à la place du trésor que nous avons commandé pour vous ?

Je me tus. Tous les hommes de notre camp me regardaient, bouche bée, à l'exception de Damian, qui me serrait contre lui de toutes ses forces.

— Du ventriloquisme, s'écria Jason. Je ne vois pas d'autre explication.

— Ou un miracle, suggéra Jean-Claude. (Puis il se tourna vers notre visiteuse.) À une exception près, tous pâlissent devant ta beauté, Musette. Comment pourrais-je t'offrir un présent indigne de toi ?

Elle reporta son attention sur moi.

— Sa beauté n'égale-t-elle pas la mienne ?

J'éclatai de rire. Damien serra les bras autour de moi si fort que je dus lui tapoter la main pour qu'il desserre son étreinte et que je puisse continuer à respirer.

— Ne t'en fais pas, je gère.

Personne ne me crut, et pourtant, j'étais tout à fait sincère.

— Musette, je ne vais pas faire dans la fausse modestie. Je sais que je suis jolie, mais à côté des triplés surnaturels ici présents, je ressemble à une pauvre souillon.

— Les triplés, répéta Jason. Pourquoi ai-je l'impression que je ne fais pas partie du lot ?

— Désolé, Jason. Tu es comme moi, agréable à regarder. Mais nous n'arrivons pas à la cheville de ces trois-là.

— Dans « ces trois-là », tu comptes Asher ? s'étonna Musette.

J'acquiesçai.

— Quand on recense les gens vraiment beaux dans une pièce, si Asher est là, il figure toujours sur la liste.

— Jadis, oui. Mais plus depuis des siècles.

— Je ne suis pas d'accord.

— Tu mens.

Je la dévisageai.

— Vous êtes un maître vampire ; ne sentez-vous pas si quelqu'un ment ou non ? Ne l'entendez-vous pas dans ma voix ; ne le sentez-vous pas sur ma peau ?

Je scrutai ses traits, ses yeux à la fois magnifiques et effrayants. Non, elle ne sentait pas si je mentais. Je n'ai rencontré qu'un seul autre maître vampire dépourvu cette capacité, et c'était parce qu'elle mentait tellement elle-même que la vérité n'aurait fait que la gêner. Musette était aveugle à la vérité, ce qui signifiait que nous pouvions lui mentir comme des arracheurs de dents. Très intéressant.

Elle fronça les sourcils, puis esquissa de nouveau un geste insouciant de ses petites mains manucurées.

— Assez !

Elle était assez intelligente pour se rendre compte qu'elle avait perdu cette partie de la confrontation, mais pas assez pour comprendre pourquoi. Alors, elle passa à un autre sujet sur lequel elle pensait avoir l'avantage.

— Même l'Asher d'aujourd'hui, avec toutes ses cicatrices, est plus beau que toi.

Ce fut mon tour de froncer les sourcils.

— C'est exactement ce que je viens de dire.

Musette se rembrunit. C'était comme si elle avait à réciter un texte appris par cœur et que je ne lui servais pas les bonnes répliques. Je gâchais sa performance, et elle n'avait pas l'air douée pour l'improvisation.

— Ça ne t'ennuie pas que les hommes qui t'entourent soient plus beaux que toi ?

— Ça fait belle lurette que j'ai dû m'habituer à être le laideron de la bande.

Son visage se plissa si fort sous l'effet de la contrariété que cela parut douloureux.

— Tu es très difficile à insulter.

Je haussai les épaules autant que possible avec les bras de Damian autour de moi.

— C'est la vérité, Musette. J'ai enfreint la règle cardinale de la gent féminine.

— Qui est ?

— Ne jamais sortir avec plus beau que soi.

Cela la fit partir d'un rire surpris.

— Non. La règle, c'est de ne jamais l'admettre. (Son sourire s'estompa.) Ça ne te pose pas de problème de m'entendre dire que je suis plus belle que toi ?

Je secouai la tête.

—Aucun.

L'espace d'un instant, elle eut l'air totalement perdue, jusqu'à ce que son propre serviteur humain lui touche l'épaule. Elle frissonna et prit une grande inspiration, comme si elle se remémorait ce qu'elle était, qui elle était et ce qu'elle faisait là. Les dernières traces de rire s'évanouirent de ses yeux.

—Tu viens d'admettre que ta beauté ne peut rivaliser avec la mienne, et que, par conséquent, boire ton sang ne serait pas un cadeau digne de remplacer la babiole que Jean-Claude a commandée pour moi. Par ailleurs, tu as raison au sujet de ton loup : il est charmant, mais pas aussi séduisant qu'eux trois.

Soudain, un mauvais pressentiment me saisit quand je compris où elle voulait en venir.

—Damian t'appartient. Je ne m'explique pas comment une telle chose est possible, mais je le sens. Il t'appartient de la même façon qu'Angelito m'appartient et que tu appartiens à Jean-Claude. En tant que Maître de la Ville, Jean-Claude ne peut pas être traité comme un calice. Asher, en revanche, n'appartient à personne. Offrez-le-moi.

—C'est mon bras droit, mon témoin, répliqua Jean-Claude de cette voix neutre, vide. Je ne le partagerai pas à la légère.

—J'ai rencontré quelques-uns de tes autres vampires tout à l'heure. Meng Die est capable d'appeler un animal. Elle est donc plus puissante qu'Asher. Pourquoi n'est-ce pas elle, ton second ?

—Parce qu'elle est déjà celui de quelqu'un d'autre, auprès de qui elle retournera dans quelques mois.

—Que fait-elle ici, dans ce cas ?

—C'est moi qui l'ai appelée.

—Pourquoi ?

La véritable raison, c'est que, pendant que j'étais partie scruter les recoins de mon âme à la loupe, Jean-Claude avait eu besoin de renforts ici, à Saint Louis. Mais je ne pensais pas qu'il soit prêt à l'admettre. Et j'avais raison.

— Un maître rappelle toujours les siens à la maison de temps à autre, surtout quand il pense qu'ils ne tarderont pas à devenir maîtres de leur propre territoire. J'ai fait revenir Meng Die pour une visite d'adieu avant de ne plus pouvoir l'appeler.

— Belle a été très perturbée que tu prennes possession de Saint Louis sans lui rendre cette visite d'adieu. Elle s'est réveillée un jour avec ton nom sur les lèvres, et elle a dit que tu possédais désormais ton propre fief. Aucun de nous ne pensait que tu t'élèverais si haut.

Jean-Claude fit une profonde révérence, et Musette se tenait si près de lui que ses boucles noires faillirent effleurer sa jupe.

— Rares sont ceux qui peuvent se vanter d'avoir surpris Belle Morte. Je suis très honoré.

Musette fronça les sourcils.

— Tu peux. Elle était… fort contrariée.

Jean-Claude se redressa lentement.

— Contrariée par mon accession au pouvoir ? Pourquoi ?

— Parce qu'un Maître de la Ville ne saurait plus être soumis à ses obligations précédentes.

Le terme d'« obligations » devait signifier quelque chose de plus pour les vampires que pour moi, car je les sentis se figer. Seul le poids des bras de Damian autour de moi me disait qu'il ne s'était pas tout bonnement volatilisé. Son pouls s'était évanoui, comme s'il avait battu en retraite au plus profond de son être.

— Mais Asher n'a pas connu la même ascension, reprit Musette. Belle Morte pourrait encore le rappeler à la maison.

Je jetai un coup d'œil à Jean-Claude. Son visage n'exprimait que cette neutralité polie sous laquelle il a l'habitude de dissimuler ses véritables émotions.

— Bien entendu, cela fait partie de ses prérogatives, mais j'aurai besoin qu'elle me prévienne un peu à l'avance. L'Amérique est moins organisée que l'Europe et les luttes territoriales y sont bien moins civilisées. (Sa voix était toujours parfaitement atone, comme si rien n'avait d'importance.) Si mon second disparaissait du jour au lendemain, certains pourraient considérer cela comme un signe de faiblesse.

— Ne t'inquiète pas, notre maîtresse n'envisage pas de le rappeler. Mais elle avoue sa perplexité.

Nous attendîmes que Musette poursuive, mais elle laissa le silence s'installer.

Malgré les bras de Damian autour de moi, je fus la première à craquer.

— Sa perplexité à propos de quoi ?

— Elle ne comprend pas pourquoi Asher l'a quittée.

Asher se rapprocha, même s'il maintint une distance plus grande entre lui et Musette qu'entre lui et nous.

— Je ne l'ai pas quittée, répliqua-t-il. Belle Morte ne m'avait pas touché depuis des siècles. Elle ne regardait même pas les… spectacles auxquels je participais. Elle disait que ma vue offensait son regard.

— Elle a le droit de se comporter comme elle veut vis-à-vis de ses gens, contra Musette.

— C'est vrai, mais elle m'a envoyé aux États-Unis sous la supervision d'Yvette. Après la mort d'Yvette, il ne restait plus personne pour me donner d'ordres.

— Et si notre maîtresse te rappelait auprès d'elle ?

Silence… dans notre camp, cette fois.

Le visage d'Asher était aussi impassible que celui de Jean-Claude. Quoi qu'il puisse éprouver, il le cachait bien.

Mais la neutralité même de leur expression signifiait que tout cela était important.

— Belle Morte encourage les siens à prendre leur indépendance, lâcha enfin Jean-Claude. C'est l'une des raisons pour lesquelles sa lignée contrôle un territoire plus étendu que n'importe quelle autre, tout spécialement ici, aux États-Unis.

Musette tourna ses beaux yeux impitoyables vers lui.

— Mais Asher n'est pas parti pour devenir un Maître de la Ville ; il est parti pour se venger de toi et de ta servante humaine. Il voulait te faire payer la mort de Julianna.

Je savais bien qu'elle se souvenait de son nom depuis le début.

— Pourtant, ta servante se tient devant moi, vigoureuse et indemne. Qu'est devenue ta soif de vengeance, Asher ? Qu'est devenu le prix que tu voulais extorquer à Jean-Claude ?

Asher parut se renfermer sur lui-même : immobile, si immobile... Il me semblait que, si je clignais des yeux, il disparaîtrait complètement.

— J'ai compris que j'avais peut-être eu tort de tenir Jean-Claude pour responsable, répondit-il d'une voix distante. Que lui aussi pleurait peut-être sa mort.

— Donc, tu as oublié ta rancœur et ta peine juste... comme ça ?

Musette claqua des doigts.

— Pas « juste comme ça », non. Mais j'ai redécouvert bien des choses que j'avais oubliées.

— Comme le doux contact du corps de Jean-Claude ?

Cette fois, le silence fut si pesant que je pus entendre mon pouls rugir à mes oreilles. Damian se tenait contre moi comme un fantôme. J'étais sûre que tous les vampires ne désiraient rien plus ardemment que se trouver ailleurs.

De deux choses l'une. Ou bien Jean-Claude et Asher l'avaient fait dans mon dos… ce qui n'était pas impossible. Ou bien répondre la vérité serait catastrophique.

Jason croisa mon regard, mais ni lui ni moi n'osâmes esquisser le moindre geste. Nous ne savions pas exactement ce qui se passait, mais nous étions presque certains que ça se terminerait mal.

Musette contourna Jean-Claude en roulant des hanches pour se rapprocher d'Asher.

— Jean-Claude et toi êtes-vous de nouveau un couple heureux ? (Elle me jeta un coup d'œil.) À moins qu'il s'agisse d'un ménage à trois… Est-ce pour cela que tu n'es pas revenu ?

Elle passa devant Jean-Claude et Asher, les forçant à reculer, et vint se planter devant moi.

— Comment d'aussi maigres charmes peuvent-ils soutenir la comparaison avec la splendeur de notre maîtresse ?

Peut-être venait-elle d'insinuer que je n'étais pas un aussi bon coup que Belle Morte, mais je n'en étais pas sûre, et à vrai dire je m'en fichais. Elle pouvait m'insulter autant qu'elle voulait. C'était moins douloureux que ce qu'elle aurait pu faire.

— Belle Morte a la nausée quand elle me voit, répondit finalement Asher. Elle m'évite autant que possible. (Il désigna le tableau que tenait toujours Angelito.) C'est comme ça qu'elle me voit. Comme ça qu'elle me verra toujours.

Musette revint vers lui de sa démarche chaloupée.

— Être le plus humble vermisseau de sa cour vaut mieux que gouverner n'importe où ailleurs.

Je ne pus m'empêcher de lancer :

— Voulez-vous dire qu'il vaut mieux servir au paradis que régner en enfer ?

Elle hocha la tête en souriant mais, apparemment, sans comprendre l'allusion littéraire [1].

— Oui, précisément. Notre maîtresse est le soleil, la lune, l'univers. La seule véritable mort, c'est d'être séparé d'elle.

Son expression était béate et son visage irradiait cette lumière intérieure généralement réservée aux illuminés et aux télévangélistes. C'était ce qu'on appelle une vraie croyante.

Je ne voyais pas Damian, mais j'aurais parié qu'il observait la même neutralité prudente que les autres vampires. Jason regardait Musette comme s'il venait de lui pousser une deuxième tête particulièrement hideuse et surmontée de cornes. C'était une fanatique, et les fanatiques ne sont jamais complètement sains d'esprit.

Toujours radieuse, elle se tourna vers Asher.

— Notre maîtresse ne comprend pas pourquoi tu l'as quittée.

Mais moi, je comprenais. Comme toutes les autres personnes présentes dans la pièce, à l'exception peut-être d'Angelito et de la fille qui se tenait de l'autre côté du canapé, là où Musette l'avait mise.

— Regarde le tableau qui me représente en Vulcain, Musette. Vois ce que notre maîtresse pense de moi.

Musette ne se donna même pas la peine de tourner la tête vers Angelito. Elle eut ce haussement d'épaules typiquement français qui signifie tout et rien à la fois.

— Anita ne me voit pas ainsi, ajouta Asher.

— Jean-Claude ne peut pas te regarder sans penser à ce que vous avez perdu.

---

1. Dans son long poème épique « Paradis perdu », qui retrace la déchéance du premier homme, John Milton affirme qu'il vaut mieux régner en enfer que servir au paradis. (*NdT*)

— L'époque où tu pouvais parler à ma place est révolue, Musette. Tu ne connais ni mes sentiments ni mes pensées. Tu ne les as jamais connus, affirma Jean-Claude.

Elle se tourna vers lui.

— Es-tu vraiment en train de me dire que tu pourrais le toucher tel qu'il est maintenant ? Prends garde à ta réponse, Jean-Claude. Notre maîtresse a vu dans ton cœur et dans ton esprit. Tu peux me mentir, mais pas à elle.

Jean-Claude garda le silence pendant un moment, puis finit par dire la vérité.

— Nous ne sommes pas ensemble de cette manière, actuellement.

— Tu vois ? Tu refuses de le toucher, comme notre maîtresse.

Je desserrai l'étreinte de Damian pour pouvoir bouger plus facilement.

— Ce n'est pas tout à fait ça, intervins-je. En réalité, c'est ma faute s'ils ne sont plus amants.

Musette se tourna vers moi.

— Que veux-tu dire, servante ?

— Vous savez, même si j'étais une vraie domestique – par exemple, une femme de chambre – je connais assez bien les règles de la politesse pour savoir qu'on n'appelle pas une femme de chambre « femme de chambre ». Ni une servante « servante », à moins de n'en avoir jamais côtoyé.

J'affichai une mine perplexe et croisai les bras sur mon ventre. Damian garda les mains légèrement posées sur mes épaules.

— C'est bien ça, Musette ? En fin de compte, vous n'êtes pas une aristocrate ? Vous faites juste semblant, alors qu'en réalité vous n'y connaissez rien ?

Jean-Claude me jeta un regard qu'elle ne put voir.

— Comment oses-tu ? s'écria Musette.

— Alors, prouvez-moi que vous êtes noble et parlez-moi comme quelqu'un qui a l'habitude de s'adresser à des domestiques.

Elle ouvrit la bouche pour protester, puis eut l'air d'entendre quelque chose d'inaudible pour moi. Elle poussa un profond soupir.

— Comme tu voudras. Blake, alors.

— Blake me convient. Et ce que je voulais dire, c'est que cette histoire de bisexualité me dérange. Je ne partagerai pas Jean-Claude avec une autre femme, et encore moins avec un homme.

De nouveau, Musette pencha brusquement la tête sur le côté, comme si elle venait de repérer un ver de terre appétissant.

— Très bien. Dans ce cas, Asher n'a de lien avec aucun de vous deux. Il est seulement le second de Jean-Claude.

Je parcourus l'assemblée du regard. Seul Jason avait l'air aussi paumé que moi. Les autres réagissaient comme si un piège venait d'être amorcé, et que j'étais la seule à ne pas l'avoir encore vu.

— Que se passe-t-il ? demandai-je.

Musette éclata d'un rire qui était loin d'avoir les qualités de celui de Jean-Claude ou même d'Asher. C'était juste un rire ordinaire, voire vaguement déplaisant.

— J'ai le droit de le réclamer comme cadeau de bienvenue. Je voudrais qu'il passe la nuit avec moi.

— Attendez, protestai-je. (Damian tenta de me plaquer contre lui mais, cette fois, je ne me laissai pas faire.) Je croyais que vous étiez d'accord avec Belle, que vous pensiez qu'Asher n'était plus assez beau pour qu'on veuille coucher avec lui.

— Qui a parlé de sexe ?

Je comprenais de moins en moins.

— Dans ce cas, que voulez-vous faire avec lui pendant toute la nuit ?

Elle s'esclaffa en rejetant la tête en arrière, d'une manière très peu distinguée. Je n'avais pourtant rien dit de drôle, si ?

La voix très calme de Jean-Claude s'éleva dans le silence qui suivit.

— Musette s'intéresse davantage à la douleur qu'au sexe, ma petite.

Je le dévisageai.

— Vous ne parlez pas de SM ordinaire avec mot d'arrêt, n'est-ce pas ?

— Il n'existe aucun mot dans aucune langue que j'aie jamais entendu hurler qui puisse détourner Musette de son plaisir.

J'humectai mes lèvres brusquement sèches. La pub sur les rouges hydratants, c'est de la fumisterie. Quand vous avez vraiment la trouille, vos lèvres s'assèchent quand même.

— Voyons si j'ai bien compris. Si Asher était votre amant, le mien ou celui de n'importe qui d'autre, il n'aurait rien à craindre d'elle ?

— Non, ma petite. Il ne serait en sécurité que s'il était mon amant ou le tien. Une personne de rang inférieur ne peut protéger celui qu'elle aime.

— Donc, elle peut considérer Asher comme un joujou parce que nous ne couchons pas avec lui ?

Jean-Claude eut l'air pendant un instant d'y réfléchir.

— C'est à peu près ça, oui.

— Merde alors.

— Oui, ma petite. Comme tu dis.

Une légère lassitude avait fini par percer dans sa voix.

Je regardai Asher, de nouveau planqué derrière son rideau de cheveux dorés. Comment étais-je censée réagir ? Si je n'avais pas été aussi prude, rien de tout cela ne serait arrivé. Je suis vraiment désolée que ça me pose problème d'imaginer mon mec en train de s'en taper un autre. Pourquoi essaie-t-on toujours de me faire culpabiliser parce que je ne couche pas avec plus de gens ? Ce ne devrait pas être l'inverse ?

Musette tendit la main à Asher. Il resta immobile durant une seconde ou deux avant de la prendre. Il ne jeta qu'un coup d'œil à Jean-Claude : bref éclat de prunelles bleu clair entre les fils d'or de sa chevelure. Jean-Claude ne réagit pas. Il tentait de faire comme s'il n'était pas là.

Je m'avançai, et seuls les doigts de Damian s'enfonçant dans mes épaules m'empêchèrent d'aller plus loin.

— Nous ne pouvons pas la laisser faire.

— C'est Musette, le lieutenant de Belle Morte, répliqua Jean-Claude d'une voix distante.

Musette ne se donna pas la peine d'entraîner Asher dans une autre pièce. Elle s'arrêta à quelques pas de nous, même pas à proximité d'un « mur ». Elle fit pivoter Asher vers elle, puis sortit un couteau de sa jupe blanche et le lui plongea dans le ventre avant que quiconque puisse réagir.

Asher est capable de bouger plus vite que l'œil humain peut le suivre ; pourtant, il ne fit pas le moindre geste pour se protéger. Il la laissa lui planter son couteau dans le ventre jusqu'à ce que le manche vienne buter contre sa peau, empêchant la lame de s'enfoncer davantage.

Je dégainai, et Jean-Claude m'agrippa le poignet.

— Le couteau n'est pas en argent, ma petite. Dès qu'elle le retirera, il cicatrisera presque instantanément.

Je le dévisageai, luttant pour lever mon flingue et y parvenant en partie. Grâce aux marques vampiriques de Jean-Claude, je suis plus forte que je le devrais.

— Comment savez-vous qu'il n'est pas en argent ?

— Parce que j'ai déjà joué à ce jeu avec Musette.

Du coup, j'en oubliai mon flingue et me figeai entre ses mains. Je devrais plutôt dire « leurs mains », parce que celles de Damian étaient toujours incrustées dans mes épaules.

Seul Jason n'essayait pas de me retenir. À voir son expression, je crois au contraire qu'il avait envie de m'encourager.

Je voyais Asher toujours debout, les mains plaquées sur son ventre et le sang s'insinuant entre ses doigts. Le brun de sa chemise était assez foncé pour dissimuler la tache. Musette porta le couteau à sa bouche délicate et en lécha la lame.

Je savais grâce aux souvenirs de Jean-Claude que le sang de vampire n'est absolument pas nutritif. On ne peut pas se nourrir d'un mort, pas de cette façon.

Asher leva les yeux vers nous.

— Ce n'est pas de l'argent, ma chérie. Ça ne me tuera pas.

Puis son souffle s'étrangla dans sa gorge quand Musette frappa de nouveau.

Le monde se mit à danser autour de moi en vagues multicolores. Je fermai les yeux l'espace d'une seconde et dis à voix basse, en détachant chaque syllabe :

— Lâche-moi, Damian.

Les mains posées sur mes épaules retombèrent immédiatement, parce que j'avais donné un ordre direct à leur propriétaire. Alors, je plongeai mon regard dans celui de Jean-Claude, et nous nous fixâmes jusqu'à ce que, très lentement, il lâche mon poignet. Sa voix résonna dans ma tête comme un murmure.

— *Tu ne peux pas la tuer pour ça.*

Je rengainai mon flingue.

— Je sais.

Je ne pouvais pas la descendre parce qu'elle n'essayait pas de tuer Asher, mais je refusais de rester là et de la regarder le torturer.

Autrefois, je pensais que c'était une mauvaise idée de faire un bras de fer avec un vampire. Même avec les marques de Jean-Claude, Musette restait plus forte que moi, mais j'étais prête à parier qu'elle n'avait aucun entraînement au corps à corps. Si je me trompais, j'allais me faire botter le cul. Et si j'avais raison… On verrait bien.

Chapitre 9

Musette n'esquissa pas le moindre geste de protection. Angelito resta avec Jean-Claude et Jason à l'autre bout de la pièce. Apparemment, ni l'envoyée de Belle Morte ni son serviteur ne me considéraient comme une menace. Avec la réputation que je me trimballe, on pourrait croire que les monstres cesseraient de me sous-estimer. Mais, morts ou vivants, ils sont toujours trop arrogants.

Je sentis un sourire étirer mes lèvres et je n'eus pas besoin d'un miroir pour savoir qu'il n'avait rien d'aimable. C'est le sourire qui me vient quand on m'a trop gonflée et que je décide enfin de riposter.

Musette léchait ostensiblement la lame du couteau tandis qu'Asher saignait, debout devant elle. Elle s'y prenait comme une gamine déguste une glace à l'eau par une journée de canicule : avec des coups de langue prudents mais rapides, pour éviter d'en perdre la moindre goutte. Elle n'avait d'yeux que pour moi. Ce spectacle m'était exclusivement destiné. On aurait dit qu'Asher ne comptait pas du tout pour elle… ce qui était peut-être le cas.

Croyez-le ou non, mais elle venait de me tourner le dos pour le frapper une troisième fois quand j'arrivai près d'elle. J'ignore ce qu'elle avait imaginé, car elle eut l'air surprise lorsque je lui saisis le poignet. Peut-être s'attendait-elle que je me batte comme une fille… quoi que ça puisse signifier.

Je lui donnai un coup d'épaule, et elle tituba en arrière sur ses talons hauts. Je plaçai un pied derrière le sien pour lui faire un balayage. Une petite poussée suffit pour la faire tomber sur le dos. Je la suivis à terre, chevauchant son corps et détournant son poignet avec le mien. À l'instant où elle toucha le sol, je lui enfonçai le couteau dans le ventre… et, comme j'appuyai sur ma main avec mon genou, je sentis la lame ressortir dans son dos.

— Ce n'est pas de l'argent, lui chuchotai-je avec un sourire mauvais. Vous guérirez.

Elle hurla.

Je sentis plus que j'entendis Angelito se diriger vers nous.

— Si vous approchez, je lui plonge ce couteau dans la poitrine, et peu importe que ce soit de l'argent ou non. Je lui aurai taillé le cœur en pièces avant que vous soyez sur nous.

Les draperies du fond s'écartèrent, et des vampires se déversèrent dans la pièce… certains de notre camp, d'autres du leur. J'ignore ce qui se serait passé ensuite si la porte ne s'était pas ouverte derrière les tentures. J'entendis pas mal d'agitation, et je faillis faire remonter la lame jusqu'au cœur de Musette sans savoir si le métal était assez solide pour encaisser le choc.

Une fraction de seconde avant que je m'exécute s'éleva un son qui fit se dresser tous les poils sur mes bras. Un hurlement d'hyènes en chasse… beaucoup plus flippant que celui des loups auquel il se mêlait. À l'instant où je l'entendis, je sus que c'était notre cavalerie qui arrivait, et non celle de Musette.

Je ne regardai pas par-dessus mon épaule parce que je n'osais pas quitter des yeux la vampire que j'avais clouée au sol. Mais je sentis une masse de corps surgir derrière moi, sentis le pouvoir électrique des métamorphes emplir la pièce comme un nuage d'orage.

Pouvoir et tension conjugués réveillèrent ma propre bête, qui se tordit dans mes entrailles tel un serpent. Je ne suis pas une métamorphe mais, à travers Richard et mon lien avec les léopards-garous, j'ai hérité de ce qui ressemble le plus à une bête personnelle pour un humain.

Ce fut Bobby Lee, l'un des rats-garous de Louie, qui s'avança suffisamment pour que je le voie. Son accent traînant du Sud me paraît toujours déplacé durant une bataille.

— Z'avez l'intention de la buter ?

— C'est possible.

Il mit un genou à terre près de nous.

— Vous croyez vraiment que c'est ce qu'il y a de plus intelligent à faire ?

Il leva les yeux vers les vampires qui se tenaient au bout de la pièce.

— Probablement pas, concédai-je.

— Dans ce cas, vous devriez peut-être la relâcher avant de l'étriper.

— C'est Micah qui vous envoie ? demandai-je sans quitter des yeux le visage tordu de douleur de Musette.

J'étais contente de la voir souffrir. D'habitude, je n'aime pas torturer les gens, mais je voulais bien faire une exception pour elle.

— Il n'a pas envoyé vos léopards parce que vous le lui aviez interdit, mais il a contacté les autres chefs de clan, et nous voilà. Si vous n'avez pas l'intention de la tuer, fillette, vous devriez vraiment la relâcher.

— Pas encore.

Bobby Lee n'insista pas, mais il se leva en silence et resta près de nous, comme le bon garde du corps qu'il était.

Je m'adressai à Musette, mais en m'arrangeant pour que tout le monde entende.

— Personne ne pénètre sans autorisation sur notre territoire pour faire du mal à nos gens. Personne, pas même les membres du Conseil, pas même le sourdre de sang de notre lignée. Tout le monde me dit que, quand je vous parle, c'est comme si je m'adressais à Belle Morte elle-même ; alors, voici mon message pour elle : le prochain de ses gens qui touche à l'un des nôtres est mort. Définitivement. Je lui couperai la tête, je lui arracherai le cœur et je brûlerai le reste.

Musette recouvra enfin l'usage de sa voix, mais ce fut sur un ton tendu et légèrement effrayé qu'elle répliqua :

— Tu n'oserais pas.

Je pesai un peu plus sur la lame pour la faire grogner.

— Vous voulez parier ?

Alors, la douleur se volatilisa de ses traits comme si quelqu'un l'avait effacée avec un chiffon, et ses yeux s'assombrirent. Je maintins le couteau planté dans son ventre tandis que les prunelles ambrées de Belle remplaçaient les siennes, faisant virer le bleu à la couleur du miel empoisonné.

J'avais déjà vu Belle faire ça une fois… mais dans un miroir, avec mes propres yeux. La peur me transperça comme une lame, glaçant ma peau et faisant remonter mon cœur dans la gorge. La peur peut soit chasser la bête, soit l'invoquer. Cette fois, elle la calma, l'assoupit, de sorte que le pouvoir qui avait jailli en moi retomba, me laissant seule et effrayée.

Ce n'était pas un tour vampirique qui me donnait envie de prendre mes jambes à mon cou. J'avais déjà senti Belle se mouvoir dans mon propre corps, et je ne voulais plus jamais que ça se reproduise. Si j'arrachais le cœur de Musette pendant que Belle la possédait, les tuerais-je toutes les deux ? Probablement pas… mais Dieu, que c'était tentant !

La voix de Belle résonna, dénuée de la moindre trace de peur ou de tension. Si le couteau lui faisait mal, elle n'en laissait rien paraître.

— Jean-Claude, ne lui as-tu rien appris ?

Sa voix était plus basse et plus riche que celle de Musette : un agréable contralto. La pensée irrévérencieuse qu'elle aurait fait une bonne opératrice de téléphone rose me traversa l'esprit.

Jean-Claude glissa vers nous. Il fit signe à Damian de le suivre, et le vampire roux obtempéra. Jean-Claude s'agenouilla près de Musette en prenant bien garde de rester hors de portée, et Damian l'imita. Tous deux inclinèrent la tête.

— Musette a outrepassé les droits d'une visiteuse en mon domaine, dit Jean-Claude. Jamais tu ne tolérerais qu'un de tes gens soit traité comme elle vient de traiter Asher. J'ai bien retenu les leçons que tu m'as enseignées, Belle Morte.

— Et de quelle leçon s'agit-il en l'occurrence ? demanda-t-elle.

— Ne tolère pas la moindre désobéissance, pas la plus petite rébellion, pas la plus infime insulte. J'admets que la peur que Musette a apportée avec elle me l'avait fait oublier. T'offenser, fût-ce indirectement, me semblait impensable. Mais je ne suis plus ta créature. Je suis un Maître de la Ville, à présent, et Asher m'appartient. Je serai ce que tu m'as formé à devenir, Belle : ton enfant. Je laisserai ma petite se montrer aussi impitoyable qu'elle le voudra, et, ou bien Musette apprendra la politesse, ou bien tu ne la reverras jamais.

Elle s'assit. Malgré le couteau, elle s'assit, et je ne pus l'en empêcher. Le mouvement me repoussa en arrière, suffisamment pour que j'effleure Damian. Il toucha mon dos et, voyant que je ne protestais pas, posa la main sur mon épaule.

Belle écarta la main de Musette du couteau, ne laissant que la mienne sur le manche. Mais elle n'exprima aucune douleur. En fait, elle m'ignora complètement pour dévisager Jean-Claude. Je commençais à me sentir ridicule, avec mes mains ensanglantées et ce foutu couteau planté dans le ventre de Musette. Non, pas ridicule : superflue.

— Tu sais ce que je te ferais si tu t'attaquais à elle.

— Je sais que, selon nos propres lois, les lois que tu as contribué à mettre en place, nul n'est autorisé à pénétrer sur le territoire d'autrui sans avoir négocié un sauf-conduit au préalable. Musette et son escorte sont arrivées trois mois avant la date prévue, ce qui, d'un point de vue pratique, signifie qu'ils sont en infraction. Ils n'ont pas de droits et ne bénéficient d'aucune protection. Je pourrais les massacrer, et la loi vampirique serait de mon côté. Trop de gens au Conseil te craignent, Belle. Ils trouveraient cela très drôle.

— Tu n'oserais pas.

— Je ne te laisserai pas faire de mal à Asher. Plus maintenant.

— Il n'est rien pour toi, Jean-Claude.

— Tu es la créature la plus magnifique que j'aie jamais contemplée, sublime dans ta faim et ton désir. Je suis écrasé par ton pouvoir, émerveillé par les manœuvres politiques que tu exécutes sans le moindre effort. Mais je suis loin de toi depuis longtemps, et j'ai appris que la beauté n'est pas toujours ce dont elle a l'air, que le désir ne vaut pas toujours mieux que l'amour, que le pouvoir seul ne suffit pas à remplir un lit ou un cœur, et que je n'ai pas de patience pour les jeux politiques.

Elle tendit une main fine vers lui.

— Je t'ai offert un amour avec lequel aucune mortelle ne saurait rivaliser.

— Tu m'as montré le désir, l'appétit sexuel.

— Oui, l'amour, dit-elle d'une voix si sensuelle qu'elle me donna la chair de poule.

Mais Jean-Claude secoua la tête.

— Non. Le désir, pas l'amour. Ce n'est pas la même chose.

Une expression passa sur le visage de Musette, tel un masque grossièrement conçu glissant sous sa peau. Ce phénomène me rappela la façon dont la bête ondulait sous la peau des métamorphes avant de jaillir à la surface de leur corps. Si Musette se transformait complètement en Belle

Morte, je tenterais de lui planter ce foutu couteau dans le cœur pendant que je le pouvais encore.

— Tu m'aimais, autrefois, Jean-Claude.

— Oui, de tout mon cœur et de toute mon âme.

— Mais tu ne m'aimes plus, maintenant, dit-elle d'une voix douce, presque chagrinée.

— J'ai appris que l'amour peut grandir sans le sexe, et que le sexe n'engendre pas toujours l'amour.

— Je pourrais t'aimer de nouveau, chuchota-t-elle.

— Non : tu me posséderais de nouveau, et l'amour n'est pas une question de possession.

— Tu parles par énigmes.

— Je dis la vérité telle que je l'ai découverte.

Les yeux ambrés se tournèrent vers moi.

— C'est toi qui as fait ça. Je ne sais pas comment tu t'y es prise, mais c'est toi qui as fait ça.

Je commençais à me sentir franchement ridicule à tenir ce couteau planté dans le ventre de Musette, mais j'avais peur de le retirer parce que, pour je ne sais quelle raison, je m'attendais que Belle se lève en s'esclaffant : « Ah ah, c'est ce que j'attendais depuis le début ! » Donc, je continuai à appuyer en me demandant ce que je pourrais bien faire d'autre. Il était difficile de réfléchir quand on était confronté à ce regard ambré, difficile même de ne pas prendre ses jambes à son cou et encore plus d'essayer de la tuer. Quand je ne peux pas échapper à mes peurs, j'ai tendance à tenter de les éliminer. Jusqu'ici, c'est une stratégie qui m'a plutôt réussi.

— Fait quoi ? demandai-je d'une voix tendue.

Damian me pétrissait doucement les épaules, pas tant pour me masser que pour me rassurer, je crois.

— Tu l'as dressé contre moi.

— Non. Vous l'avez fait toute seule, des siècles avant ma naissance.

Le masque liquide glissa de nouveau sous la peau de Musette. Il me semblait que, si je touchais son visage, je sentirais des choses qui n'auraient pas dû être là.

— Je lui ai ouvert mon lit ; que peut-on désirer d'autre de Belle Morte ?

— Vous lui avez montré ce que valait votre amour quand vous avez rejeté Asher.

— Quel rapport entre le sort d'Asher et l'amour de Jean-Claude ?

C'était stupéfiant que quelqu'un qui les connaissait tous les deux puisse poser une question pareille. Et que cette personne soit justement celle qui les avait réunis était à la fois effrayant et très triste.

— Il faut que vous partiez maintenant, Belle, réclamai-je.

— Pourquoi ? Qu'ai-je fait pour te contrarier ?

Je secouai la tête.

— La liste est trop longue, et nous n'avons pas toute la nuit. Pour l'instant, contentez-vous de partir, s'il vous plaît. J'en ai assez d'essayer d'expliquer la notion de couleur aux aveugles.

— Je ne comprends pas.

— Non. Justement.

Elle me dévisagea et leva la main comme pour me toucher la joue.

— Touchez-moi, et nous découvrirons si Musette peut survivre sans son cœur, menaçai-je.

— Pourquoi le contact de ma main serait-il plus nocif que celui de nos corps ?

— Mettez ça sur le compte de l'intuition, mais je ne veux pas que vous me touchiez sciemment. Et puis, ce n'est pas votre corps, mais celui de Musette. Même si je n'en suis pas totalement certaine. Disons que je suis prudente, et restons-en là.

— Nous nous reverrons, Anita. Je te le promets.

— Oui, oui, je connais la chanson.

— Tu n'as pas l'air de me croire.

— Oh, je vous crois, c'est juste que je m'en tamponne.

— Tamponne ?

— Elle veut dire qu'elle n'y accorde pas trop d'importance, traduisit Jean-Claude.

Belle reporta son attention sur moi.

— Et pourquoi ça ?

— Beaucoup de vampires passent leur temps à me menacer. Je ne peux pas paniquer chaque fois.

— Je suis Belle Morte, membre du Conseil vampirique. Ne me sous-estime pas, Anita.

— Allez dire ça au Trembleterre, répliquai-je.

— Je n'ai pas oublié que Jean-Claude a tué un de mes pairs.

En fait, c'était moi qui l'avais tué, mais pourquoi ergoter ?

— Allez-vous-en, Belle. Par pitié.

— Et si je décide de rester ? Que ferais-tu ? Que pourrais-tu faire ?

J'envisageai plusieurs options, dont la plupart seraient fatales pour l'une de nous deux. Finalement, je répondis :

— Si vous voulez garder ce corps, faites-vous plaisir. Ce n'est pas le mien. Ce n'est même pas celui d'un de mes vampires.

Je me rejetai en arrière et retirai le couteau du ventre de Musette. Pas question que je le laisse là : il y avait trop de risques qu'elle s'en saisisse afin de me poignarder. Mon geste arracha un hoquet de douleur à Belle. Pourtant, elle n'avait pas eu l'air de souffrir quand je l'avais plantée.

Elle m'agrippa le poignet comme pour m'empêcher de lui faire plus de mal, mais j'aurais dû me douter que c'était une ruse.

Une petite partie hurlante de moi savait que j'étais toujours à genoux sur le tapis dans le salon de Jean-Claude, mais le reste de ma personne se trouvait dans une chambre sombre, éclairée à la bougie. Le lit était grand et moelleux, couvert de tas d'oreillers qui donnaient l'impression de vouloir se dresser telle une vague pour m'engloutir. La femme allongée parmi eux gisait au milieu d'une cascade de cheveux bruns épars. Ses yeux semblables à des flammes ambrées avaient l'éclat du soleil vu à travers une vitre colorée. Belle Morte me regardait. Son corps pâle était entièrement nu ; rien ne dissimulait sa chair glorieuse. Et je la désirais, je la désirais comme je n'avais jamais rien désiré d'autre de toute ma vie.

Je revins à moi-même en hoquetant. Jean-Claude tenait mon autre main dans une poigne de fer. Damian pesait contre mon dos. Jason nous dominait de toute sa taille, une main posée sur l'épaule de Jean-Claude et l'autre sur mon cou, au-dessus de la main de Damian. Je sentais mon pouls battre contre sa paume.

Je humais le parfum musqué de la fourrure de loup, les riches odeurs de la forêt. La signature olfactive de la meute.

Les loups-garous venus protéger nos arrières avaient fendu la foule. Je les sentais alignés derrière moi, comme si un fil invisible me reliait à eux à travers Jason. Jean-Claude possède des liens directs avec eux, puisque le loup est son animal. Il n'a pas besoin de la bête de Richard pour les appeler. Mais moi, il me faut quelqu'un pour me servir d'intermédiaire. En l'absence de Richard, si Jason n'avait pas été là pour compléter le triumvirat à sa place, Belle aurait pu invoquer l'ardeur et nous noyer dans les souvenirs de sa tendre chair. Nous rejeter dans le salon et changer cette impasse en orgie.

Mais Jean-Claude me faisait partager son contrôle par la pression de sa main ; Damian me prêtait sa retenue grâce au contact de son corps moulé contre mon dos ; et Jason projetait la volonté de la meute dans mes veines. Nous ne formions pas seulement un triumvirat de pouvoir. Grâce à la présence de Damian, nous étions bien plus que cela. Et ce « bien plus » surpassait Belle Morte prisonnière du corps de Musette. Si elle avait été là en personne, l'issue aurait sans doute été différente, mais ce n'était pas le cas. Elle se trouvait quelque part en Europe, très loin de nous.

Un hurlement s'éleva derrière moi, puis un autre, et encore un autre. Jason rejeta la tête en arrière, étirant la longue ligne de sa gorge. Un cri jaillit de sa bouche et se joignit au chœur. Le son enfla et retomba tandis qu'un loup-garou se taisait et qu'un autre reprenait l'appel, formant des vagues semblables à une musique tremblante.

Je croisai le regard ambré de Belle. Ses yeux me faisaient penser à des flammes vues à travers du verre brun. Ils me rappelèrent le souvenir qu'elle avait choisi de me montrer… mais qui n'était plus que cela : un souvenir. Il n'exerçait plus aucune attirance sur moi, désormais. L'ardeur gisait immobile, contenue par les barreaux que nous avions forgés avec notre volonté et nos mois d'entraînement.

— La dernière fois que vous m'avez submergée avec votre ardeur, c'était nouveau pour moi, lançai-je. Ça ne l'est plus, maintenant.

Quelque chose ondula sous les traits de Musette, comme un second visage à fleur de peau. De nouveau, je crus que Belle Morte allait jaillir du corps de son envoyée comme la bête d'un métamorphe. Mais les ondulations s'apaisèrent, et ce regard ambré se planta dans le mien.

— Il y aura d'autres nuits, Anita, dit-elle de sa voix basse, presque ronronnante.

Je hochai la tête.

— Je sais.

Sur ce, elle disparut. Musette retomba sur le sol comme un poids mort. Ses vampires se précipitèrent vers elle. Les loups restèrent dans mon dos, les hyènes s'approchèrent, les rats tirèrent leur flingue, et Bobby Lee haussa la voix.

— Écartez-vous, messieurs.

Les hyènes hésitèrent, puis se séparèrent en deux groupes de chaque côté de nos vampires. Ceux-ci reculèrent face à ceux de Musette et vinrent se mêler aux rangs des métamorphes.

— Que personne ne bouge, et personne ne sera blessé, dit Bobby Lee.

— Laissez-les emmener leur maîtresse, réclama Jean-Claude.

Certains des métamorphes lui jetèrent un coup d'œil, mais aucun des rats-garous ne broncha. Si nous avions autant de renforts, ce n'était pas parce que Jean-Claude avait des liens avec d'autres groupes que les loups, mais parce que je me suis fait des amis. Les hyènes et les rats étaient là pour moi, pas pour lui.

— Du calme, Bobby Lee, ordonnai-je. Laissez-les emmener Musette. Je ne veux pas avoir à m'occuper d'elle moi-même.

Sans baisser leur flingue, les rats-garous firent un pas en arrière, formant deux lignes, de sorte que les vampires de Musette durent passer entre eux pour atteindre leur maîtresse. Angelito voulut se joindre à eux, mais Bobby Lee agita le canon de son arme pour lui faire signe de reculer. Certes, Angelito en imposait, mais il était aussi l'un des rares humains parmi l'escorte de Musette. Je n'étais pas certaine qu'il soit le plus dangereux du lot.

Une fillette de sept ou huit ans, dont les courtes boucles brunes encadraient un visage angélique, montra ses crocs minuscules et siffla en me regardant. Un jeune garçon qui semblait petit pour ses douze ans, ou grand pour ses dix, prit Musette sous les aisselles et souleva son corps inerte comme si elle ne pesait rien. Il ne me montra pas ses crocs, mais me jeta un regard noir et hostile.

Un vampire en costard très chic saisit Musette par les chevilles mais ne fit pas mine de la prendre des bras du jeune garçon. Je savais qu'il aurait facilement pu la porter seul, mais il ne discuta pas avec le gamin. Celui-ci ne manquait pas de force, juste de centimètres.

À eux deux, ils portèrent leur maîtresse jusqu'à Angelito, qui les en délesta. Musette paraissait minuscule dans ses grands bras. Dans la pièce, certaines personnes avaient de plus gros biceps que lui : les hyènes-garous, notamment, font beaucoup de muscu. Mais dans notre camp, personne n'était aussi immense que le « petit ange » de Musette.

Jean-Claude se redressa, m'entraînant avec lui. Damian suivit le mouvement.

— Nous avons fait préparer des chambres pour vous tous. Vous serez escortés jusqu'à vos appartements, et nous laisserons des gardes en faction devant la porte pour la sécurité de tout le monde.

Bobby Lee braquait toujours son flingue sur les vampires.

— Anita ?

— Je ne veux pas qu'ils se promènent sans escorte ; donc, oui, c'est une bonne idée. Vous pourriez rester jusqu'à demain matin ?

— Fillette, je vous accompagnerais jusqu'au bout du monde, dit-il en forçant son accent à couper au couteau. Bien sûr qu'on peut rester.

— Merci, Bobby.

— Tout le plaisir est pour nous.

— Meng Die, tu connais le chemin. Accompagne donc nos vigiles.

Meng Die est une vampire ravissante, avec des traits délicats, des cheveux noirs très raides coupés juste au-dessus des épaules et un teint de porcelaine. Elle ressemblerait à une poupée asiatique si elle n'affectionnait par les vêtements en cuir noir aussi moulants qu'une seconde peau. C'est un maître vampire, et j'ai été surprise de découvrir que l'animal qu'elle peut appeler est le loup. Curieusement, ça ne la rend pas plus attirante à mes yeux ni à ceux de la meute : elle est trop antipathique pour ça.

Faust n'est pas beaucoup plus grand que Meng Die mais, contrairement à elle, il n'a pas l'air fragile... juste petit. Il fait preuve d'une gaieté qui le rend sympathique, un côté « fils des voisins » mais version vampirique. Il teint ses cheveux en bordeaux, et ses yeux ont la couleur des pennies tout neufs, une sorte de marron cuivré, comme si on avait mélangé un peu de sang à la teinte de ses prunelles. Lui aussi est un maître vampire, mais pas assez puissant pour devenir un jour Maître de la Ville, ou du moins, pas assez pour le rester. Un Maître de la Ville insuffisamment puissant, c'est un Maître de la Ville bientôt mort.

Meng Die et Faust se dirigèrent vers les draperies et le couloir qui s'étendait au-delà. Les vampires de Musette leur emboîtèrent le pas. Les rats et les hyènes fermèrent la marche. Les tentures se refermèrent derrière eux, et nous restâmes seuls avec nos pensées. J'espérais que celles des autres étaient plus productives que les miennes, parce que tout ce qui me venait à l'esprit, c'était que Belle n'apprécierait pas qu'on lui ait rendu son manteau et montré la porte. Elle trouverait un moyen de nous faire payer cette insulte, si elle pouvait. Et d'après Jean-Claude, elle avait plus de deux mille ans, elle en était donc sans doute capable. On ne survit pas si longtemps sans apprendre des choses, des choses qui font fuir les ennemis. Le membre du Conseil que nous avons tué pouvait provoquer des tremblements de terre par la seule force de sa volonté. J'étais à peu près certaine que Belle connaissait elle aussi quelques tours. Simplement, je ne les avais pas encore vus.

Chapitre 10

Moins d'une heure plus tard, Jean-Claude et moi étions dans sa chambre, seuls. Damian faisait partie des gardes en faction placés devant notre porte. Nous avions mêlé nos vampires aux métamorphes pour éviter que les vampires de l'escorte de Musette embobinent mentalement ces derniers sans que quelqu'un s'en aperçoive. Nous avions fait de notre mieux, et c'était franchement pas mal. L'ardeur somnolait toujours, et je ne me demandais pas pourquoi : je me contentais de m'en réjouir.

Le grand lit à baldaquin était drapé de soie bleue et jonché d'oreillers d'au moins trois teintes de bleu différentes. Comme Jean-Claude assortit toujours ses tentures et ses taies à la couleur de ses draps, je n'eus pas besoin de regarder pour savoir que ceux-ci seraient également en soie bleue. Jean-Claude ne fait pas dans les draps blancs, peu importe la matière.

Il était affalé dans l'unique fauteuil de la chambre, les épaules voûtées et les mains croisées sur son ventre. Je m'étais assise sur la descente de lit en fourrure douce et épaisse, si douce et si épaisse qu'il suffisait de la toucher pour savoir que sa place avait autrefois été sur le dos d'une créature vivante. Nous étions tous deux étrangement réticents à nous coucher. Je crois que nous avions peur que l'ardeur se manifeste alors que nous n'aurions pas été en état de la satisfaire.

— Voyons si j'ai bien compris, lançai-je.

Jean-Claude me regarda sans rien bouger d'autre que ses yeux.

— Demain soir, si Asher n'appartient toujours à personne, Musette et Cie auront encore le droit de le réclamer ?

— Pas pour lui faire la même chose que ce soir, non. Tu leur as rendu cela impossible, à moins qu'ils puissent s'emparer de lui par la force.

Je secouai la tête.

— Je m'y connais suffisamment en politique vampirique pour savoir que, si nous les empêchons de faire une chose, ils en feront une autre… pas par envie, mais pour vous faire souffrir.

Jean-Claude fronça les sourcils.

Je soupirai.

— Je vais reformuler ça. Qu'ont-ils le droit d'exiger de nous pendant leur séjour ?

— La permission de chasser ou des donneurs volontaires. Et des amants. En résumé, la satisfaction de leurs besoins primaires.

— Le sexe est un besoin primaire ?

Il me regarda sans répondre.

— Désolée. Pour les donneurs volontaires, je comprends : il faut bien qu'ils se nourrissent. Mais des « amants », ça signifie quoi, au juste ?

— Il serait vulgaire de réclamer des partenaires sexuels pour les serviteurs ; donc, tu n'as pas à t'inquiéter du valet et de la femme de chambre de Musette. Les deux enfants sont un cas à part. La fillette est physiquement trop jeune ; elle ne s'intéresse pas à ces choses-là. Le garçon, en revanche, va nous poser un problème. De son vivant, Bartolomé était précoce ; c'est la raison pour laquelle Belle Morte a envoyé Musette le prendre.

Je déglutis.

— Pitié, dites-moi qu'elle n'a pas couché avec lui.

Jean-Claude eut l'air brusquement fatigué. Il se frotta les paupières du bout des doigts.

— Tu veux la vérité, ou un mensonge rassurant ?

— La vérité, je suppose.

— Belle Morte perçoit l'appétit sexuel des gens ; c'est l'un de ses dons. Bartolomé a peut-être l'air d'un enfant, mais il ne pense pas comme tel. Et il ne pensait déjà pas comme tel quand il était humain et n'avait pas encore douze ans. Il était l'héritier d'une immense fortune dont Belle voulait prendre le contrôle. Il était également réputé pour ses frasques à une époque où les jeunes gens de la noblesse avaient le droit de faire ce que bon leur semblait avec les femmes ou les filles de basse extraction.

— Mais encore ?

— Bartolomé ressemblait à un enfant, Anita, et il utilisait son apparence innocente pour mettre les femmes dans des situations compromettantes. Le temps qu'elles comprennent ce qui risquait de leur arriver, il était trop tard. Pire encore, il menaçait de dire que c'étaient elles qui l'avaient molesté. Le terme « pédophilie » n'existait pas encore en ce temps-là, mais tout le monde savait que ça arrivait. Les enfants étaient souvent mariés dès l'âge de dix ou onze ans, de sorte que les adultes qui nourrissaient ces penchants pouvaient les satisfaire dans le cadre des liens sacrés du mariage, jusqu'à ce que leur partenaire devienne trop âgé à leur goût. Alors, ils allaient chercher ailleurs... ou reportaient leur intérêt sur les enfants issus de cette union.

Je me figeai.

— Vous auriez pu m'épargner ce dernier détail. C'est révoltant.

— Oui, ma petite, mais c'est vrai. En principe, Belle s'occuperait elle-même d'une fortune aussi immense que celle de Bartolomé. Elle ne laisserait à personne d'autre le soin de gérer une telle quantité de dividendes, de terres et de titres.

Mais elle n'aime pas les enfants, si précoces soient-ils ; aussi a-t-elle délégué cette tâche à Musette. Qui, comme tu dois t'en être rendu compte, ferait n'importe quoi pour notre maîtresse.

— C'est l'impression qu'elle m'a donnée.

— Donc, oui, elle a séduit le gamin… ou l'a laissé la séduire. Belle lui a prêté un soupçon d'ardeur, et Bartolomé s'est laissé envoûter. Belle ne voulait pas qu'il rejoigne nos rangs avant qu'il atteigne l'âge adulte. Mais Bartolomé a fait une chute de cheval. Il avait le crâne fracturé ; il allait mourir. Son frère cadet n'avait encore que cinq ans, Belle n'aurait eu aucune emprise sur lui. Elle avait besoin de Bartolomé ; alors, elle a demandé à Musette de l'achever.

— Comment a-t-il réagi en revenant à lui ?

— Il était content d'être toujours en vie.

— Et comment a-t-il réagi en apprenant qu'il resterait un enfant à jamais, fût-ce un enfant précoce ?

Jean-Claude soupira.

— Il n'a pas été content. S'il est interdit de changer des enfants en vampires, c'est pour une bonne raison. Musette n'est pas responsable de la création de Valentina. Un jour, Belle a découvert qu'un de ses maîtres vampires était un pédophile et qu'il avait transformé des enfants pour faire d'eux ses… compagnons permanents.

Sa voix s'était adoucie à la fin de sa phrase.

Prise de nausée, je me forçai à prendre de grandes inspirations.

— Doux Jésus…

— Il avait enfreint une de nos lois les plus strictes, et quand Belle Morte a découvert pourquoi il l'avait fait… elle l'a exécuté. Avec la permission du Conseil. La plupart de ses compagnons ont été éliminés eux aussi. C'était des vampires prisonniers d'un corps d'enfant, et qui avaient subi des abus répétés. (Jean-Claude secoua la tête.) Ça avait brisé leur esprit.

— Alors, comment Valentina en a-t-elle réchappé ?

— Elle était la plus récente acquisition de son maître, qui ne l'avait pas encore violentée. C'était une enfant vampire, mais elle n'était pas folle. Belle l'a recueillie et a trouvé des gens pour s'occuper d'elle. Valentina a eu des nounous humaines pendant très longtemps... et aussi des camarades de jeux humains. Je dois dire que Belle s'est bien occupée d'elle. Je crois qu'elle culpabilisait de ne pas s'être rendu compte à quel point Sebastian était monstrueux.

— Pourquoi ai-je l'impression que ce tableau ne va pas rester aussi idyllique ?

— Parce que tu nous connais trop bien, ma petite. Valentina a tenté de transformer certains de ses camarades pour ne plus être la seule enfant vampire. Quand sa nounou l'a découvert, elle lui a tranché la gorge. Après ça, elle n'a plus fréquenté d'humains.

— D'où la nounou vampire.

Jean-Claude acquiesça.

— Valentina n'en a pas besoin au sens traditionnel, mais elle aura éternellement huit ans. Même de nos jours, elle ne peut pas prendre un taxi seule, ni descendre dans un hôtel sans que les gens s'interrogent. Inévitablement, un humain bien intentionné finira par appeler la police pour lui signaler la pauvre gamine abandonnée qui loge dans son établissement.

— Elle doit détester ça.

— Ça ?

— Cette existence.

Il haussa à demi les épaules.

— Je ne sais pas. Je ne parle pas avec elle.

— Elle vous fait peur.

— Non, ma petite, mais elle me perturbe. Les rares enfants qui survivent pendant plusieurs siècles sont des créatures torturées. Il ne peut en être autrement.

— Comment a-t-elle échoué parmi l'entourage de Musette ?

— Valentina a été transformée avant que son corps devienne assez mature pour la plupart des plaisirs physiques. Aussi consacre-t-elle son énergie à… (il s'humecta les lèvres) d'autres passe-temps.

Je soupirai.

— Musette est le bourreau de Belle, ce qui fait de Valentina… quoi, son assistante ?

Jean-Claude acquiesça, la tête appuyée contre le dossier du fauteuil et les yeux clos.

— Valentina s'est révélée une élève très douée.

— Elle vous a déjà torturé ?

Il hocha la tête sans rouvrir les yeux.

— Je t'ai raconté que, pour avoir sauvé la vie d'Asher, j'ai dû m'acquitter d'un siècle de servitude auprès de Belle. Mais elle voulait me punir de l'avoir quittée et, pendant longtemps, elle m'a dispensé de la douleur plutôt que du plaisir.

Je me traînai à quatre pattes jusqu'à son fauteuil, lissant automatiquement ma jupe derrière mes cuisses, même s'il n'y avait personne pour me voir.

— Donc, Valentina ne réclamera pas d'amant.

— Non.

— Elle réclamera… quoi, un soumis ?

— Oui.

— Pouvons-nous refuser ?

— Oui.

— Pouvons-nous la forcer à accepter notre refus ?

Jean-Claude rouvrit les yeux et les baissa vers moi.

— Je crois, mais te dire que j'en suis absolument sûr serait un mensonge.

Je secouai la tête.

—Si Musette partait ce soir et revenait dans trois mois, serions-nous dans une position plus délicate ?

—Elle ne partira pas, ma petite.

—Ce n'est pas ce que je voulais dire. Si elle était venue dans trois mois après la fin des négociations en bonne et due forme, aurais-je pu me permettre de faire ce que j'ai fait ce soir ? ou aurais-je encouru le courroux du Conseil ?

—Nous aurions choisi une victime ou un amant pour Musette, voire les deux, avant son arrivée. La question aurait été réglée, et ça n'aurait pas posé de problème.

—Vous savez que la plupart des visiteurs humains ne s'attendent pas que leurs hôtes leur fournissent des partenaires sexuels.

—Et la plupart des vampires non plus. Mais la lignée de Belle est bâtie sur le sexe, aussi est-il devenu coutumier d'offrir des amants à ses descendants en visite. Il est entendu que chacun de nous porte en lui un peu de son succube.

—Ce n'est pas vrai.

—Non, mais aucun de nous ne s'est jamais donné la peine de rectifier.

Je souris, envisageai de rire et y renonçai : j'étais trop crevée.

—Willie et Hannah n'ont rien à craindre : ils gèrent les deux clubs et nous avons déjà stipulé que la visite de Musette ne devait pas perturber nos entreprises.

—Belle a toujours été du genre à regarder d'où vient l'argent, donc, oui : Willie est le gérant du *Plaisirs Coupables*, et Hannah dirige temporairement le *Danse Macabre*. Ainsi les deux membres les plus faibles de mon clan sont-ils en sécurité.

—Damian est mon serviteur vampire, je suis votre servante humaine, vous êtes le Maître de la Ville, Jason est votre pomme de sang, et Nathaniel la mienne, Micah est mon amant et mon Nimir-Raj, Richard est l'Ulfric de la meute locale, et les gardes du corps ne peuvent pas garder nos corps s'ils sont occupés à baiser quelqu'un d'autre.

—Nous avons fait notre maximum pour protéger tout le monde, ma petite.

—Il manque quand même un nom sur cette liste, Jean-Claude.

—En fait, il en manque trois. Quatre si tu comptes Gretchen.

—Gretchen est folle. Belle vous a accordé un sauf-conduit spécial pour elle à cause de ça, pas vrai ?

Il y a déjà un bail de ça, Gretchen a tenté de me tuer, et Jean-Claude l'a bouclée dans un cercueil pour la punir. Ce qui a encore aggravé son instabilité mentale.

—Oui, Gretchen restera dans sa chambre pendant la visite de Musette, mais ça ne protège ni Meng Die ni Faust.

—Faust aime les hommes et, à ma connaissance, personne dans l'escorte de Musette n'est gay, non ?

—Oui, mais ce n'est pas toujours dissuasif.

—Ce soir, nous avons imposé notre loi : personne ne doit plus être molesté. Forcer quelqu'un à coucher avec un partenaire qui lui répugne est une forme de viol, donc interdit, selon nos critères.

Jean-Claude me dévisagea, surpris.

—Ma petite, tu commences à devenir retorse.

Je secouai la tête.

—Juste pragmatique. Donc, Faust n'a rien à craindre parce qu'il est gay et qu'aucun des hommes de Musette ne l'est. La torture est exclue, évidemment.

—Meng Die risque de fasciner Bartolomé.

—Mais là encore, Meng Die n'aime pas les enfants. Bartolomé devrait la violer pour avoir des rapports avec elle, donc…

—Elle n'a rien à craindre de lui. (Il parut réfléchir une seconde ou deux.) D'Angelito, en revanche…

—N'est-il pas en couple avec Musette ? Je pensais qu'ils couchaient ensemble.

—À l'occasion, oui.

Je fronçai les sourcils.

—Ce n'est pas la grande passion entre eux, c'est ça ?

—Musette n'est pas très portée sur la chose. C'est la raison pour laquelle Valentina et elle sont si proches depuis si longtemps.

—Ce n'est pas notre problème. Si chacun d'eux dispose d'un partenaire consentant ou que nous ne sommes pas en mesure de lui en fournir un, tous nos gens sont à l'abri. À moins que j'aie oublié quelqu'un ?

—Non, ma petite. Tes machinations sont dignes de Belle en personne, si elle était du genre à se soucier des siens. (Jean-Claude planta son regard dans le mien.) Il reste néanmoins un problème. Musette a déjà couché avec Asher, ça ne pourrait donc pas être considéré comme du viol.

—Avoir été consentant un jour ne signifie pas qu'on le sera toujours, répliquai-je.

Jean-Claude balaya mon objection d'un geste.

—Je sais que tu en es persuadée, ma petite, et je ne te contredirai pas. Mais cet argument ne suffira pas à dissuader Musette. Asher aime autant les hommes que les femmes ; il a déjà couché avec elle et il a aimé ça. Tu as fait en sorte qu'elle ne puisse pas le torturer, donc, ce serait juste du sexe. Rien qui soit susceptible de lui faire mal.

Je haussai les sourcils.

—Vous le pensez vraiment ?

—Non. Et en vérité, Musette ne le pense pas non plus. Elle sait, tout comme Belle, que coucher de nouveau avec elle après tout ce temps serait douloureux pour Asher. Mais douloureux d'une façon que Belle n'acceptera pas de reconnaître dans le cadre de nos négociations. Pour elle, si un homme jouit, ça signifie qu'il a pris du plaisir. C'est ainsi qu'elle raisonne.

— Elle ne comprend vraiment pas qu'il existe une différence entre le désir et l'amour, hein ?

— Non, ma petite. Elle ne le comprend pas du tout.

— Pourquoi est-ce toujours Asher que nous ne pouvons pas protéger ? Asher que nous ne pouvons pas sauver ?

Jean-Claude secoua la tête.

— C'est la question que je me pose depuis très, très longtemps, ma petite. Et je n'ai pas encore trouvé de réponse.

Je posai ma joue sur son genou.

— Jamais je n'avais pu rester si longtemps sans me nourrir. (Je jetai un coup d'œil à ma montre.) Il est presque deux heures.

— L'aube se lèvera dans trois ou quatre heures. Je devrai relâcher mon contrôle sur l'ardeur d'ici là. Il faut que tu la nourrisses.

— Ce n'est pas seulement à cause de vous que j'ai réussi à la maîtriser jusqu'ici, n'est-ce pas ?

— Non. C'est à cause de la peur, de l'épuisement, de tout ce qui se passe, et de tes propres capacités grandissantes. D'ici quelques mois, tu pourras te nourrir une seule fois par jour ou par nuit. Tu pourras peut-être même faire des réserves.

— Ma tête est pratiquement fourrée entre vos jambes, et je ne ressens rien du tout.

Jean-Claude caressa mes cheveux en un geste que je trouvai réconfortant. J'avais envie que quelqu'un me serre dans ses bras plus que j'avais envie de sexe. Je voulais qu'il me tienne contre lui pendant que je m'assoupirais. Sur l'instant, rien ne me paraissait plus tentant.

— À l'aube, notre lien s'affaiblira, et tu ne pourras plus tenir l'ardeur à distance. Je suis désolé, ma petite, mais nous devons la nourrir.

— Vous êtes aussi fatigué que moi, fis-je remarquer.

— Je ne désire rien d'autre que me glisser entre ces draps de soie, coller mon corps nu contre le tien et t'enlacer. Le sexe est une chose merveilleuse mais, ce soir, j'aspire au réconfort plus qu'au plaisir. Je me sens comme un enfant dans le noir qui sait qu'il y a des monstres sous le lit. Je veux qu'on me dise que ça va aller, mais je suis bien trop vieux pour croire à ces mensonges.

Peut-être était-ce à cause de la fatigue. Peut-être était-ce parce que Jean-Claude venait juste de dire à voix haute ce que je pensais tout bas. Je me souvins d'autres nuits où nous étions tout aussi épuisés, tout aussi effrayés, tout aussi incertains de ce que l'avenir nous réservait. Je me souvins d'Asher et de Julianna me serrant, serrant Jean-Claude, nous serrant contre eux. Sans rien faire d'autre… juste le contact et la chaleur de la peau nue, la version adulte d'un nounours. « Prenez-moi dans vos bras », disait souvent Julianna et, sans que les deux hommes aient besoin d'en parler, ils savaient que ses craintes leur permettaient de se laisser aller à leur propre peur et leur désir d'intimité.

Julianna servait de passerelle entre eux. Sans elle, jamais ils n'auraient pu être si proches pendant si longtemps. À travers les souvenirs de Jean-Claude, je savais combien de fois sa fragilité les avait rapprochés, avec quelle force son amour les avait liés l'un à l'autre. Jean-Claude était le cerveau, et Asher le charme, même si tous deux étaient intelligents et charismatiques chacun à leur façon, mais Julianna était leur cœur. Un seul cœur vivant et battant pour eux trois.

Jamais je ne serai Julianna. Je n'ai pas sa gentillesse, sa douceur, sa patience. Nous sommes aussi différentes que possible, et pourtant, des siècles plus tard, j'étais là avec les deux mêmes hommes. J'expirai à fond, inspirai de même et expirai de nouveau en écoutant mon souffle tremblant.

— Quelque chose ne va pas, ma petite ? Je veux dire, quelque chose dont je n'ai pas conscience ?

Je levai la tête de son genou.

— Si Asher et nous formions vraiment un ménage à trois, Musette serait obligée de lui ficher la paix, n'est-ce pas ?

Une expression passa rapidement sur le visage de Jean-Claude et disparut derrière ce masque de beauté polie qu'il porte quand il ne sait pas comment réagir.

— Si nous avions pu lui répondre en toute sincérité qu'Asher partage notre lit, alors en effet, Musette n'aurait pas pu le réclamer comme présent.

— Donc, s'il se joignait à nous ce soir, il serait en sécurité demain.

Ma voix était ferme et presque désinvolte, comme si je suggérais une expédition shopping ou un dîner au restaurant.

Très prudemment, Jean-Claude répondit :

— C'est exact.

— Si je vous avais laissé coucher ensemble quand je n'étais pas là, Asher n'aurait rien eu à craindre, aujourd'hui. Mais je ne pouvais pas. (Je secouai la tête.) En théorie, ça ne me pose pas de problème. J'aime les hommes. Je les trouve attirants, donc je comprends qu'ils puissent se trouver attirants entre eux. Ça me paraît tout à fait logique. Normal, même. En pratique, pourtant, je ne peux me résoudre à partager mon amant avec un autre homme. Si je découvrais qu'Asher et vous aviez couché ensemble derrière mon dos, je vous plaquerais aussi sec. Je sais que c'est tout à fait injuste. Je couche avec Micah ; je fais des tas de choses pas très catholiques avec Nathaniel, et j'étais encore la petite amie de Richard il y a quelques mois. Alors que je vous impose de vous contenter de moi… C'est monstrueusement égoïste de ma part, je m'en rends compte.

— Tu ne me chasses pas de ton lit quand tu es avec d'autres hommes… à l'exception de Richard, qui ne te partagerait jamais avec moi.

— Je sais : vous prenez le sang des hommes parce que je refuse toujours de vous donner le mien, mais ce n'est pas pareil.

— Je ne veux personne d'autre que toi, ma petite. Je pense avoir été assez clair sur ce point.

Je levai les yeux vers lui.

— Oui, vous avez été clair, mais je sais que vous désirez quelqu'un d'autre que moi. Je sens ce que vous éprouvez quand vous regardez Asher. Je vois la façon dont vous vous dévorez des yeux tous les deux. Parfois, le seul fait de me trouver dans la même pièce que vous est douloureux.

— J'en suis désolé, ma petite.

Je repliai mes genoux et les serrai contre ma poitrine.

— Laissez-moi finir, Jean-Claude, s'il vous plaît.

Il me fit signe de poursuivre.

— Je ne peux pas vous laisser coucher avec Asher, et je ne veux pas coucher avec lui. Mais je me souviens comment c'était entre vous trois. Je me souviens combien vous vous sentiez en sécurité. Par moments, j'oublie que ces souvenirs ne m'appartiennent pas et j'ai soif de ce qui existait entre vous. Ça me paraît autrement plus apaisant que ce que nous faisons. (Je serrais mes jambes si fort contre moi que mes bras en tremblaient.) Je ne sais pas si j'y arriverai, mais j'aimerais essayer.

— Essayer quoi, ma petite ? demanda Jean-Claude avec beaucoup de circonspection.

— Je veux mettre Asher hors d'atteinte de Musette.

Il se tenait aussi immobile qu'une statue.

— Je ne comprends pas, ma petite.

— Bien sûr que si.

Il secoua la tête.

—Non, je ne veux pas de quiproquo. Tu dois énoncer précisément ce que tu proposes.

Je dus détourner les yeux. Impossible de le regarder en face tandis que je lâchais :

—Faites venir Asher pour la nuit. Je ne peux rien vous promettre, mais je veux le sentir nu et chaud près de nous. Je veux chasser cette douleur de son regard. Je veux lui montrer avec mes mains et mon corps à quel point je le trouve beau. (Alors, je levai les yeux vers Jean-Claude, qui affichait une expression indéchiffrable.) J'ignore à quel moment je vais hurler à la traîtrise et prendre mes jambes à mon cou. Je suis certaine que ça finira par venir, comme d'habitude, mais, si nous le prenons dans notre lit ce soir, de quelque manière que ce soit, il n'aura rien à craindre demain, n'est-ce pas ?

—Que dira ton Nimir-Raj ?

—Quand il est arrivé en ville, il croyait que nous formions un ménage à trois, vous, Asher et moi. Comme beaucoup de gens, d'ailleurs.

—Tu l'as détrompé ?

—Oui.

—Ne sera-t-il pas fâché de devoir te partager avec un homme de plus ?

Je secouai la tête.

—Micah est plus pragmatique que moi, Jean-Claude. Ce n'est pas seulement l'amour ou le désir qui me pousse vers Asher, mais la nécessité de sécuriser notre base de pouvoir. Si Asher est à l'abri, nous le sommes également. Nul ne peut l'utiliser contre nous.

—Tu deviens très terre à terre, ma petite.

—J'ai été formée par les meilleurs.

Jean-Claude me dévisagea en haussant un sourcil.

—Si j'étais vraiment terre à terre en ce qui concerne les affaires de cœur, les choses auraient été beaucoup plus rapides entre nous.

— Peut-être, ou peut-être pas. Si vous m'aviez mis trop de pression, je me serais enfuie… ou j'aurais essayé de vous tuer.

Il haussa gracieusement les épaules.

— Peut-être. Mais afin qu'il ne subsiste aucune zone d'ombre, je dois te poser la question : souhaites-tu qu'Asher partage notre couche seulement ce soir ?

— Ça a de l'importance ?

— Ça peut en avoir pour lui.

Je tentai d'envisager les différentes possibilités et n'y parvins pas.

— Je n'en sais rien, avouai-je. Je sais que je ne veux pas renoncer à passer du temps en tête-à-tête avec vous. Je sais que je n'aurai pas toujours envie d'avoir de la compagnie.

— Julianna et Asher arrivaient à passer du temps seuls tous les deux, même si nous formions un ménage à trois.

— Pour la première fois depuis très longtemps, ma vie privée fonctionne à peu près. Je ne veux pas gâcher ça.

— Je comprends.

— Entendons-nous bien. Je veux qu'Asher soit en sécurité, et je veux chasser cette douleur de son regard, mais j'ai l'impression de courir le long d'un poteau. Si ça marche, super. Dans le cas contraire, que ferons-nous ? Asher sera-t-il forcé de partir ? Perdriez-vous votre bras droit ? Cela ne ferait-il qu'empirer les choses entre vous deux ? Je…

Jean-Claude posa un doigt sur mes lèvres.

— Chut, ma petite. J'ai appelé Asher. Il arrive déjà.

Je sentis que j'écarquillais les yeux, et mon souffle s'étrangla dans ma gorge, tandis que mon pouls s'affolait. Qu'avais-je fait ? Pour l'instant, rien. La question à dix mille dollars, c'était : qu'étais-je sur le point de faire, et le regretterais-je plus tard ?

Chapitre 11

Asher entra lentement, le visage dissimulé par une cascade de cheveux dorés. Il s'était changé et portait une chemise propre, sans aucune trace de sang. Elle était blanche, une couleur qui ne lui allait pas très bien.

— Tu as appelé…, commença-t-il.

Je me figeai, les genoux toujours serrés contre ma poitrine et le cœur soudain dans la gorge. Je cessai de respirer pendant quelques secondes.

— Nous avons appelé, rectifia prudemment Jean-Claude.

Alors, Asher leva les yeux, et j'aperçus son visage derrière la masse de ses cheveux. Je crois que c'était le « nous » qui l'avait fait réagir.

Avant qu'Asher frappe à la porte, Jean-Claude s'était assis très droit. Il avait l'air sublimement élégant et maître de lui dans ses beaux atours de cuir et de soie. Moi, j'étais toujours recroquevillée à ses pieds sur le tapis, regardant Asher comme s'il était le renard et moi un pauvre lapin sans défense. Jean-Claude me toucha l'épaule, et je sursautai. Je levai les yeux vers lui.

— La décision t'appartient, ma petite, dit-il.

— Pourquoi est-ce toujours à moi de décider ? protestai-je.

— Parce que tu ne tolérerais pas qu'il en soit autrement.

Ah, oui. Ça me revenait.

— Génial, soufflai-je.

Jean-Claude me pressa gentiment l'épaule.

— Rien n'a encore été dit. Nous pouvons continuer comme avant.

Je secouai la tête.

— Non, je ne veux pas être responsable si les choses tournent mal demain soir. Je ne le mettrai pas en danger à cause de mes scrupules moraux.

— Comme tu voudras, ma petite, répondit-il de cette voix qui n'exprimait rien.

— Que se passe-t-il encore ? demanda Asher.

Et dans sa voix, j'entendis un frémissement de peur. Je ne pouvais pas l'en blâmer, vu ce qui dormait au bout du couloir.

Je me forçai à lâcher mes genoux. Les muscles de mes bras étaient raides d'avoir été contractés trop fort. Je voulus passer mes mains engourdies le long de mes jambes et, là où je croyais rencontrer le tissu de ma jupe, je ne trouvai que mes bas. Ma jupe de tailleur bleu marine était trop courte pour que je m'assoie dans cette position. S'il y avait eu quelqu'un en face de moi, il aurait pu dire que je portais une culotte assortie.

Je ramenai mes genoux sous moi avec des gestes lents et malhabiles, le corps vibrant de tension.

— Que se passe-t-il ? répéta Asher d'une voix totalement neutre, cette fois.

— Rien, mon ami, répondit Jean-Claude. Ou du moins, rien de plus.

— C'est ma faute, dis-je.

Je me levai maladroitement.

— Qu'est-ce qui est ta faute ?

Asher nous regardait tour à tour, essayant de lire quelque chose sur nos visages.

Je sortis du périmètre du tapis, et mes talons hauts claquèrent sur le plancher nu.

— Si Musette te menace.

— Tu as fait tout ce que tu pouvais pour me protéger, Anita. Tu as fait bien plus que je n'ai jamais rêvé. Personne ne défie Musette, par crainte de Belle Morte. La plupart des membres du Conseil n'auraient pas osé se comporter comme toi tout à l'heure.

— L'ignorance est une bénédiction, grimaçai-je.

Il me jeta un rapide coup d'œil à travers ses cheveux brillants.

— Qu'est-ce que ça signifie ?

Je me dirigeai vers lui, car il était resté adossé contre la porte.

— Ça signifie que mon courage vient peut-être du fait que je ne me rends pas compte des risques que je prends. Je n'ai jamais vu Belle en personne. Comprenons-nous bien : même à distance, elle est très impressionnante. Mais je ne l'ai jamais rencontrée en chair et en os.

À présent, je me tenais devant lui. Il avait tourné la tête pour ne me présenter que la moitié parfaite de son visage. Cela faisait des mois qu'il ne s'était pas ainsi caché à ma vue.

Je levai la main pour toucher le côté droit de son visage. Il frémit et sursauta en arrière assez violemment pour ébranler la porte.

— Non, non.

— Je t'ai déjà touché, dis-je d'une voix basse et douce, celle qu'on utilise pour parler à un animal apeuré ou à un homme qui s'apprête à sauter du haut d'un immeuble.

Il se détourna complètement de moi.

— Tu as vu les tableaux. Tu sais à quoi je ressemblais du temps où les… plaies étaient encore fraîches. (Les mains sur la poignée de porte, il secoua la tête.) Tu m'as vu comme Belle Morte m'a vu.

Je fis un signe de dénégation, compris qu'il ne pouvait pas me voir et lui touchai l'épaule. Il frémit encore.

Par-dessus mon épaule, je jetai un coup d'œil à Jean-Claude. Son visage était inexpressif; seuls ses yeux trahissaient une douleur si profonde qu'elle avait presque détruit trois personnes.

Je me pressai contre le dos d'Asher, faisant remonter mes mains le long de ses flancs pour l'étreindre par-derrière. À leur contact, il se figea et parut se retrancher en lui-même, se replier dans un endroit où rien ne pouvait l'atteindre. Je pressai ma joue contre son dos et continuai à le serrer tandis qu'il se changeait en statue contre moi.

Je retins des larmes que je me refusais à verser. Je dus déglutir, mais ce fut d'une voix ferme que je m'entendis dire :

— Je t'avais vu à travers les souvenirs de Jean-Claude il y a déjà bien longtemps. Et je sens encore ton corps glorieux sous mes mains, contre ma peau nue. (Je me moulai contre lui, m'agrippai à lui.) Je n'ai pas besoin d'un tableau pour me montrer ta beauté.

Un frisson le parcourut de la tête aux pieds. Il voulut pivoter et me repousser, mais je ne le laissai pas faire.

— Lâche-moi, Anita. Lâche-moi.

— Non. Non, pas ce soir.

Plaqué contre la porte, il se débattit doucement pour éviter de me faire mal, comme s'il essayait de faire les cent pas dans une pièce à peine assez grande pour le contenir.

— Qu'attends-tu de moi ? demanda-t-il, et j'entendis des larmes dans sa voix.

— Je veux que tu te joignes à nous, ce soir.

Il se figea de nouveau, mais pas de la même façon qu'auparavant. Je sentais son cœur battre contre ma joue. J'aurais juré que ce n'était pas le cas une seconde plus tôt.

— Me joindre à vous de quelle façon ? demanda-t-il dans un chuchotement étranglé.

Je saisis sa chemise à pleines mains et le forçai à se retourner. Ce qu'il fit avec une lenteur infinie, comme si je tentais de faire pivoter la Terre sur son axe. Pressant son dos contre la porte, il ne me montra que ce qui restait de son profil parfait.

Je tirai sur sa chemise pour l'entraîner vers le lit, mais il résista. Par-dessus ma tête, il regarda Jean-Claude.

— Je ne peux pas faire ça, dit-il d'un ton douloureux.

— À ton avis, que te demande-t-elle ? s'enquit Jean-Claude d'une voix toujours aussi neutre.

— Elle ferait n'importe quoi pour protéger les siens, même coucher avec un infirme.

Puisque Asher refusait de venir à moi, je fus forcée d'aller à lui.

— Oui, je veux te protéger de Musette, et coucher avec toi me le permettra. Mais ce n'est pas pour ça, pas seulement.

Il baissa la tête vers moi et, dans ses yeux, je vis tout un monde de douleur, de besoin et d'horreur : un monde immense et solitaire. La première larme brûlante coula sur ma joue. Je lui parlai doucement en français, et je compris même une partie de ce que je lui dis.

Asher me saisit les poignets et me repoussa.

— Non, Jean-Claude, pas comme ça. Ou bien c'est elle qui le désire, ou bien ça n'arrivera pas. Je ne veux pas te couper de ce qui reste de ton triumvirat. Je préférerais passer une nuit dans le lit de Musette plutôt que d'affaiblir ainsi ton pouvoir. Tu dois être fort pendant leur séjour, ou nous périrons tous.

Je pris une grande inspiration, et ce fut comme si quelque chose se soulevait, comme si le voile qui me recouvrait se retirait de lui-même. Je tournai la tête vers Jean-Claude.

— Vous avez fait exprès ?

Il enfouit son visage dans ses mains et dit, d'une voix qui n'avait plus rien de neutre :

— Je ne peux m'empêcher de désirer ce que je désire, ma petite. Pardonne-moi.

Je reportai mon attention sur Asher.

— Ce n'est pas mon désir que tu veux. Tu sais très bien que tu m'attires.

Il voulut se détourner, mais je touchai sa joue et, cette fois, il ne se déroba pas. Il me laissa le faire pivoter de nouveau vers moi, mes doigts posés le long de sa mâchoire. À cet endroit, sa peau était toujours lisse et indemne, même du côté droit. Comme si ses bourreaux n'avaient pu se résoudre à abîmer la courbe de son visage, le dessin de ses lèvres pleines.

— Ce n'est pas mon désir que tu veux, répétai-je.

Il baissa les yeux, et ferma à demi les paupières.

— Non, chuchota-t-il avec l'expression de quelqu'un qui s'attend à recevoir un coup.

Je me dressai sur la pointe des pieds et pris son visage entre mes mains. Une de ses joues était lisse comme du satin et plus douce que de la soie, l'autre rêche et bosselée, d'une texture qui ne ressemblait plus du tout à celle de la peau.

— Je t'aime, Asher.

Il rouvrit les yeux, et ses prunelles débordaient d'émotion brute, une émotion si vive qu'on pouvait facilement l'utiliser contre lui.

— J'ignore quelle partie de mes sentiments est née des souvenirs de Jean-Claude mais, quoi qui ait pu les déclencher à l'origine, je t'aime. Moi, et personne d'autre.

— Pourtant, tu ne m'as pas pris pour amant.

— Il y a des tas de gens que j'aime et avec lesquels je ne couche pas, au sens sexuel du terme.

L'émotion dans ses yeux se ternit. Je pris conscience de ce que je venais de dire.

— Mais je veux que tu partages notre lit ce soir, Asher, me hâtai-je d'ajouter. Et pas seulement pour dormir.

Il posa ses mains sur les miennes.

— Mais seulement pour me protéger contre Musette.

Je ne pouvais pas nier. Néanmoins…

— C'est vrai, mais qu'importe la raison ?

Avec un doux sourire, il écarta mes mains de son visage.

— À moi, elle importe, Anita. Ce soir, tu partageras votre lit avec moi, mais demain, tu te sentiras coupable et tu t'enfuiras encore.

Je fronçai les sourcils.

— Tu parles comme si ça m'était déjà arrivé, ce qui n'est pas le cas.

Il joignit mes mains entre les siennes.

— Tu as partagé ce lit avec quatre hommes, quatre d'entre nous, mais tu ne couches qu'avec Jean-Claude. Tu te sers de Nathaniel pour nourrir l'ardeur, mais tu ne couches pas avec lui. (Il lâcha mes mains et secoua la tête en riant.) Toi seule peux avoir la force de dormir nuit après nuit auprès de tant de beauté sans prendre tout ce qu'elle a à t'offrir. J'ai rencontré des saints et des prêtres qui résistaient moins bien que toi à la tentation.

— Je n'ai plus l'impression de résister tant que ça, rétorquai-je, les mains sur les hanches.

Asher rit de nouveau, mais je vis sa bonne humeur s'évaporer.

— Tu as rangé Jason dans la case marquée « ami » sans lui laisser aucun espoir. Mais moi… Je ne souhaite pas te rejoindre dans ce lit si, demain matin, je dois redevenir un simple ami pour toi. Je ne le supporterais pas.

Je me rembrunis. J'avais fait de mon mieux pour oublier ce qui s'était passé lorsque Belle Morte avait provoqué mon ardeur quelques mois auparavant. Grâce à elle, j'avais participé à ce que j'espérais être la chose la plus proche d'une orgie que je connaîtrais jamais. Pas de pénétration, mais beaucoup de mains baladeuses et de corps se touchant là où ils n'auraient pas dû. Asher avait raison ; j'avais fait de mon mieux pour ne plus y penser. J'ai tendance à croire que, si on oublie suffisamment une chose, c'est comme si elle ne s'était jamais produite. Mais bien entendu, celle-ci s'était produite et je n'avais pas fait la paix avec cette idée.

— Que veux-tu que je te dise ? Désolée d'être un peu embarrassée d'avoir partagé mon lit avec quatre hommes en même temps. Oui, ça me gêne d'en parler ou même d'y repenser. Fais-moi un procès si ça te chante.

— Ce soir sera encore plus embarrassant, selon tes critères.

— Je suis prude, Asher. Je n'y peux rien.

— Tu ne peux pas t'empêcher d'être ce que tu es, Anita. Je ne souhaite pas te changer, mais je ne souhaite pas non plus être le bénéficiaire de la bonne œuvre que tu vas accomplir ce soir. Je ne supporterai pas d'être rejeté de nouveau.

Sans qu'il l'ait précisé, je sus qu'il ne parlait pas d'être chassé de mon lit après que nous eûmes nourri l'ardeur. Il parlait de ce que Belle lui avait fait des siècles auparavant. Elle l'avait rejeté comme un jouet cassé. Après tout, on peut toujours en acheter d'autres.

Je me mis à faire les cent pas devant Asher, sans regarder aucun des deux vampires… juste pour dépenser un peu de l'énergie qui s'accumulait en moi.

— Qu'attends-tu de moi, Asher ? une promesse ?

— Oui, dit-il enfin. C'est exactement ce que j'attends.

Je m'immobilisai et le regardai fixement.

— Quel genre de promesse ? que je ne péterai pas les plombs demain matin ? (Je secouai la tête.) Désolée, mais je ne peux pas te le garantir, parce que je ne suis pas devin.

— Que dira Micah s'il apprend que tu as couché avec moi ?

— Ça ne l'ennuie pas de me partager.

Asher me dévisagea.

— Je sais, je sais. Moi aussi, j'attends qu'il finisse par me faire une crise de jalousie. Mais ça ne le dérange pas de me partager avec Jean-Claude, Nathaniel et, ouvrez les guillemets, « toute personne avec qui tu auras besoin de coucher », fermez les guillemets.

Asher écarquilla les yeux.

—Il est drôlement compréhensif.

—Si tu savais ! Quand il est entré dans ma vie, il m'a dit qu'il ferait n'importe quoi pour rester avec moi et être mon Nimir-Raj. Jusqu'ici, il a tenu parole.

—Il m'a l'air parfait pour toi, commenta Asher avec une douce ironie.

—Je sais. J'attends le moment où ça se deviendra trop beau pour être vrai et où il se retournera contre moi.

Il me toucha le visage, et je levai la tête vers lui. Il plongea ses yeux bleus si sincères dans les miens.

—Je ne veux pas faire quoi que ce soit qui puisse abîmer ce que tu as construit. Si nous couchons ensemble ce soir et que tu t'enfuis demain matin, ta relation avec Jean-Claude sera bouleversée, et je serai forcé de partir.

J'écarquillai les yeux.

—Comment ça, tu seras forcé de partir ?

—Si tu m'ouvres votre lit ce soir et me rejettes demain matin, je ne supporterai pas plus longtemps de voir Jean-Claude aimer d'autres gens pendant que j'attends sur… comment dites-vous ? le banc de touche. Il me faudra du temps pour trouver un autre Maître de la Ville qui voudra de moi, et probablement pas en tant que second. Je sais que je suis faible pour un maître vampire. Je ne peux appeler aucun animal ; la plupart de mes pouvoirs sont inutiles, sauf dans l'intimité, et depuis que… (il faillit toucher le côté droit de son visage, mais laissa retomber sa main) depuis qu'il m'est arrivé ça, plus personne ne m'a laissé approcher suffisamment pour que je puisse m'en servir.

Il s'humecta les lèvres et soupira en même temps, et ce simple mouvement me coupa presque le souffle. Je le désirais ; depuis très longtemps, je le désirais comme une femme désire un homme. Mais le désir seul ne m'a jamais suffi.

—Autrement dit, si nous couchons avec toi ce soir, mais que je pète les plombs demain et décide de ne plus jamais recommencer, tu t'en iras ? résumai-je.

Il hocha la tête. Il n'avait même pas besoin de réfléchir.

—Tu me poses un ultimatum, Asher. Je déteste les ultimatums.

—Je le sais, Anita, mais je dois me protéger. Je ne peux pas vivre aux portes du paradis sans qu'on me laisse jamais entrer. Ça finirait par me rendre fou. (Par-dessus ma tête, il regarda Jean-Claude.) Ça fait déjà plusieurs mois que je songe à m'en aller. C'est trop dur pour nous tous. Mais sache, Jean-Claude, que redevenir ton ami a guéri une partie de mes blessures. (Il sourit et reporta son attention sur moi.) Et Anita, voir la façon dont tu me regardes m'a fait plus de bien que de mal.

Il pivota et saisit la poignée de la porte. Je posai ma main sur le battant pour le maintenir fermé. Asher me dévisagea.

—Laisse-moi partir, Anita. Tu sais que tu n'as pas réellement envie de faire ça.

—Que suis-je censée répondre, Asher ? que tu as raison ? que, si Musette n'était pas venue aujourd'hui, je ne serais pas en train de te faire cette proposition ? C'est la stricte vérité. (Je me pressai contre la porte.) Mais l'idée que tu t'en ailles, la perspective de ne jamais te revoir… (Je secouai la tête. Que je sois damnée si je me remettais à pleurer !) Ne pars pas. S'il te plaît, ne t'en va pas.

—Il le faut, Anita.

Il me toucha l'épaule et tenta de m'écarter pour pouvoir ouvrir la porte.

Je secouai obstinément la tête.

—Non.

Il fronça les sourcils.

—Ma chérie, tu ne m'aimes pas, pas vraiment. Si tu ne m'aimes pas et ne veux pas de moi, tu dois me laisser partir.

—Oui, je t'aime. Oui, je te veux.

— Tu m'aimes comme un ami, et tu me désires, mais tu désires beaucoup d'hommes et ce n'est pas pour autant que tu te donnes à eux… tu l'as dit toi-même. J'ai toute l'éternité devant moi, mais ma patience ne fait pas le poids face à ton entêtement, ma chérie. Tu m'as vaincu. J'aurais bien essayé de te séduire, mais… (De nouveau, il faillit toucher le côté scarifié de son visage, mais laissa retomber sa main comme s'il ne pouvait pas supporter le contact de sa propre chair ravagée.) J'ai vu les hommes dont tu as repoussé les avances. Ils étaient physiquement parfaits, et tu leur as dit « non » sans le moindre regret. (Il secoua la tête comme si cela le dépassait mais n'en demeurait pas moins vrai.) Que puis-je t'offrir de plus qu'eux ?

Il posa une main sur mon épaule et tenta gentiment de m'écarter. Je pressai mon dos contre le battant, la main crispée sur la poignée.

— Non, fut tout ce que je trouvai à dire.

— Si, ma chérie. Il est temps.

Je secouai la tête.

— Non.

Je m'appuyais si fort contre la porte que j'aurais des bleus le lendemain, je le savais. Je ne pouvais pas laisser partir Asher. Et quelque chose me disait que, s'il sortait de cette chambre, nous n'aurions jamais d'autre chance.

Je priai pour trouver les mots justes. Je priai pour réussir à lui ouvrir mon cœur sans avoir peur.

— J'ai laissé Richard me quitter. Je pense qu'il serait parti de toute façon, mais je suis restée assise par terre et je l'ai regardé s'en aller sans essayer de le retenir. Je me disais que c'était son choix et qu'on ne peut pas garder quelqu'un qui ne veut pas rester. S'il ne veut vraiment plus de vous, vous devez le laisser partir. Eh bien, merde pour la théorie. Ne pars pas, Asher. Je t'en supplie, ne pars pas. J'aime l'éclat de tes cheveux dans la lumière. J'aime ton sourire quand tu n'essaies ni de te cacher ni d'impressionner les autres. J'aime t'entendre rire. J'aime ta voix qui exprime si bien le chagrin et qui a un goût de pluie. J'aime la façon dont tu regardes Jean-Claude quand il traverse une pièce et que tu penses que personne ne te voit faire, parce que c'est exactement la façon dont je le regarde aussi. J'aime tes yeux. J'aime ta douleur. Je t'aime.

Je me rapprochai de lui, l'enveloppai de mes bras, pressai ma joue sur sa poitrine et essuyai mes larmes sur la soie de sa chemise. Et je continuai à murmurer « je t'aime, je t'aime » jusqu'à ce qu'il me soulève le menton et m'embrasse réellement pour la première fois.

Chapitre 12

Nous rompîmes ce doux baiser en nous écartant l'un de l'autre, et je pris Asher par la main pour l'entraîner vers le lit. Il résista à demi, me suivant tel un enfant réticent.

Jean-Claude se tenait près d'un des montants du baldaquin, le visage aussi inexpressif que possible.

— Avant que nous commencions, j'ai quelque chose à dire. Je contrôle l'ardeur de ma petite mais, à un moment donné, je vais perdre toute maîtrise de moi. Je ne puis garantir ce qui se passera alors.

Asher et moi étions debout face à lui, main dans la main. Asher s'accrochait à mes doigts avec une fébrilité presque douloureuse. Lorsqu'il parla, sa voix ne trahit rien de la tension que je percevais dans son corps.

— Si je pensais que seule l'ardeur poussait Anita à m'ouvrir votre lit, je refuserais, parce qu'une fois l'ardeur rassasiée elle me rejetterait comme la dernière fois. (Il porta ma main à la bouche et effleura mes jointures de ses lèvres.) Je crois qu'elle a vraiment envie de moi. Avec ou sans ardeur, c'est pareil pour moi, maintenant.

Jean-Claude reporta son attention sur moi.

— Ma petite…

— Je préférerais en faire le plus possible avant l'éveil de l'ardeur, mais je comprends que ça risque d'être… difficile pour vous. (Je haussai les épaules.) Je ne sais pas trop.

Mais je suis décidée à le faire, donc, je suppose que ça n'a pas d'importance.

Il haussa un sourcil.

— Tu n'es jamais très convaincante quand tu mens, ma petite.

— C'est faux. Je suis une excellente menteuse, merci beaucoup.

— Pas pour moi.

— Écoutez, je fais de mon mieux. (Je levai les yeux vers le plafond comme si je pouvais voir le ciel à travers toute la pierre qui nous surplombait.) Mais je sais une chose : je veux que nous ayons terminé avant l'aube. Pas question que vous mouriez en pleine action.

— Ma petite a encore du mal à accepter ce qui nous arrive à l'aube, expliqua Jean-Claude.

— Quelle heure est-il ? demanda Asher.

Je consultai ma montre.

— Il nous reste environ deux heures et demie.

— Ce sera juste, commenta Asher.

Et quelque chose dans cette phrase ou dans la façon dont il l'avait dite tira à Jean-Claude ce gloussement très masculin que seuls les hommes sont capables d'émettre, et seulement quand il est question de femmes ou de sexe. Je n'étais pas certaine de l'avoir déjà entendu glousser comme ça.

Soudain, je pris conscience que j'étais la seule fille en présence de deux garçons. Je sais, ça paraît ridicule. Je veux dire, j'étais déjà au courant, mais… soudain, je le sentais. C'était comme entrer dans un bar et sentir tous les regards vous suivre tandis que vous traversez la salle, ou comme être une gazelle observée par des lions.

Si l'un des deux m'avait regardée de cette façon, je crois que j'aurais pris mes jambes à mon cou. Mais ce ne fut pas le cas. Jean-Claude rampa sur le lit, toujours entièrement vêtu, et me tendit une main. Je regardai ses longs doigts pâles et gracieux tandis qu'Asher pressait doucement les miens de l'autre côté.

Alors, je sus que, si je faisais marche arrière, ce serait la fin. Ils ne me mettraient pas la pression. Simplement, Asher s'en irait. Pas ce soir, non. Mais bientôt. Et je ne voulais pas qu'il parte.

Je pris la main de Jean-Claude, qui m'attira doucement sur le couvre-lit. La soie glisse quand vous portez des bas. Mes compagnons me retinrent et me hissèrent à moitié sur le lit.

— Comment se fait-il que vous ne glissiez jamais sur le lit quand vous portez de la soie ? me plaignis-je.

— Des siècles d'entraînement, grimaça Jean-Claude.

— Il fut un temps où tu n'étais pas si adroit. Tu te souviens de la duchesse Vicante ? lança Asher.

Jean-Claude rosit légèrement. J'ignorais qu'il pouvait faire ça.

— Que s'est-il passé ? demandai-je, curieuse.

— Je suis tombé, dit-il en s'efforçant de rester digne, et en échouant avec le sourire.

— Ce qu'il ne précise pas, c'est qu'il s'est coupé le menton sur un miroir en argent qu'il avait cassé dans sa chute. Il y avait du sang partout… et le mari cocu dans l'escalier.

Je dévisageai Jean-Claude. Il acquiesça en haussant les épaules.

— Et ensuite ?

— La duchesse s'est coupée avec un des morceaux du miroir et a prétendu que c'était son propre sang. Une femme très entreprenante, cette duchesse.

— Donc, vous vous êtes connus du temps où vous n'étiez pas encore si gracieux.

— Pas tout à fait, me détrompa Jean-Claude. Asher m'a vu apprendre mes leçons, mais il avait déjà passé cinq ans auprès de Belle avant que je rejoigne sa cour. S'il a été mal dégrossi un jour, il a eu le temps de polir ses manières avant mon arrivée.

— Oh, je l'ai été, mon ami, dit Asher en souriant.

Et je fus submergée par un flot d'images de ce sourire. Ce sourire éclairant un visage encadré par des anglaises et surmonté d'un chapeau à plumes ; ce sourire éclairé par la lumière des bougies ; ce sourire pendant que nous jouions aux échecs et que Julianna cousait près du feu ; ce sourire dans des draps en désordre tandis que Julianna s'esclaffait.

Ça faisait longtemps que nous n'avions pas vu ce sourire. Nous attirâmes Asher sur le lit, et le sourire disparut. Jean-Claude écarta le couvre-lit, révélant des draps d'un bleu un peu plus soutenu que celui des yeux d'Asher, le bleu du ciel en pleine journée, un bleu céruléen. Mais Asher resta à genoux, comme s'il avait peur de s'allonger près de nous.

Je voyais une veine palpiter sur sa gorge, et ça n'avait rien à voir avec ses pouvoirs de vampire. Je crois plutôt que c'était de la peur. Je sentais son goût sur ma langue. Je pouvais l'avaler, savourer son bouquet ainsi que celui d'un vin fin qui excite l'appétit. Et cette peur invoqua la partie de moi qui était la bête de Richard. Elle roula dans mon corps comme un félin qui s'étire, explorant l'espace duquel elle était prisonnière. Un léger grondement s'échappa de mes lèvres.

— Contrôle-toi, ma petite. Ne craque pas si vite.

C'était difficile de réfléchir, et plus encore de parler. Je me dressai sur les genoux et soulevai la chemise d'Asher, mes doigts courant le long de sa peau. Je voulais lui arracher ses vêtements et plaquer ma bouche sur sa chair tendre. Mais ce n'était pas de sexe que j'avais envie. Les vampires ne se nourrissent pas l'un de l'autre ; en revanche, un métamorphe peut bouffer un vampire sans problème.

Je fermai les yeux et me forçai à écarter mes mains d'Asher.

— J'essaie, mais vous savez ce qui arrive si je contiens l'ardeur trop longtemps.

— Tes autres appétits jaillissent à sa place. Oui, ma petite. Je n'ai pas oublié.

— Vous ne pouvez pas m'aider à contrôler la bête de Richard, dis-je d'une voix rauque.

— Non.

Je plongeai mon regard dans celui d'Asher, qui avait peur, si peur, et pas de ma bête. Cela m'aida à me ressaisir, mais je sus que ça ne durerait pas longtemps. Quoi que nous fassions, nous devions le faire vite.

— Je voudrais te voir nu pour la première fois avant que l'ardeur me submerge, Asher. Mais nous n'avons pas beaucoup de temps.

Je tentai de l'attirer sur le lit. Il résista.

Jean-Claude se redressa sur les oreillers et lui tendit les bras, presque comme à un bébé. Il lui parla doucement en français, et je ne compris pas tout mais, en gros, il l'implorait de se dépêcher.

Asher grimpa sur le lit avec des gestes lents, pleins de réticence. Il s'assit entre les jambes de Jean-Claude, mais tous deux étaient encore entièrement habillés et, pour l'intimité de la position, ils auraient aussi bien pu être en boîte de nuit. Ce n'était pas tant sexuel que réconfortant.

Je les détaillai tous deux et compris que quelqu'un devait commencer à se désaper. Très bien. J'ôtai ma veste de tailleur et la jetai par terre.

Jean-Claude haussa les sourcils.

— Si nous continuons à marcher sur des œufs, l'aube se lèvera sans que rien ait changé, me dis-je pour me justifier.

Je dus me lever du lit pour me débarrasser de ma jupe, que j'abandonnai en tas sur le tapis avec mon chemisier. Mon soutien-gorge était en satin bleu marine, assorti à ma culotte.

Quand j'avais repéré l'ensemble dans un magasin, il m'avait rappelé la couleur des yeux de Jean-Claude.

Je m'attendais à me sentir embarrassée, debout devant eux en sous-vêtements, mais ce ne fut pas le cas. J'ai dû passer trop de temps en compagnie des métamorphes ; leurs tendances naturistes ont fini par déteindre sur moi. Ou peut-être me semblait-il naturel d'être à moitié nue devant Asher. Je ne savais pas trop, et je ne cherchai pas à trancher. Je remontai prudemment sur les draps de soie céruléenne pour éviter de glisser de nouveau.

— Tu as vraiment décidé de le faire, constata Asher d'une voix douce, hésitante.

Je hochai la tête tout en rampant vers les deux hommes avec mes bas autofixants et mes escarpins. J'avais gardé ces derniers parce que Jean-Claude adore ça et qu'il porte souvent des bottes au lit pour me faire plaisir. Donc, ce n'est que justice.

Je donnai une tape sur la cheville d'Asher, et il écarta légèrement les jambes. Je dus tout de même forcer le passage. De chaque côté des siennes, les cuisses de Jean-Claude semblaient le serrer contre moi. Je tortillai des hanches et, gagnée par l'impatience, finis par utiliser mes mains pour me faire de la place. Je me retrouvai entre les jambes d'Asher, mes genoux pressés contre son bas-ventre. Ce n'était pas aussi érotique que vous pourriez le croire parce qu'il portait toujours son pantalon et que la position était bizarre.

Je voulus défaire les boutons de sa chemise. Il me saisit les poignets.

— Doucement, ma chérie.

Je haussai les sourcils.

— Nous n'avons pas le temps de lambiner.

Il se tordit le cou pour regarder Jean-Claude derrière lui.

— Est-elle toujours aussi pressée ?

— Elle commence comme un Américain, mais s'adonne aux préliminaires comme une Française.

— Qu'est-ce que c'est censé signifier ? demandai-je.

— Laisse-nous t'aider à te déshabiller, mon ami, et tu n'auras plus besoin de poser de questions, puisque tu sauras.

Asher me lâcha et je déboutonnai sa chemise. Je dus faire vite, parce que le temps jouait contre nous. Je ne voulais vraiment pas être encore au lit avec eux quand l'aube se lèverait. C'était déjà assez énervant d'imaginer Jean-Claude mourir ; pas question qu'ils succombent en stéréo.

Jean-Claude redressa Asher et, à nous deux, nous lui ôtâmes sa chemise à manches longues.

— J'adorerais m'attarder sur chaque centimètre carré de ta peau, Asher, mais je veux te voir nu avant l'aube. La prochaine fois, si on s'y met plus tôt, on pourra prendre notre temps.

Il sourit.

— La prochaine fois ? Ne promets rien avant d'avoir vu la totale, comme on dit.

Je me penchai vers lui, mon visage si près du sien que j'en louchais presque.

— Je crois que rien de ce que tu pourrais me montrer ne m'empêcherait d'avoir envie de toi.

— Et je te crois presque, ma chérie. Presque.

Je me rassis juste assez pour prendre son visage entre mes mains. La différence de texture n'était pas si choquante ; elle faisait partie de lui. Je l'embrassai doucement, lentement, explorant sa bouche avec la mienne. Puis je m'écartai juste assez pour le regarder.

— Crois-moi.

Je fis courir mes doigts le long de sa mâchoire des deux côtés de son visage et lui chatouillai le cou avec mes ongles, chacune de mes mains reproduisant le mouvement de l'autre jusqu'à ce que j'arrive à sa poitrine. Ce n'était pas mes mains que je voulais utiliser pour le caresser là.

J'embrassai la peau scarifiée de sa clavicule droite, mais elle était trop épaisse à cet endroit, et je dus reporter mon attention sur la clavicule gauche, que je mordillai doucement. Asher frissonna sous ma bouche.

Je revins vers le côté droit et, piquetant sa poitrine de baisers, descendis jusqu'à son mamelon. Je n'étais pas certaine qu'il soit toujours aussi sensible, mais il n'y avait qu'un moyen de le découvrir. Je lui donnai un rapide coup de langue et sentis sa peau frémir. De mes deux mains, je pressai son pectoral pour faire ressortir assez de chair et ventousai ma bouche sur son sein. Les cicatrices étaient râpeuses, mais le mamelon se contracta sous les caresses de mes lèvres et de ma langue, sous la légère morsure de mes dents.

Quand j'eus fini de m'occuper du droit, je passai au gauche. Celui-ci fut plus facile à prendre dans ma bouche, et il durcit plus rapidement. J'en profitai pour mordre un peu plus fort – rien qui ne puisse disparaître en quelques secondes –, et Asher grogna tandis que je le marquais.

Je léchai le côté gauche de sa poitrine et de son ventre, puis repassai du côté droit, que j'explorai de la même façon parce qu'à présent, cicatrices ou pas, je savais que ça marchait. Asher sentait ma bouche sur sa peau, mes doigts qui le caressaient un peu plus bas. Et s'il me sentait, je voulais lui donner tout ce que j'avais à offrir.

Ma bouche atteignit sa taille, la ceinture de son pantalon. Je léchai son ventre plat d'un flanc à l'autre, puis rebroussai chemin et, arrivée au milieu, insinuai ma langue sous sa ceinture.

— Tu l'as bien formée, commenta Asher d'une voix essoufflée, rauque.

— Je n'y suis pour rien, mon ami. Elle aime ça.

Je levai les yeux vers les deux hommes.

— Cessez de parler de moi comme si je ne comprenais pas ce que vous dites.

— Nos excuses les plus sincères, dit Jean-Claude.

— Oui, renchérit Asher. Nous ne voulions pas t'insulter.

— Non, mais tu supposes que, si je suis douée, c'est parce qu'un homme m'a tout appris. C'est tellement sexiste !

— Nous ne pouvons que réitérer nos excuses, ma petite.

Je défis la boucle de la ceinture d'Asher et, cette fois, il ne tenta pas de m'en empêcher. Le bouton de son pantalon ne me posa pas de problème, mais je n'ai jamais bien su baisser la fermeture Éclair d'un homme assis. Je crois que j'ai toujours peur de lui coincer quelque chose au passage.

— Un petit coup de main serait le bienvenu.

Jean-Claude se souleva, Asher y mit du sien, et la fermeture Éclair descendit, révélant qu'il portait un slip en soie bleu roi… quoi d'autre ?

Il n'existe aucun moyen d'enlever gracieusement le pantalon de quelqu'un. Je fis glisser celui d'Asher le long de ses jambes et lui ôtai ses chaussures. Il ne portait pas de chaussettes, ouf ! Il se laissa aller contre Jean-Claude, vêtu de son seul et minuscule slip. Je mourais d'envie de le lui arracher. Je voulais le voir complètement nu ; ça me paraissait plus important que tout le reste… découvrir enfin si l'eau bénite avait saccagé sa virilité.

Je m'avançai à quatre pattes et introduisis ma langue sous le haut de son slip, comme je l'avais fait avec son pantalon. Je sentais son membre dur à travers le tissu si fin, effleurant ma joue tandis que je lui léchais le ventre.

Je reportai mon attention sur le côté droit de son corps et les cicatrices qui descendaient jusqu'à la moitié de sa cuisse. Je les léchai, les embrassai et les mordillai jusqu'à ce qu'il pousse un cri. Alors, je fis la même chose de l'autre côté, descendant jusqu'à l'arrière de son genou, et il gémit éperdument.

— Ma petite, s'il te plaît, dit Jean-Claude d'une voix presque étranglée.

Je levai les yeux, le bout de ma langue jouant toujours dans le creux du genou d'Asher. Les yeux de celui-ci avaient roulé dans leurs orbites. Grâce aux souvenirs de Jean-Claude, je savais des choses que seuls peuvent savoir un amant ou une maîtresse… par exemple, le fait que l'arrière des genoux était une zone très érogène chez lui.

—S'il me plaît quoi ?

—S'il te plaît, finissons-en.

Je savais ce qu'il voulait dire. Je remontai à quatre pattes jusqu'à ce que je sois de nouveau agenouillée entre leurs jambes. La soie bleu roi était tendue à craquer et, cette fois, je trouvai ça très érotique.

Je glissai mes doigts à l'intérieur du slip d'Asher, et ce furent les mains du vampire qui, avec une impatience fébrile, m'aidèrent à faire descendre la soie le long de ses hanches. Je tirai sur le bas du sous-vêtement en ne lui prêtant qu'une attention distraite : j'étais trop occupée à regarder ce qui venait d'en jaillir.

Des tissus cicatriciels semblables à de la cire fondue coulaient le long de la cuisse d'Asher vers son entrejambe, semblables à des vers blancs figés sous sa peau. Mais ils s'arrêtaient à quelques centimètres de son appareil génital… de son membre épais, long, droit et absolument parfait.

Une image floue de lui peu de temps après son agression s'imposa à mon esprit. Il était difforme, tordu sur un côté, incapable d'obtenir une érection complète et encore plus de servir à quoi que ce soit.

Je dus secouer la tête pour chasser ce souvenir. Je croisai le regard de Jean-Claude. Jamais je ne l'avais vu si choqué, stupéfait et émerveillé. Jamais je n'avais vu autant d'émotions différentes se succéder sur son visage.

—Mon ami, articula-t-il enfin, entre le rire et les larmes. Que… ?

— Il y a quelques années, j'ai vu un docteur qui pensait que le plus gros du tissu cicatriciel était concentré dans le prépuce. Et il avait raison.

Jean-Claude posa sa tête sur l'épaule d'Asher, enfouissant son visage dans les cheveux dorés de celui-ci, et il pleura.

— Tout ce temps… Tout ce temps, j'ai cru que c'était ma faute… que tu étais impuissant et que c'était ma faute.

Asher replia un bras en arrière pour caresser la tête de Jean-Claude.

— Ça n'a jamais été ta faute, mon ami. Si tu avais été avec nous quand on nous a capturés, ils t'auraient fait la même chose qu'à moi, et cela, je n'aurais pu le supporter. Si tu n'étais pas resté libre pour me sauver, je serais mort en même temps que notre Julianna.

Ils se serrèrent l'un contre l'autre en riant et en pleurant, et en soignant leurs blessures si anciennes. Soudain, je me sentis superflue, à genoux sur le lit en sous-vêtements. Et pour une fois, cela ne me dérangea pas le moins du monde.

Chapitre 13

Jean-Claude libéra l'ardeur alors qu'il nous restait moins d'une heure avant qu'Asher et lui meurent pour la journée. Je ne voulais pas me retrouver coincée sous l'un d'eux quand ça arriverait. Mais je retenais l'ardeur depuis plus longtemps que jamais auparavant, et elle était semblable à une force de la nature, un cyclone qui s'abattit sur nous, emportant les vêtements de Jean-Claude et ce qui restait des miens.

Je pris Asher dans ma bouche et explorai la perfection de son sexe. Il ne lui restait qu'une fine cicatrice qui descendait le long de son scrotum. J'aspirai doucement son relief et entendis Asher gémir au-dessus de moi.

Ce fut le hasard plus que la préméditation qui plaça Jean-Claude sous moi et en moi tandis qu'Asher se collait contre mon dos sans ouverture dans laquelle se glisser. Du moins, sans ouverture que je sois prête à lui offrir. Je sentais le poids de son corps me pousser en avant. Chaque fois que Jean-Claude donnait un coup de reins côté face, Asher l'imitait côté pile, son membre logé entre mes fesses. Ils se faisaient parfaitement écho, bougeant comme si chacun était le reflet de l'autre dans un miroir. À la fin, je n'y tins plus et suppliai Asher de me pénétrer, de me prendre.

La voix de Jean-Claude me parvint comme depuis une grande distance.

— Non, mon chardonneret. Nous ne l'avons pas préparée, et elle ne l'a jamais fait.

Je pris vaguement conscience de ce que je venais de demander et me réjouis que quelqu'un soit encore assez lucide pour empêcher qu'on me fasse du mal. Mais une partie de moi était en colère. L'ardeur voulait sentir Asher à l'intérieur ; elle voulait le boire.

Je chevauchais le corps de Jean-Claude tandis qu'Asher chevauchait le mien. Jean-Claude avait posé ses mains sur ma taille pour me maintenir en place et me diriger ainsi qu'un danseur sa partenaire. Une des mains d'Asher était posée sur le lit pour le retenir, mais l'autre me malaxait un sein avec une avidité presque douloureuse.

Je sentis la pression enfler en moi, cette montée qui précède l'explosion, et je refusai que ça vienne… pas tout de suite. Je voulais Asher comme je voulais Jean-Claude. J'avais envie, non, besoin qu'il transperce mon corps.

— Je t'en supplie, Asher, prends-moi. Je t'en supplie !

Il poussa mes cheveux sur un côté, dénudant mon cou. L'ardeur flamboya en moi.

— Oui, Asher, oui.

Ce puits de chaleur se remplissait à toute vitesse au fond de moi. Il ne lui restait que quelques secondes pour nous rejoindre. Je voulais que sa libération survienne en même temps que la nôtre. Je voulais qu'il soit avec nous.

Il me semblait que j'aurais dû me souvenir de quelque chose d'autre, mais cette idée se perdit dans le martèlement des hanches de Jean-Claude contre les miennes, le rythme de ses allées et venues, le contact de ses mains sur ma taille, le pincement des doigts d'Asher crispés sur mon sein, sa raideur qui glissait entre mes fesses humides alors que je n'avais pas encore joui. Il leva la main qu'il avait posée sur le lit, me prit le menton par-derrière et tourna ma tête sur le côté, étirant mon cou en une longue ligne ininterrompue.

Ce fut comme si Jean-Claude et lui savaient ce que mon corps était sur le point de faire, comme s'ils pouvaient le sentir, l'entendre ou le goûter. À l'instant où ce puits de chaleur déborda, où la première goutte se répandit sur ma peau et contracta mon bas-ventre, Asher frappa. L'espace d'un instant, la douleur fut très vive ; puis elle se mêla au plaisir et je me souvins de ce que j'avais oublié. La morsure d'Asher provoquait l'orgasme.

Je poussai un cri inarticulé. Je n'avais plus de mots, plus de peau, plus de squelette. Je n'étais rien sinon cette vague tiède sur laquelle je surfais.

Jean-Claude jouit en hurlant. Il planta ses ongles dans ma chair, et cela me ramena à moi, me rappela que j'avais un corps, une peau qui me contenait, des os et des muscles qui chevauchaient l'homme allongé sous moi. Asher vint à son tour ; un liquide brûlant se répandit sur le bas de mon dos tandis que sa bouche restait ventousée à ma gorge.

Nous nous nourrissions les uns des autres. Mon ardeur buvait Jean-Claude à travers l'humidité poisseuse de mon entrejambe, à travers sa peau aux endroits où il me touchait. Son ardeur m'empalait sur son membre si long et si raide, comme une main plongée à l'intérieur de mon corps pour s'emparer de son énergie. Mon ardeur absorbait Asher, l'aspirait aussi sûrement que sa bouche collée contre mon cou suçait et avalait mon sang.

Tant qu'il continua à se nourrir, les vagues de l'orgasme se succédèrent, venant s'écraser sur moi l'une après l'autre. Et lorsque Jean-Claude poussa un hurlement, je pris conscience que, à travers ses propres marques, il ressentait tout ce que je ressentais.

Asher nous chevauchait tous les deux, et le plaisir ne retombait que pour monter encore plus haut la seconde d'après. Quand il s'écarta enfin de moi, du sang dégoulinait de sa bouche, et je sus qu'il en avait pris davantage que ce dont il avait besoin pour apaiser sa soif. Ça ne me tuerait pas mais, l'espace d'un instant lumineux, je songeai que ça n'avait peut-être pas d'importance. C'était le genre de plaisir pour lequel on supplierait, pour lequel on tuerait… pour lequel on se laisserait mourir, peut-être.

Je m'effondrai sur Jean-Claude, en proie à des frissons irrépressibles. Jean-Claude tremblait de manière incontrôlable sous moi. Asher s'écroula sur nous deux, et nous restâmes là, attendant que l'un de nous soit en état de se redresser, de crier ou de faire quoi que ce soit d'autre.

Puis l'aube se leva et je sentis leurs âmes s'envoler, leurs corps devenir vides et inertes. L'instant d'avant, j'étais enveloppée de leur chaleur, prisonnière entre leurs pouls affolés, leurs fluides pas encore secs sur ma peau, et soudain, Asher se changea en poids mort tandis que Jean-Claude ramollissait brusquement sous moi.

Je luttai pour me dégager, mais mes bras et mes jambes refusaient de m'obéir. Je ne voulais pas rester prise en sandwich entre eux pendant que leurs corps refroidiraient. Je ne pouvais pas me lever. Je ne pouvais pas repousser Asher. Je ne pouvais pas bouger. Combien de sang avais-je perdu ? trop ?

La tête me tournait, et je ne savais pas si c'était à cause de cet orgasme monstrueux ou parce qu'Asher avait vraiment bu trop de mon sang. Je me débattis pour faire glisser son corps sur le côté, en vain. Puis la nausée m'assaillit, et je sus que c'était la perte de sang. Je portai une main à mon cou. Les traces de crocs d'Asher suintaient encore. Elles n'auraient pas dû. Ou peut-être que si. Je n'avais encore jamais donné de sang volontairement. Je ne savais pas combien de temps les plaies mettaient à cicatriser.

Je pris appui sur mes mains et voulus pousser sur mes bras, comme si je faisais des pompes. Le monde se changea en torrents de couleur, et ma nausée menaça de l'engloutir. Je fis la seule chose que je pouvais encore faire : je hurlai.

Chapitre 14

La porte s'ouvrit. C'était Jason. Jamais je n'avais été aussi heureuse de le voir. Je réussis à articuler :

— Aide-moi.

Ma voix me parut faible et effrayée, et je détestai ça. Mais j'avais la nausée, le vertige, et ce n'était pas dû à la langueur postcoïtale mais à la perte de sang.

À présent que j'y voyais de nouveau, je pris conscience que j'étais couverte de sang… et d'autres choses tout aussi poisseuses. Mais seul le sang me faisait peur, parce qu'il venait uniquement de moi.

Jason poussa Asher sur le côté. Le vampire roula avec cette grâce désarticulée que seul possède un cadavre. Je ne connais pas la différence exacte entre la mort et le sommeil, mais il suffit de bouger le bras de quelqu'un pour savoir avec certitude s'il est clamsé ou juste endormi.

Asher resta allongé sur le dos, les cheveux répandus autour de son visage comme un halo, le menton, le cou et le haut de la poitrine maculés de sang. Ces cicatrices n'enlevaient rien à la beauté de son corps nu. Elles n'étaient pas la première chose qu'on remarquait chez lui, ni même la dernière. Ainsi immobile et recouvert de mon sang, il ressemblait à un dieu déchu, un immortel enfin abattu. Malgré ma faiblesse, je ne pus que le trouver sublime. J'étais vraiment barrée.

Jason dut m'aider à m'écarter de Jean-Claude. Il m'attrapa dans ses bras et me tint comme si j'étais une enfant.

J'étais nue; il me tirait d'un lit où je venais visiblement de faire l'amour avec deux hommes à la fois... pourtant, il ne m'avait pas taquinée et il n'avait fait aucune plaisanterie de mauvais goût. Il fallait vraiment que je sois dans un sale état pour qu'il ne profite pas de la situation.

J'appuyai ma tête contre son épaule, et cela fit quelque peu refluer mon vertige. Jason voulut pivoter vers la porte, mais je protestai.

—Attends, pas encore.

Il se figea.

—Quoi?

—Je veux graver cette scène dans ma mémoire.

Asher et Jean-Claude gisaient tous deux sur le dos, mais si le premier ressemblait à un dieu déchu, le second évoquait une divinité d'un tout autre genre. Ses épais cheveux noirs formaient une masse lourde autour de sa tête, un ovale sombre et imparfait encadrant son visage si pâle. Ses lèvres étaient entrouvertes; ses cils reposaient sur ses joues telle une bordure de dentelle. On aurait dit qu'il s'était endormi après avoir consumé une grande passion, une main sur le ventre, l'autre mollement posée près de lui, un genou plié. Seul Jean-Claude pouvait avoir l'air d'un mannequin en train de poser, même dans la mort.

—Anita, Anita! (Je me rendis compte que Jason m'appelait depuis un moment déjà.) Combien de sang t'ont-ils pris?

—Pas tous les deux, articulai-je d'une voix rauque, la bouche sèche. Juste Asher.

Jason me serra plus étroitement contre lui, comme s'il voulait m'étreindre. Son blouson de cuir craquait à chacun de ses mouvements. Sa poitrine nue était tiède contre ma peau.

—Il ne s'est pas contenté de se nourrir, dit-il sur un ton désapprobateur que je lui avais rarement entendu.

—Je crois qu'il s'est laissé emporter.

Jason me cala dans le creux d'un de ses bras afin de libérer son autre main pour me tâter le front. Ce qui pouvait paraître ridicule, vu que j'étais nue mais, en cas de stress, nous laissons généralement nos habitudes prendre le dessus. Et l'habitude, en l'absence de thermomètre, c'est de prendre la température de quelqu'un en lui touchant le front, même s'il ou elle est à poil.

— Tu n'es pas fiévreuse. Au contraire, tu m'as l'air un peu froide.

Cela me rappela quelque chose, et le fait que j'aie oublié quoi jusque-là prouvait bien que j'étais encore plus mal en point que j'en avais l'impression.

— Est-ce que mon cou saigne encore ?

— Un peu.

— C'est normal ?

Jason me porta vers la salle de bains.

— Tu n'avais jamais été mordue si fort ?

Il ouvrit la porte d'une main en s'aidant d'un genou.

— Pas sans m'évanouir dans la foulée, *non*. (Je fronçai les sourcils.) Je viens bien de dire « non » en français ?

— Oui.

— Et merde.

— Oui.

Jason s'assit sur le bord de l'énorme baignoire en marbre noir, me tenant sur ses genoux tandis qu'il ouvrait le robinet. L'eau jaillit du bec d'un cygne en argent, que j'ai toujours trouvé un peu trop ostentatoire. Mais bon, ce n'est pas ma salle de bains.

La nausée était passée et le vertige se dissipait lentement.

— Pose-moi, réclamai-je.

— Le marbre est froid, protesta Jason.

Je soupirai.

— Je dois vérifier si mon corps fonctionne correctement.

— Essaie juste de rester assise sur mes genoux sans que je te tienne. Si ça va, j'irai chercher des serviettes à poser sur le bord de la baignoire.

— Quel sens pratique !

— Ne le dis à personne, ça ruinerait mon image de marque.

Je souris.

— Motus et bouche cousue.

Je tentai de m'asseoir pendant que Jason tripotait le robinet pour régler la température de l'eau. J'arrivais à me tenir droite. Génial. Je voulus me lever, et seul le bras de Jason autour de ma taille m'empêcha de tomber sur les marches de marbre qui conduisaient à la baignoire. Jason me ramena sur ses genoux.

— Pas si vite, Anita.

Je me laissai aller contre lui, son bras semblable à une ceinture de sécurité passée autour de moi.

— Pourquoi suis-je si faible ?

— Comment peux-tu demander ça alors que tu fréquentes des vampires depuis si longtemps ?

— Je ne les avais encore jamais laissés se nourrir de moi.

— Moi, si. Et fais-moi confiance : quand tu as donné une telle quantité de sang, il te faut un moment pour t'en remettre.

Enfin, Jason parut satisfait de la température de l'eau. Il ouvrit un peu plus le robinet et dut hausser la voix pour se faire entendre par-dessus le bruit de l'eau.

— On va te laver et voir comment tu te sens après.

Je fronçai les sourcils sans savoir pourquoi. Il me semblait que j'aurais dû être en colère. Ou que j'aurais dû être quelque chose, et que je ne l'étais pas. À présent que je ne me trouvais plus coincée entre Jean-Claude et Asher, je me sentais étrangement calme. Non, pas seulement calme : je me sentais bien, et je n'aurais pas dû.

Je me rembrunis encore, m'efforçant de chasser cette sublime lassitude. C'était comme tenter de s'arracher à un cauchemar qui ne veut pas relâcher son emprise. Sauf que je ne luttais pas contre un cauchemar, mais contre un rêve merveilleux. Cela aussi me semblait anormal. Tout me semblait anormal. J'avais la vague impression d'oublier quelque chose d'important, mais je n'aurais pas pu m'en souvenir si ma vie en avait dépendu.

J'étais à la fois complètement vaseuse et terriblement bien, comme si ma mauvaise humeur naturelle se battait contre un bonheur tiède et réconfortant. Celui-ci était en train de gagner, mais je n'étais pas sûre que ce soit une bonne chose.

— C'est quoi, le problème ? demandai-je.

— Que veux-tu dire ?

— Je me sens bien, et je ne devrais pas. Il y a quelques minutes, j'avais la nausée, le vertige, et j'étais terrifiée. Mais à partir du moment où tu m'as sortie du lit, j'ai commencé à aller mieux.

— Juste mieux ?

Jason entreprit d'ôter son blouson de cuir, une manche après l'autre, pour continuer à me tenir sur ses genoux.

— Tu as raison : pas juste mieux. Dès que la peur s'est évanouie, je me suis de nouveau sentie merveilleusement bien. (Je fronçai les sourcils et tentai de réfléchir, sans plus de succès que la fois précédente.) Pourquoi mes pensées sont-elles si embrouillées ?

Jason me positionna de façon à pouvoir défaire ses bottes et les enlever en s'aidant du pied opposé. Je compris enfin qu'il se déshabillait sans me lâcher. Qui a dit que les compétences professionnelles ne sont jamais utiles dans la vie de tous les jours ?

— Tu te déshabilles. Pourquoi ?

— Tu ne peux pas bouger sans t'effondrer. Je détesterais que tu te noies dans la baignoire.

Je tentai de repousser cette si agréable sensation de flottement, mais c'était comme si je m'acharnais contre une brume tiède et réconfortante : je pouvais taper autant que je voulais, il n'y avait rien de solide en face. La brume s'ouvrait sous mes coups, se refermait et ne se dissipait pas.

— Arrête, dis-je assez fermement, malgré ma mollesse intérieure.

— Quoi ? demanda Jason en me faisant glisser vers l'avant pour pouvoir atteindre les boutons de son jean.

— Ça devrait me perturber que tu te déshabilles pendant que je suis nue et que je m'apprête à prendre un bain. Ça devrait me perturber, non ?

— Mais ça n'est pas le cas, j'imagine, répondit-il en déboutonnant son jean d'une seule main, ce qui réclame un certain talent.

— Non, en effet, acquiesçai-je, les sourcils de nouveau froncés. Pourquoi ?

— Tu l'ignores vraiment, n'est-ce pas ?

— Euh, oui.

Je ne voyais même pas de quoi il parlait.

— Je peux soit t'allonger sur le carrelage glacé, soit te jeter sur mon épaule pendant quelques secondes, le temps d'enlever mon pantalon. À toi de choisir.

Ça me paraissait une décision bien trop difficile à prendre.

— Je ne sais pas.

Au lieu de reposer sa question, Jason me jeta aussi doucement que possible sur son épaule, comme le font les pompiers avec les gens qu'ils évacuent. Me retrouver la tête en bas raviva mon vertige, et je me demandai si j'allais lui vomir dans le dos. Il me tint en équilibre pendant qu'il se tortillait pour ôter son jean. Celui-ci glissa le long de ses fesses, et je ne pus m'empêcher de pouffer… chose que je ne fais jamais en temps normal.

— Joli petit cul, commentai-je.

La nausée m'était passée.

Jason s'étrangla de rire.

—Je ne pensais pas que tu remarquerais.

—Caleçon.

—Quoi ?

—Tu avais un caleçon, je l'ai aperçu.

J'avais une terrible envie de lui caresser les fesses, juste parce qu'elles étaient à portée de mes mains et que je le pouvais. Comme si j'étais saoule ou droguée.

—Oui, j'avais un caleçon, et alors ?

—Tu pourrais le remettre ?

—Tu te fiches que j'aie des sous-vêtements ou pas, non ?

Et cette fois, je captai quelque chose de presque provocateur dans sa voix.

—C'est vrai. (Je hochai la tête et, de nouveau, le monde se mit à tourner.) Oh, merde, je crois que je vais gerber.

—Cesse de gigoter et ça passera. Tu irais très bien si tu ne t'étais pas débattue pour te dégager d'entre Jean-Claude et Asher. Toute dépense physique juste après un don de sang te rend malade comme un chien. Mais si tu t'abandonnes à la sensation sans la combattre, c'est merveilleux.

Je me sentais un peu ridicule de parler au cul de Jason, mais pas autant que je l'aurais dû… loin s'en fallait.

—Qu'est-ce qui est merveilleux ?

—Devine.

Je fronçai les sourcils.

—Je n'ai pas envie. (Bordel, c'était quoi, mon problème ?) Dis-moi.

—Commençons par te mettre dans la baignoire. L'eau chaude t'éclaircira les idées.

Jason me reprit dans ses bras et enjamba le bord de la baignoire.

—Tu es nu, fis-je remarquer.

—Toi aussi.

Il y avait là une certaine logique que je ne pouvais pas contester, même s'il me semblait que j'aurais dû.

— Tu ne devais pas remettre ton caleçon ?

— Il est en soie. Je ne vais pas le bousiller en le trempant dans l'eau chaude juste pour te faire plaisir. Et puis, tu te fiches que je le porte ou pas, tu as déjà oublié ?

Un début de migraine me lancinait derrière un œil.

— Non. Mais je ne devrais pas m'en foutre, pas vrai ? Je veux dire…

Jason s'accroupit dans la baignoire. L'eau m'enveloppa, si chaude, si douce, si bienfaisante sur ma peau. Il me déplaça prudemment jusqu'à ce que je me retrouve assise dos à lui, calée contre son torse.

J'étais tellement fatiguée, songeai-je en savourant la tiédeur liquide qui me berçait. Ce serait si bon de dormir…

Le bras de Jason sur ma taille me tira en arrière.

— Anita, tu ne peux pas t'endormir dans la baignoire ; tu risquerais de glisser et de te noyer.

— Tu me retiendrais, dis-je d'une voix enrouée par l'épuisement.

— Oui, je te retiendrais.

Flottant à demi dans l'eau, je fronçai les sourcils.

— C'est quoi, le problème, Jason ? Je me sens ivre.

— Tu as été roulée par un vampire, Anita.

— Jean-Claude ne peut pas faire ça. Je suis protégée par ses propres marques.

Ma voix semblait provenir de très loin.

— Je n'ai jamais dit que c'était Jean-Claude.

— Asher, chuchotai-je.

— Je lui ai déjà donné du sang, et c'est la chose la plus stupéfiante du monde. Et encore, Jean-Claude dit qu'il se retient parce qu'il sait que je ne suis pas sa pomme de sang, juste un prêt temporaire.

— Un prêt, répétai-je, hébétée.

— Je ne crois pas qu'Asher se soit retenu avec toi, ce soir.

— L'ardeur, nous… nous chevauchions l'ardeur.

Chaque mot me coûtait un effort considérable.

— Elle a très bien pu lui faire oublier toute prudence, acquiesça Jason.

Il me tenait solidement, même si je ne m'appuyais plus beaucoup contre son corps.

— Toute prudence ?

— Vas-y, Anita. Tu peux tomber dans les pommes. Quand tu reprendras connaissance, nous discuterons.

— De quoi ?

— De choses, dit-il, et sa voix s'abîma dans la pénombre éclairée par des taches de lumière jaune.

Je ne me souvenais pourtant pas qu'il ait allumé les bougies que Jean-Claude gardait en permanence au bord de la baignoire.

Je voulus lui demander : « Quelles choses ? », mais les mots ne sortirent jamais de ma bouche. Je sombrai dans des ténèbres chaudes et douces, où il n'y avait ni peur ni douleur. Où je me sentais aimée et en sécurité.

CHAPITRE 15

Je fus tirée de mon sommeil par la sonnerie du téléphone. Je me pelotonnai sous les draps et tentai de me rendormir. Dieu que j'étais fatiguée… Le matelas remua sous moi comme si quelqu'un tâtonnait en quête de l'appareil. Mais je ne me réveillai complètement qu'en entendant Jason dire « allô » à voix basse, sans doute parce qu'il voulait justement éviter de me réveiller. Que fichait-il dans ma chambre ?

La réponse à cette question m'apparut dès que j'ouvris les yeux. Je n'étais pas dans ma chambre. En fait, je ne savais pas où diable j'étais. Bien que king-size, le lit devait se contenter d'une profusion d'oreillers, sans baldaquin ni quoi que ce soit d'autre… très moderne, très normal. La seule lumière provenait d'une petite porte située face à son pied. Par l'entrebâillement, j'aperçus une baignoire ou un bac de douche. Les murs de pierre nue m'apprirent que je me trouvais toujours quelque part à l'intérieur du *Cirque des Damnés*.

— Elle est malade, dit Jason. (Il se tut un instant.) Elle dort. Je préférerais ne pas la réveiller.

Je tentai de me souvenir ce que je fichais là, et rien ne me vint. Le blanc total. Je voulus rouler sur le flanc, probablement pour demander qui appelait, quand je me rendis compte que j'étais nue. Je tirai le drap sur mes seins avant de me tourner vers Jason.

Il était allongé sur le côté, dos à moi, le drap placé assez bas pour que je puisse voir le haut de ses fesses. Mais qu'est-ce que je foutais à poil dans un lit avec Jason ? Où était Jean-Claude ? Probablement dans son cercueil ou dans son lit, d'accord. Je ne dors jamais avec lui quand il est raide mort. Mais pourquoi n'étais-je pas rentrée chez moi ?

—Je ne crois pas qu'elle se sente assez bien pour venir aujourd'hui.

Je tentai de m'asseoir et constatai que le monde n'était pas encore tout à fait stable. M'asseoir n'était peut-être pas une bonne idée. Je restai sur le dos, serrant le drap contre ma poitrine, et dus m'y reprendre à deux fois pour articuler :

—Je suis réveillée.

Ma bouche était incroyablement sèche.

Jason se tourna vers moi. Le mouvement fit glisser le drap sur ses cuisses, révélant son côté pile. Il couvrit le combiné de sa main.

—Comment te sens-tu ?

—Comment suis-je arrivée ici ? Et pourquoi ? demandai-je d'une voix si rauque que je la reconnus à peine.

—Tu te rappelles quelque chose ?

Je fronçai les sourcils, et cela me fit mal. Ma gorge était douloureuse. Je portai une main à mon cou et découvris un gros bandage sur le côté droit. Dessous, il y avait une morsure de vampire, je le savais. Alors, je me souvins.

Je me souvins de tout. Et pas seulement avec ma mémoire. Mon corps se tordit sur le lit ; un gémissement s'échappa de ma bouche avant que j'aie le souffle coupé, et je me cabrai, en proie à un souvenir sensoriel. Ce n'était pas aussi bon que l'original, mais pas loin.

Je saisis le drap à pleines poignées, tentant de me raccrocher à quelque chose. Soudain, Jason fut penché sur moi. Il me saisit les bras et tenta de m'immobiliser.

—Anita, que se passe-t-il ?

Automatiquement, mes mains agrippèrent ses avant-bras. Mes yeux roulèrent dans leurs orbites ; un nouveau spasme me parcourut et mes ongles lui lacérèrent les bras. Je les sentis percer sa peau et labourer sa chair.

Jason émit un son à mi-chemin entre cri de douleur et gémissement de plaisir. Je retombai sur le lit, haletante, la vision trouble. Je m'accrochais toujours aux bras de Jason parce que c'était la seule chose solide dont je disposais.

— Anita, dit-il d'une voix tendue. Ça va ?

Je voulus répondre par l'affirmative, mais dus me contenter d'acquiescer. Gentiment, il décrocha mes doigts de ses bras un à un, puis reposa mes mains sur mon ventre, au-dessus du drap. Je sentis le matelas bouger en même temps que lui et compris que j'avais les paupières closes. Je ne me souvenais pas de les avoir fermées.

— C'était quoi, ça ? demanda Jason.

Je faillis répondre : « Je ne sais pas », mais ç'aurait été un mensonge. Je revoyais Asher assis à une longue table de banquet, ses cheveux blonds tire-bouchonnés en anglaises, vêtu d'or et d'écarlate. La femme de notre hôte brisa son verre à vin dans sa main gantée, les lèvres entrouvertes, le renflement blanc de ses seins se soulevant et s'abaissant au rythme de son souffle. Un petit gémissement lui échappa. Quand elle put parler, elle réclama sa femme de chambre et demanda qu'on l'aide à regagner ses appartements, car elle se sentait mal.

En réalité, elle allait très bien. Asher l'avait séduite la nuit précédente sur les ordres de Belle. Il s'était plaint à Jean-Claude qu'elle restait allongée là, les yeux révulsés, certes, mais sans autre réaction. Il avait trouvé cela très décevant.

Durant le dîner, la femme avait revécu son orgasme de la veille. Mais comme elle était du genre silencieux, elle ne pouvait pas vraiment expliquer son comportement en public.

Je restai allongée, les yeux levés vers Jason, dont le visage avait remplacé la salle à manger déserte depuis belle lurette et les convives humains tombés en poussière. Je recouvrai l'usage de ma voix, mais plus rauque qu'avant, comme si le cri avait endommagé mes cordes vocales.

— J'ai eu un flash-back, toussai-je.

— Un flash-back de quoi ?

— De l'eau, s'il te plaît.

Jason sauta à bas du lit et s'agenouilla près du petit frigo qui lui servait de table de chevet. Il en sortit une cannette de boisson énergétique.

— Ça aidera le renouvellement de tes électrolytes beaucoup mieux que l'eau, m'expliqua-t-il.

Je grimaçai.

— Je déteste ces trucs.

— Fais-moi confiance, tu te sentiras bien mieux après l'avoir bu. L'eau risque de te filer la nausée.

Soudain, la boisson bleu fluo me parut beaucoup plus tentante. Jason la décapsula et me la tendit. Les égratignures de ses bras s'étaient remplies de sang qui coulait lentement le long de sa peau.

— Doux Jésus, Jason, je suis désolée. Je ne voulais pas te griffer.

Je bus une gorgée de produit chimique. Le goût était toujours aussi infect que dans mon souvenir, mais quelques lampées suffirent pour que je me sente un peu mieux. Lorsque je parlai, ce fut d'une voix qui ne me donnait pas l'air d'avoir passé un mois dans le désert.

Jason tendit ses avant-bras devant lui.

— Ce n'est pas grave. Même si, en principe, je ne me fais taillader ainsi que quand j'ai fait un boulot remarquable avec mes partenaires, sourit-il.

Je secouai la tête et, cette fois, je ne fus pas prise de vertige. Bien.

— Tu as dit que c'était un flash-back, me rappela Jason. Un flash-back de quoi ?

— De ce qui s'est passé avec Jean-Claude et Asher.

Il haussa les sourcils.

—Autrement dit, un flash-back de ton orgasme ?

Je sentis mes joues s'empourprer.

—Quelque chose comme ça, marmonnai-je.

Il éclata de rire.

—Tu plaisantes !

—Je ne crois pas.

Je bus encore un peu du machin bleu infâme en évitant de regarder Jason.

—Ça fait des années que je sers de rafraîchissement à Jean-Claude, et jamais je n'ai réagi comme ça, fit-il remarquer.

—C'est à cause des pouvoirs d'Asher.

—Quels pouvoirs ?

—Tu mets du sang partout.

—Je me ferai un pansement dans une minute. D'abord, je veux que tu finisses de m'expliquer.

—Tu sais que la morsure d'Asher peut être…

—… jouissive ?

—Oui.

—J'ai testé la version douce, dit Jason. Et toi aussi, dans le Tennessee, quand Asher agonisait. Il a roulé ton esprit. Si mes souvenirs son exacts, tu n'as pas beaucoup apprécié.

—Le problème, ce n'était pas que ça ne me plaisait pas. Au contraire, ça me plaisait un peu trop. Donc, ça me foutait la trouille et je n'appréciais pas.

—D'après Jean-Claude, Asher se retient toujours, à moins de pouvoir garder la personne qu'il roule, quoi que ça signifie.

J'opinai, bus encore une gorgée de boisson énergétique et opinai de nouveau.

—Je crois – non, je suis sûre – qu'Asher ne s'est pas retenu, hier soir.

—Comment le sais-tu ?

— Je possède certains des souvenirs de Jean-Claude. Je réagis comme une femme que Belle a fait séduire par Asher autrefois.

— Tu réagis comment : en griffant les gens ?

— Je t'ai dit que j'étais désolée.

Jason s'assit sur le bord du lit, un genou remonté contre sa poitrine, l'autre pied posé par terre, m'offrant une vue imprenable sur ses attributs masculins. En général, je n'ai pas de problème pour regarder un homme dans les yeux, mais là… il y avait de quoi capturer mon attention.

— Je te taquine, Anita.

Comme la plupart des métamorphes de ma connaissance, Jason ne semblait absolument pas conscient de sa nudité.

Je lui tendis un coin de drap

— Par pitié, couvre-toi un peu.

Il grimaça.

— Nous venons de dormir nus l'un contre l'autre pendant… (il jeta un coup d'œil au réveil posé à son chevet) quatre heures. Pourquoi devrais-je me couvrir maintenant ?

Je fronçai les sourcils et, soudain, je n'eus aucun mal à le regarder dans les yeux. Et de le fusiller du regard par la même occasion.

— En quoi réagis-tu comme cette autre femme ? insista-t-il.

— J'ai des… des échos du plaisir que j'ai ressenti quand Asher a bu mon sang.

— Tu crois que ça va se reproduire ?

Je rougis de nouveau.

— Il y a des chances. Et merde.

— Quoi ?

— La femme dont je me souviens était du genre très calme au lit. D'après Asher, elle ne bougeait pas beaucoup.

— Alors ?

— Alors, elle pouvait le dissimuler beaucoup mieux que moi.

Jason éclata de rire.

— Tu veux dire que c'est normal que tu sautes dans tous les sens ?

Je le foudroyai du regard.

— Tu devrais le savoir. Tu m'as déjà vue jouir. Souviens-toi, tu m'as même aidée à le faire.

J'avais les joues en feu, au point que ma tête commençait à me faire mal.

Le sourire de Jason s'estompa. Après ça, il m'avait fallu des mois pour me sentir de nouveau à l'aise en sa présence.

— L'ardeur nous submergeait tous. Nous étions plus remuants que d'habitude.

Je secouai la tête sans le regarder, serrant mes genoux et le drap contre ma poitrine.

— Mon envie de t'arracher la gorge mise à part, j'étais exactement comme d'habitude.

Jason toussa, rit et dit enfin :

— Tu me fais marcher.

Je gardai les yeux rivés sur le drap.

— Moque-toi de moi si ça t'amuse.

Il me prit la cannette.

— J'ai besoin de boire un coup.

Je me recroquevillai sur moi-même.

— C'est pas drôle.

Il s'agenouilla près du lit pour que je voie son visage.

— Je suis vraiment désolé, mais… (Il eut un petit haussement d'épaules.) Tu ne peux pas me blâmer. Tu ne peux pas me révéler que tu as des orgasmes incroyablement violents et t'attendre que je reste de marbre. C'est moi, Anita, Jason. Tu sais bien que je ne peux pas m'en empêcher.

Il avait l'air si jeune, si innocent… Mais ce n'était qu'une façade. Quand je l'avais rencontré, il avait déjà subi un paquet d'avanies, et son innocence s'était envolée depuis belle lurette.

Il me rendit la cannette.

— Pardonne-moi, d'accord ? Je dois être jaloux, voilà tout.

— Ne recommence pas avec ça.

— Pas jaloux de toi, me détrompa-t-il. Mais si la morsure d'Asher est si bonne que ça, pourquoi n'ai-je pas eu droit à la version forte ?

Je tentai d'afficher un air désapprobateur et n'y parvins qu'à demi.

— Tu l'as dit toi-même : tu n'es pas sa pomme de sang.

— Et tu es la servante humaine de Jean-Claude, pas celle d'Asher, répliqua Jason. Alors, pourquoi t'a-t-il fait la totale ?

Là, il marquait un point. Je haussai les épaules.

— Je crois que c'est l'ardeur qui a décidé à sa place. Je ne sais pas. Je lui demanderai quand ils se réveilleront.

Pourquoi Asher m'avait-il donné un orgasme aussi fort ? L'avait-il fait exprès ? Il était le seul vampire de ma connaissance capable de procurer, en buvant le sang de quelqu'un, une jouissance que la plupart des hommes ne donneront jamais à leur partenaire en utilisant tout leur corps. Il m'avait fait quelque chose que Jean-Claude ne pourrait pas reproduire. Rien que d'y penser, mon bas-ventre se contracta. Je n'eus que le temps de fourrer la cannette entre les mains de Jason avant de me rejeter en arrière sur le lit.

Ce ne fut pas aussi violent que la fois précédente, et Jason ne tenta pas de me toucher. Je suppose qu'il avait déjà assez morflé. Lorsque j'eus terminé et que je m'immobilisai, haletante, le drap au niveau des hanches tandis que ma vision s'éclaircissait, il me demanda depuis l'autre côté du lit :

— Ta crise d'épilepsie est terminée ?

— La ferme, articulai-je avec difficulté.

Il éclata de rire et sauta sur le lit. D'une main, il me redressa ; de l'autre, il me rendit la cannette.

— Adosse-toi aux oreillers et finis ça. Lentement. Je vais me faire des pansements.

— Et mettre de la crème antiseptique.

— Anita, je suis un loup-garou. Je n'attrape pas d'infections. *Oh.*

— Génial. Alors, à quoi servent les bandages ?

— Je ne veux pas pourrir mes fringues, et je ne peux pas laisser les flics me voir dans cet état.

— Les flics ? Quels flics ?

— Ceux qui ont appelé tout à l'heure, pendant que tu dormais. Ceux qui essaient de te joindre depuis une bonne heure. Le lieutenant Storr et l'inspecteur Zerbrowski ont réclamé ta présence, chacun son tour. Le lieutenant a même émis l'idée de venir lui-même te sortir de mon lit.

— Comment a-t-il su que j'étais dans ton lit ?

Debout sur le seuil de la salle de bains, dont la lumière découpait sa silhouette, Jason grimaça.

— Va savoir. Peut-être qu'il a deviné.

— Jason, dis-moi que tu n'as pas provoqué Dolph.

Il posa une main sur sa poitrine.

— Moi, provoquer quelqu'un ?

— Doux Jésus. Tu l'as fait.

— À ta place, je le rappellerais illico presto. Je détesterais voir débarquer les forces d'action spéciale. Ça gâcherait notre petite sauterie.

— Il n'y a pas de sauterie.

— Ça m'étonnerait que ton copain le flic veuille bien le croire s'il nous trouve tous les deux à poil. (Jason leva le bras.) Surtout s'il voit ça.

— Il ne verra ni tes bras, ni aucune autre partie de ton anatomie. Contente-toi de me rendre mes fringues, et je débarrasse le plancher.

— Et que se passera-t-il si tu as un autre flash-back pendant que tu conduis ? Permets-moi d'ajouter que je donne mon sang à des vampires depuis bien plus longtemps que toi. Je sais à quel point c'est dur quand on en a perdu autant que toi tout à l'heure. Tu te sens peut-être remise mais, si tu en fais trop, la nausée et le vertige te reprendront. Ce ne serait pas très opportun sur une scène de crime, pas vrai?

—Dolph ne laisse pas de civils accéder à ses scènes de crime.

—Je t'attendrai dans la Jeep, mais je ne peux pas te laisser prendre le volant aujourd'hui.

—Appelle Micah ou Nathaniel, ils viendront me chercher.

Jason secoua la tête.

—Nathaniel s'est évanoui au club, hier soir.

—Quoi?

—Micah pense que nourrir l'ardeur au moins une fois par jour pendant trois mois a complètement sapé ses forces.

—Il va bien?

—Il a juste besoin d'un peu de repos. En général, Jean-Claude ne boit mon sang qu'un jour sur deux.

—Pour l'ardeur, j'alterne entre Jean-Claude et Micah.

—Oui, mais Jean-Claude n'a besoin de se nourrir qu'une fois par jour. Toi, pour l'instant, c'est deux. Vois les choses en face, Anita: tu as besoin d'agrandir ton écurie de pommes de sang.

—Et bien entendu, tu te portes volontaire?

Une expression ravie passa sur son visage.

—Oh, j'adorerais provoquer un de ces orgasmes à te démonter la colonne vertébrale.

—Jason, dis-je sur un ton d'avertissement.

Et ce seul mot suffit.

—Comme tu voudras, mais qui d'autre va remplacer Nathaniel en attendant qu'il se rétablisse?

Je soupirai.

—Et merde.

—Tu vois? Tu ne sais pas.

—Je peux me nourrir d'Asher, maintenant.

— Oui, mais il ne se réveillera pas avant le coucher du soleil. Tu as besoin de donneurs diurnes, Anita. Pas forcément moi, mais pas un vampire. Réfléchis-y. Aujourd'hui, je te servirai d'escorte parce que tu ne peux pas sortir seule, pas avec tout le sang que tu as perdu et ce qu'Asher t'a fait. Tu pourrais appeler Micah, mais le temps qu'il arrive et que vous vous rendiez en voiture à l'endroit où la police a besoin de toi, tes copains risquent de faire une crise d'apoplexie.

— D'accord, tu as gagné.

— Vraiment ? C'est difficile à dire, avec toi. Parfois, j'ai l'impression d'avoir remporté une dispute, et puis tu retrouves un second souffle et tu finis par m'assommer avec un de tes arguments.

— Va mettre des pansements sur tes égratignures, Jason, et tais-toi.

— Égratignures, mon cul ! Si j'étais humain, tu m'emmènerais aux urgences. Souviens-toi, Anita, tu as hérité d'une partie de la force d'un vampire et d'un loup-garou. Et nous sommes capables de passer notre poing à travers la cage thoracique de quelqu'un.

— Tu es vraiment blessé ? demandai-je, soudain inquiète.

Toute plaisanterie mise à part, j'espérais ne pas lui avoir fait de mal.

— Rien de permanent, mais ça ne guérira pas beaucoup plus vite que la plaie d'un humain.

— Je suis désolée, Jason.

Je me souvenais d'assez de choses à présent pour ajouter :

— Et merci de t'être occupé de moi.

Son sourire s'effaça, faisant place à une expression presque sérieuse qui disparut à son tour derrière une large grimace.

— À votre service, m'dame. (Il souleva un chapeau imaginaire et commença à refermer la porte de la salle de bains derrière lui.) À ta place, j'allumerais la lampe. Sans fenêtres, il fait drôlement noir ici.

Je tendis la main vers l'interrupteur posé sur le frigo, à côté du réveil. Sa lumière me parut surnaturellement vive.

— Au fait, ton téléphone est par terre de mon côté du lit. Je l'ai laissé tomber quand tu as commencé à convulser.

— Je ne convulsais pas, protestai-je.

— Pardon : je l'ai laissé tomber quand tu as eu ton orgasme dévastateur. C'est mieux comme ça ? Moi, je préfère.

— Va te laver, grommelai-je.

Il referma la porte en riant.

Je restai seule avec la petite lampe, le grand lit, et pas le moindre vêtement à l'horizon. J'étais en train de me demander si je devais me mettre à la recherche d'un truc pour me couvrir en attendant Jason quand mon téléphone sonna de nouveau. Je rampai hors du lit, arrachant les draps d'un geste brusque pour ne pas m'empêtrer dedans. Je tombai plus que je glissai par terre, et localisai mon téléphone à la bosse qu'il formait sous ma fesse droite.

C'était Dolph, et il n'était pas content. Pendant qu'il attendait mon appel, on lui avait signalé une seconde scène de crime. Il en voulait à Jason, aux victimes et, semblait-il, tout particulièrement à votre réanimatrice préférée.

Chapitre 16

La première scène de crime se trouvait à Wildwood, le nouveau bastion du fric et de l'ascension sociale. Avant, les adresses en vue étaient Ladue, Clayton ou Crève-Cœur, mais elles sont toutes passées de mode. L'endroit où il faut habiter, maintenant, c'est Wildwood. Le fait que ce soit situé au milieu de nulle part ne semble pas dissuader les nouveaux riches, ou ceux qui aspirent à le devenir. Personnellement, la seule raison pour laquelle je vis au milieu de nulle part, dans un coin beaucoup moins recherché, c'est que je veux éviter que mes voisins se fassent descendre par ma faute.

Le temps que Jason enfile toutes les routes venteuses qui conduisaient à la scène de crime, nous découvrîmes plusieurs choses. Premièrement, mes yeux étaient hypersensibles à la lumière ; donc, j'avais besoin de lunettes de soleil. Deuxièmement, mon estomac n'appréciait pas du tout les virages.

Néanmoins, nous n'eûmes pas besoin de nous arrêter pour que je vomisse… une chance, car il n'y avait pas de bas-côté et nous aurions dû nous garer dans le jardin de quelqu'un. Plus loin, la route était bordée par des bois, des collines, de la nature apprivoisée où les véritables loups ne rôdent plus depuis longtemps et que les ours ont désertée en quête de refuges plus isolés.

En principe, j'adore me balader dans la campagne. Mais ce jour-là, à cause de toute cette végétation vert vif, quand ma vision se brouillait, elle le faisait en Technicolor, comme si on avait écrasé une grenouille dans mon champ de vision, ce qui ne faisait qu'accentuer ma nausée.

— Comment peux-tu le supporter ? demandai-je.

— Si tu avais dormi toute la journée comme une pomme de sang ou une servante humaine normale, tu ne serais pas malade du tout.

— Excuse-moi d'avoir un boulot.

— Et puis, si Asher avait prélevé juste le nécessaire pour se nourrir, tu te sentirais un peu faible, mais rien de plus, ajouta Jason en négociant un virage. Mais ce qu'il t'a fait en plus de boire ton sang t'a complètement chamboulée. (Il marqua une pause.) En vérité, tu ne devrais pas être aussi mal, point.

Nous franchîmes une crête et découvrîmes une succession de petites collines qui étiraient sur plusieurs kilomètres leurs nuances de vert tacheté ça et là d'or.

— Au moins, je n'ai plus envie de gerber quand je regarde les arbres, constatai-je.

— Tant mieux, mais je suis sérieux, Anita. Après avoir dormi quelques heures et recommencé à bouger un peu, tu aurais dû être complètement rétablie.

Jason prit le virage suivant avec une prudence encore accrue.

— Alors, c'est quoi le problème ?

Il haussa les épaules et ralentit pour tenter de lire l'adresse sur un groupe de boîtes aux lettres.

— D'après Dolph, la scène du crime est sur la route principale. Tu ne pourras pas la manquer, Jason.

— Comment peux-tu en être si sûre ?

— Fais-moi confiance.

Il grimaça, ses yeux bleus dissimulés derrière des lunettes de soleil réfléchissantes.

— Je te fais confiance.

— Alors, c'est quoi le problème ? insistai-je.

— Que faisais-tu au moment où l'aube s'est levée ? demanda-t-il, accélérant de nouveau et prenant le virage suivant un peu plus vite que je l'aurais souhaité.

— Je nourrissais l'ardeur. Asher buvait mon sang, et… (j'hésitai une seconde) nous faisions l'amour.

— Tous les trois. Je suis déçu, Anita, commenta Jason sur un ton faussement désapprobateur.

— Pourquoi ?

— Parce que tu ne m'as pas invité.

— Tu as de la chance d'être en train de conduire.

Il sourit mais, cette fois, ne tourna pas la tête vers moi.

— Ce n'est pas de la chance mais de la préméditation. (Il ralentit.) Je comprends où tu voulais en venir quand tu disais que je ne pourrais pas manquer ça.

Je reportai mon attention sur la route. Il y avait des voitures de police partout, marquées ou banalisées. Deux ambulances garées sur le bord bloquaient la circulation. Si nous avions prévu de poursuivre notre chemin, nous aurions dû trouver un moyen de les contourner. Heureusement, nous étions arrivés à notre terminus.

Jason sortit de la route et s'arrêta dans l'herbe en une vaine tentative pour laisser de la place aux futurs arrivants.

Un policier en tenue se dirigea vers nous avant même qu'il ait coupé le moteur. Je sortis mon badge de la poche de ma veste de tailleur. Eh oui : votre exécutrice chérie est techniquement un marshal fédéral. Tous les chasseurs de vampires actuellement titulaires d'une licence d'État ont reçu le même statut par dérogation, à condition de réussir des tests de tir. À Washington D.C., ils discutent toujours ferme pour savoir s'ils vont nous attribuer autre chose que l'aumône accordée par notre État d'origine pour chaque monstre tué… une somme bien insuffisante pour que nous en fassions un boulot à temps complet. D'un autre côté, pour le moment, les vampires se tiennent suffisamment à carreaux pour qu'aucun État n'ait besoin d'un exécuteur à plein-temps.

Puisque je ne gagne presque rien de plus, pourquoi ai-je tenu à obtenir ce fameux badge ? Parce qu'il me permet de chasser les vilains monstres hors du Missouri, dans des juridictions différentes, sans avoir à demander la permission de quiconque. Et sans risquer un procès pour meurtre si je tue un vampire hors de l'État qui a émis ma licence.

Mais pour moi, encore plus que pour la plupart de mes collègues, posséder ce badge présente un avantage indéniable : je n'ai plus besoin de compter sur mes copains flics pour accéder aux scènes de crime.

Je ne connaissais pas le type en uniforme qui s'apprêtait à toquer à la vitre de la Jeep, et ça n'avait pas d'importance : il ne pouvait pas me refouler. En tant que marshal fédéral, je peux fourrer mon nez dans n'importe quelle affaire de crime surnaturel si ça me chante. Un vrai marshal fédéral pourrait se mêler de toutes les enquêtes et, techniquement, mon badge ne précise pas que je suis limitée aux affaires en rapport avec le surnaturel, mais je connais mes limites. Être calée en monstres ne fait pas de moi un flic qualifié. Je déchire dans ma spécialité, mais je suis totalement incompétente pour tout le reste. Je ne servirais probablement à rien dans le cadre d'une enquête ordinaire.

Je descendis de la Jeep et brandis mon badge avant que le flic nous rejoigne. Il me détailla de cette façon typiquement masculine, en commençant par les pieds et en finissant par la tête. Et en perdant ainsi toute chance de m'impressionner.

Je déchiffrai son badge.

— Agent Jenkins, je suis Anita Blake. Le lieutenant Storr m'attend.

— Storr n'est pas là, répliqua-t-il en croisant les bras sur sa poitrine.

Génial, mon nom ne lui disait rien – moi qui me prenais pour une célébrité ! – et il voulait jouer à « je ne laisse pas les fédéraux pisser dans ma mare ».

Jason était descendu de son côté de la Jeep. J'avais peut-être l'air un poil négligée dans mon tailleur froissé avec mon bas droit filé de la cheville jusqu'à la cuisse, mais Jason ne ressemblait ni à un fédéral, ni même à un flic. Il portait un jean juste assez délavé et usé pour être parfaitement confortable, un tee-shirt bleu assorti à ses yeux, toujours planqués derrière ses lunettes réfléchissantes, et des baskets blanches. C'était une de ces belles journées d'automne comme nous en avons parfois dans le Missouri, trop chaude pour qu'il porte son blouson de cuir. Du coup, on ne pouvait pas louper les pansements sur ses avant-bras.

Il s'accouda au capot de la Jeep avec un sourire charmeur et pas fédéral pour deux sous. L'agent Jenkins lui jeta un coup d'œil avant de reporter son attention sur moi.

— Nous n'avons pas appelé les fédéraux.

Je fus reprise de vertiges car j'avais du mal à me tenir debout sur la chaussée légèrement inégale avec mes talons de huit centimètres. Je n'avais ni la patience ni la force de discuter avec ce type.

— Agent Jenkins, je suis un marshal fédéral. Savez-vous ce que ça signifie ?

— Nooon, dit-il en étirant le mot.

— Ça signifie que je n'ai pas besoin de votre permission pour accéder à une scène de crime. Donc, peu importe que le lieutenant Storr soit là ou non. Je vous ai dit qui m'avait prévenue par politesse, mais si vous ne voulez pas être poli en retour, je peux m'en dispenser aussi.

Je pivotai vers Jason. En temps normal, je l'aurais laissé près de la voiture, mais je n'étais pas cent pour cent certaine de réussir à gravir la colline sans tomber. Je ne me sentais vraiment pas assez bien pour être là. Mais j'y étais, et rien ni personne ne m'empêcherait de voir cette scène de crime.

Je fis signe à Jason d'approcher. Il contourna la Jeep, son sourire faiblit. Peut-être étais-je aussi pâle que j'en avais l'impression.

—Allons-y.

—Ce n'est pas un fédéral, protesta Jenkins.

J'en avais assez de ce type. Si je m'étais sentie un peu mieux, je serais passée en force, mais il existait d'autres moyens.

J'attendis que Jason m'ait rejointe pour me tenir, puis je rabattis mes cheveux sur le côté pour exhiber le pansement qui ornait mon cou. Je tirai sur un côté du sparadrap pour montrer la morsure à Jenkins. Les marques n'étaient ni nettes ni propres ; emporté par son enthousiasme, Asher avait déchiré ma chair sur les bords.

—Meeeeerde, lâcha Jenkins.

Je laissai Jason recoller mon pansement pendant que je disais :

—J'ai eu une nuit difficile, agent Jenkins. Et mon statut me donne accès à toutes les scènes de crime surnaturel auxquelles il me plaît de m'intéresser.

Jason lissa le sparadrap et resta tout près de moi, comme s'il devinait à quel point j'avais du mal à tenir sur mes jambes. Jenkins ne parut pas s'en apercevoir.

—Ce n'était pas une attaque de vampire.

—Je croyais pourtant parler anglais… Ai-je dit que c'était un vampire qui m'avait fait ça ?

—Non, madame. Non.

—Dans ce cas, escortez-nous jusqu'à la scène de crime, ou écartez-vous et laissez-nous trouver notre chemin tout seuls.

La vision de la morsure avait désarçonné Jenkins, mais pas au point de lui faire oublier qu'il ne voulait pas de fédéraux sur sa scène de crime. Probablement parce que son patron n'aimerait pas ça du tout. Mais ce n'était pas mon problème. J'avais un badge fédéral… et donc le droit d'accéder à la scène de crime. En théorie. Parce qu'en pratique, si la police locale me barrait le chemin, je ne pourrais pas y faire grand-chose. Je pourrais aller réclamer un mandat au tribunal, mais je manquais de temps. Dolph m'en voulait déjà. Il n'était pas question que je le fasse attendre si longtemps.

Finalement, Jenkins s'écarta. Nous commençâmes à gravir la colline. À mi-chemin, je dus prendre le bras de Jason. À ce moment-là, mon seul but dans la vie, c'était de ne pas tomber, vomir ou m'évanouir pendant que Jenkins se demandait s'il avait bien fait de nous laisser passer.

Chapitre 17

Le badge pendu autour de mon cou par un petit cordon nous permit de passer devant la plupart des flics. Les trois ou quatre qui nous interpellèrent avaient déjà travaillé avec moi auparavant ou entendu mon nom. C'est toujours bon d'être connue. En revanche, ils contestèrent la présence de Jason, et je finis par prétendre que je l'avais nommé adjoint.

Un ranger avec des épaules plus large que Jason et moi étions hauts, lança :

— Je connais des tas d'expressions pour décrire ça, mais « nommer adjoint », c'est la première fois qu'on me la sort.

Je pivotai lentement vers lui… d'abord parce que je ne pouvais pas faire plus vite, ensuite parce que ça renforce l'impression de menace. Je sais, c'est difficile d'impressionner quelqu'un quand on lui arrive à la taille, mais j'ai de l'entraînement.

Jason dut avoir peur de ce que je risquais de dire, car il répliqua très vite :

— Vous êtes juste jaloux.

Le colosse secoua la tête avec son chapeau de Smokey l'ours[1].

— Je les préfère plus grosses.

— C'est drôle, c'est exactement ce que dit votre femme, raillai-je.

---

1. Mascotte du Service des Forêts américain, créée pour lutter contre les feux de forêt. (*NdT*)

Il lui fallut une minute pour comprendre. Alors, il décroisa ses bras semblables à des jambons et fit un pas vers nous.

— Sale petite…

— Ranger Kennedy, lança une voix derrière nous, vous n'avez pas des araignées à attraper ?

Je fis volte-face et vis Zerbrowski se diriger vers nous. Fidèle à son habitude, il était complètement débraillé. On aurait dit qu'il avait dormi avec son costard marron, sa chemise jaune dont le col était relevé sur un seul côté et sa cravate de travers, déjà couverte de taches, même s'il n'avait probablement pas pris de petit déjeuner. Sa femme, Katie, est toujours tirée à quatre épingles. Je n'ai jamais compris comment elle peut le laisser sortir dans cet état.

— Je ne suis pas en service, inspecteur, répondit Kennedy.

— Mais c'est ma scène de crime, ranger. Nous n'avons pas besoin de vous ici.

— Elle dit qu'elle l'a nommé adjoint.

— Elle est marshal fédéral. Elle a le droit de le faire.

Le colosse eut l'air perplexe.

— Je n'essayais pas d'insinuer quoi que ce soit, inspecteur.

— Je sais bien, Kennedy. Et le marshal Blake non plus, n'est-ce pas, Anita ?

— Je ne connais pas sa femme, donc, non, ranger Kennedy. Ce n'était qu'une mauvaise plaisanterie. Désolée.

Kennedy se rembrunit. Il avait l'air de réfléchir beaucoup trop intensément pour sa santé.

— Excuses acceptées, madame, et je vous présente les miennes.

Il ne pouvait se résoudre à m'appeler « marshal », mais je m'en foutais. Ce statut est encore si récent pour moi que, quand quelqu'un me donne du « marshal », je ne lève pas toujours la tête : je ne me rends pas compte qu'il s'adresse à moi.

Quand le ranger eut regagné son véhicule, Zerbrowski fit signe à l'un des autres inspecteurs de la Brigade d'Investigations surnaturelles, ou BIS. Si vous voulez foutre ses membres en rogne, appelez-la « la BISe ».

— Essaie de virer les gens dont on n'a pas besoin.

— Entendu, sergent.

— « Sergent » ? Je savais que Dolph était enfin passé lieutenant, mais j'ignorais que tu étais monté en grade, toi aussi.

Zerbrowski haussa les épaules et passa une main dans ses boucles sempiternellement emmêlées. Katie ne tarderait pas à l'envoyer chez le coiffeur.

— Quand ils ont promu Dolph, il lui fallait un bras droit. J'ai écopé de la corvée.

— On t'a déjà organisé un pot pour fêter ça ?

Il rajusta ses lunettes à monture d'acier, qui n'en avaient pourtant pas besoin.

— Oui.

Si j'avais été un mec, j'aurais laissé filer, mais je suis une fille, et les filles sont plus susceptibles que les garçons.

— J'ai été invitée au pot de Dolph, mais pas au tien ?

— Anita... J'aime bien Micah, mais... Dolph ne s'attendait pas que tu l'amènes. Je crois qu'il n'aurait pas supporté de le voir aussi au mien.

— Tu parles. Il m'en veut parce que je sors avec un métamorphe, c'est tout.

Zerbrowski haussa les épaules.

— Katie m'a donné l'ordre de vous inviter à dîner, Micah et toi, la prochaine fois que je te verrais. Donc, voilà : quand pouvez-vous venir ?

Il y a un moment où il faut arrêter de chercher la petite bête. Je ne demandai pas si l'invitation venait vraiment de Katie ou si Zerbrowski improvisait. Dans le fond, ça n'avait pas d'importance. Il me tendait le calumet de la paix sociale, et j'allais le prendre.

— Je poserai la question à Micah et je te tiendrai au courant.

Zerbrowski jeta un coup d'œil à Jason et eut une grimace qui ressemblait tellement à celle de Jason que je me demandai de quoi il avait l'air à la fac, quand il avait rencontré Katie.

— À moins que tu aies encore changé de copain ?

— Non, le détrompai-je. Jason est juste un ami.

Sans me lâcher, Jason porta sa main libre sur son cœur.

— Tu n'as aucune pitié.

Zerbrowski hocha la tête.

— Je compatis. Moi aussi, j'essaie de la culbuter depuis des années. Mais elle refuse de se laisser faire.

— Ne m'en parlez pas.

— Arrêtez, tous les deux ! ordonnai-je.

Ils s'esclaffèrent d'une manière tellement similaire que c'en était presque troublant.

— Je sais que tu as le droit de le nommer adjoint, mais je sais aussi ce qu'est M. Schuyler ici présent et à quel endroit il réside. (Zerbrowski se pencha vers nous pour éviter que quelqu'un d'autre l'entende.) Dolph me tuerait si je le laissais accéder à la scène de crime.

— Promets que tu me rattraperas si je tombe dans les pommes et je le renvoie à la voiture.

— Tomber dans les pommes, toi ? Tu plaisantes ?

— J'aimerais bien.

J'agrippais le bras de Jason à deux mains désormais, luttant pour ne pas tituber sur mes talons hauts.

— Dolph m'a dit que tu étais « soi-disant malade ». Savait-il à quel point ?

— Il n'avait pas l'air de s'en soucier. Il voulait juste que je ramène mes fesses.

Zerbrowski fronça les sourcils.

— S'il avait su que tu étais dans cet état, il n'aurait pas insisté.

— C'est gentil de le penser.

Je sentais le sang refluer de mon visage. J'avais besoin de m'asseoir quelques minutes.

— Je te demanderais bien si c'est la grippe, mais je vois le pansement dans ton cou. Qui t'a fait ça ?

— Un vampire.

— Tu veux signaler une agression ?

— J'ai déjà réglé le problème.

— Tu l'as buté ?

Je le dévisageai à travers les verres noirs de mes lunettes de soleil.

— J'ai vraiment besoin de m'asseoir quelques minutes, Zerbrowski, et tu sais que je ne te le demanderais pas si ça n'était pas vrai.

Il m'offrit son bras.

— Je vais t'escorter, mais Schuyler ne peut pas venir. (Il jeta un coup d'œil à Jason.) Désolé, mon gars.

Jason haussa les épaules.

— Pas grave. Je sais m'occuper tout seul.

— Sois sage, lui recommandai-je.

Il grimaça.

— Comme d'habitude.

J'aurais bien insisté pour lui soutirer une promesse plus convaincante, mais il me restait jute assez d'énergie pour entrer dans la maison et m'asseoir avant que mes jambes refusent de me porter plus longtemps. Tant pis. Que les inspecteurs et les ambulanciers restent à la merci de Jason. Il ne leur ferait pas de mal… il se contenterait de les irriter un maximum.

Je trébuchai sur les marches qui conduisaient au petit porche. Si Zerbrowski ne m'avait pas retenue, je serais tombée.

— Doux Jésus, Anita, tu devrais être couchée.

— C'est ce que j'ai dit à Dolph.

Il m'aida à passer la porte et me trouva une petite chaise dans le hall d'entrée.

— Je vais lui dire à quel point tu es malade et laisser le gamin te ramener chez toi.

— Non, protestai-je, même si je dus appuyer mon front sur mes genoux le temps que le monde se stabilise autour de moi.

— Décidément, tu es aussi têtue que lui. Dolph refuse tes excuses parfaitement valables, alors tu te traînes ici à demi mourante. Je te propose une échappatoire et je m'engage à en assumer la responsabilité, mais non…, tu veux montrer à Dolph que tu peux être aussi tête de mule que lui. Tu comptes t'évanouir dans ses bras pour lui donner une leçon ?

— La ferme, Zerbrowski.

— D'accord. Repose-toi quelques minutes. Je reviendrai te chercher et je t'escorterai jusqu'à la scène de crime. Mais tu es une idiote.

Je parlai le visage toujours enfoui entre mes genoux.

— Si Dolph était malade, ça ne l'aurait pas empêché de venir.

— Ça ne prouve pas que tu as raison, Anita. Juste que vous êtes tous les deux des imbéciles.

Sur ce, il entra dans la maison. Ce qui valait mieux, parce que je n'étais carrément pas en état de continuer cette discussion.

Chapitre 18

Quand Zerbrowski m'introduisit dans la pièce, je pensai d'abord : « Il y a un homme qui lévite contre le mur. » On aurait vraiment dit qu'il flottait en l'air. Je savais que ce n'était pas vrai mais, l'espace d'un instant, mes yeux et mon esprit essayèrent de me le faire croire. Puis je vis les lignes sombres aux endroits où le sang avait séché sur son corps. Il avait l'air d'avoir été criblé de balles et de s'être vidé de son sang, mais des balles ne l'auraient pas collé au mur.

Curieusement, la tête ne me tournait pas, et je n'avais pas le plus petit début de nausée. Je me sentais détachée, légère et plus solide que depuis des heures. Je me dirigeai vers le cadavre. La main de Zerbrowski glissa hors de la mienne, et je me retrouvai bien stable, mes talons hauts plantés dans une épaisse moquette.

J'étais presque arrivée sous le corps quand je crus comprendre ce qui s'était passé, et même alors, je me dis que j'allais devoir demander confirmation à une personne plus branchée bricolage que moi.

On aurait dit que quelqu'un avait utilisé un pistolet à clous industriel pour le clouer au mur. Ses épaules se trouvaient à deux mètres cinquante du sol environ, donc soit l'auteur de la mise en scène avait utilisé un escabeau, soit il mesurait plus de deux mètres.

Les taches noires se situaient au creux des paumes, sur les poignets, au-dessus des coudes, aux épaules, aux clavicules, sous les genoux, au-dessus des chevilles et sur les cous-de-pied. Les jambes étaient écartées et non clouées ensemble. Autrement dit, cette posture n'était pas censée imiter la Crucifixion. Tant qu'à se donner autant de mal, je trouvais bizarre que l'auteur de la mise en scène n'ait même pas essayé de reproduire ce drame biblique.

La tête de la victime pendait sur sa poitrine. Son cou était pâle et intact. J'aperçus une autre tache de sang dans ses cheveux presque blancs, derrière une oreille. Si les clous étaient aussi gros que je le pensais, et si cette blessure avait été causée par l'un d'eux, la pointe aurait dû ressortir par le visage de l'homme. Je me dressai sur la pointe des pieds pour mieux voir.

Ses cheveux blancs et ses traits flasques me donnèrent à penser qu'il était plus vieux que son corps lui en donnait l'air. De son vivant, il avait dû en prendre soin : muscu et jogging, sans doute. Mais en voyant son visage, j'estimai qu'il avait la cinquantaine bien sonnée. Tant de boulot pour garder la santé, et un malade vient ruiner tous vos efforts en vous clouant à un mur. Ça me paraissait franchement injuste.

Je me penchai un peu trop en avant et dus tendre un bras pour me retenir. Je touchai le sang séché sur le mur du bout des doigts. Alors, je me rendis compte que j'avais oublié mes gants chirurgicaux. Merde.

Zerbrowski avait placé une main sous mon coude pour me soutenir, que je le veuille ou non.

— Comment as-tu pu me laisser entrer sans gants ?

— Je ne m'attendais pas que tu touches les indices. (Il sortit de sa poche un flacon de nettoyant antibactérien.) C'est Katie qui me force à en avoir toujours sur moi.

Je le laissai verser un peu de liquide gélatineux dans mes mains, puis frottai celles-ci. Je n'avais pas vraiment peur d'attraper quelque chose à cause de ce bref contact ; je le faisais plus par habitude. J'évite de ramener des traces de scène du crime chez moi, à moins d'y être obligée.

Le gel hydroalcoolique s'évapora au contact de ma peau, me donnant l'impression d'avoir les mains mouillées, même si je savais que ça n'était pas le cas. Je regardai à la ronde. Quelqu'un s'en était donné à cœur joie avec de la craie colorée sur les murs blanc cassé. Des pentacles de tailles variées encadraient le corps de la victime : des roses, des bleus, des rouges, des verts… c'était presque décoratif.

Tout abruti qui tente de simuler un meurtre rituel sait qu'il doit utiliser quelques étoiles à cinq branches. Mais parmi les symboles multicolores, je distinguais également des runes nordiques. Les malades mentaux qui savent qu'on peut les employer pour faire de la magie rituelle sont déjà nettement moins nombreux.

J'ai étudié la religion comparative pendant un semestre, avec un prof qui était passionné de mythologie scandinave. Du coup, je m'y connais davantage en runes que la plupart des chrétiens. Mes années de fac sont déjà loin, mais je reconnaissais suffisamment de motifs pour que ça me rende perplexe.

— Ça n'a pas de sens, commentai-je.

— Quoi donc ? demanda Zerbrowski.

Je tendis un doigt vers le mur tout en répondant :

— Ça fait un bail que j'ai étudié les runes, mais le ou les coupables les ont toutes tracées dans un ordre assez standard. Quand on effectue un rituel, on a un but précis en tête. On n'emploie pas la totalité des runes nordiques parce que certaines d'entre elles se contredisent : par exemple, celle du chaos et celle de la loi. Je ne connais aucun vrai rituel qui les utilise toutes. Même si on voulait invoquer la polarité, on ne le ferait pas, parce que certaines ne possèdent pas d'opposé littéral. Par ailleurs, elles apparaissent ici dans l'ordre exact des manuels.

Je reculai, entraînant Zerbrowski avec moi parce qu'il me tenait toujours le coude. Comme nous examinions le corps, je désignai son côté gauche.

— Ça commence ici, avec Fehu, et ça égrène tout le chapelet – si je puis dire – jusqu'à Dagaz, de l'autre côté. Quelqu'un s'est contenté de copier ces symboles, Zerbrowski.

— Je sais que ça va te paraître bizarre comme question, mais… Tu sens de la magie ?

Je réfléchis.

— Tu veux dire, toute cette mise en scène a-t-elle servi à un sort ?

Il acquiesça.

— Non, aucun sort n'a été lancé dans cette pièce.

— Comment peux-tu être si catégorique ?

— La magie, comme tout pouvoir de nature métaphysique, laisse un résidu derrière elle. Parfois, ça se limite à un picotement dans la nuque ou aux poils qui se hérissent sur les bras, mais parfois, c'est comme une gifle en pleine figure ou un mur qu'on se prendrait de plein fouet. Cette pièce est vide, Zerbrowski. Je ne suis pas assez douée psychiquement pour capter des réminiscences d'émotions, et je m'en réjouis. Mais si quelqu'un avait lancé un sort, il en resterait des traces. Cette pièce n'est qu'une scène de crime, rien de plus.

— Si personne n'a lancé de sort, pourquoi ces symboles ?

— Je n'en ai pas la moindre idée. Apparemment, le type a reçu une balle derrière l'oreille, puis on l'a cloué au mur. Son corps n'est pas disposé de façon à évoquer un quelconque symbolisme religieux ou mystique. Quelqu'un s'est contenté de dessiner des pentacles autour et de recopier les runes trouvées dans un livre.

— Quel livre ?

— Il existe des tas d'ouvrages consacrés aux runes, depuis les manuels universitaires jusqu'aux bouquins occultes ou New Age. On peut se les procurer dans les librairies universitaires, les boutiques d'ésotérisme, et probablement même sur commande dans les librairies ordinaires.

— Donc, il ne s'agit pas d'un meurtre rituel.

— Ça peut être rituel du point de vue du tueur, mais ça n'a rien de magique, non.

Zerbrowski poussa un gros soupir.

— Tant mieux. C'est ce que Reynolds a dit à Dolph.

— L'inspecteur Tammy Reynolds, la seule sorcière de la brigade ?

Il acquiesça.

— Pourquoi Dolph ne l'a-t-il pas crue ?

— Il a dit qu'il voulait une confirmation.

Je secouai la tête, et cela ne me donna pas la nausée. Génial.

— Il ne lui fait pas confiance, pas vrai ?

Zerbrowski haussa les épaules.

— Dolph est prudent, c'est tout.

— C'est de la connerie, et tu le sais bien. Il ne lui fait pas confiance parce que c'est une sorcière. Pour l'amour du ciel, c'est une sorcière chrétienne, une Suivante de la Voie ! En matière d'experts en occultisme, difficile de faire plus gentillet.

— Hé, pas la peine de m'engueuler ! Ce n'est pas moi qui t'ai tirée du lit pour te faire confirmer les conclusions de Reynolds.

— Dolph l'aurait-il traînée ici pour lui faire confirmer mes conclusions si j'étais arrivée la première ?

— C'est à lui qu'il faut le demander.

— Très bien, c'est ce que je vais faire.

Zerbrowski pâlit légèrement.

— Anita, s'il te plaît, ne cherche pas de noises à Dolph. Il est d'une sale humeur. Très sale, même.

— Pourquoi ?

— Le diable m'emporte si je le sais. Il ne me fait pas de confidences.

— Il est de sale humeur juste aujourd'hui, ou depuis plusieurs jours déjà ?

— C'était pire les jours précédents. Mais deux meurtres dans la même nuit lui ont donné une bonne raison de râler, et il en profite.

— Génial. Vraiment génial.

Ma colère me donna la force de me diriger à grands pas vers la baie vitrée qui occupait la plus grande partie de l'autre mur. Plantée là, j'admirai la vue magnifique : rien d'autre que des arbres et des collines. On aurait dit que la maison était plantée au milieu d'une vaste étendue sauvage.

Zerbrowski me rejoignit.

— Joli panorama, hein ?

— Les responsables de ce meurtre ont dû faire une reconnaissance des environs, dis-je en désignant la baie vitrée. Ils devaient être certains qu'il n'y aurait pas de voisin susceptible de les voir. Pour lui coller une balle dans la tête, ça aurait été jouable, mais pour le clouer sur le mur et tracer tous ces symboles… Ils devaient être sûrs que personne ne pourrait les surprendre à l'œuvre.

— C'est très organisé pour un malade mental.

— À moins qu'il s'agisse de quelqu'un qui veut juste se faire passer pour un malade mental.

— Que veux-tu dire ?

— Ne fais pas comme si vous n'y aviez pas déjà pensé, Dolph et toi.

— Pensé à quoi ?

— Que le coupable est un proche de la victime, quelqu'un qui compte hériter de tout ça. (Je regardai autour de moi ; ce salon était aussi grand que tout le rez-de-chaussée de ma maison.) J'étais trop naze pour le remarquer en arrivant mais, si le reste de la baraque est aussi impressionnant, il doit y avoir du fric à récupérer.

— Tu n'as pas encore vu la piscine, pas vrai ?

— Quelle piscine ?

— Une piscine couverte, avec un jacuzzi assez grand pour accueillir douze personnes.

Je soupirai.

— C'est bien ce que je dis : il doit y avoir du fric à récupérer. Suis sa trace et vois qui va en bénéficier. Le rituel n'est qu'une mascarade, un écran de fumée dont les meurtriers espèrent qu'il suffira à vous envoyer sur une fausse piste.

Zerbrowski resta planté devant la baie vitrée, les mains derrière le dos, en se balançant sur ses talons.

— Tu as raison : c'est exactement ce que Dolph a pensé quand Reynolds nous a dit que personne n'avait utilisé de magie.

— Tu ne vas pas m'envoyer sur l'autre scène de crime juste pour vérifier si elle a bien fait son boulot, pas vrai ? Parce que, si c'est le cas, je rentre à la maison. Je ne suis pas la plus grande fan de Tammy, mais elle est douée dans son domaine.

— Ce qui ne te plaît pas, c'est qu'elle sorte avec Larry Kirkland, ton stagiaire réanimateur.

— En effet, ça ne me plaît pas qu'ils sortent ensemble. C'est la première relation sérieuse de Larry ; pardonne-moi de vouloir le protéger.

— C'est marrant, je n'ai aucune envie de protéger Reynolds.

— C'est parce que tu es bizarre, Zerbrowski.

— Non, c'est parce que je vois la façon dont Kirkland et elle se regardent, Anita. Ils sont foutus. Désespérément amoureux.

Je soupirai.

— Possible.

— Si tu ne l'as pas remarqué, c'est peut-être parce que tu ne veux pas le voir.

— Ou parce que je suis trop occupée.

Pour une fois, Zerbrowski ne répliqua pas.

Je le dévisageai.

— Tu n'as pas répondu à ma première question. Dois-je aller sur la seconde scène de crime uniquement pour vérifier le boulot de Tammy ?

Il cessa de se balancer et s'immobilisa, l'air grave.

— Je ne sais pas. Probablement.

— Dans ce cas, je rentre chez moi.

Il me toucha le bras.

— Va là-bas, Anita, s'il te plaît. Sinon, Dolph sera encore plus en colère.

— Ce n'est pas mon problème, Zerbrowski. Il se complique la vie tout seul, sur ce coup-là.

— Je sais, mais les deux ou trois agents qui ont vu les deux scènes de crime disent que la deuxième est vraiment atroce. Beaucoup plus ton genre que celui de Reynolds.

— Comment ça, « beaucoup plus mon genre » ?

— Sanglante. Très sanglante. Dolph ne veut pas savoir si l'assassin a utilisé de la magie, il veut savoir s'il était humain ou non.

— Dolph refuse catégoriquement qu'on dévoile aux membres de son équipe quoi que ce soit sur une scène de crime avant qu'ils l'aient vue eux-mêmes. S'il savait ce que tu viens de me dire, il t'en voudrait à mort.

— Je craignais que tu n'y ailles pas si je ne t'en disais pas plus.

— Qu'est-ce que ça peut te faire si Dolph et moi sommes à couteaux tirés ?

— Nous sommes là pour résoudre des enquêtes, Anita, pas pour nous chamailler. J'ignore ce qui ronge Dolph, mais l'un de vous doit faire preuve de maturité. (Il sourit.) Je sais, pour que je te demande ça, il faut vraiment que ça aille mal.

Je secouai la tête et lui donnai une tape sur le bras.

— Tu es vraiment un emmerdeur, Zerbrowski.

— C'est bon d'être apprécié à sa juste valeur, se rengorgea-t-il.

Ma colère retombait et, avec elle, l'énergie qui m'avait soutenue jusque-là. J'appuyai ma tête sur l'épaule de Zerbrowski.

— Fais-moi sortir d'ici avant que je me sente encore mal. Je vais aller voir la seconde scène de crime.

Il passa un bras autour de mes épaules et me serra contre lui.

— Ça, c'est un brave petit marshal fédéral.

Je levai la tête.

— N'abuse pas, Zerbrowski.

— Désolé, je ne peux pas m'en empêcher.

Je soupirai.

— Tu as raison, tu ne peux pas t'en empêcher. Oublie mes jérémiades et continue à me dire des choses irritantes en me ramenant à Jason.

Il m'entraîna vers la porte, un bras toujours autour de mes épaules.

— Tu peux m'expliquer comment tu as hérité d'un chauffeur loup-garou et stripteaseur pour la journée ?

— Ma chance habituelle, je présume.

Chapitre 19

La seconde scène de crime se situait à Chesterfield, qui avait été une adresse en vue pour les nouveaux riches avant que ceux-ci déménagent encore plus loin du centre-ville, vers Wildwood et au-delà.

Le quartier que Jason nous fit traverser formait un contraste saisissant avec les grandes demeures isolées que nous venions de voir. Ici vivait la classe moyenne américaine, la colonne vertébrale de la nation. Il existe des milliers de lotissements semblables dans tout le pays… à un détail près : ici, les maisons n'étaient pas parfaitement identiques. Elles étaient quand même bâties tout près les unes des autres et avaient un air de parenté indéniable, comme si elles avaient été conçues par une seule et même personne, mais certaines étaient de plain-pied, tandis que d'autres comportaient un étage, certaines étaient en brique et d'autres pas. Seuls les garages étaient tous des copies conformes, comme si l'architecte avait refusé de faire le moindre compromis sur ce point-là.

Dans les jardins, les arbres de taille moyenne m'apprirent que l'urbanisation de cette zone datait de plus d'une décennie. Les arbres mettent du temps à pousser.

J'aperçus l'antenne géante de la camionnette de télé avant de voir les voitures de police.

— Et merde.

— Quoi ? demanda Jason.

— Les journalistes sont déjà là.

Il scruta la route devant lui.

— Comment tu le sais ?

— Tu n'as jamais vu une de ces camionnettes avec une antenne monstrueuse ?

— Je ne crois pas.

— Petit veinard.

Les flics avaient bloqué la rue, probablement à cause des journalistes. Quand ils auraient le temps, ils sortiraient sans doute les barrières officielles. Pour l'instant, ils se contentaient d'une voiture de patrouille, d'un agent en tenue adossé à cette dernière et de ruban jaune tendu entre deux boîtes aux lettres en travers de la chaussée.

Il y avait là deux camionnettes de chaînes locales et une poignée de journalistes de la presse écrite. On les reconnaît facilement à leurs appareils photos et à leur absence de micro. Même s'ils n'hésitent pas à fourrer leurs dictaphones sous le nez des gens.

À cause d'eux, nous dûmes nous garer un demi-bloc plus loin. Après avoir coupé le moteur, Jason demanda :

— Comment ça se fait qu'ils soient déjà au courant ?

— Un des voisins a pu les appeler. À moins qu'une des camionnettes se soit trouvée dans les parages pour une autre raison. Dès qu'une nouvelle commence à circuler par la radio de la police, les journalistes en sont informés.

— Pourquoi il n'y en avait pas sur la première scène de crime alors ?

— Parce que l'endroit était plus isolé, moins accessible. Ils n'auraient pas réussi à sortir leur article avant l'heure limite. À moins qu'une célébrité locale vive ici, ou que le crime soit plus vendeur.

— Plus « vendeur » ?

— Plus sensationnel.

Par-devers moi, je me demandai comment on pouvait faire plus sensationnel qu'une victime clouée au mur de son salon mais, évidemment, on ne révèle pas ce genre de détail à la presse… pas quand on peut l'éviter.

Je défis ma ceinture de sécurité et posai la main sur la poignée de la portière.

— Franchir le barrage des journalistes ne va pas être simple. Que ça me plaise ou non, moi aussi, je suis une célébrité locale maintenant.

— La chérie du Maître de la Ville, dit Jason en souriant.

— Je ne pense pas que les gens soient aussi polis, mais oui. Aujourd'hui, néanmoins, c'est le meurtre qui les intéressera en priorité. C'est là-dessus qu'ils me poseront des questions, pas sur Jean-Claude.

— Tu as l'air de te sentir mieux.

— Oui. Même si j'ignore pourquoi.

— Peut-être parce que ce qui a provoqué ta réaction est en train de s'estomper.

— Peut-être.

— Tu veux descendre de voiture, ou tu comptes observer d'ici ?

Je soupirai.

— Je descends, je descends.

Jason ouvrit sa portière et fut de mon côté avant que je puisse poser un pied par terre. Pour une fois, je le laissai m'aider. D'accord, je me sentais mieux, mais je n'étais toujours pas au sommet de ma forme. Ç'aurait été idiot de le repousser pour m'étaler de tout mon long la seconde d'après. J'essayais vraiment de mettre mon machisme en sourdine, ce jour-là. Oui, mon machisme, pas celui de Jason.

Je posai la main sur son bras et nous nous dirigeâmes vers la foule. Il y avait beaucoup de gens, et la plupart d'entre eux n'étaient pas des journalistes. Le premier meurtre avait eu lieu dans un endroit isolé, sans voisins assez proches pour sortir de chez eux et venir contempler le spectacle.

Mais ici, les maisons jouaient presque à touche-touche, d'où un public nombreux.

Mon badge pendait toujours à mon cou ; je ne l'avais pas ôté après notre visite de la première scène de crime. À présent que je tenais mieux sur mes jambes, je songeai brusquement que le bras de Jason me gênerait si je devais dégainer le flingue niché sous mon aisselle gauche. Je ne voulais pas qu'il se mette sur ma droite parce que je suis droitière mais, même sur ma gauche, il me gênerait.

Si je pouvais me soucier de ce genre de chose, je devais vraiment aller mieux. C'était bon à savoir. Se sentir HS, ça craint, et la nausée est l'un des grands maux de l'univers.

Sans doute est-ce parce que je tenais le bras de Jason que les journalistes mirent du temps à se rendre compte de qui j'étais, et à comprendre que je ne faisais pas partie des spectateurs. Nous fendions déjà la foule, nous avions presque atteint le ruban jaune quand l'un d'eux me repéra.

Un dictaphone fut brandi sous mon nez.

— Mademoiselle Blake, que faites-vous ici ? La victime a-t-elle été tuée par un vampire ?

Si je me contentais de répondre : « Pas de commentaire », il écrirait qu'il s'agissait « peut-être d'un crime vampirique ».

— Je suis appelée à intervenir dans beaucoup d'enquêtes sur des crimes liés au surnaturel, monsieur Miller, c'est bien ça ? Pas seulement sur les affaires impliquant des vampires.

Il eut l'air satisfait que je me souvienne de son nom. La plupart des gens adorent ça.

— Donc, l'assassin n'est pas un vampire.

Et merde.

— Je n'ai pas encore vu la scène du crime, monsieur Miller. Je n'en sais pas plus que vous pour l'instant.

Les autres journalistes m'encerclèrent comme une meute de loups. Un caméraman braqua sur moi le gros engin qu'il portait sur l'épaule. S'il ne se passait rien de plus excitant, je serais dans le journal de midi.

Les questions fusèrent de tous côtés. « C'est un vampire qui a fait le coup ? » « De quel genre de monstre s'agit-il ? » « Croyez-vous qu'il y aura d'autres victimes ? » Une femme réussit à s'approcher si près que seule ma main crispée sur le bras de Jason nous empêcha d'être séparés.

— Anita, est-ce votre nouveau petit ami ? Avez-vous rompu avec Jean-Claude ?

Qu'une journaliste pose cette question avec un cadavre encore chaud à moins de cinquante mètres montrait bien l'intérêt malsain que les médias portaient à la vie privée de Jean-Claude.

Une fois le sujet évoqué, d'autres journalistes s'engouffrèrent dans la brèche. Je ne comprends pas pourquoi ce que je fais de mes fesses les intéresse plus, ou même autant, qu'un meurtre. Ça n'a pas de sens, pour moi.

Si je disais que Jason était juste un ami, ils déformeraient mes propos. Si je prétendais qu'il était mon garde du corps, dès le lendemain, tous les journaux s'interrogeraient sur la raison pour laquelle j'avais besoin d'une protection rapprochée. Je finis par renoncer à répondre et levai mon badge pour que l'agent en tenue puisse le voir.

Il souleva le ruban jaune pour nous laisser passer, puis dut repousser la masse grouillante des journalistes qui tentait de nous suivre. Nous nous dirigeâmes vers la maison sous une pluie de questions que j'ignorai. Dieu seul savait ce qu'ils allaient faire du peu que je leur avais dit. Ça pourrait aller de : « C'est une attaque de vampire, affirme l'Exécutrice » à exactement le contraire, en passant par toutes les élucubrations possibles sur ma vie privée.

Je ne lis plus les journaux et je ne regarde plus les nouvelles à la télé s'il y a un risque que j'y apparaisse. D'abord, je déteste me voir en photo ou en vidéo. Ensuite, ça me met toujours en rogne. Je ne suis pas libre de discuter d'une enquête policière en cours… personne ne l'est ; du coup, les journalistes interprètent et déforment le peu d'éléments dont ils disposent. Et s'ils choisissent de parler de ma vie amoureuse avec Jean-Claude, je préfère ne pas savoir ce qu'ils s'imaginent.

Pour une raison que j'ignorais, l'assaut des journalistes m'avait de nouveau ébranlée. Je ne me sentais pas aussi mal qu'au début, mais quand même moins bien que quand j'étais descendue de la Jeep. Génial, vraiment génial.

Ici, il y avait encore moins de flics, et je connaissais la plupart d'entre eux : des membres de la BIS. Personne ne tenta de me barrer le passage, et personne ne remit en question la présence de Jason. Ces gens avaient confiance en moi. L'agent en tenue qui gardait la porte avait l'air un peu pâle et les yeux écarquillés.

— Le lieutenant Storr vous attend, mademoiselle Blake.

Je ne le repris pas. « Marshal Blake » me donne l'impression de faire une apparition dans *Police des plaines*[1]. L'agent en tenue nous ouvrit. Il portait des gants chirurgicaux. J'avais laissé mon kit spécial scènes de crime à la maison parce que, quand je relève un zombie pour des clients friqués, Bert n'aime pas que je porte une vilaine combinaison de garagiste. Il dit que ça ne fait pas professionnel. Tant qu'il me rembourse les notes de pressing ahurissantes occasionnées par son snobisme, je veux bien lui faire plaisir.

— Ne touche à rien avant que je nous trouve des gants, dis-je à Jason.

— Des gants ?

— Des gants chirurgicaux. Pour éviter de laisser nos empreintes partout et d'induire les flics en erreur.

---

1. Série western diffusée à la télévision américaine entre 1955 et 1975 ; titre original *Gunsmoke*. (*NdT*)

Nous nous trouvions dans un petit hall d'entrée. Face à la porte, un escalier montait vers l'étage. Sur notre gauche s'ouvrait un salon, et sur notre droite ce qui ressemblait à une salle à manger. Au-delà de celle-ci, j'aperçus un plan de travail et un évier dans une troisième pièce.

Je ne voyais pas les couleurs de la déco parce que j'avais toujours mes lunettes de soleil sur le nez. Je me demandai si les enlever raviverait ma migraine. Lentement, je les fis glisser le long de mon nez. Je clignai des yeux pendant quelques secondes, puis ma vision s'accoutuma. Tant que j'évitais la lumière directe du soleil, ça devrait aller.

Ce fut l'inspecteur Merlioni qui nous vit le premier.

— Blake, je croyais que vous ne viendriez plus.

Je levai les yeux vers le grand flic aux cheveux gris bouclés coupés très court. Le col de sa chemise blanche à manches longues était déboutonné, et sa cravate pendait de travers comme s'il l'avait desserrée sans se soucier de quoi ça lui donnerait l'air. Merlioni déteste les cravates mais, d'habitude, il prend un peu plus soin de son apparence.

— Ça doit être bien dégueu, commentai-je.

Il fronça les sourcils.

— Qu'est-ce qui vous faire dire ça ?

— On dirait que vous avez eu du mal à respirer, et vous ne m'avez pas encore appelée « poulette ».

Il grimaça, révélant des dents d'une blancheur étincelante.

— Ce n'est que le début, poulette.

Je secouai la tête.

— Vous avez des gants pour nous ? Je n'avais pas prévu de visiter une scène de crime, aujourd'hui… et encore moins deux.

Alors, Merlioni jeta un coup d'œil à Jason comme s'il le voyait pour la première fois.

— Qui est-ce ?

— Mon chauffeur pour la journée.

Il haussa les sourcils.

— Un chauffeur ? On ne se refuse rien, poulette.

Je le foudroyai du regard.

— Dolph savait que j'étais trop mal en point pour conduire, alors, il m'a donné la permission de me faire amener par quelqu'un. S'il n'y avait pas eu autant de journalistes dehors, je l'aurais laissé à la porte, mais je ne veux pas qu'il reste seul avec eux. Ils ne voudront jamais croire qu'il n'a rien à voir avec l'enquête.

Merlioni se dirigea vers la grande baie vitrée du salon et écarta le rideau pour regarder dehors.

— Ils sont drôlement collants, aujourd'hui.

— Comment sont-ils arrivés si vite ?

— Un voisin a dû les appeler. Tout le monde veut passer à la télé, de nos jours. (Il reporta son attention sur nous.) Comment s'appelle votre chauffeur ?

— Jason Schuyler.

Il secoua la tête.

— Ça ne me dit rien.

— Je ne vous connais pas non plus, répliqua Jason en souriant.

Je fronçai les sourcils.

— Vous savez quoi, Merlioni ? Je ne peux pas vous présenter : vous ne m'avez jamais dit votre prénom.

Il fit une nouvelle grimace éblouissante.

— C'est Rob. Rob Merlioni.

— Vous n'avez pas une tête de Rob.

— C'est aussi l'avis de ma mère. Elle n'arrête pas de me répéter : « Roberto, je t'ai donné un si joli nom ; pourquoi ne l'utilises-tu pas ? »

— Roberto Merlioni. Ça me plaît.

Je les présentai plus formellement que je crois avoir jamais présenté deux personnes sur une scène de crime. Merlioni cherchait à gagner du temps ; il ne voulait pas revenir à l'intérieur.

— Il y a une boîte de gants dans la cuisine, sur le plan de travail. Servez-vous. Je sors m'en griller une.

— Je ne savais pas que vous fumiez.

— Je viens juste de commencer. (Il me dévisagea d'un regard hanté.) J'ai déjà vu pire, Blake. Nous avons déjà vu pire ensemble mais, aujourd'hui, j'ai du mal à le supporter. Je suis fatigué. Je dois me faire vieux.

— Pas vous, Merlioni. Jamais.

Il eut un faible sourire.

— Je reviens tout de suite. (Puis son sourire s'élargit.) Ne dites pas à Dolph que je n'ai pas forcé votre chauffeur à attendre dehors.

— Motus et bouche cousue, promis-je.

Il sortit et referma doucement la porte derrière lui. Tout était silencieux dans la maison ; on n'entendait que le souffle de l'air conditionné. C'était beaucoup trop calme pour une scène de crime. Il aurait dû y avoir des gens partout, en train de s'agiter, de crier et de faire du bruit. Au lieu de ça, nous étions enveloppés par un silence si lourd que nous pouvions presque entendre le sang battre à nos propres oreilles.

Mes petits cheveux se dressèrent dans ma nuque et je pivotai vers Jason. Il se tenait dans le petit hall d'entrée, avec son tee-shirt bleu clair, l'air paisible derrière ses lunettes à verres miroir, mais je sentais l'énergie s'écouler sur sa peau et me donner la chair de poule. Il avait l'air gentil et inoffensif mais, pour qui possédait la capacité de percevoir sa véritable nature, il ne l'était pas du tout.

— Qu'est-ce qui t'arrive ? chuchotai-je.

— Tu ne sens pas ? répondit-il dans un murmure rauque.

— Je ne sens pas quoi ?

— L'odeur de viande.

Merde.

— Non.

Mais évidemment, son énergie rampant sur ma peau invoqua ma propre bête, tel un fantôme dans mes entrailles. Cette forme spectrale s'étira en moi comme un grand félin sortant de son sommeil, et alors, je sentis. Pas juste du sang, Jason avait raison : de la viande. Le sang a un parfum douceâtre et métallique, légèrement cuivré comme celui des pennies tout neufs. Mais quand il y en a trop, ça sent le steak tartare. Si un humain se trouve réduit à cette odeur de viande hachée, vous pouvez parier qu'il ne va pas être beau à voir. Pas beau du tout.

Je levai la tête et reniflai, inspirant une grande goulée d'air. Je posais le pied sur la première marche de l'escalier avant de me rendre compte de ce que je faisais.

— C'est à l'étage, murmurai-je.

— Oui, acquiesça Jason d'une voix légèrement grondante.

Quelqu'un qui n'aurait pas su ce qu'il était aurait juste pensé qu'il avait une voix très grave. Mais moi, je savais.

— Que se passe-t-il ? demandai-je toujours aussi bas… sans doute parce que je ne voulais pas qu'on m'entende.

Peut-être était-ce également pour ça que Jason chuchotait. Je ne lui posai pas la question. S'il luttait contre son envie de se précipiter en haut pour se repaître des restes de la victime, je ne voulais pas le savoir.

Je frottai mes bras pour en chasser la chair de poule.

— Allons chercher ces gants, suggérai-je.

Jason me dévisagea et, malgré ses lunettes, je sentis qu'il luttait pour comprendre ce que signifiaient mes paroles.

— Merci de ne pas retomber au stade préverbal maintenant. J'ai besoin de toi.

Il prit une grande inspiration qui parut provenir de la plante de ses pieds et ressortir par le sommet de son crâne. Il haussa les épaules et les détendit comme s'il essayait de chasser quelque chose.

— Ça va.
— Tu es sûr ?
— Si tu peux y arriver, moi aussi.
Je fronçai les sourcils.
— Je vais encore avoir des ennuis, c'est ça ?
— Je ne suis pas obligé d'entrer dans cette pièce. Toi, si.
Je soupirai.
— J'en ai vraiment marre de ces conneries.
— Quelles conneries ?
— Toutes.
Jason sourit.
— Allons chercher ces gants, marshal.
Je secouai la tête, mais l'entraînai à travers la salle à manger en direction de la cuisine. Je voyais la boîte de gants posée près d'un sac-poubelle ouvert, presque plein. Un sacré paquet de gens avait dû passer par là pour remplir un sac aussi grand. Alors, où étaient-ils ? Et où diable était Dolph ?

Chapitre 20

Dolph nous rejoignit dans la cuisine pendant que j'aidais Jason à mettre ses gants chirurgicaux. C'est tout un art de les enfiler correctement, et il ne l'avait encore jamais fait, de sorte qu'il était comme un petit garçon face à sa première paire de gants en laine : trop de trous, pas assez de doigts.

Dolph entra par la porte de la salle à manger, comme nous une minute auparavant ; à ceci près qu'il remplissait presque l'encadrement, alors que Jason et moi étions passés ensemble sans que nos épaules se touchent. Dolph est bâti comme un lutteur professionnel, et il mesure deux mètres. Je m'y suis habituée, depuis le temps mais, en le voyant, Jason eut la même réaction que la plupart des gens. Il dut lever les yeux, encore et encore. Mais il se garda de toute remarque, ce qui était un petit miracle venant de lui.

— Qu'est-ce qu'il fout là ? s'écria brutalement Dolph.

— Tu as dit que, si je n'étais pas en état de conduire, je pouvais me faire amener par un chauffeur civil. J'ai choisi Jason.

Dolph secoua la tête, ses cheveux noirs coupés récemment étaient si courts que ses oreilles avaient l'air toutes perdues sur les côtés de son crâne.

— Il ne te reste pas un seul ami humain ?

Je me concentrai sur les mains de Jason et comptai mentalement jusqu'à dix.

— Si, mais la plupart d'entre eux sont flics, et ils n'aiment pas jouer les chauffeurs.

— Ton copain n'a pas besoin de gants, Anita, parce qu'il ne va pas rester.

— Nous avons dû nous garer trop loin pour que je puisse marcher jusqu'ici sans quelqu'un pour me soutenir. Je ne peux pas le renvoyer, avec tous les journalistes massés dehors.

— Bien sûr que si.

Je finis par enfiler le dernier doigt du gant gauche de Jason. Celui-ci remua les mains avec curiosité.

— Comment ça peut donner l'impression d'être humide et poudreux à la fois ?

— Aucune idée, avouai-je. C'est bizarre, hein ?

— Je ne veux pas de lui ici, Anita, tu m'entends ? gronda Dolph.

— S'il s'assoit sur le porche, les journalistes vont le prendre en photo. Et si quelqu'un le reconnaît ? Tu veux vraiment que les journaux titrent sur une attaque de loup-garou en banlieue ?

J'enfilai mes propres gants avec une facilité née de la pratique.

— À te voir faire, ça a l'air simple, s'émerveilla Jason.

— Anita !

Nous levâmes tous deux la tête vers Dolph.

— Pas la peine de crier. Je t'entends très bien.

— Alors pourquoi ton copain est toujours là ?

— Parce que je ne peux ni le renvoyer à la voiture ni le faire attendre dehors. Où veux-tu qu'il aille pendant que j'examine la scène du crime ?

Dolph serra les poings… qu'il a fort impressionnants.

— Je veux qu'il dégage, dit-il, les dents serrées. Peu m'importe où il va.

Je ne tins pas compte de sa colère, parce que ça ne m'aurait servi à rien. Il était de mauvais poil, c'était un crime affreux et, depuis quelque temps, Dolph a une dent contre les monstres.

Merlioni entra. Il s'arrêta sur le seuil entre la salle à manger et la cuisine, comme s'il avait perçu la tension dans l'air.

— Que se passe-t-il ?

Dolph tendit un doigt vers Jason.

— Il dégage.

Merlioni me jeta un coup d'œil.

— Ce n'est pas elle que tu dois regarder, bordel, c'est moi ! aboya Dolph d'une voix brûlante.

Il ne criait pas tout à fait, mais on sentait qu'il en mourait d'envie.

Merlioni le contourna prudemment et voulut prendre le bras de Jason. Je l'arrêtai en posant ma main gantée sur la sienne. Il jeta un coup d'œil à Dolph et fit un pas sur le côté, sans doute pour s'écarter de la ligne de mire.

— Il y a un jardin, derrière ? m'enquis-je.

— Pourquoi ? demanda Dolph d'une voix grondante... non qu'il y ait une bête en lui, seulement de la colère.

— Merlioni peut l'emmener là-bas. Il sera hors de la maison et quand même à l'abri des journalistes.

— Non. Il dégage. Vraiment.

Ma migraine revenait à la charge. Pour l'instant, ce n'était qu'un papillonnement douloureux derrière mon œil gauche, mais un papillonnement prometteur de grandes choses à venir.

— Dolph, je ne suis pas en état de supporter ces conneries.

— Quelles conneries ?

— Ton aversion de tout ce qui n'est pas humain blanc comme neige, dis-je d'un ton las plus que furieux.

— Fous le camp.

Je levai les yeux vers lui.

— Qu'est-ce que tu viens de dire ?

— Fous le camp. Emmène ton loup-garou domestique et rentre chez toi.

— Espèce de salaud.

Il m'adressa le regard qui fait trembler des policiers chevronnés depuis des années. Mais j'étais trop fatiguée et trop dégoûtée pour lui faire le plaisir de broncher, même un peu.

— Quand tu m'as réveillée, je t'ai dit que je n'étais pas en état de conduire. Tu as accepté que je me fasse amener par un chauffeur civil. Tu n'as pas précisé qu'il devait être humain. Et maintenant que je me suis traînée jusqu'ici, tu vas me renvoyer chez moi sans que j'aie vu la scène de crime ?

— Oui, dit-il d'un ton assez sec pour en devenir suffocant.

— Non, rétorquai-je. Pas question.

— C'est mon enquête, Anita. C'est à moi de dire qui reste et qui dégage.

Finalement, j'allais me mettre en colère. Même pour mes amis, il y a des limites à ne pas dépasser. Je me plaçai devant Jason, face à Dolph.

— Justement, non. Je suis marshal fédéral, maintenant ; j'ai le droit de me mêler de n'importe quel crime surnaturel si ça me chante.

— Tu refuses d'obéir à mon ordre direct ? demanda-t-il d'une voix atone cette fois.

Pas furieuse, juste vide. Ça aurait dû m'impressionner davantage, mais je n'ai pas peur de Dolph. Je n'ai jamais eu peur de lui.

— Si je pense que ton ordre direct peut nuire à cette enquête, alors oui, je refuse d'obéir.

Il fit un pas vers moi. Il me dominait de toute sa masse considérable, mais j'ai l'habitude. Des tas de gens me dépassent d'une tête, voire davantage.

— Ne remets plus jamais mon professionnalisme en doute, Anita. Plus jamais.

— Comporte-toi en professionnel et je n'aurai pas de raison de le faire.

Il serrait et desserrait les poings contre ses flancs.

— Tu veux voir pourquoi je ne veux pas de ton copain sur la scène du crime ? Tu veux le voir ?

— Oui.

Il me saisit par le haut du bras. Je crois qu'il ne m'avait jamais touchée auparavant. Cela me désarçonna, et je ne me ressaisis pas avant qu'il m'ait traînée à travers la moitié de la pièce en direction de la salle à manger. Regardant derrière moi, je fis « non » de la tête à Jason. Ça ne dut pas lui plaire, mais il ne protesta pas et s'adossa aux placards. J'eus une fraction de seconde pour apercevoir l'expression choquée de Merlioni avant que nous franchissions le seuil.

Dolph m'entraîna vers l'escalier. Quand je trébuchai, il ne me laissa pas le temps de me relever et me porta littéralement à l'étage.

La porte s'ouvrit derrière nous, et j'entendis un homme s'écrier :

— Lieutenant !

Il me sembla reconnaître sa voix, mais je n'en étais pas sûre et je n'eus pas la possibilité de vérifier : j'étais trop occupée à éviter de me brûler les genoux sur la moquette de l'escalier. Avec mes escarpins, je n'arrivais pas à ramener mes jambes sous moi pour me relever. La migraine explosa derrière mon œil gauche, et le monde se mit à trembler.

Je recouvrai l'usage de ma voix.

— Dolph, putain, Dolph !

Il ouvrit une porte et me remit brutalement sur mes pieds. Je vacillai tandis qu'autour de moi le monde ondulait en rubans de couleurs sombres. Dolph me tint par les épaules, et seules ses grandes mains m'empêchèrent de m'écrouler.

Ma vision s'éclaircit par fragments, comme si la scène était une sorte de puzzle vidéo. Un lit était adossé au mur du fond. J'aperçus des oreillers blancs contre un mur lavande, puis la tête d'une femme et une partie de ses épaules. Ça n'avait pas l'air réel, comme si quelqu'un avait posé là une tête de mannequin. En dessous des clavicules, il n'y avait qu'une grande tache rouge foncé, presque noire. Pas de corps, juste une tache.

Ce fut alors que l'odeur m'assaillit. Une odeur de viande, de steak haché. Et je vis le linge de lit froissé, rouge et noir, trempé de sang et d'autres fluides corporels. Je reportai mon attention sur la tête de la victime. Je n'en avais pas envie, mais je ne pus m'en empêcher. Je la regardai, et enfin, je la vis. C'était tout ce qui restait d'une femme adulte. On aurait dit qu'elle avait explosé, et que, à l'exception de sa tête, son corps s'était répandu... partout.

Je sentis un hurlement monter dans ma gorge et je sus que je ne pouvais pas le laisser sortir. Je devais être plus forte que ça, plus solide. Je retins mon cri, et mon estomac tenta de jaillir par ma bouche à sa place. Je le ravalai aussi et tentai de réfléchir.

— Qu'en penses-tu ? demanda Dolph en me poussant *manu militari* vers le lit. C'est assez artistique, pour toi ? Parce que c'est l'œuvre d'un de tes copains.

Il me pressa contre le cadre du lit, et le linge imprégné de liquide sombre colla à mes jambes. Par chance, il était froid au toucher, ce qui empêcha ma bête de remonter à la surface. Le sang ne sert à rien s'il n'est pas encore chaud et plein de vie.

— Dolph, arrête, gargouillai-je d'une voix que je ne reconnus pas moi-même.

— Lieutenant ! lança quelqu'un derrière nous.

Dolph se retourna sans me lâcher. L'inspecteur Clive Perry se tenait sur le seuil de la chambre. C'est un Afro-Américain mince, vêtu de manière vieux jeu : tiré à quatre épingles, mais dans le genre élégant plutôt que coincé. Je connais peu d'hommes qui s'expriment de manière aussi raffinée… et parmi eux, il n'y a aucun flic.

— Qu'y a-t-il, Perry ?

Le nouveau venu prit une grande inspiration qui souleva sa poitrine et ses épaules.

— Lieutenant, je pense que Mlle Blake en a vu assez pour le moment.

Dolph me secoua assez fort pour que mon estomac menace de se faire la malle.

— Pas encore, non.

Il me fit de nouveau pivoter vers le reste de la pièce et me traîna vers la tête de lit, peinte d'un mauve si proche du lavande des murs que je ne l'avais pas remarquée. Il m'appuya sur l'arrière du crâne jusqu'à ce que mon nez ne se trouve plus qu'à quelques centimètres du bois. Une trace de griffes fraîche balafrait celui-ci.

— À ton avis, qu'est-ce qui a fait ça ?

Il me tourna brutalement vers lui, me tenant toujours les épaules dans ses grandes mains.

— Lâche-moi, Dolph.

Ma voix ne me ressemblait plus du tout. Personne d'autre n'aurait pu me traiter ainsi. J'aurais déjà riposté, ou bien je me serais mise en rogne… à moins d'être paralysée par la trouille. Je n'étais toujours aucune de ces choses.

— À ton avis, qu'est-ce qui a fait ça ? répéta-t-il en me secouant de nouveau, un peu moins fort mais encore assez pour brouiller ma vision et me donner l'impression que mon crâne allait exploser.

— Lieutenant Storr, je dois insister pour que vous lâchiez Mlle Blake.

L'inspecteur Perry se tenait derrière lui, légèrement sur le côté, de sorte que je voyais son visage.

Dolph se tourna vers son subordonné, et je pense que, s'il n'avait pas eu les mains déjà pleines, il l'aurait empoigné par les revers de sa veste de costard.

— Elle sait. Elle sait quel putain de monstre a fait ça, parce qu'elle les connaît tous, dans cette ville !

— Lâchez-la, lieutenant, s'il vous plaît.

Je fermai les yeux, ce qui m'aida quelque peu à contenir ma nausée. Les mains de Dolph sur mes bras me permettaient de le localiser. J'abattis le talon aiguille de mon escarpin sur son cou-de-pied. Il sursauta, et l'étau de ses mains se desserra légèrement.

Je rouvris les yeux et fis ce qu'on m'avait appris en cours d'arts martiaux : je levai les bras entre les siens et les rabattis vivement sur les côtés. Cela lui fit lâcher prise. Alors, j'armai mon bras droit et lui décochai un uppercut dans le ventre. S'il avait été plus petit, j'aurais visé le plexus, mais l'angle était mauvais, et je tapai où je pus.

Tout l'air s'échappa de ses poumons avec un grognement, et il se plia en deux, les mains sur le ventre. Je ne me suis pas encore habituée à être beaucoup plus forte qu'une humaine ordinaire. L'espace d'une seconde, j'espérai ne pas lui avoir fait plus mal que j'en avais eu l'intention. Puis je reculai pour m'éloigner de lui. Le monde tremblait comme si je le regardais à travers du verre soufflé.

Je continuai à reculer. Mes talons s'enfoncèrent dans quelque chose de plus épais et de plus glissant que du sang. Je perdis l'équilibre et tombai lourdement sur les fesses. Du sang gicla autour de moi, traversant ma jupe. Je me redressai précipitamment sur les genoux pour éviter qu'il imprègne ma culotte. Le liquide était froid sous mes mains. Puis mon genou droit ripa dans quelque chose qui n'était pas du sang.

Je hurlai et me relevai frénétiquement. Si Perry ne m'avait pas rattrapée, je serais encore tombée. Mais il se dirigeait trop lentement vers la porte. Je ne voulais pas dégueuler là-dedans.

Je le repoussai et me ruai en titubant dans le couloir. Là, je me laissai tomber à quatre pattes et vomis sur la moquette claire. Un rugissement de douleur me traversa la tête et des lumières blanches explosèrent dans mon champ de vision.

Je rampai vers le haut de l'escalier, sans savoir exactement ce que je comptais faire. Le sol vint à ma rencontre pour me percuter de plein fouet, et il ne resta plus qu'un néant grisâtre. Puis le monde vira au noir, et ma tête cessa de me faire mal.

Chapitre 21

C'était si bon de sentir le carrelage frais sous ma joue… Quelqu'un s'agitait près de moi. J'envisageai d'ouvrir les yeux, mais ça me parut un trop gros effort. Une main pressa un gant de toilette mouillé sur ma nuque. Cela me fit frissonner, et mes yeux s'ouvrirent automatiquement.

Ma vision mit quelques instants à se focaliser. Alors, je vis que le genou posé près de ma tête portait un collant et une jupe. À moins qu'un des hommes de Dolph se soit trouvé un passe-temps dont j'ignorais tout, ça restreignait considérablement le champ des possibles.

— Anita, c'est moi, Tammy. Comment te sens-tu ?

Je levai les yeux, mais mes cheveux tombaient devant, m'empêchant de la voir. Je voulus lui demander de m'aider à m'asseoir, et les mots refusèrent de sortir de ma bouche. Je fis une nouvelle tentative, et elle dut se pencher pour m'entendre. Elle repoussa une mèche de ses cheveux châtains derrière son oreille, comme si ça pouvait l'aider.

— Aide-moi… (je déglutis) à m'asseoir.

Elle glissa un bras derrière mes épaules et me redressa le buste. L'inspecteur Tammy Reynolds mesure un mètre soixante-quinze, et elle fait assez de muscu pour dissuader ses collègues mâles de se foutre d'elle. Elle n'eut donc pas beaucoup de mal à m'adosser à la baignoire. Rester dans cette position ne dépendait que de moi, et ça s'annonçait un chouïa plus problématique. Je me calai sur un bras tendu pour ne pas m'affaisser.

Tammy récupéra le gant de toilette sur le bord du lavabo et le posa sur mon front. Il était froid, et j'eus un mouvement de recul. Je me sentais glacée. Ça, c'était nouveau. Je pensai à quelque chose.

—Tu m'as appliqué… (je dus tousser pour m'éclaircir la voix) ce truc sur la peau pendant que j'étais évanouie ?

—Oui, ça me soulage quand je suis malade.

—Pas moi.

Je m'abstins de lui dire que c'était sans doute une des pires choses qu'elle pouvait me faire. Depuis que j'ai hérité de la bête de Richard, ou de je ne sais trop qui, le froid ne me fait plus de bien quand j'ai la nausée ou que je m'évanouis. Désormais, je guéris comme une lycanthrope, ce qui signifie que j'ai de la fièvre et que mon corps devient bouillant. Un docteur bien intentionné a failli me tuer en me plongeant dans un bain de glace pour faire retomber ma température qu'il jugeait dangereusement élevée.

Je me mis à frissonner. Tammy se leva, rinça le gant de toilette et le mit à sécher.

—J'ai vomi dans le jardin, dit-elle.

Elle posa les mains sur le bord du lavabo et inclina la tête.

Je m'enveloppai de mes bras pour m'empêcher de frissonner, mais rien n'y fit. J'avais froid. Je n'avais pas eu froid, plus tôt dans la journée. Ce nouveau symptôme était-il un bon ou un mauvais signe ?

—C'est assez dégueu là-haut. Je suis sûre que tu n'es pas le seul flic qui ait rendu son petit déjeuner.

Tammy me regarda entre deux mèches châtaines. Elle est obligée de porter les cheveux coupés au-dessus du col de sa chemise, comme ses collègues masculins, mais elle les garde aussi longs que possible.

—Peut-être, mais je suis la seule qui se soit évanouie.

— À part moi.

— Oui, toi et moi. Les deux seules femmes sur les lieux, ajouta-t-elle d'une voix lasse.

Tammy et moi ne sommes pas vraiment amies. C'est une Suivante de la Voie, une sorcière chrétienne. La plupart de ses petits copains sont des fanatiques religieux, pires encore que les conservateurs d'extrême droite, comme s'ils devaient prouver qu'ils sont dignes du salut. Tammy s'est adoucie depuis qu'elle sort avec mon collègue Larry Kirkland. Mais c'était la première fois que je prenais conscience qu'elle avait perdu de sa vivacité. Bosser dans la police, ça use. Et les femmes doivent se montrer deux fois plus dures pour être acceptées. Ce qui nous était arrivé aujourd'hui n'allait pas faire du bien à notre réputation.

— Ce n'est pas ta faute, dis-je.

Mes frissons empiraient.

— Non, c'est celle de mon putain de docteur.

Je levai les yeux vers elle.

— Pardon ?

— Il sait que je prends la pilule, mais il me prescrit des antibiotiques sans me prévenir que ça va la rendre inefficace.

J'écarquillai les yeux.

— Tu veux dire que tu es… ?

— Enceinte, oui.

Je ne pus cacher ma surprise.

— Larry est au courant ?

Elle hocha la tête.

— Oui.

— Que…

Je cherchai quelque chose de gentil à dire et, ne trouvant rien, me contentai de :

— Qu'est-ce que vous allez faire ?

— Nous marier, évidemment, lâcha-t-elle sur un ton amer.

Elle dut lire quelque chose sur mon visage, car elle s'agenouilla près de moi.

—J'aime Larry, mais je n'avais pas l'intention de me marier tout de suite, et encore moins d'avoir un bébé. Tu sais à quel point c'est dur d'obtenir de l'avancement dans ce boulot quand on est une femme ? Bien sûr que tu le sais. Désolée.

—Non. Ce n'est pas la même chose pour moi. Je ne fais pas carrière dans la police.

Après une brève interruption, les frissons avaient repris. De toute évidence, la stupéfaction ne suffisait pas à me tenir chaud.

Tammy ôta sa veste, révélant son flingue dans son holster, et me la posa sur les épaules. Je ne protestai pas ; au contraire, je la serrai fiévreusement.

—C'est à cause de ta grossesse ? me demanda Tammy. Quelqu'un m'a dit que tu étais malade ; c'est vrai ?

Il me fallut une ou deux secondes pour comprendre ce qu'elle venait de dire.

—Quelle grossesse ?

Elle grimaça.

—Pitié, Anita. Moi non plus, je n'en ai encore parlé à personne, mais ils vont finir par deviner. J'ai vomi sur une scène de crime, ce qui ne m'était jamais arrivé avant. Je ne suis pas restée dans les pommes aussi longtemps que toi, mais pas loin. Perry a dû m'aider à descendre jusqu'au jardin pour que je puisse dégueuler. Il ne leur faudra pas longtemps pour additionner deux et deux.

—Ce n'est pas la première scène de crime sur laquelle je vomis, ni la dernière. Ça ne m'était pas arrivé depuis un moment, mais bon. Je suis sûre qu'on t'a raconté la fois où j'ai gerbé sur le corps. Zerbrowski l'adore.

—Oui, mais je croyais qu'il exagérait. Tu sais comment il est.

—Il n'exagérait pas.

— Tu peux me mentir si tu veux mais, à moins que tu aies l'intention d'avorter, ils finiront par s'en apercevoir.

— Je ne suis pas enceinte, insistai-je avec quelque difficulté, car je frissonnais si fort que j'avais du mal à parler. Je suis juste malade.

— Tu gèles, Anita. Tu n'as pas de fièvre.

Comment pouvais-je lui dire que je réagissais mal à une morsure de vampire et que je partageais la bête de Richard ? Les déviances métaphysiques ne sont pas faciles à expliquer. Par comparaison, une grossesse était beaucoup plus simple et compréhensible.

Tammy me saisit par les épaules, ce qui me rappela fâcheusement Dolph.

— Je suis enceinte de trois mois, et toi ? S'il te plaît, dis-le-moi. Dis-moi que je n'ai pas été stupide. Dis-moi que je n'ai pas foutu ma vie en l'air en négligeant de lire la notice d'un médicament.

— Je… ne… suis… pas… enceinte…, articulai-je entre deux frissons.

Tammy se releva et me tourna le dos.

— Va te faire foutre avec tes cachotteries.

J'ouvris la bouche pour dire quelque chose, même si je ne savais pas quoi, mais elle sortit, laissant la porte ouverte derrière elle.

Je n'étais pas certaine de vouloir rester seule. Mes frissons empiraient comme si j'étais en train de geler de l'intérieur. Larry Kirkland était absent, en train de suivre une formation de marshal fédéral. Comme il n'avait pas encore quatre ans de pratique en tant que réanimateur professionnel, il ne pouvait pas bénéficier automatiquement de ce titre. Je me demandai si la grossesse de Tammy lui rendait l'éloignement plus facile ou plus difficile à supporter. Mais bon, qu'est-ce que j'en avais à foutre ?

Perry m'amena Jason. Celui-ci me toucha le front.

— Mon Dieu, tu es glacée. (Il me souleva dans ses bras comme si je ne pesais rien.) Je la ramène chez elle.

— Nous allons vous fournir une escorte pour passer le barrage des journalistes, offrit Perry.

Jason ne protesta pas. Il me porta au rez-de-chaussée. Nous attendîmes quelques minutes pendant que Perry rassemblait suffisamment de corps valides pour nous servir de bouclier humain.

La porte s'ouvrit ; le soleil me gifla en pleine figure et ma migraine se réveilla en rugissant. J'enfouis mon visage contre la poitrine de Jason. Celui-ci eut l'air de comprendre le problème, car il releva un coin de la veste de Tammy pour me protéger les yeux.

— Vous êtes prêts ? s'enquit Perry.

— Allons-y, répondit Jason.

En temps normal, je me serais sentie humiliée qu'on me transporte hors d'une scène de crime affalée dans les bras de quelqu'un telle une fleur fanée, mais j'étais trop occupée à tenter de contrôler mes frissons. Toute ma concentration suffisait à peine à empêcher mon corps de se disloquer. Que diable m'arrivait-il ?

Nous avancions à bonne allure. Je pus juger la distance qui nous séparait encore des journalistes au volume croissant de leurs hurlements. « Qu'est-ce qu'elle a ? » « Que lui est-il arrivé ? » « Qui êtes-vous ? » « Où l'emmenez-vous ? » Les questions dont ils bombardaient Jason se fondaient en un rugissement semblable à celui de l'océan qui assaille une falaise. La foule surgit autour de nous. L'espace d'un instant, je la sentis se refermer sur moi comme un poing suffocant, mais Merlioni aboya :

— Reculez ! Reculez immédiatement, ou nous faisons évacuer les lieux !

Jason me ramena à la Jeep. Il me déposa sur le siège passager et se pencha pour attacher ma ceinture de sécurité.

La veste de Tammy me tombait devant la figure et, bizarrement, ça me rendait claustrophobe.

— Ferme les yeux, ordonna Jason.

C'était déjà fait, mais je ne répondis pas. Il souleva la veste, et je sentis la lumière du soleil sur mes paupières closes… puis le contact de lunettes noires que Jason glissait sur mon nez. Je rouvris prudemment les yeux. C'était beaucoup mieux.

Des inspecteurs et des agents en tenue formaient une ligne devant la Jeep pour empêcher les journalistes d'approcher et nous permettre de partir. Toutes les caméras et tous les appareils photo étaient braqués sur nous. Dieu seul savait ce que proclameraient les légendes dans les journaux du soir.

Jason démarra et recula dans un crissement de pneus. Il était déjà presque au bout de la rue quand je parvins à articuler :

— Tu vas te prendre une amende.

— J'ai appelé Micah. Il t'attend. Tu pourras partager la baignoire avec Nathaniel.

— Hein ?

— Je ne sais pas ce qui t'arrive exactement, Anita, mais tu réagis comme un métamorphe grièvement blessé. Comme si ton corps tentait de guérir une plaie profonde. Tu as besoin de chaleur et du contact des tiens.

— Je… (mes dents claquaient si fort que je dus m'interrompre) ne suis pas… grièvement blessée.

— Je sais. De toute façon, si ça venait de la morsure de vampire, tu serais chaude, brûlante même. Tu ne devrais pas avoir froid.

Mes oreilles se mirent à tinter comme si quelqu'un agitait un carillon. Le tintement recouvrit la voix de Jason, le bruit du moteur et tout le reste. Pour la deuxième fois en moins de deux heures, je m'évanouis. Décidément, ce n'était pas une bonne journée.

Chapitre 22

Je flottais dans de l'eau… de l'eau chaude, très chaude. Des bras me tenaient ; un corps d'homme effleurait le mien. J'ouvris les yeux sur la lumière vacillante de bougies. Étais-je de retour au *Cirque des Damnés* ? Deux choses se produisirent qui me détrompèrent aussitôt. Du carrelage pâle refléta l'éclat des flammes au bord de la baignoire, et des bras d'homme se resserrèrent autour de moi, m'attirant plus près de leur propriétaire. À l'instant où mon dos toucha sa poitrine, je sus que c'était Micah.

Je connaissais la courbe de ses épaules, la façon dont mon corps semblait épouser les reliefs et les creux du sien. Ses bras bronzés étaient délicats pour un homme mais, quand il me plaqua contre lui, je sentis des muscles bouger sous sa peau. Je savais quelle force abritait ce corps mince. Chez lui comme chez moi, les apparences sont trompeuses.

— Comment te sens-tu ? me demanda-t-il, la bouche si près de mon oreille que son murmure me sembla presque trop fort.

Ma voix me parvint distante et atone.

— Mieux.

— Au moins, tu n'es plus glacée. Jason m'a dit que tu étais malade, que tu avais la nausée. Ça t'a passé ?

Je réfléchis, tentant de percevoir mon corps et pas seulement la chaleur réconfortante ou la proximité de Micah.

— Oui. Mais je ne comprends toujours pas ce qui m'est arrivé.

Il me fit pivoter dans ses bras, me retournant sur le ventre pour que nous puissions nous regarder. Il me sourit. Le bronzage avec lequel il était arrivé à Saint Louis commençait à s'estomper, mais il avait toujours le teint mat, ce qui faisait ressortit son trait le plus remarquable : ses yeux de chat. Au début, j'ai cru qu'ils étaient vert-jaune mais, en réalité, ils sont verts, ou jaunes, ou n'importe quel mélange des deux selon son humeur, la lumière ambiante et la couleur de ses fringues.

Là, ses pupilles s'étaient élargies comme des taches de pétrole, et le mince anneau de couleur qui les entourait était d'un vert très pâle. Les humains n'ont pas les yeux vraiment verts : gris-vert, peut-être, mais vert clair, rarement. Micah, si.

Ces yeux sont sertis dans un visage beau comme celui d'une femme. La ligne de sa mâchoire et le tracé de son menton sont masculins, mais pas exagérément. Il a une bouche large, avec une lèvre inférieure plus renflée que celle du dessus, ce qui lui donne l'air de faire la moue en permanence.

Je voulais sentir sa bouche sur la mienne, sa peau satinée sous mes doigts. Micah me fait cet effet depuis que je le connais. J'ai toujours l'impression qu'il est un morceau manquant de moi, que je dois me serrer le plus fort possible contre lui, comme si nos corps pouvaient fusionner.

Il ne protesta pas lorsque j'attirai sa tête vers moi. Il ne me dit pas que j'étais blessée et que j'avais besoin de repos. Il se contenta de se pencher et de presser sa bouche sur la mienne.

Embrasser Micah, c'est comme respirer : quelque chose d'automatique et de vital. Je n'ai pas besoin de penser à le toucher ; je n'éprouve aucune indécision… pas comme avec les autres hommes de ma vie. C'est mon Nimir-Raj et, depuis la première fois que nous avons couché ensemble, il existe entre nous un lien plus fort que le mariage, plus permanent que des mots et du papier pourraient le rendre.

Je fis glisser mes bras le long de ses épaules et de son dos mouillé, et nos bêtes se réveillèrent. Son énergie était semblable à un souffle chaud sur ma peau, qu'elle faisait scintiller partout où elle la touchait. Ma bête se dressa depuis les profondeurs de mon corps, et je sentis celle de Micah l'imiter. Elles flottaient à l'intérieur de nous, filant vers la surface comme si elles faisaient la course, et seule notre peau les séparait l'une de l'autre.

Puis même notre peau ne suffit plus à les contenir, et elles la traversèrent. Leur mouvement m'arqua le dos et arracha un cri à Micah. Nos bêtes se tordaient entre nous, mêlant leurs énergies respectives plus étroitement que nous ne pourrons jamais mêler nos corps. Elles ondulaient et s'entortillaient comme des cordes invisibles, allant et venant entre nous. Je griffai les flancs de Micah, et il planta ses dents dans mon épaule.

J'ignore si ce fut la douleur, le plaisir, nos bêtes ou le mélange du tout, mais soudain, je recouvrai mes facultés de réflexion. Soudain, je compris pourquoi j'avais été malade toute la journée.

Je sentis ce cordon métaphysique qui me relie à Jean-Claude ; je le revis allongé dans son lit au *Cirque des Damnés*, près d'Asher. Une ombre était accroupie sur sa poitrine nue, une forme ténébreuse. Plus je la regardais, plus elle devenait solide. Finalement, elle tourna vers moi un visage difforme et grimaçant, dans les yeux duquel brillait une flamme couleur de miel ambré.

Je détaillai l'ombre affamée du pouvoir de Belle Morte qui, toute la journée, avait tenté d'aspirer la « vie » de Jean-Claude comme une sangsue. Mais les protections du maître vampire s'étaient interposées automatiquement : sa servante humaine et, probablement, son animal. Richard avait refusé de nous aider, et il était sans doute en train d'en payer le prix.

La chose me regarda en feulant comme un grand félin démoniaque, et je décidai de la traiter comme telle. Je projetai ma bête le long de ce cordon métaphysique. Ce que je n'avais pas prévu, c'est que la bête de Micah la suivrait et qu'elles attaqueraient ensemble, tailladant l'ombre en lambeaux brumeux. Celle-ci s'enfuit à travers le mur.

Je me demandai où elle avait filé, et cela me suffit pour la voir. Elle se trouvait dans la chambre d'amis que nous avions préparée pour Musette. L'espace d'un instant, elle resta accroupie sur sa poitrine, puis elle parut se fondre dans son corps. Je la vis remuer brièvement sous la peau morte de la femelle vampire avant de disparaître.

— Maîtresse, vous êtes là ?

La voix d'Angelito.

Puis je fus de retour dans l'eau chaude et les bras de Micah.

— C'était quoi, ça ? demanda-t-il d'une voix douce, étranglée.

— L'espèce d'ombre ? Une parcelle de son pouvoir que Belle Morte a prêtée à Musette.

— On aurait dit qu'elle tentait de se nourrir de Jean-Claude, mais sans y parvenir.

— Je suis sa servante humaine. À mon avis, quand Musette a essayé de voler la force de Jean-Claude, l'attaque s'est reportée sur moi. Elle pompe mon énergie depuis ce matin.

— Jean-Claude l'a fait exprès ?

— Non. Pendant la journée, il est bel et bien mort. C'est juste la façon dont fonctionne le triumvirat. Si Musette avait pu vider Jean-Claude, elle aurait pu vider aussi tous ses vampires, toutes les créatures liées à lui par le sang.

— À la place, elle a drainé ton énergie.

— Oui, et probablement celle de Richard. Je parie qu'il n'est pas allé bosser aujourd'hui.

Micah me serra plus fort contre lui.

— Comment faire pour éviter que ça se reproduise ?

Je lui tapotai le bras.

— C'est l'une des choses que je préfère chez toi. La plupart des gens perdraient leur temps à s'interroger sur le comment et le pourquoi ; toi, tu cherches immédiatement une solution.

— Il faut faire quelque chose avant qu'elle revienne.

— Où est mon portable ?

— Là, dans la pile avec tes vêtements.

— Tu peux l'attraper ?

Les bras de Micah sont plus longs qu'ils en ont l'air. Il tendit l'un d'eux, déplaça le téléphone du bout des doigts puis s'en saisit. Il me le remit sans poser de question. Encore une chose que j'adore chez lui : il ne me demande jamais d'explications.

J'appelai le *Cirque des Damnés*, le numéro spécial qui ne figure pas dans l'annuaire. Ernie, le garçon de course humain et biscuit apéritif occasionnel de Jean-Claude, répondit. Je lui demandai si Bobby Lee était toujours là. Quand je le lui eus décrit, Ernie soupira :

— *Ouais, je n'arrive pas à me débarrasser de lui. Il a l'air de se prendre pour le chef.*

Comme je le prenais plus ou moins pour le chef moi aussi, ça ne me posait pas de problème. Bobby Lee prit l'appareil.

— *Anita, qu'est-ce qui se passe ?*

— Demandez à Ernie de vous fournir des crucifix et accrochez-les sur la porte des chambres d'amis.

— *Je peux savoir pourquoi ?*

— Pour éviter que les méchants vampires nous jouent d'autres mauvais tours métaphysiques pendant la journée.

— *Ça ne m'avance pas des masses.*

— Faites-le, c'est tout.

— *Il ne faut pas poser le crucifix sur le cercueil d'un vampire pour l'empêcher d'utiliser ses pouvoirs ?*

— Chaque pièce ne possède qu'une seule issue ; c'est comme un cercueil extra-large. Faites-moi confiance, ça marchera.

— *Tant que Rafael ne me dit pas le contraire, c'est vous la patronne.*

Il demanda des crucifix à Ernie. J'entendis la protestation dans le ton de celui-ci, sinon dans sa réponse.

Bobby Lee reprit la communication.

— *Il craint que des croix bien en vue sur la porte gênent nos vampires quand ils se réveilleront.*

— Peut-être, mais je m'inquiète davantage des agissements de nos invités pendant la journée. À la tombée de la nuit, nous aviserons. Jusque-là, contentez-vous de faire ce que je dis.

— *Vous comptez m'expliquer pourquoi ?*

— Vous tenez à le savoir ? Très bien. Musette utilise ses pouvoirs pour drainer l'énergie de Jean-Claude et, à travers lui, la mienne. Je suis complètement à plat depuis ce matin.

— *Je vous aime bien, Anita, parce que vous me répondez quand je vous pose une question. En général, je ne comprends absolument pas de quoi vous parlez, mais vous vous adressez à moi comme si j'étais assez intelligent et que je m'y connaissais suffisamment en magie pour capter quelque chose à vos histoires.*

— Je vais raccrocher maintenant, Bobby Lee.

— *Oui, m'dame.*

Je tendis mon portable à Micah pour qu'il puisse le reposer près du tas de vêtements, que je n'avais aucune chance d'atteindre sans foutre de l'eau partout.

Je m'adossai de nouveau contre Micah, et il s'enfonça dans l'eau jusqu'à ce que celle-ci m'arrive au menton. J'aurais voulu couler à l'intérieur de son corps et m'y noyer. À présent que j'avais débarrassé Jean-Claude de l'ombre, je me sentais crevée. Comme si j'avais enfin reçu la permission de dormir.

Mais il restait encore un problème à régler.

— Jason m'a dit que Nathaniel s'était écroulé au boulot hier soir.

— Il est dans sa chambre, couché entre Zane et Cherry. Ça va aller.

Micah m'embrassa la tempe.

— C'est vrai qu'il n'en peut plus parce que tous les deux vous ne suffisez pas à nourrir mon ardeur deux fois par jour ? (Il se figea, et son silence fut la plus éloquente des réponses.) Tu t'en étais déjà rendu compte ?

— Tu te nourris aussi de Jean-Claude.

— D'accord : tu t'étais déjà rendu compte que Jean-Claude, lui et toi ne suffisiez pas à nourrir mon ardeur ?

— Jean-Claude n'arrête pas de répéter que ton appétit devrait bientôt se calmer. Si tu descendais à une fois par jour, à nous trois, nous y arriverions. Deux fois par jour, c'est beaucoup.

— Pourquoi ne m'as-tu rien dit ?

Il me serra contre lui et je le laissai faire, mais je n'étais pas contente.

— Parce que je sais à quel point c'est dur pour toi d'ouvrir ton lit à de nouvelles personnes. J'espérais que tu ne serais pas forcée d'en arriver là.

Ce qui me fit penser…

— Je viens plus ou moins de le faire.

— Quoi donc ?

— Ouvrir mon lit à quelqu'un d'autre.

Il me semblait que j'aurais dû me tortiller d'embarras, mais ma capacité à éprouver de la gêne est en chute libre, ces derniers temps.

— Qui ? demanda Micah d'une voix douce.

— Asher.

— Toi et Jean-Claude.

Ce n'était pas une question.

— Oui.

Il me serra contre lui.

— Pourquoi maintenant ?

Je lui exposai mon raisonnement.

— À cause de toi, ces vampires vont être très mécontents, ce soir.

— J'y compte bien. (Je pivotai dans ses bras pour voir son visage. Son expression était sereine à la lumière des bougies.) Ça t'embête, pour Asher ?

Il parut réfléchir pendant quelques secondes.

— Oui et non.

— Mais encore ?

— Tant que tu as besoin de nourrir l'ardeur, tu as plus qu'assez de temps à partager entre nous tous. Mais je m'inquiète un peu de ce qui se passera si tu prends toute une flopée de partenaires et que l'ardeur finit par se calmer. Ça risque de faire pas mal de mécontents.

Je fronçai les sourcils.

— Je n'avais pas pensé à ça. Mais je n'ai eu de vrais rapports sexuels qu'avec toi et Jean-Claude.

— Tu sais très bien ce que Jean-Claude dirait s'il était là : « Ma petite, tu joues sur les mots. »

— D'accord, d'accord. Je n'ai pas l'intention de jeter Nathaniel hors de mon lit, même si l'ardeur s'apaise.

— Non, mais accepteras-tu de continuer à le toucher comme tu le fais maintenant ?

Je me détournai pour ne pas avoir à soutenir son regard si franc et direct.

— Je ne sais pas. C'est la vérité. Je ne sais pas.

— Et Asher ?

— Une chose à la fois avec lui.

— Et Richard ?

Je secouai la tête contre la poitrine de Micah.

— La question ne se pose pas. Il ne supporte plus de m'approcher à moins de dix mètres.

— Peux-tu vraiment affirmer que, s'il venait frapper à ta porte aujourd'hui et te demandait de le reprendre, tu refuserais ?

Ce fut mon tour de me figer dans ses bras et de garder le silence. Je réfléchis, ou du moins je tentai d'y réfléchir, froidement, avec les idées claires. Le problème, c'est que je n'ai aucun recul quand il s'agit de Richard.

— Je ne peux pas être catégorique, mais je pense que oui.

— Vraiment ?

— Micah, j'ai encore des sentiments pour Richard, mais il m'a plaquée. Il m'a plaquée parce que je me sens plus à l'aise avec les monstres que lui. Il m'a plaquée parce que je suis trop assoiffée de sang pour lui. Il m'a plaquée parce que je ne suis pas la personne qu'il voudrait que je sois. Et je ne serai jamais la personne qu'il voudrait que je sois.

— Richard ne sera jamais la personne qu'il voudrait être, répliqua doucement Micah.

Je soupirai. Il avait raison. Plus que tout, Richard voudrait être humain. Il déteste être un monstre. Il aimerait être prof de biologie, épouser une gentille fille, se poser, avoir deux enfants et demi et peut-être un chien. Il est prof de biologie mais, pour le reste..., Richard est comme moi : il ne mènera jamais une vie normale. Moi, je l'ai accepté. Lui, il continue à se battre. À se battre pour être humain, pour être normal, pour ne pas m'aimer. Sur le dernier point au moins, il a réussi.

— Si Richard me revient, ça ne sera pas pour de bon. Il reviendra parce qu'il ne peut pas s'en empêcher, mais il se déteste trop pour aimer quelqu'un d'autre.

— Tu es dure.

— Mais réaliste.

Micah ne protesta pas. Il ne proteste jamais quand il sait qu'il a tort ou que j'ai raison. Richard aurait protesté. Richard proteste toujours. Richard croit qu'il suffit de faire comme si le monde était plus beau qu'il l'est pour le rendre réellement plus beau. Mais il se trompe. Le monde est comme il est. Et toute sa colère, toute sa haine, toute son obstination aveugle n'y changeront rien.

Richard finira peut-être par s'accepter, mais je commence à penser qu'il apprendra cette leçon sans moi.

Je serrai les bras de Micah autour de moi comme un manteau douillet, mais je sentais désormais la fatigue jusque dans la moelle de mes os. Si Richard frappait à ma porte aujourd'hui et me demandait de le reprendre, comment réagirais-je ? Franchement, je n'en sais rien. Mais je sais une chose : jamais il ne me laisserait l'utiliser pour nourrir l'ardeur. Il trouve ça monstrueux. Et jamais il ne me partagerait physiquement avec quiconque, à l'exception de Jean-Claude.

Même s'il voulait revenir, à moins qu'il me laisse utiliser d'autres personnes pour nourrir l'ardeur, ça ne marcherait pas. C'est un problème purement pratique. Je suis obligée de nourrir l'ardeur. Richard ne veut pas que je me serve de lui pour ça, et il ne veut pas non plus que je me serve de qui que ce soit d'autre, Jean-Claude mis à part. Or, Jean-Claude seul ne suffit pas à nourrir l'ardeur. Jean-Claude, Micah et Nathaniel ne suffisent pas à eux trois. Si Richard revenait aujourd'hui, que pourrais-je bien faire : lui offrir un tiers de mon lit, du côté opposé à Micah ?

Richard avait accepté de sortir avec moi en même temps que je sortais avec Jean-Claude, mais jamais de partager un lit avec nous deux. Il essaierait de revenir à la situation précédente. Ce qui serait impossible pour moi.

Que ferais-je si Richard frappait à ma porte aujourd'hui ? Je lui proposerais de nous rejoindre dans la baignoire ; je verrais le chagrin et la colère s'inscrire sur son visage, et je le regarderais s'éloigner à grands pas furieux. Que ferais-je s'il me demandait de le reprendre ? Je ne pourrais que refuser. Toute la question était de savoir si j'en aurais la force. Probablement pas.

Chapitre 23

Je ne m'éveillai pas vraiment… je remontai à la surface de mon sommeil, juste assez pour entendre des voix. D'abord celle de Micah.

— Qu'a dit Gregory ?

— Que son père avait essayé de le contacter, répondit Cherry.

— Et pourquoi est-ce un problème ?

— Parce que c'est son père qui les a prostitués, Stephen et lui, quand ils étaient encore gamins.

— Chaque fois que je pense avoir entendu le pire sur l'espèce humaine, je finis par découvrir que je me trompe, soupira Micah.

Je luttai pour ouvrir les yeux, et ce fut comme si mes paupières pesaient cinquante kilos chacune. Enfin, je découvris Micah toujours lové contre moi, mais en appui sur un coude. Cherry se tenait près du lit. C'est une grande fille longiligne, aux cheveux blonds coupés à la garçonne. Elle ne portait pas de maquillage, ce qui signifiait qu'elle était pressée, et elle portait des vêtements, ce qui était inhabituel pour n'importe lequel de mes léopards-garous. D'ordinaire, ils ne s'habillent que si j'insiste. Ou bien elle s'apprêtait à sortir, ou quelque chose clochait.

Suis-je bête. Évidemment que quelque chose cloche.

Je voulus intervenir, et parler me demanda un effort considérable, sans doute pas très beau à voir.

— Qu'est-ce que tu viens de dire à propos de Gregory ? marmonnai-je d'une voix encore enrouée par le sommeil.

Cherry se pencha vers moi et j'eus besoin de toute ma concentration pour focaliser ma vision sur elle comme elle se rapprochait.

— Tu savais que Gregory et Stephen avaient été sexuellement abusés quand ils étaient enfants ? demanda-t-elle sur un ton qui n'était qu'à demi interrogateur.

— Oui, réussis-je à articuler. (Je fronçai les sourcils.) Tu as dit que leur père les avait prostitués ?

J'étais peut-être encore en train de rêver. Ou alors j'avais mal compris.

— Tu n'étais pas au courant, constata Cherry, l'air grave.

Soudain, je fus tout à fait réveillée.

— Non.

Zane entra dans la chambre, portant Nathaniel dans ses bras. Zane mesure un mètre quatre-vingts, et il est un peu trop maigrichon à mon goût… mais, comme il vit avec Cherry, mon avis importe peu. Ses cheveux coupés très court étaient blond platine. C'était la première fois que je le voyais se teindre d'une couleur naturelle. Je n'ai aucune idée de sa véritable couleur de cheveux.

Il serrait Nathaniel contre sa poitrine, comme un enfant endormi. Dans une de ses mains, il tenait la tresse auburn qui descend presque jusqu'aux chevilles de Nathaniel, histoire de ne pas marcher dessus. Sa somptueuse chevelure mise à part, Nathaniel était nu.

— Il a un boxer, annonça Zane avant que je songe à poser la question. On connaît les règles : personne ne dort à poil avec toi.

Il écarta la tresse, révélant un de ces shorts de jogging en satin que Nathaniel aime utiliser comme bas de pyjama.

Je tentai de me dresser sur mes coudes, mais cela me parut beaucoup trop difficile. Je me contentai de rester allongée sur le dos, les deux yeux grands ouverts.

— Comment va-t-il ?

— Bien, répondit Micah.

Je le regardai en m'efforçant d'afficher un air sceptique. N'y arrivant pas, je rétorquai d'une voix claire :

— On dirait qu'il est dans le coma.

— Dis-lui quelque chose, espèce de gros chat paresseux, ordonna Zane.

Nathaniel tourna la tête vers moi avec une lenteur presque douloureuse tandis que Zane le portait de l'autre côté du lit. Il cligna ses yeux lavande et m'adressa un sourire languissant. Il semblait presque aussi crevé que moi. Ce qui était logique : ne s'était-il pas effondré pour la même raison que moi… parce qu'un vampire s'était nourri de lui ? L'ardeur ne consomme pas de sang, mais c'est quand même une forme de vampirisme.

Micah rampa hors des couvertures, révélant son corps au bronzage parfait. Miséricordieusement, il réussit à me dissimuler le plus gros de ses bijoux de famille. J'étais sans doute trop crevée pour me laisser tenter, mais je préférais ne pas le vérifier. Il s'habilla en me tournant le dos mais, quand il pivota vers moi, le pantalon boutonné, je vis à son expression qu'il savait que je l'avais observé.

Ses cheveux d'un brun si sombre bouclaient sur ses épaules. Un léger mouvement de tête suffit à les faire glisser d'un côté de son visage. Pour l'heure, ses yeux extraordinaires étaient vert et jaune à la fois.

— Si tu ne te sors pas de son champ de vision, on va y passer toute la putain de journée, commenta Zane.

— Tu es jaloux ou quoi ? le taquina Cherry.

— Ben… Tu ne me regardes jamais comme ça.

— Je ne regarde personne comme ça.

Zane eut un large sourire.

— C'est vrai.

Et ils partagèrent un de ces rires de couple dont on se sent forcément exclu.

Zane avait raison sur un point : j'essayais de gagner du temps. Lorsque je tentai de sortir du lit, je me rendis compte que j'étais toujours nue. Ce que je savais déjà, mais d'une manière vague et distante.

— Que quelqu'un me passe de quoi m'habiller.

Micah avait sorti un polo de la commode que nous partageons. C'était un de ceux que j'avais achetés pour lui, d'un vert sapin qui faisait ressortir la couleur de ses yeux. Mais comme la plupart de nos fringues, il nous va à tous les deux. En fait, nos vêtements décontractés sont devenus propriété commune ; seules les tenues de soirée restent strictement « monsieur » et « madame ».

Pour m'empêcher de tenter de m'asseoir, Micah n'eut qu'à me toucher l'épaule. Apparemment, je n'avais pas la coordination nécessaire pour effectuer ce mouvement tout en plaquant le drap sur ma poitrine et en mâchant un chewing-gum. On aurait dit que mon corps refusait de m'écouter, ou qu'il n'était pas encore bien réveillé.

— Anita, si tu ne te reposes pas, tu ne seras plus bonne à rien et tu n'aideras personne.

— Gregory est mon léopard, protestai-je. Je suis sa Nimir-Ra.

Micah me caressa la joue.

— Et je suis son Nimir-Raj. Rendors-toi. Je vais m'occuper de cette affaire ; c'est pour ça que tu m'as engagé, non ?

Je fus forcée de lui sourire, mais ça ne me plaisait pas du tout de ne pas aller à la rescousse de Gregory. Cela dut se voir sur mon visage, car il s'agenouilla près du lit et prit ma main dans la sienne.

— Gregory pète les plombs parce que son père est en ville. Je vais voir comme il va, et peut-être le ramener ici pour que son père ne puisse pas le retrouver grâce à l'annuaire.

J'avais du mal à focaliser ma vision sur lui. Je m'étais arrachée au sommeil de force, et il m'aspirait de nouveau.

— Oui, dis-je d'une voix de plus en plus lointaine à mes propres oreilles. Ramène-le ici.

Micah m'embrassa doucement sur le front, ma main toujours dans la sienne.

— Promis. Maintenant, dors, ou tu vas te rendre malade. Une Nimir-Ra malade ne peut protéger personne.

Comme je ne pouvais pas m'empêcher de cligner des yeux et que j'avais de plus en plus de mal à les rouvrir, il m'était difficile de protester. Soudain, mon bras se retrouva tendu en l'air et les lèvres de Micah se posèrent dessus. Il s'était relevé, et je ne m'en étais même pas aperçue.

Puis le matelas remua, et Nathaniel se lova contre moi, un bras en travers de mon ventre et une jambe passée par-dessus ma cuisse gauche. C'est sa position préférée pour dormir, mais quelque chose clochait.

— Vêtements, articulai-je avec difficulté. Peux pas... me nourrir encore de lui.

Micah réapparut dans mon champ de vision.

— Tu n'as dormi que deux heures, c'est pour ça que tu es si fatiguée. Si tu as nourri l'ardeur à l'aube, il te reste au moins six heures avant de devoir recommencer. Nous le mettons près de toi pour éviter qu'il reste seul, c'est tout.

Les derniers mots flottèrent dans le noir derrière mes paupières closes. Micah garda le silence pendant un long moment et, quand je rouvris les yeux, la chambre était vide. Nathaniel était serré contre moi, le visage enfoui dans le creux de mon épaule. Il se serra davantage contre mon dos, laissant à peu près deux centimètres de matelas entre moi et le vide. Je voulus le pousser et me lever pour trouver le pyjama que personne n'avait daigné me passer, mais je me rendormis. Décidément, les léopards-garous ont une sale influence sur ma pudeur.

Chapitre 24

Je rêvais. Belle Morte était assise devant sa coiffeuse, ses longs cheveux noirs fraîchement brossés formant des vagues scintillantes dans la lumière des chandelles. Elle portait une robe de bal jaune foncé et, avant qu'elle tourne son regard vers moi, je sus que la couleur faisait ressortir le miel ambré de ses yeux.

Ses lèvres étaient rouges et humides, comme si elle venait de les lécher. Elle me tendit une main blanche.

— Viens, ma petite, viens t'asseoir près de moi.

Elle me sourit de ces lèvres rouges, si rouges. Je ne voulais rien tant que la rejoindre, prendre sa main tendue et la laisser me tenir.

Je fis un pas vers elle et m'aperçus que je portais une robe semblable à la sienne. Je sentais les jupons superposés, les baleines métalliques du corset qui me forçait à me tenir bien droite. Ma robe était d'un rouge profond qui soulignait la blancheur de ma peau et accentuait par contraste le noir de ma chevelure, rendait mes lèvres plus rouges qu'elles l'étaient vraiment et mes yeux marron presque noirs.

Je touchai ce vêtement qui ne m'appartenait pas, et cela m'aida à m'éclaircir les idées… me fit douter. Je secouai la tête.

— Non, dis-je, et mon murmure résonna étrangement dans la pièce.

Belle agita sa main blanche.

— Comme tu voudras, ma petite, mais approche, que je te voie mieux.

Je secouai de nouveau la tête, me forçant à palper le tissu lourd et peu familier de la robe.

— Je ne suis pas « votre petite ».

— Bien sûr que si. Tout ce qui appartient à Jean-Claude m'appartient aussi.

— Non.

Il me semblait que j'aurais dû ajouter quelque chose, mais je n'arrivais pas à réfléchir alors qu'elle était assise en face de moi, si belle dans la lueur des chandelles, un vase de roses posé sur la coiffeuse près de son coude. Ces roses étaient les siennes, créées et baptisées en son honneur des siècles auparavant.

Elle se leva dans un bruissement de jupons qui fit battre mon cœur plus vite et me raidit le corps. *Fuis!* hurlai-je dans ma tête, mais mon corps refusa de bouger.

Elle se dirigea lentement vers moi, ses seins moulés par le corset de sa robe, et je fus assaillie par le souvenir du contact de sa peau scintillante contre mes lèvres.

J'empoignai ma jupe, pivotai sur mes talons hauts et m'élançai. Tandis que je courais, la chambre disparut, remplacée par un couloir interminable. Il faisait noir, ce noir des cauchemars dans lequel, même sans lumière, on peut voir les monstres. Mais ce n'était pas tout à fait des monstres qui se pressaient dans les alcôves le long du couloir.

De chaque côté, des couples s'enlaçaient. Visions de chair pâle ou sombre, images de délices charnelles. Je ne distinguais rien clairement, et c'était très bien comme ça. Je continuai à courir en essayant de ne rien voir mais, évidemment, c'était impossible. Seins semblables à des fruits mûrs jaillissant de robes à l'ancienne mode. Jupes froufroutantes soulevées pour prouver une totale absence de sous-vêtements. Un homme avec le pantalon sur les cuisses et une femme agenouillée devant lui. Du sang dégoulinait sur de la peau ; des crocs vampiriques brillaient dans la lumière ; des humains s'agrippaient aux monstres en les implorant de continuer.

J'accélérai autant que me le permettaient mes lourds jupons et mon corset. J'avais du mal à respirer, du mal à bouger, et j'avais beau courir le plus vite possible, la porte que j'apercevais à la fin de ce couloir orgiaque ne semblait jamais se rapprocher.

Il ne se passait rien de très effrayant dans ces alcôves, rien que je n'aie déjà contemplé ou auquel je n'aie déjà participé d'une façon ou d'une autre. Mais je savais que, si je m'arrêtais, ils s'empareraient de moi. Et je ne voulais surtout pas qu'ils me touchent.

Soudain, je me retrouvai devant la porte. Je saisis la poignée et la secouai. Elle était fermée à clé. Évidemment. Je hurlai et, avant même de me retourner, je sus que les créatures du couloir avaient quitté leurs alcôves.

Puis la voix de Belle s'éleva.

— Viens à moi de ton plein gré, ma petite.

Je collai mon front contre la porte, les yeux clos, comme si ne pas les voir ou ne pas me retourner pouvait les empêcher de mettre la main sur moi.

— Cessez de m'appeler ainsi.

Elle éclata de rire, un son aussi sexuel qu'une caresse sur ma peau. Jean-Claude a un rire fabuleux, mais celui de Belle… Il me donna des convulsions.

— Tu nous nourriras, ma petite. Le seul choix qui te reste, c'est la façon dont tu le feras.

Je pivotai lentement, comme dans un cauchemar quand vous savez que le souffle chaud dans votre nuque est bien celui du monstre.

Belle Morte se tenait au milieu du long couloir caverneux et, grâce aux souvenirs de Jean-Claude, je sus que c'était un endroit réel. Les anciens occupants des alcôves se massaient tout autour d'elle, foule à demi nue au regard avide.

— Je t'offre ma main. Viens, prends-la, et tu connaîtras un plaisir au-delà de tes rêves les plus fous. Mais refuse de m'obéir… (elle fit un petit geste qui parut pourtant englober tous les visages grimaçants autour d'elle) et ce sera pire que dans tous tes cauchemars. À toi de choisir.

Je secouai la tête.

— Vous ne laissez jamais le choix à personne, Belle. Vous ne l'avez jamais fait.

— Si je comprends bien, tu choisis la douleur.

La foule se rua sur moi, et le rêve se brisa en mille morceaux. Je me retrouvai allongée sur le dos, haletante, le visage inquiet de Nathaniel penché sur moi.

— Tu as crié dans ton sommeil. Tu as fait un cauchemar ?

Mon cœur battait si fort que j'eus du mal à déglutir.

— On peut dire ça, oui, soufflai-je.

Puis je sentis un parfum de roses, doucereux et suffocant. La voix de Belle résonna dans ma tête.

— *Tu nous nourriras.*

L'ardeur se déversa sur ma peau, qui devint brûlante à son contact. Nathaniel retira vivement ses mains, mais je savais qu'il ne s'était pas fait mal. Il était agenouillé au milieu des draps en désordre, les yeux écarquillés, le satin de son short tendu sur ses cuisses… mais pas sur son entrejambe. Il n'était pas encore excité, et je voulais qu'il le soit.

Je roulai sur le flanc et lui tendis une main blanche.

— Viens, viens à moi.

À l'instant où les mots sortirent de ma bouche, je sus que j'étais revenue dans mon cauchemar, mais que je jouais désormais le rôle de Belle.

Nathaniel voulut prendre ma main. Je compris que, s'il me touchait, l'ardeur se propagerait à lui et je me nourrirais. Nathaniel s'était effondré la nuit précédente parce que j'avais sapé ses forces ; que se passerait-il si je recommençais avant qu'il ait eu le temps de récupérer ?

—Arrête, dis-je d'une voix qui manquait de fermeté.

Une autre personne ne m'aurait probablement pas écoutée, mais c'était Nathaniel, et il obéissait toujours.

Il resta à genoux dans son minuscule short de satin qui semblait prêt à exploser et laissa retomber la main sur ses cuisses. Quelques centimètres à peine nous séparaient. Tout ce que j'avais à faire, c'était franchir cette minuscule distance.

Je devais sortir du lit, m'éloigner de Nathaniel, mais je n'étais pas assez forte pour ça. Je n'arrivais pas à détourner mon regard de lui, si proche, si avide, si jeune.

Cette dernière pensée ne m'appartenait pas.

Je fronçai les sourcils, et la confusion me permit de repousser l'ardeur assez longtemps pour m'asseoir, assez longtemps pour regarder le miroir de la coiffeuse contre le mur du fond. Je voulais voir si des flammes couleur de miel ambré brûlaient dans mes prunelles, mais non. C'étaient bien mes yeux. Belle ne me possédait pas comme elle l'avait fait une fois. Mais elle m'avait quand même fait quelque chose : elle avait réveillé mon ardeur des heures en avance.

Le matelas bougea et je tournai vivement la tête, comme un prédateur qui vient d'entendre une souris se faufiler dans l'herbe. Nathaniel était exactement là où je l'avais laissé, mais il avait dû faire un petit mouvement, et cela avait suffi. Soudain, j'avais le cœur dans la gorge et tout mon corps était gonflé de désir. Non, de besoin. Un besoin comme je n'en avais encore jamais éprouvé. Un besoin qui m'empêchait de respirer, de bouger. Un besoin qui me submergeait et qui prenait le contrôle de mon corps, anéantissant ma volonté.

Ce n'était pas normal. Ce n'était pas moi. Je réussis à secouer la tête et à expirer profondément. J'étais manipulée. Et je savais même par qui, mais j'ignorais comment l'en empêcher.

La porte de la chambre s'ouvrit. C'était Jason. Il resta planté sur le seuil, frottant ses bras nus. Il avait enfilé un jean mais ne s'était pas donné la peine de fermer la braguette. J'aperçus un caleçon en soie tout neuf, du même bleu clair que le tee-shirt qu'il ne portait plus.

— Que fais-tu là-dedans, Anita ? Ton pouvoir me rampe sur la peau.

Je tentai de parler malgré la boule dans ma gorge et dus m'y reprendre à trois fois avant d'articuler :

— C'est l'ardeur.

Jason s'avança dans la pièce, continuant à se frotter les bras pour faire passer sa chair de poule.

— Il est beaucoup trop tôt.

Je voulais lui parler du rêve, de Belle, mais je ne pouvais me concentrer sur rien d'autre que ce petit morceau de soie entre ses jambes. Je brûlais de m'approcher de lui, de baisser son jean sur ses chevilles, de le prendre dans ma bouche…

L'image était si forte que je dus fermer les yeux et m'envelopper de mes bras pour ne pas me lever du lit. Nathaniel bougea de nouveau. Je rouvris les yeux.

Il s'était allongé sur le lit, sa tresse serpentant près de son corps comme les cheveux de Rapunzel. Son expression était sereine. Il me laisserait lui faire tout ce que je voudrais, y compris le baiser jusqu'à ce que mort s'ensuive.

Je repliai mes genoux contre ma poitrine, les serrai très fort et appuyai mon front dessus.

— Sors d'ici, Nathaniel. Sors d'ici.

Je sentis le matelas remuer mais n'osai pas lever les yeux.

— Sors d'ici !

— Tu l'as entendue, Nathaniel, dit Jason. Va-t'en.

J'entendis un bruit de pas feutré tandis que le métamorphe traversait la pièce. Puis la porte se referma.

— Tu peux regarder, maintenant, Anita. Il est parti.

Je levai la tête. La chambre était vide, à l'exception des rayons du soleil et de Jason debout près du lit. Ses cheveux étaient jaunes dans la lumière du jour, de la couleur du beurre, et ses yeux si bleus ! Je détaillai la ligne de son corps : ses larges épaules, ses biceps musclés, sa poitrine aux mamelons rose pâle… Il n'avait pas de poils sur le torse. La plupart des stripteaseurs se rasent le corps. J'avais déjà vu Jason nu assez souvent pour savoir qu'il sacrifiait à la tradition. Simplement, je n'avais pas remarqué à quel point. Jason est mon ami et, même nu, il le reste. On ne scrute pas l'entrejambe de ses amis pour voir quelle quantité de poils ils conservent là.

Désormais recroquevillée sur le lit, je ne me sentais pas du tout d'humeur amicale. Je voulais me jeter sur Jason et lui faire subir les derniers outrages.

— De quoi as-tu besoin ? demanda-t-il.

Je levai les yeux vers lui, sans savoir si j'allais hurler ou me mettre à pleurer. Mais finalement, je trouvai mes mots, et une voix rauque parvint à franchir la boule dans ma gorge.

— Il faut que je me nourrisse.

— J'avais compris. (Il était si solennel…) Que veux-tu que je fasse ?

Je voulais le renvoyer, mais je n'en fis rien. Micah n'était pas là. Les vampires resteraient morts jusqu'au crépuscule. Nathaniel était intouchable pour la journée. Il y avait d'autres gens à l'extérieur de cette chambre, mais aucun que j'aie envie de toucher. Aucun qui soit seulement mon ami.

Je détaillai Jason. Le soleil éclaboussait sa poitrine, le baignant d'une douce lueur dorée.

— Que veux-tu que je fasse, Anita ?

— Nourris-moi, répondis-je à peine plus fort qu'un murmure.

— Sang, chair ou sexe ? interrogea-t-il prudemment, l'air grave.

Mon ardeur se mêle toujours à d'autres désirs, mais pas ce jour-là. Ce jour-là, je n'avais qu'un seul besoin.

— Sexe, lâchai-je très doucement en me retenant de sauter sur Jason.

Un large sourire fendit brusquement son visage à l'expression si sérieuse.

— D'accord, je vais me sacrifier dans l'intérêt général.

Je glissai à bas du lit et me retrouvai nue face à Jason. Je brûlais de m'élancer vers lui, de lui sauter dessus et de le baiser. Il n'y avait pas d'autre mot pour décrire ce que mon corps réclamait. Mais je ne voulais pas en arriver là. Je voulais éviter la pénétration si possible. Ça faisait des mois que je réussissais à l'éviter avec Nathaniel. Je pouvais sûrement en faire autant avec Jason.

Je fermai les yeux et pris quelques grandes inspirations, puis me laissai tomber à quatre pattes. Je rampai vers lui avec l'impression que j'avais des muscles à des endroits où je n'aurais pas dû en avoir. Ma bête s'agita en moi tel un chat qui roule sur le dos et s'étire au soleil. Mais le rugissement de l'ardeur la submergea, comme si le désir était une immense main qui oblitérait tout autre besoin en moi.

— Tu ne vas pas rouspéter parce que tu es nue devant moi ?

— Non, soufflai-je, n'osant pas parler plus fort.

Jason était pieds nus. J'inclinai la tête vers la peau lisse de son cou-de-pied et la léchai. Il expira en frissonnant.

— Mon Dieu.

Mes mains escaladèrent ses jambes jusqu'à ce que je me retrouve à genoux. Sans le vouloir, j'avais réussi à baisser son jean sur ses hanches, révélant un large triangle de soie bleue. Mon visage était presque au niveau de son entrejambe. Je voyais le tissu tendu par son membre dur et ferme, dont la pointe pressait contre l'élastique du boxer. Je voulais baisser celui-ci pour le libérer.

Je glissai mes mains autour de sa taille, insinuant mes doigts sous son jean pour lui agripper les fesses. Cela lui arracha un grognement, mais m'empêcha de lui arracher ses fringues.

Je pressai mon visage contre sa cuisse pour le détourner de son entrejambe. Mon contrôle ne tenait plus qu'à un fil qui ne tarderait pas à se rompre. Des mois de pratique avec Nathaniel m'ont appris que le seul moyen d'éviter l'escalade, c'est d'y aller prudemment, lentement, en se concentrant sur chaque geste. Mais je n'avais aucune envie de me retenir. Je voulais supplier Jason de me prendre. Et merde. Je pouvais faire mieux que ça.

Jason me caressa les cheveux, et ce simple contact suffit à me faire lever la tête. Mon regard remonta le long de son corps jusqu'à son visage. Il affichait cette expression qu'ont tous les hommes quand ils savent que c'est gagné, qu'ils vont arriver à leurs fins. Jamais je n'aurais cru la voir sur ses traits… ou en tout cas, pas pour moi. L'éclat de ses yeux bleu clair m'arracha un grognement. Il me toucha la joue.

— Ne t'arrête pas, dit-il doucement. Ne t'arrête pas.

Je baissai la tête vers son entrejambe sans le quitter du regard. Je le léchai à travers la soie en observant son visage, jusqu'à ce qu'il ferme les yeux et renverse la tête en arrière. Il était si raide, si ferme sous ma langue !

Je pris l'extrémité de son membre dans ma bouche à travers le tissu et levai une main pour envelopper sa dure épaisseur de mes doigts. Il émit un son à mi-chemin entre protestation et cri, comme si je l'avais surpris. Et quand il baissa la tête vers moi, je vis que son regard était fou. Je m'écartai légèrement de lui. La soie avait viré au bleu marine à l'endroit où ma salive l'avait humectée.

Il passa les mains dans son dos, et ce fut lui qui fit glisser son jean et son boxer le long de ses jambes. Lui qui se révéla à moi alors que j'étais à genoux devant lui.

Son sexe était lisse, avec un gland large et rond. Bien que très droit, il penchait légèrement sur le côté, de sorte qu'il reposait dans le creux de son aine. Je le saisis, et la respiration de Jason s'accéléra. Je l'écartai de son corps juste assez pour pouvoir prendre son extrémité dans ma bouche et faire courir ma langue le long de la courbe gracieuse de son gland. Ma caresse le fit frissonner.

J'inclinai la tête pour l'avaler plus complètement et, de ma main en coupe, malaxai ce qui pendait plus bas. Il était glabre partout où je pouvais le toucher des doigts ou de la langue. J'avais déjà eu des partenaires qui taillaient leurs poils, et d'autres qui se rasaient les parties génitales, mais aucun qui soit aussi parfaitement lisse et doux. Ça me plaisait. C'était encore plus facile d'explorer le moindre de ses recoins.

Chaque contact, chaque caresse, chaque coup de langue semblait lui arracher un nouveau son : gémissement, râle, mots essoufflés. Je trouvais amusant d'essayer de savoir combien de sons différents je pouvais tirer de lui.

Je baissai encore son jean pour pouvoir lui écarter les jambes et le lécher le long de cette fine ligne de peau entre le scrotum et l'anus. Il cria. Je remontai le long de son corps en le mordillant et en lui donnant de petits coups de langue. Je le repris dans ma bouche autant qu'il m'était possible dans cette position, mon pouce et mon index formant un anneau autour de la base de son sexe, mon autre main jouant avec ses bourses ou le titillant entre les jambes. Il respirait de plus en plus vite. Tout son corps tremblait contre moi.

Puis il m'empoigna par les cheveux et écarta ma tête de son bas-ventre. Il me regarda comme un homme en train de se noyer.

— Debout, ordonna-t-il.

Je fronçai les sourcils.

— Quoi ?

Jason se pencha, me saisit par les épaules et me releva. Il m'embrassa comme s'il essayait de s'introduire en moi par ma bouche, en jouant des lèvres, de la langue et des dents. On aurait presque dit qu'il voulait me dévorer.

Il fit glisser ses mains le long de mon dos. Agrippant mes cuisses, il me souleva sans interrompre son baiser affamé. Le mouvement m'écarta les jambes et me pressa contre lui. Le sentir si dur, si avide me tira des gémissements éperdus. Il aspira ces sons à même ma bouche, comme s'ils avaient un goût délectable.

Puis il me repoussa légèrement tandis que, les bras noués autour de ses épaules, je glissais une main dans la soie de ses cheveux. Il cala une de ses mains sous mes fesses pour supporter tout mon poids, et l'autre plongea entre nous. Je n'eus qu'un instant pour comprendre ce qu'il s'apprêtait à faire. Je luttai contre l'ardeur, m'arrachant à la sensation de sa bouche sur la mienne pour m'écarter de lui et dire quelque chose… n'importe quoi. Je réussis à articuler « Jason » avant qu'il donne un coup de reins. Mais le sentir en moi, c'était exactement ce que voulait l'ardeur. Et moi avec.

Il me pénétra sans hésitation et sans douceur. Agrippant l'arrière de mes cuisses des deux mains, il m'attira vers lui tandis qu'il poussait ses hanches vers moi et que son membre forçait l'humidité contractée de mon bas-ventre. Chacun de ses mouvements m'arrachait un nouveau cri étranglé.

Sans me lâcher, il avança jusqu'à ce que mes jambes touchent le bord du lit et que je me retrouve coincée entre eux. Mais au lieu de m'allonger sur le matelas, il resta debout, me portant comme si je ne pesais rien.

Il baissa sur moi des yeux qui n'avaient plus rien d'humain. Il se retira lentement, centimètre par centimètre jusqu'à ce qu'il soit presque sorti, puis poussa de nouveau et m'arracha un hurlement qui ne devait rien à la douleur.

Très vite, il trouva son rythme… rapide et brutal, comme s'il essayait de me passer au travers. Chaque fois qu'il s'enfonçait en moi, son corps heurtait le mien avec un bruit de gifle.

L'orgasme me prit au dépourvu. La seconde précédente, j'étais tout entière absorbée par le rythme de ses allées et venues et, tout à coup, je me mis à hurler et à me tordre sous lui. Je lui griffai la poitrine, le dos, les flancs, tous les endroits accessibles et, comme ça ne suffisait pas encore, je griffai mon propre corps.

Les cris de Jason firent écho aux miens, et il se raidit contre moi, arquant le dos, rejetant la tête en arrière. Il poussa un hurlement. L'ardeur but sa peau, sa sueur, sa semence. Puis il s'écroula sur moi.

Son souffle était laborieux, et son cœur battait contre ma poitrine telle une bête prisonnière. Il nous poussa un peu plus loin sur le lit, sans pour autant se retirer. Lorsque nous fûmes allongés confortablement, le souffle court, le pouls affolé, il me dévisagea et, dans ses yeux, je vis quelque chose de très sérieux qui ne lui ressemblait pas.

— Je sais que je n'aurai peut-être pas d'autre occasion de faire ça, dit-il d'une voix rauque, tremblante. Laisse-moi te tenir encore un peu.

— De toute façon, ce n'est pas comme si je pouvais bouger, répondis-je d'une voix qui ne valait guère mieux que la sienne.

Il rit et, parce qu'il était toujours en moi, toujours partiellement en érection, je recommençai à me tordre sous lui. Mon bas-ventre se contracta, et mes ongles lui labourèrent le dos. Il hurla et pressa ses hanches contre moi. Quand il put de nouveau respirer, il souffla :

— Pitié, ne refais pas ça.

— Alors sors-toi de là, répliquai-je avec difficulté.

Il se dressa en appui sur ses bras tendus, comme s'il voulait faire des pompes, et se retira. De nouveau, le mouvement provoqua un spasme de plaisir qui me parcourut tout le corps. Jason se laissa tomber près de moi en riant tout bas.

Lorsque j'eus recouvré l'usage de la parole, je demandai :

— Qu'y a-t-il de si drôle ?

— Tu es stupéfiante.

— Tu n'es pas mal non plus.

— Pas mal ? répéta-t-il en écarquillant les yeux.

Je fus forcée de sourire.

— D'accord, tu es stupéfiant toi aussi.

— Ne le dis pas si tu ne le penses pas.

Je réussis à rouler sur le flanc et le dévisageai.

— Bien sûr que je le pense. Tu as été génial.

Il m'imita et nous nous retrouvâmes allongés face à face, sans nous toucher.

— Je voulais que ce soit bon, au cas où il n'y aurait pas de prochaine fois.

Je dus fermer les yeux pour lutter contre mon envie de me tordre sur le lit. J'expirai profondément pour me calmer et rouvris les yeux.

— Oh, c'était plus que bon, le rassurai-je. Mais es-tu toujours aussi vigoureux ? Toutes les filles n'apprécient pas d'être traitées comme des enclumes.

— J'ai vu comment sont montés les autres types avec qui tu couches, Anita. Je savais que je pouvais y aller aussi fort et aussi vite que je voulais, qu'il n'y avait aucun risque que je te fasse mal.

Je fronçai les sourcils.

— Tu veux dire que tu trouves ton sexe… petit ?

— Non, je veux dire qu'il n'est pas énorme. Il a une taille respectable, mais rien qui puisse égaler certains de tes partenaires.

Je rougis. Je n'avais pas rougi pendant tout le temps où nous avions fait l'amour, et je rougissais maintenant.

— Je ne sais pas quoi dire, Jason. Il me semble que je devrais rassurer ton ego, mais…

— Mais question centimètres, nous savons tous deux où je me situe, Anita.

Jason éclata de rire et glissa un bras sous mes épaules. Je le laissai m'attirer contre lui. Je glissai un bras dans son dos et une jambe par-dessus les siennes, et nous nous enlaçâmes presque aussi étroitement que nous l'avions été un peu plus tôt.

— Tu as été génial, répétai-je.

— Ton enthousiasme ne m'a pas échappé.

Il leva son bras libre pour que je puisse voir ses égratignures sanglantes. J'écarquillai les yeux.

— Ton autre bras est aussi amoché ?

— Oui.

Je fronçai les sourcils, et il me toucha le front.

— Ne fais pas cette tête, Anita. Je vais adorer tes marques. Elles me manqueront une fois cicatrisées.

— Mais…

Il posa le bout de ses doigts sur mes lèvres pour m'empêcher de continuer.

— Il n'y a pas de « mais ». Juste un plaisir formidable dont je veux garder le souvenir dans ma chair le plus longtemps possible. (Il me prit le poignet et leva mon bras pour que je puisse le voir.) Ce n'est pas moi qui t'ai fait ça.

Évidemment, dès que je vis les marques, elles commencèrent à me lancer. Pourquoi les petites blessures ne font-elles jamais mal jusqu'à ce qu'on les voie ?

— Ce sont quand même tes marques, répliquai-je. Ou du moins, le signe d'un boulot bien fait. Je ne me rappelle pas m'être déjà griffée aussi fort.

Jason émit ce gloussement très masculin, à la limite du rire, qui n'appartenait qu'à lui.

—Merci pour le compliment, mais je sais que mes meilleurs efforts ne peuvent pas rivaliser avec ce que Jean-Claude et Asher t'ont fait il y a quelques heures. Quels que soient sa taille et son talent, aucun homme ne joue dans cette catégorie-là.

Je frissonnai et l'étreignis.

—Ce n'est pas forcément une mauvaise chose.

—Comment peux-tu dire ça? J'ai senti une fraction de ce que t'a fait Asher, et c'est… (il eut l'air de chercher le mot juste) renversant. Sublime.

—Oui. Le genre de plaisir qu'on ferait n'importe quoi pour éprouver de nouveau, dis-je, l'air sinistre.

Jason me toucha le menton et me fit lever la tête vers lui.

—Tu n'as pas l'intention de recommencer avec lui?

J'enfouis mon visage dans le creux de son épaule.

—Disons juste que l'idée ne m'enchante pas autant qu'on pourrait le croire.

—Pourquoi donc?

—Je ne sais pas exactement. (Je secouai la tête autant que possible dans ma position.) La vérité, c'est que ça me fait peur.

—Qu'est-ce qui te fait peur?

—Le sexe est super, mais… ce qu'Asher peut faire avec sa morsure… (Je savais que je ne trouverais pas de mots capables de le décrire correctement.) Dans ma tête, je perçois Asher comme un maître vampire. Pourtant, il n'a pas d'animal à appeler. Il peut utiliser sa voix comme Jean-Claude, mais ce n'est qu'un tour mineur. Ça m'a toujours étonnée. Je me demandais: où est donc son pouvoir? (Je frissonnai de nouveau.) Maintenant, je sais.

Jason posa son menton sur le sommet de mon crâne.

—Que veux-tu dire?

—Je veux dire que son pouvoir réside dans la séduction, le sexe, l'intimité. Il ne peut pas se nourrir du désir d'autrui comme Jean-Claude, et il ne le provoque pas non plus de la même façon que Jean-Claude, mais une fois les préliminaires achevés, il peut donner tant de plaisir ! Je te jure, c'est vraiment quelque chose pour lequel les gens tueraient, renonceraient à leur fortune ou feraient tout ce que Belle Morte leur demanderait… pourvu qu'Asher continue à fréquenter leur lit.

— Donc, c'est un coup sensationnel.

— Non. Tu es un coup sensationnel ; Micah est un coup sensationnel, et je ne suis pas totalement certaine que Jean-Claude soit aussi sensationnel qu'il le croit parce que j'ignore ce qui vient vraiment de lui et ce qu'il doit à ses pouvoirs vampiriques. Je n'ai pas couché avec Asher ; il a juste bu mon sang.

Jason s'écarta légèrement et me dévisagea, les sourcils froncés.

— Je suis désolé, mais les loups sentent ce genre de chose. Et je n'ai pas seulement senti la semence de Jean-Claude en entrant dans la pièce.

Je rougis de nouveau.

— Je n'ai pas dit qu'Asher n'avait pas pris son pied. J'ai juste dit qu'il n'y avait pas eu pénétration.

— Où veux-tu en venir ?

— S'il a pu me faire cet effet rien qu'en buvant mon sang, j'ai la trouille de coucher avec lui. La trouille de découvrir à quel point ça peut encore être meilleur.

Jason éclata d'un rire gloussant, presque comme s'il était saoul.

— Moi, j'adorerais ça.

Je me dressai sur un coude.

— Tu veux dire que tu te taperais Asher ?

Il se fit pensif, les yeux toujours pétillants.

— Pendant un moment, je me suis demandé quelles étaient mes préférences sexuelles. Je suis quand même la pomme de sang de Jean-Claude depuis deux ans. Et quand il se nourrit de moi, c'est grandiose, Anita, vraiment grandiose. Puisque ça me plaît autant, j'ai pensé que j'étais peut-être gay. (Il me caressa l'épaule et le haut du bras.) Mais j'adore les filles. Je ne rejette pas la possibilité d'une relation homosexuelle avec la bonne personne. Par contre, jamais je ne pourrais renoncer à ça. J'adôôôre les filles, répéta-t-il en étirant le « o ».

Cela me fit rire.

— Et j'adore les hommes.

— J'avais remarqué, grimaça-t-il.

Je m'assis.

— Bon. Ça suffit, les câlins.

Il me toucha le bras, l'air de nouveau sérieux.

— Tu as vraiment l'intention de ne pas coucher avec Asher ?

Je soupirai.

— Tu viens de dire que, quand Jean-Claude boit ton sang, c'est grandiose.

— Oui, et alors ?

— Jean-Claude dit que la morsure d'Asher est orgasmique au sens littéral du terme. Ce qui signifie qu'elle procure encore plus de plaisir au donneur que celle de Jean-Claude.

— D'accord.

Jason s'assit, le dos calé contre les oreillers et les mains posées sur le ventre pour écouter la suite. Moi, j'étais en tailleur et toujours nue. Je m'en fichais complètement. Ce n'était plus sexuel, juste confortable.

— J'ai déjà couché avec Jean-Claude, mais je ne l'ai jamais laissé boire mon sang.

— Jamais ?

— Jamais.

Jason secoua la tête.

— Tu as vraiment une volonté de fer. Je ne connais personne d'autre qui aurait été capable de refuser ce double plaisir pendant aussi longtemps.

— Tu n'as pas fait les deux en même temps avec lui, fis-je remarquer.

Il eut un sourire en coin.

— C'est considéré comme très impoli de coucher avec ta pomme de sang, à moins que ce soit elle qui te fasse des avances. Auquel cas, c'est une gourmandise supplémentaire… et seulement si elle l'a méritée.

— Tu m'as l'air bien renseigné…

— J'ai posé la question.

Je haussai les sourcils.

— Je partage son lit depuis plus longtemps que toi, Anita. Il faudrait être plus farouchement hétéro que moi pour ne pas s'interroger.

— Jean-Claude a refusé de coucher avec toi ?

— Très poliment, mais oui.

— Il t'a dit pourquoi ?

— À cause de toi.

Je ne pouvais pas écarquiller les yeux davantage, aussi n'essayai-je pas. Mais j'étais perplexe.

— Je ne comprends pas. Tu es sa pomme de sang depuis plus longtemps que je suis sa petite amie… et depuis beaucoup plus longtemps que je suis sa maîtresse.

— Quand je me suis décidé à l'interroger, vous étiez déjà ensemble. Il avait l'air de croire que tu le plaquerais si tu découvrais qu'il se tapait un autre mec.

— Tu me fais mal à la tête.

— Désolé mais, si tu ne veux pas connaître la vérité, ne pose pas de questions. (Jason rajusta les oreillers sous ses reins.) Mais tu as réussi à éviter de répondre à ma question originelle.

— Qui était ?

Il me dévisagea.

— Ne fais pas l'idiote, Anita. Ça ne te va pas du tout.

— D'accord. Asher. Qu'est-ce que je compte faire avec Asher ? Je leur ai plus ou moins promis à tous les deux que nous trouverions un moyen de former un ménage à trois… ou à quatre, je ne sais pas.

— Qui serait votre quatrième ?

— Micah.

— Flûte.

Je fronçai les sourcils.

— Désolé, je n'ai pas pu m'en empêcher.

— Si je reviens sur ma parole, nous perdrons Asher.

— Que veux-tu dire, vous le perdrez ?

Je lui expliquai les intentions du vampire.

— Donc, si tu ne te décides pas à coucher avec lui, il partira.

— C'est ça.

Jason grimaça, éclata de rire et secoua la tête.

— Résumons. La morsure d'Asher est orgasmique ; elle procure un plaisir ébouriffant. Et tu penses que, si tu couches avec lui pendant qu'il boit ton sang, ce sera encore plus extraordinaire.

— Oui.

— En quoi est-ce un problème ?

Je m'enveloppai de mes bras.

— J'ai peur, Jason.

— Peur de quoi ? demanda-t-il en se redressant.

— Peur d'être… (j'hésitai, cherchant un terme adéquat) consumée, achevai-je.

Jason fronça les sourcils.

— Consumée. Je connais le sens du mot, mais je ne vois pas ce que tu veux dire en l'employant.

— Tu n'as jamais peur de désirer quelqu'un au point de faire n'importe quoi pour le garder près de toi ?

— Tu parles des vampires, ou des gens en général ?

Je posai mon menton sur mes genoux.

— Des vampires, évidemment.

—Non, ce n'est pas si évident. Tu as peur de vouloir garder quiconque près de toi, n'est-ce pas ?

Je détournai les yeux.

—Je ne vois pas de quoi tu parles.

Il repoussa mes cheveux derrière mon oreille, mais il y en avait trop pour qu'ils y restent.

—Ne mens pas à tonton Jason. Il ne s'agit pas que des vampires.

Je levai les yeux vers lui en serrant mes jambes contre moi.

—Peut-être pas, mais ça revient au même. Je ne veux pas désirer quelqu'un au point d'en crever si je me retrouve séparée de lui.

Quelque chose d'indéchiffrable passa dans le regard de Jason.

—Tu veux dire que tu as peur d'aimer quelqu'un plus que ta propre vie ?

—Oui.

Il eut un sourire gentil et un peu triste.

—Je donnerais un des organes auxquels je tiens le moins pour qu'une femme se soucie de moi autant que tu te soucies de Nathaniel.

Je voulus protester que je n'étais pas amoureuse de Nathaniel. Jason posa un index sur mes lèvres.

—Arrête. Je sais que tu ne lui as pas donné ton cœur et ton âme. Mais tu ne les as donnés à personne, pas vrai ?

Je détournai les yeux parce que le regard patient, soudain si adulte de Jason me mettait mal à l'aise.

—Un de mes buts dans la vie, c'est qu'un jour une femme me regarde un jour comme tu regardes Jean-Claude. Comme Jean-Claude et toi regardez Asher. Comme tu regardes Nathaniel. Comme Nathaniel te regarde.

—Tu n'as pas inclus Micah dans la liste.

— Toi et lui, vous avez cette intimité que tu ne partages avec aucun des autres, mais c'est presque comme si elle vous coûtait quelque chose de crucial.

— Quoi ?

— Aucune idée. Je n'ai jamais été amoureux ; comment pourrais-je le savoir ?

— Donc, tu penses que je ne suis pas amoureuse de Micah ?

— Il ne m'appartient pas de répondre à cette question.

— Je ne peux pas être amoureuse de quatre hommes à la fois.

— Pourquoi pas ?

Je dévisageai Jason sans rien dire.

— Aucune loi ne l'interdit.

— Ce serait ridicule !

— Tu as lutté contre ton attirance pour Jean-Claude parce que tu avais peur de lui. Puis Richard est arrivé, et tu as cru que tu l'aimais, que tu l'aimais vraiment. Alors, tu as fait machine arrière. Je crois que tu es sortie avec les deux en même temps pour ne t'attacher à aucun des deux.

— C'est faux.

— Vraiment ?

— À l'origine, Jean-Claude avait dit qu'il tuerait Richard si je ne lui laissais pas aussi une chance de me séduire.

— Alors pourquoi ne t'es-tu pas contentée de tuer Jean-Claude ? En principe, tu ne tolères pas les ultimatums, Anita. Pourquoi as-tu toléré celui-là ?

Je n'avais rien à répondre à ça… ou du moins, rien de plausible.

— Puis Richard est devenu plus distant, plus absorbé par ses propres problèmes, ce qui a laissé le champ libre à Jean-Claude. Et soudain, tu as invité Nathaniel à vivre chez toi. Je sais, je sais : c'est ta pomme de sang, ton léopard domestique. Mais quand même, admets que tu as choisi un moment intéressant.

Je voulais lui dire d'arrêter, de se taire, mais il continua impitoyablement… un adverbe que j'associai à lui pour la première fois.

— À un moment donné, Asher se retrouve mêlé à tout ça, peut-être à cause des souvenirs de Jean-Claude, et peut-être pas. Quelle qu'en soit la raison, il t'attire, mais sa colère l'empêche de constituer une menace. Il se déteste presque autant que Richard. Puis soudain, Richard se casse pour de bon. Tu restes seule avec Jean-Claude et Nathaniel, mais Nathaniel n'a pas un potentiel romantique suffisant pour tenir Jean-Claude à distance. C'est alors que Micah entre en scène. Cinq minutes après, vous vivez ensemble. Jean-Claude te partage de nouveau avec quelqu'un, et tu sens en sécurité. Tu ne peux pas tomber folle amoureuse de lui, ni de qui que ce soit, parce que tu as compartimenté ton existence, rangé chacune de tes relations avec les hommes de ta vie dans une case différente. Comme ça, aucun d'eux n'est tout pour toi, et aucun d'eux ne peut tout te prendre.

Je me levai du lit, serrant le drap autour de moi comme un peignoir. Soudain, je n'avais plus envie d'être nue devant Jason.

— Je croyais que c'était une suite de coïncidences et, dans un sens, ça l'était. Mais dans un autre, ça ne l'était pas. L'idée d'appartenir à une seule personne te terrifie, pas vrai ?

Je secouai la tête.

— Pas d'appartenir à une seule personne, Jason : de vouloir appartenir à une seule personne.

— Pourquoi est-ce si effrayant à tes yeux ? La plupart des gens passent leur vie à le désirer. Moi le premier.

— Une fois, j'ai aimé quelqu'un de tout mon cœur, et il me l'a brisé.

— Pitié, ne me ressors pas l'histoire du fiancé à la fac, Anita. C'était il y a des années, et le type était un connard.

Tu ne peux pas passer le reste de ta vie à ruminer une mauvaise expérience.

J'étais au pied du lit désormais, enveloppée dans le drap des aisselles aux pieds. J'avais froid, et ce n'était pas dû à la température ambiante.

— Il n'y a pas que ça, dis-je doucement.

— Quoi d'autre, alors ?

Je pris une grande inspiration et la relâchai lentement.

— J'aimais ma mère de tout mon cœur et de toute mon âme ; elle était mon univers. Quand elle est morte, ça m'a presque détruite. (Je repensai à tout ce que Jason venait de dire, et je ne pouvais ni prétendre le contraire, ni faire comme s'il se trompait du tout au tout.) Je ne veux plus jamais remettre ma vie entre les mains d'une seule personne, Jason. Si elle meurt, je ne veux pas en crever aussi.

— Donc, tu préfères priver chacun de tes partenaires d'un petit bout de toi.

— Non. Je préfère garder un petit bout de moi pour moi. Personne ne peut tout avoir de moi, Jason. Personne, sauf moi.

Il secoua la tête.

— Jean-Claude a droit au sexe mais pas au sang. Nathaniel a droit à l'intimité, mais pas à la pénétration. Asher a droit au sang mais pas à la pénétration non plus. Micah a droit à l'intimité et à la pénétration ; que lui refuses-tu ?

— Je ne suis pas encore amoureuse de lui.

— Menteuse.

— J'ai envie de lui, mais je ne suis pas encore amoureuse de lui, insistai-je.

— Et Richard ? Qu'as-tu refusé à Richard ?

Je restai plantée là dans mon foutu drap, sentant mon univers se réduire à une petite chose hurlante.

— Rien. Je ne lui ai rien refusé, et il m'a larguée.

Jason resta assis pendant une seconde ou deux. Puis il se leva. Je crois qu'il voulait me prendre dans ses bras, me réconforter. Je tendis une main pour l'arrêter.

— Si tu fais ça, je vais me mettre à pleurer, et Richard m'a déjà tiré bien assez de larmes.

— Je suis désolé, Anita.

— Ce n'est pas ta faute.

— Non, mais ce n'était pas mes affaires non plus. Je n'ai pas le droit de te psychanalyser.

— Tu es juste jaloux, lançai-je sur un ton que je m'efforçai de rendre taquin, léger... mais en vain.

— Jaloux de quoi ?

— Jaloux qu'il y ait autant de gens dont je pourrais tomber amoureuse si seulement j'acceptais de me lâcher.

Il se rassit au bord du lit.

— Tu as raison. Ça me fait chier, mais tu as raison. Je suis jaloux, c'est vrai. Cela dit, je ne voulais pas te blesser. Jusqu'au moment où tu as dit à quel point tu avais peur de te laisser consumer, je ne comprenais pas. Parce que moi, je veux être consumé, Anita. Je veux que quelqu'un débarque dans ma vie et me brûle de l'intérieur.

— Tu es un romantique.

— Tu dis ça comme si c'était dégoûtant.

— Pas dégoûtant, Jason. Juste dangereux. (Je me dirigeai vers la porte.) Je vais me laver. Tu peux utiliser la douche de l'étage si tu veux.

Il me rappela, mais je sortis sans l'écouter. J'avais mon compte de bavardages sur l'oreiller pour la journée.

Chapitre 25

J'adore la nouvelle douche que j'ai fait installer dans la salle de bains attenante à ma chambre, au rez-de-chaussée. Un des ours-garous de Saint Louis est en fait plombier. J'ai quand même payé le tarif normal mais, au moins, je savais qu'il ne poserait pas de questions idiotes sur les nombreuses allées et venues dans ma maison. Même si j'adore prendre un bon bain quand les circonstances le justifient, dans le fond, je préfère les douches.

Je réglai le jet sur la puissance maximale pour que l'eau me cingle le cou, la tête et les épaules. Ça ne m'avait pas gênée de coucher avec Jason. Je n'avais pas eu l'impression de faire quelque chose de mal… peut-être parce que c'était juste une façon supplémentaire pour lui de prendre soin de moi. La petite conversation d'après, en revanche… ça, je n'avais pas aimé. Que la vérité toute nue me perturbe davantage que le fait de coucher avec un homme dont je ne suis pas amoureuse indique assez clairement à quel stade de la décrépitude morale je suis tombée.

Debout sous le jet d'eau brûlante, à l'abri des parois vitrées tout embuées, je me réjouissais que mon cœur n'appartienne à personne. Il est à moi, et je le préserverai tant que ce sera en mon pouvoir. Richard en a brisé un petit bout, le petit bout qui tentait de s'accrocher à une vision plus romantique de l'amour. Il m'a plaquée parce que je n'étais pas assez humaine pour lui. Mon fiancé de la fac m'a plaquée parce que je n'étais pas assez blanche pour sa mère. Ma belle-mère Judith ne m'a jamais laissé oublier que je suis petite, mate de peau et noire de cheveux, alors que mon père, elle et ses enfants sont tous grands et blonds avec les yeux bleus. Toute ma vie, les gens m'ont rejetée à cause de choses que je ne peux pas changer. Alors, qu'ils aillent tous se faire foutre.

J'étais assise dans le bac de douche. Je n'avais pas eu l'intention de me laisser tomber là, ni de me recroqueviller sur moi-même comme pour me cacher. Pourquoi est-ce que j'aspire toujours à être aimée de personnes que je ne pourrai jamais satisfaire ? Des tas d'autres gens m'acceptent volontiers avec mon mètre cinquante-huit, mon ascendance mexicaine, ma dureté naturelle et mes pouvoirs métaphysiques. Ils m'aiment comme je suis. Malheureusement, ce n'est pas mon cas.

Quelqu'un toqua à la porte, et je me rendis compte que les coups résonnaient depuis un petit moment déjà. Je m'enferme toujours à clé dans la salle de bains, question d'habitude. Je réduisis le débit de l'eau pour mieux entendre.

— Oui ?

— Anita, c'est Jamil. J'ai besoin d'entrer.

— Pourquoi ?

Ce simple mot contenait un monde de méfiance. Si Jamil avait eu une raison susceptible de ne pas me déplaire, il me l'aurait déjà dévoilée.

Je l'entendis soupirer à travers le battant.

— C'est Richard. Il est blessé, et nous avons besoin d'utiliser la grande baignoire.

— Non.

Je fermai le robinet et attrapai le drap de bain.

— Anita, depuis que la meute a vendu la maison de Raina, nous n'avons plus de baignoire assez grande pour accueillir Richard et d'autres loups. Je l'ai trouvé inconscient sur le sol de sa chambre. Il est glacé.

J'entortillai une serviette autour de mes cheveux dégoulinants.

—Je ne veux pas de lui ici, Jamil. Il doit y avoir un autre endroit où l'emmener. Jean-Claude vous laisserait utiliser sa baignoire.

—Anita, il est glacé. Si nous ne le réchauffons pas très vite, j'ignore ce qui arrivera.

J'appuyai mon front contre la porte.

—Tu veux dire qu'il risque de mourir?

—Je veux dire que je n'en sais rien. Je n'avais encore jamais vu de loup-garou si amoché sans avoir reçu aucune blessure. Je ne comprends pas ce qu'il a.

Malheureusement, j'avais ma petite idée sur la question. Belle ne s'était pas nourrie que de moi, mais aussi de Richard. J'y avais pensé plus tôt dans la journée, mais je m'étais dit qu'il appellerait des loups en renfort pour se sustenter de l'énergie collective de la meute. Pas un instant je n'avais soupçonné qu'il se laisserait mourir sans rien faire. Parce qu'il avait dû se rendre compte que quelque chose clochait bien avant de s'évanouir.

—Il t'a appelé à l'aide? demandai-je, le front toujours appuyé contre la porte.

—Non. J'avais quelque chose à voir avec lui. J'ai essayé de le joindre au collège, mais il était en congé maladie. J'ai appelé chez lui, et il n'a pas décroché. Anita, je t'en prie, laisse-nous entrer.

L'enfoiré. Je n'arrivais pas à y croire. J'allais être obligée de laisser l'homme qui m'avait brisé le cœur et traitée de monstre faire trempette dans ma baignoire pendant Dieu seul savait combien de temps.

Je déverrouillai la porte et l'ouvris en restant planquée derrière de façon à ne pas voir ni être vue.

Jamil se faufila dans la salle de bains, portant Richard dans ses bras. Ce n'était pas son poids qui le gênait – Jamil pourrait soulever toute la pièce en développé-couché – c'était la carrure de Richard… et la sienne.

Je tentai de ne les regarder ni l'un ni l'autre. Ce fut tout juste si j'entrevis les tresses africaines de Jamil et les perles rouge vif qui les ornaient. Il portait une chemise de la même couleur et une veste de costard noire. Je ne me donnai pas la peine de voir si son pantalon était assorti. Serrant le drap de bain sur ma poitrine, je sortis de la pièce.

— Tu peux m'ouvrir le robinet, Anita ? réclama Jamil.

— Non, répondis-je.

Et je m'enfuis.

Chapitre 26

Je m'habillai. Je ne me souvenais pas si je m'étais shampouinée ou si j'avais juste mouillé mes cheveux, et je m'en fichais. Une image du visage de Richard me brûlait l'esprit. Ses yeux fermés, sa mâchoire carrée parfaitement dessinée, sa fossette au menton. Mais je n'avais pas vu ses cheveux répandus sur ses épaules : ses beaux cheveux bruns aux reflets dorés et cuivrés qui scintillent presque dans la lumière du soleil. Il les avait coupés. Il les avait coupés.

Je me souvenais d'avoir passé mes mains dans ces cheveux, senti leur caresse soyeuse sur mon corps et vu leur masse tomber autour du visage de Richard quand il se redressait au-dessus de moi. Je me souvenais de lui allongé sous moi, ces cheveux étalés sur l'oreiller comme un nuage aux couleurs vibrantes tandis que son regard se faisait vague et qu'il s'enfonçait en moi.

J'étais assise sur le lit, en train de pleurer, lorsque quelqu'un frappa à la porte. En bas, je portais un jean noir, mais en haut, je n'avais eu le temps de mettre qu'un soutien-gorge.

— Une minute, articulai-je d'une voix un peu enrouée.

J'enfilai un tee-shirt rouge. Je venais d'ouvrir la bouche pour dire : « Entrez », quand je pensai qu'il pouvait s'agir de Richard. Peu probable, vu qu'il était inconscient quelques minutes plus tôt, mais je ne voulais pas courir le risque.

— Qui est-ce ? lançai-je.

— Nathaniel.

— Entre.

Tournant le dos à la porte, je me frottai les yeux et fixai mon holster d'épaule en me demandant ce que j'avais fait de ma ceinture. J'en avais besoin pour faire tenir l'étui. Où diable était-elle passée ?

— La police te réclame au téléphone, annonça Nathaniel à voix basse.

Je secouai la tête.

— Je ne trouve pas ma ceinture.

— Je vais la chercher pour toi.

Au son de sa voix, je sus qu'il s'était avancé dans la pièce. Mais je ne l'avais pas entendu bouger. C'était comme si je perdais tout : mes affaires, des bouts de ma mémoire et de mon ouïe…

— Qu'est-ce qui cloche chez moi ?

Je n'avais pas eu l'intention de le dire tout haut.

— Richard est là, répondit Nathaniel comme si ça expliquait tout.

Je continuai à secouer la tête et tentai de passer les mains dans mes cheveux. Ils étaient plein de nœuds. Je n'avais pas utilisé de shampoing, et encore moins de démêlant. Ça allait faire une belle broussaille en séchant.

— Merde.

Nathaniel me toucha l'épaule, et je m'écartai vivement.

— Non, non. Ne sois pas gentil avec moi. Sinon, je vais pleurer.

— Tu veux que je sois cruel ? Ça t'aiderait ?

C'était une question si étrange venant de lui que je ne pus m'empêcher de le regarder. Il portait toujours le short de jogging avec lequel il avait quitté la pièce, mais il avait défait sa tresse et brossé ses cheveux qui formaient un rideau auburn brillant dans son dos. Un rayon de soleil égaré s'y reflétait. Je connaissais la sensation de cette cascade de cheveux le long de mon corps : si épaisse, si lourde qu'elle faisait un bruit semblable à celui de l'eau courant.

Je m'étais toujours refusé ce que Nathaniel avait à m'offrir. J'avais toujours répugné à profiter pleinement de lui. Les paroles de Jason revinrent me hanter. D'après lui, je ne me donnais tout entière à personne. En vérité, je ne donnais pas grand-chose de moi à Nathaniel. De tous les hommes de ma vie, il était celui envers lequel je manifestais le plus de réserve, parce que je pensais que je ne le garderais pas. Une fois l'ardeur sous contrôle, je n'aurais plus besoin de pomme de sang. Dès que je pourrais me nourrir à distance comme Jean-Claude, je cesserais de recourir aux services de Nathaniel. Non ?

Le métamorphe semblait inquiet.

— Que se passe-t-il, Anita ?

Je secouai la tête.

Il fit un pas vers moi. Ses cheveux se balancèrent et se rabattirent par-dessus une de ses épaules. Il donna un petit coup de tête pour les renvoyer en arrière. Je dus fermer les yeux et me concentrer sur ma respiration. Non, je ne craquerais pas. Il était hors de question que je me remette à pleurer. Chaque fois que je crois que Richard m'a tiré mes dernières larmes, je ne tarde pas à découvrir que je me suis trompée. Chaque fois que je crois qu'il est à court d'idées, il en trouve une nouvelle. Seul ce qui était autrefois de l'amour peut se changer en une haine si amère.

Je rouvris les yeux. Nathaniel se tenait tout près de moi. Je plongeai mon regard dans ses yeux couleur de lilas, tellement emplis de compassion ; je scrutai son visage à l'expression pleine de douceur et de gentillesse, et je le détestai. Dieu seul sait pourquoi, mais je le détestais un tout petit peu. Je le haïssais de ne pas être quelqu'un d'autre. Je le détestais d'avoir des cheveux qui lui descendaient jusqu'aux genoux. Je le détestais parce que je ne l'aimais pas. Ou peut-être parce que je l'aimais, mais pas de la même façon que Richard. Je le détestais et je me détestais aussi. En cet instant, je détestais tous les gens qui m'entouraient, tous ceux qui faisaient partie de ma vie… mais aucun autant que moi-même.

— On fout le camp, annonçai-je.

Nathaniel fronça les sourcils.

— Quoi ?

— Toi, moi et Jason, on fout le camp d'ici. De toute façon, je dois ramener Jason au *Cirque* avant que Jean-Claude se réveille. On va faire nos bagages et abandonner la maison à Richard.

Nathaniel écarquilla les yeux.

— Tu ne comptes pas revenir chez toi avant que Richard soit parti ?

Je hochai la tête, peut-être un peu trop vite et un peu trop longtemps. Mais j'avais un plan, et j'allais m'y tenir.

— Que va dire Micah ?

— Il peut nous rejoindre au *Cirque* s'il veut.

Nathaniel me regarda pendant un instant puis haussa les épaules.

— Combien de temps resterons-nous là-bas ?

— Je n'en sais rien, répondis-je.

Et je détournai les yeux. Nathaniel n'avait pas protesté, il ne m'avait pas traitée de lâche. Il s'en tenait aux faits. Nous partions. Donc, il se demandait pour combien de temps.

— Je vais prendre des affaires pour deux jours. S'il nous manque quelque chose, je pourrai toujours repasser le chercher.

— Parfait.

Il se dirigea vers la porte, et je parcourus la pièce du regard.

— Ta ceinture est par terre, au pied du lit.

Je reportai mon attention sur Nathaniel. Il y avait quelque chose dans ses yeux, quelque chose de plus vieux que lui, quelque chose qui me donna envie de me dérober à son regard. Mais je fuyais déjà Richard. Je ne pouvais fuir rien ni personne d'autre. Un acte d'extrême couardise par jour, c'est tout ce que mon ego m'autorise.

— Merci, dis-je d'une voix qui me parut trop douce, trop rauque, trop je ne sais quoi.

— Tu veux que je fasse ta valise aussi ?

Nathaniel avait repris une expression neutre, comme s'il s'était rendu compte que la sincérité de son regard était plus que je pouvais en supporter pour le moment.

— Je suis capable de la faire toute seule.

— Je peux m'occuper de la tienne en plus de la mienne. Ce n'est pas un problème, Anita.

Je voulus protester et me ravisai. Je venais de passer vingt minutes à chercher une ceinture sur laquelle j'avais probablement marché deux fois. Si je faisais ma valise dans l'état où j'étais, j'oublierais probablement d'y mettre des sous-vêtements.

— D'accord.

— Que veux-tu que je réponde au sergent Zerbrowski ?

— Je vais lui parler pendant que tu fais les bagages.

Nathaniel acquiesça.

— Entendu.

Je pris le temps de rentrer mon tee-shirt dans mon jean, de mettre ma ceinture et d'y enfiler les passants de mon holster d'épaule. Par réflexe, je vérifiai que mon chargeur était plein. J'ouvris la bouche pour dire quelque chose à Nathaniel et à ces yeux si vieux dans ce visage si jeune, mais je n'avais rien d'intéressant à raconter. Nous allions déserter notre domicile jusqu'au départ de Richard. Il n'y avait pas grand-chose à ajouter.

Je laissai là Nathaniel et me dirigeai vers la cuisine pour répondre au téléphone, me demandant si Zerbrowski serait toujours à l'autre bout du fil ou si sa patience aurait atteint ses limites avant ma confusion.

Chapitre 27

J'entrai dans la cuisine, où je trouvai le téléphone décroché et Caleb assis devant la table. De tous les léopards dont j'ai hérité quand Micah et moi avons fusionné nos deux pards, c'est celui que j'aime le moins. Il est plutôt mignon dans le style jeune prostitué tout droit sorti d'un clip de MTV. Il se rase la moitié inférieure du crâne ; l'autre est couronnée par une masse d'épaisses boucles brunes qui lui tombent artistiquement dans les yeux. Il a le teint mat, un peu moins foncé que ses cheveux, et des yeux marron assez jolis.

Un de ses sourcils est percé par un anneau en argent. Comme il était torse nu, je voyais aussi son piercing au nombril. Et je remarquai qu'il s'était fait percer les mamelons, à travers lesquels il avait passé deux doubles clous en argent. Caleb se balade toujours avec le bouton de son jean défait ; il prétend que, sinon, ça irrite le trou de son piercing au nombril. Je ne le crois pas mais, comme je n'ai même pas les oreilles percées, je peux difficilement le traiter de menteur.

Il ne lâcha pas sa tasse de café, mais de sa main libre il caressa sa poitrine et fit rouler un des doubles clous entre ses doigts.

— Je les ai fait poser il y a deux semaines. Tu aimes ?

— Qu'est-ce que tu fous ici ? demandai-je sans chercher à dissimuler mon hostilité.

Je passais une sale journée, et la présence de Caleb dans ma cuisine ne risquait pas de l'améliorer.

— Je prends tes messages.

Il n'avait pas mordu à l'appât. Ce n'était pourtant pas son style de négliger une occasion de se faire passer pour un martyr.

— Quels messages ?

Il me tendit un petit bout de papier avec son expression la plus neutre, mais sans réussir à supprimer cette lueur dans ses yeux qui dit en permanence : « Je pense à faire des cochonneries… avec toi. »

Je pris une inspiration, la relâchai lentement et m'approchai de lui pour prendre le papier. Je le reconnaissais ; il venait du bloc carré posé près du téléphone. Caleb s'y accrocha une seconde de trop, me forçant à tirer légèrement dessus, mais il finit par lâcher et ne fit aucune remarque agaçante. C'était presque une première.

Je baissai les yeux vers le message. L'écriture ne me disait rien ; c'était sans doute celle de Caleb. Je la trouvai étonnamment nette, tout en majuscules. « PERSONNE N'EST MORT. APPELLE-MOI QUAND TU AURAS LE TEMPS. DOLPH EST EN CONGÉ MALADIE POUR DEUX SEMAINES. BISOUS, ZERBROWSKI. »

La dernière partie dut me faire hausser un sourcil, car Caleb précisa :

— Je n'ai écrit que ce que m'a dit le flic. Je n'ai rien ajouté.

— Je te crois. Zerbrowski se prend pour un comique. (Je plantai mon regard dans celui de Caleb.) Qu'est-ce que tu fous là ?

— Micah m'a appelé de son portable. Il m'a demandé de rester près de toi, aujourd'hui.

— A-t-il précisé pourquoi ?

Il fronça les sourcils.

— Non.

— Et tu as lâché tout ce que tu avais prévu de faire par pure bonté d'âme.

Il voulut continuer à froncer les sourcils mais, graduellement, un sourire assorti à la lueur dans ses yeux se fit jour sur son visage. C'était un sourire déplaisant, comme s'il pensait à des choses désagréables et que ça l'amusait beaucoup.

— Merle a promis que je le regretterais amèrement si je n'obéissais pas, sur ce coup-là.

Merle est le garde du corps de Micah : un mètre quatre-vingts de muscles et une attitude qui ferait hésiter un Hell's Angel. Caleb culmine à un mètre soixante-cinq, et il est plutôt du genre mollasson.

Je fus forcée de sourire.

— Ce n'est pas la première fois que Merle te menace et, jusqu'ici, ça n'a jamais eu l'air de te faire beaucoup d'effet.

— C'était avant la mort de Chimère. Il m'aimait mieux que Merle ou même que Micah. Je savais qu'il me protégerait quoi qu'il arrive.

Chimère était l'ancien chef de leur pard et de plusieurs autres groupes de lycanthropes : une sorte de parrain du milieu métamorphe. Après sa mort, nous nous sommes partagé ses gens. La plupart d'entre eux s'en sont réjouis, parce que Chimère était un sadique, un psychopathe et un salopard de première. Mais quelques-uns, qui aimaient l'aider à concrétiser ses fantasmes pervers, semblent le regretter. Comme Chimère est l'une des créatures les plus effrayantes que j'aie rencontrées, parmi une liste qui compte des aspirants à la divinité et des vampires vieux de plusieurs millénaires, je ne fais pas confiance aux nostalgiques de son règne. Or, Caleb en fait partie.

— Tu commences à obéir aux ordres comme un bon petit soldat. Génial. Quand Micah reviendra, dis-lui que je suis au *Cirque des Damnés*.

— Je t'accompagne, dit-il en se levant.

Il était pieds nus. Mais évidemment, il portait un anneau à un orteil.

Je secouai la tête.

—Non, tu restes ici et tu transmets mon message à Micah.

—Merle a été très clair. Je ne dois pas te lâcher de toute la journée.

Je me rembrunis. Une idée très déplaisante commençait à se faire jour dans mon esprit.

—Tu es certain que ni Micah ni Merle ne t'ont dit pourquoi ils voulaient que tu me colles aux basques ?

Caleb secoua la tête, mais il semblait inquiet. Pour la première fois, je me demandai si Merle s'était contenté de lui parler.

—Qu'est-ce que Merle a menacé de te faire si tu désobéissais ?

—Il a dit qu'il découperait tous mes piercings au couteau, surtout le plus récent.

Cette fois, son ton n'avait rien de taquin. Il semblait plutôt las.

—Le plus récent ? Les mamelons ? demandai-je.

Caleb secoua la tête.

—Non.

Il porta les mains vers le haut déboutonné de son jean. Je levai une main pour l'arrêter.

—C'est bon, je vois l'idée, dis-je très vite. Tu t'es fait percer… quelque chose là-dedans.

—J'ai pensé : « Pourquoi pas ? Je cicatriserai en quelques jours plutôt qu'en quelques semaines ou en quelques mois comme un humain. »

Je voulais lui demander si ça faisait vraiment mal. Mais étant donné que l'argent brûle la peau et la chair des métamorphes, il faut être masochiste pour se faire percer quoi que ce soit. Un jour, j'ai demandé à un des autres léopards qui a des piercings : « Pourquoi ne pas utiliser de l'or ? » Il m'a répondu que leur corps cicatriserait par-dessus l'or et la plaie, alors qu'il ne cicatrisait pas par-dessus l'argent.

— Merci pour l'excès d'informations, Caleb.

L'ombre de son sourire habituel passa sur son visage, mais son regard resta inquiet, presque effrayé.

— J'essaie de faire ce qu'on m'a dit, c'est tout.

Je soupirai. S'il y avait une chose à laquelle je ne me serais pas attendue, c'était bien d'avoir pitié de Caleb. Je n'avais vraiment pas besoin de veiller sur quelqu'un d'autre pour le moment. J'avais déjà assez de mal à m'occuper de moi-même.

— D'accord, mais Nathaniel et moi ramenons Jason au *Cirque*, pour qu'il soit là quand Jean-Claude se réveillera.

— Je vous accompagne, insista-t-il.

Je le regardai sans rien dire, et son inquiétude se mua en peur non dissimulée.

— Anita, s'il te plaît. Je sais que je t'asticote tout le temps d'habitude, mais je te promets que, cette fois, je me tiendrai tranquille.

Micah m'avait-il vraiment envoyé Caleb au cas où l'ardeur se manifesterait plus tôt que prévu ? Caleb m'est franchement antipathique depuis le début ; Micah pensait-il réellement que je pourrais faire ça avec lui ? D'accord : je me suis nourrie de Micah dès notre première rencontre. C'était la toute première fois que mon ardeur se manifestait, et je n'avais aucun contrôle sur elle. Aujourd'hui, ça va mieux. Mais pas tellement mieux, à en juger par ce qui venait de se passer avec Jason.

Je me plaindrais à Micah de son choix de baby-sitters plus tard. Et il me répondrait probablement : « Qui d'autre aurais-je pu t'envoyer ? » Une question à laquelle je n'avais pas de bonne réponse. Ni même de mauvaise.

Chapitre 28

Lorsque d'autres loups de la meute débarquèrent et commencèrent à hurler à la mort, je m'enfuis. Avec une demi-douzaine de baby-sitters, Richard n'avait pas besoin de moi. Il n'avait sans doute même pas envie que je reste.

Franchement, je ne sais plus quoi faire pour lui. Je peux aider la meute dans son ensemble, mais l'aider à titre personnel semble au-delà de mes capacités. Si vous avez besoin de menacer quelqu'un, de lui tirer dessus ou même de le tuer, je suis votre homme. Ou votre femme, peu importe. Je n'hésite jamais à me défendre, et je ne refuse pas de commettre un petit meurtre si c'est pour une bonne cause. Mais le suicide, ce n'est pas mon truc. Richard s'était laissé drainer de toute son énergie jusqu'à devenir glacé, et il n'avait pas appelé à l'aide. Pour moi, c'était du suicide. Du suicide passif, peut-être, mais le résultat était le même.

Jason conduisait. Il m'avait rappelé que j'avais eu des réactions physiques bizarres toute la journée et qu'il serait regrettable que je m'évanouisse au volant. J'avais répliqué que j'avais justement fait mettre des crucifix sur la porte des méchants vampires pour qu'ils ne puissent plus m'affecter à distance. Il avait rétorqué que les pouvoirs de Musette et de Belle Morte n'étaient peut-être pas les seuls à l'origine de mes pertes de conscience. Ne valait-il pas mieux être prudente ?

À cela, je n'avais rien trouvé à répondre. Je n'allais pas risquer la vie de trois autres personnes juste pour préserver mon orgueil. Si seule ma peau avait été en jeu, j'aurais sans doute réagi différemment. En général, je suis plus soucieuse de la sécurité d'autrui que de la mienne. Le fait que ces trois personnes soient toutes des lycanthropes et aient de meilleures chances que moi de survivre à un accident n'entrait pas en ligne de compte. Si un monstre passe à travers un pare-brise, ne saigne-t-il pas ?

Nous étions sur l'autoroute 21 et nous apprêtions à tourner sur la 270 lorsqu'un parfum de roses me chatouilla les narines.

— Vous sentez ? demandai-je.

Jason me jeta un coup d'œil, les cheveux encore mouillés après qu'il eut pris sa douche, son tee-shirt blanc plus sombre par endroits comme s'il s'était essuyé trop vite et pas partout.

— Qu'est-ce que tu dis ?

— Des roses. Je sens un parfum de roses.

Jason tourna légèrement la tête vers Nathaniel et Caleb, installés sur la banquette arrière. J'avais invité le premier à venir, et le second avait failli se mettre à pleurer quand j'avais voulu le laisser à la maison. Quoi que Merle ait pu lui dire, ça lui avait vraiment foutu la trouille.

Je pouvais goûter le parfum douceâtre et écœurant des roses sur l'arrière de ma langue. Et j'étais la seule à le sentir. Merde.

La voix de Belle Morte chuchota dans ma tête :

— *Croyais-tu vraiment pouvoir m'échapper ?*

— C'est déjà fait.

— Quoi ? demanda Jason.

Je secouai la tête, me concentrant sur la voix dans ma tête et le parfum de roses de plus en plus fort.

— *Tu ne m'as pas échappé : tu m'as nourrie. Et tu me nourriras encore et encore, jusqu'à ce que je sois rassasiée.*

— D'après Jean-Claude, vous ne l'êtes jamais.

Elle rit dans ma tête, et ce fut comme si on me frottait l'intérieur du crâne avec de la fourrure, comme si sa voix pouvait atteindre des endroits que personne n'aurait pu toucher avec ses mains. Son contralto ronronnant parcourut mon corps, me donnant la chair de poule.

Une image s'imposa à moi, un souvenir. Un lit gigantesque et une masse de corps dessus ; un enchevêtrement de bras, de jambes, de poitrines et de bas-ventre tous masculins. Un des hommes se redressa, et j'aperçus Belle sous lui. Il se pencha de nouveau, et elle disparut. J'avais l'impression d'observer un nid de serpents : tous ces mouvements désordonnés dans la faible lumière des chandelles, comme si chaque membre était une créature indépendante.

Un des bras de Belle jaillit de la mêlée, et la vampire se hissa au-dessus de celle-ci, arrachant les hommes à son corps nu. Elle se dressa sur le lit tandis que leurs mains suppliantes se tendaient vers elle. Elle avait lâché l'ardeur sur ces malheureux, et elle se nourrissait d'eux, aspirant leur énergie jusqu'à ce qu'elle s'élève au-dessus de la masse de leurs corps. Les flammes noires de ses yeux projetèrent des ombres dansantes comme elle flottait à l'écart du lit.

Un des hommes était tombé à terre, où il gisait immobile et oublié. Il ne bougea pas lorsque Belle se dirigea vers lui, étincelante de pouvoir. La vampire enjamba le corps de celui qui avait tout donné pour satisfaire ses besoins tandis que ses autres partenaires l'imploraient de continuer, de ne pas les abandonner. Certains se dressèrent sur les genoux dans un effort pour tenter de la suivre. Au moins deux d'entre eux ne se relevèrent pas. Ils ne se relèveraient plus jamais. Trois morts d'amour, et pourtant, les autres ne voulaient pas qu'elle arrête… bien au contraire.

Je savais que c'était Jean-Claude que Belle avait ligoté à une chaise et forcé à regarder. Je savais que c'était lui et pas moi qui l'observait avec des yeux effrayés et affamés.

Mais quand elle passa devant nous sans même lui accorder une caresse, son désespoir me suffoqua. C'était une partie de sa punition pour avoir osé la quitter.

— Anita, Anita, appela une voix distante.

Quelqu'un me toucha l'épaule. Je hoquetai et revins à moi-même, clignant des yeux et haletant. J'étais toujours attachée dans le siège passager de ma Jeep. Nous roulions sur la 270 et nous apprêtions à tourner sur la 44. Je n'étais pas ligotée à une chaise, je n'étais pas dans l'antre de Belle : j'étais en sécurité. Mais l'odeur douceâtre des roses s'accrochait à moi tel un parfum infernal.

C'était Jason qui m'avait appelée, mais Nathaniel qui avait posé sa main sur mon épaule.

— Tu vas bien ? s'enquit Jason.

J'acquiesçai, puis me ravisai et secouai la tête.

— Belle est en train de jouer avec mon esprit.

Nathaniel me pressa l'épaule. Je venais d'ouvrir la bouche pour dire « Ce n'est peut-être pas une bonne idée de me toucher en ce moment » lorsque l'ardeur se dressa pour me submerger telle une lame de fond.

La chaleur me monta au visage et fit perler des gouttes de sueur sur ma peau ; elle accéléra mon pouls, fit remonter mon cœur dans la gorge et me coupa le souffle. L'espace d'un instant, j'eus l'impression de me noyer dans les palpitations de mon propre corps. J'entendais mon sang s'engouffrer dans mes veines tel un torrent en crue. Je percevais chaque pulsation de mon cœur rugissant, chaque goutte qui me picotait les doigts et les orteils. Jamais encore je n'avais eu autant conscience de la quantité énorme de sang qui circulait en moi.

Je posai ma main sur celle de Nathaniel, toujours crispée sur mon épaule. Sa peau était si tiède, presque trop chaude. Je me tournai vers lui. Je scrutai ses yeux lavande, et la seule intensité de mon regard l'attira comme un aimant, le fit se pencher en avant jusqu'à ce que sa joue touche le dos de mon siège. J'avais encore assez de présence d'esprit pour penser vaguement qu'il avait dû défaire sa ceinture de sécurité, mais pas assez pour me soucier des risques qu'il prenait. Tout ce qui comptait, c'était que ça le rapprochait de moi, et que je voulais le sentir près de moi.

—Anita. (La voix de Jason.) Anita, que diable se passe-t-il ? Ma peau me démange comme sous le coup de l'ardeur, mais je sais que ce n'est pas ça.

Je ne détachai pas mon regard du visage de Nathaniel. La voix de Jason était comme le bourdonnement d'un insecte : je l'entendais, mais je n'y prêtais pas attention.

Je pris la main de Nathaniel et la portai doucement à mes lèvres. Il leva son autre main pour la poser sur ma joue. La chaleur de mon souffle sur sa peau aviva son odeur. Ses mains sentaient non seulement le sang chaud, mais tout ce qu'il avait touché ce jour-là, des odeurs légères que le savon n'avait pu effacer complètement. Elles sentaient la vie, et je voulais cette vie.

—Anita, parle-moi, me pressa Jason.

—Qu'est-ce qui se passe ? demanda Caleb. Pourquoi j'ai du mal à respirer, dans cette voiture, tout à coup ?

—À cause du pouvoir, répondit Jason. Je ne sais pas encore de quelle sorte.

Je tirai sur le bras de Nathaniel, et mes lèvres glissèrent le long de son poignet… là où, juste sous la peau, palpitait une nouvelle chaleur. Je lui donnai un petit coup de langue, et il frissonna.

—Anita ! s'exclama Jason.

Je l'entendais, mais je ne l'écoutais pas. Son avis ne comptait pas. La seule chose qui comptait, c'était la tiédeur de cette peau et les palpitations légères juste en dessous. J'ouvris grande la bouche, les lèvres retroussées pour mordre dans ce pouls.

La Jeep fit une violente embardée, projetant Nathaniel en arrière et sur le côté, m'arrachant son poignet. Il s'écroula sur les genoux de Caleb.

Alors, je regardai Jason. Je le regardai réellement. Au fond de moi, je savais que c'était Jason, mais tout le reste de ma personne ne voyait que le pouls qui battait dans son cou, se jetant contre sa peau telle une créature prisonnière. Une créature rouge et brûlante que je pouvais libérer et faire couler dans ma bouche.

Je défis ma ceinture. Cela me fit hésiter l'espace d'une seconde, car d'ordinaire, je suis très à cheval sur la sécurité routière. Ma mère serait toujours vivante si elle avait mis sa ceinture le jour de l'accident dans lequel elle a péri. Du coup, je ne monte jamais en voiture sans mettre la mienne. Jamais. Ce réflexe était si profondément ancré en moi qu'il repoussa Belle et la soif de sang qu'elle avait excitée.

Je recouvrai l'usage de ma voix… rauque et étrange, mais mienne.

— Je croyais que c'était l'ardeur, mais non.

— La soif de sang, devina Jason.

J'acquiesçai, agrippant toujours ma ceinture de sécurité à demi défaite.

— La soif de sang ressemble beaucoup à l'ardeur, par certains côtés. Parfois, tu ne sais pas laquelle des deux est à l'œuvre avant qu'il se penche soit sur ton cou, soit sur ton entrejambe.

Je clignai des yeux.

— Qu'est-ce que tu viens de dire ?

Si Jason me répondit, je ne l'entendis pas, car Belle revint à la charge en rugissant et, soudain, je fus plus préoccupée par le pouls du métamorphe que par le mouvement de ses lèvres. Je n'entendais aucun son à part le tonnerre assourdissant de mon propre pouls, de mon propre cœur, de mon propre corps.

Je glissai vers Jason sans me rappeler le moment où j'avais décidé de bouger ou commencé à le faire. Il donna un nouveau coup de volant qui me renvoya brutalement contre ma portière. À l'instant où mon dos heurta celle-ci, j'entendis les klaxons furieux des autres véhicules alors que la Jeep faisait une embardée dans la circulation. Puis Jason redressa et tourna la tête vers moi, les yeux écarquillés.

— Je ne peux pas conduire pendant que tu te nourris de moi.

— Je crois que je m'en fous, répliquai-je d'une voix enrouée.

Je me redressai, agrippant le bord de mon siège pour ne pas être de nouveau projetée sur le côté.

— Nathaniel, Caleb, empêchez-la de me toucher jusqu'à ce que je trouve un endroit sûr où me garer.

Je venais d'enfourcher maladroitement le levier de vitesse quand Nathaniel tendit son bras devant mon visage. Il ne tenta pas de m'arrêter, mais approcha suffisamment son poignet pour que je hume la chaleur de sa peau. Alors, il ramena lentement son bras en arrière, et je le suivis, me faufilant entre les dossiers des sièges avant comme si un fil invisible me reliait à son pouls.

Je me coulai sur la banquette arrière. Nathaniel s'était rassis. Je chevauchai ses cuisses. Même à travers mon jean, je le sentais tout raide à l'intérieur de son short. Mais pour une fois, ce n'était pas aussi tentant que la ligne de sa gorge. Il avait tressé ses cheveux avant notre départ, de sorte que son cou était dénudé.

La Jeep fit une nouvelle embardée et je tombai sur le plancher, aux pieds de Caleb. Jusqu'ici, nous avions eu de la chance de ne pas percuter une autre voiture ou les blocs de béton qui divisaient la route en deux. Mais notre chance finirait par nous abandonner, et je n'étais pas sûre de m'en soucier.

— Si tu ne peux pas coucher avec Nathaniel, je ne crois pas que tu devrais boire son sang. Il est encore faible.

La voix de Jason me parvint comme depuis une grande distance.

Je levai les yeux vers le métamorphe assis au-dessus de moi, celui dont les mollets m'effleuraient à travers son jean et mes vêtements. Je n'avais aucune envie de coucher avec Caleb, mais boire son sang ne me répugnait pas. Je me dressai sur les genoux entre ses jambes et commençai à me hisser le long de son corps, enfonçant mes doigts dans son jean pour palper la chair en dessous.

Je glissai les mains sous sa chemise à l'imprimé criard : des cases de BD de super-héros. Sa peau était si chaude… Je fis remonter mes doigts le long de son ventre et touchai l'anneau de son nombril. Arrivée là, j'hésitai, suivant de l'index les contours du piercing, tirant doucement dessus jusqu'à ce que Caleb émette un petit grognement de douleur. Je scrutai son visage, et ce qu'il vit sur le mien lui fit écarquiller les yeux et entrouvrir les lèvres en un petit « oh » de surprise.

Je remontai vers sa poitrine, et mes bras disparurent sous sa chemise, de deux tailles trop grande pour lui. Lorsque j'atteignis ses épaules, le tissu commença à se soulever, exposant son ventre. La vision de sa peau nue éveilla une autre faim en moi… la faim de chair plutôt que de sang. Mais Belle rugit le long de notre lien métaphysique, de la laisse qu'elle m'avait passée, et la bête se recoucha avant de s'être complètement dressée. Belle voulait que je désire la même chose qu'elle et, en cet instant, je sus que, même si elle était capable d'appeler des animaux, elle ne partageait pas leur bête, leur faim de chair. Cette pensée était assez rationnelle pour détendre la laisse et me permettre de réfléchir par moi-même.

— Que vous importe si je prends de la chair ou du sang puisque vous pouvez vous nourrir des deux ? demandai-je. Vous vous êtes nourrie de Richard toute la journée.

— *Peut-être suis-je lasse de la chair.*

Une idée me traversa l'esprit, comme si j'avais lu dans ses pensées.

— Vous n'avez pas pu forcer Richard à se nourrir. Il vous a combattue toute la journée ; il vous a laissé le vider, mais vous n'avez pas pu le forcer à attaquer quelqu'un d'autre.

La colère de Belle fut semblable à du métal brûlant plaqué sur ma peau. Elle m'arqua le dos et m'arracha un hoquet. Caleb me saisit les bras, sans quoi, je me serais écroulée.

La voix de Belle ronronna dans ma tête :

— *Le loup était étonnamment résistant, mais ce n'est pas l'animal que je peux appeler, et il n'est pas attiré par les morts. Contrairement à toi, ma petite. Contrairement à toi.*

Son pouvoir se déversa sur moi, mais ce n'était pas la chaleur de la soif de sang : c'était une énergie glaciale comme la tombe. À l'instant où elle me toucha, mon propre pouvoir se réveilla. Cette partie de moi qui relève les morts flamboya comme si l'énergie de Belle servait de combustible à mon feu froid.

— *Tu es mienne, ma petite, mienne de façon que le loup ne peut imaginer. Son lien avec les morts est accidentel ; le tien relève de la destinée depuis le jour de ta naissance.*

Le pouvoir de Belle était celui de la tombe, de la mort même. Mais le mien aussi. Elle voulait m'imposer sa volonté. Malheureusement pour elle, elle avait excité ma nécromancie, et les vampires ne sont jamais qu'un autre genre de morts. Les morts que je sais si bien manipuler.

Je pris une inspiration, invoquant ma propre magie, m'apprêtant à expulser Belle. Je l'avais déjà fait. Mais son froid glacial se mua en chaleur avant que j'aie fini d'inspirer. La soif de sang emporta ma magie, la noya dans un torrent de besoin. Sa voix coula sur ma peau telle du miel tiède, comme si la puissance ténébreuse de son regard avait fondu sur moi.

— Tu contrôles le pouvoir de la tombe, mais pas celui du désir. Le désir, c'est moi qui le manipule… sous toutes ses formes.

Si j'avais pu respirer, j'aurais hurlé. Mais l'espace d'un instant flou et vertigineux, il n'y eut plus d'air, plus de vision. En revanche, je me noyais dans les sons : celui du sang qui filait à travers mon corps, les battements humides de mon cœur, mon pouls qui les répercutait à un millier d'endroits sous ma peau. J'entendais et je sentais.

Je sentais la poitrine de Caleb sous mes mains, je sentais les poils rêches qui entouraient ses mamelons, je sentais ses mamelons eux-mêmes qui durcissaient. Les piercings qui les traversaient me gênaient. Je voulais faire rouler ces mamelons entre mes doigts, et les clous métalliques m'en empêchaient, comme une pique en bois passée dans un club sandwich. Un instant, Belle envisagea de les arracher, et cette pensée m'était tellement étrangère que cela m'aida à reprendre le contrôle de mon esprit, au moins un petit peu.

Lorsque ma vision s'éclaircit, Caleb avait le regard trouble et les lèvres entrouvertes. À travers moi, c'était presque comme si Belle le touchait, et son contact communiquait tous ses désirs au métamorphe.

J'habitais ma peau et mon esprit, mais la faim de Belle était en moi elle aussi, et je ne parvenais pas à l'expulser. Elle avait raison : la soif de sang n'avait rien à voir avec la mort.

Je déchirai la chemise de Caleb, faisant sauter ses boutons pour dénuder la poitrine du métamorphe. Quand je canalise la soif de sang de Jean-Claude, je suis toujours attirée par le cou, les poignets, le creux du coude et, parfois, l'intérieur des cuisses : des endroits où passent des artères ou des veines majeures. Mais Belle ne regarda ni vers le haut, ni vers le bas.

Elle détailla la poitrine de Caleb comme s'il s'agissait d'un steak premier choix, cuit juste à point.

Ma propre logique tenta de protester. Il y avait d'autres endroits où le sang était plus proche de la surface, plus facile à tirer plus rapidement. La simple surprise de ne pas tourner mon attention vers les points habituels m'aida à repousser Belle.

La voix de Caleb se fit rauque.

— Pourquoi tu arrêtes ?

— Je ne crois pas qu'elle veuille du sexe, dit Nathaniel tout bas.

Sa voix me fit tourner la tête vers lui. Si j'avais été sous l'empire de l'ardeur, j'aurais sans doute tenté de lui grimper dessus. Mais il avait raison : je ne voulais pas de sexe, je voulais me nourrir. Et je ne considérais pas Nathaniel comme de la nourriture. Devais-je en déduire que je considérais Caleb comme tel ? Ce n'était pas une idée agréable.

— Que veux-tu dire ? interrogea Caleb.

Je reportai mon attention sur sa poitrine nue, sur son visage si jeune encore, comme inachevé. Même si je ne m'adressais à personne dans la voiture, ce fut tout haut que je dis :

— Il ne comprend pas.

— *Il comprendra bientôt*, répliqua Belle dans un murmure.

— On dirait que c'est ton tour de te sacrifier dans l'intérêt général, commenta Jason.

Caleb fronça les sourcils.

— Quoi ?

— Tu vas te faire croquer, précisa Jason.

La combinaison de mon propre dilemme moral et du fait que Belle avait choisi un drôle d'endroit pour boire le sang de Caleb – un endroit illogique à mes yeux – m'aidèrent à me propulser vers la surface. Je me retrouvai à genoux sur le plancher de la Jeep et m'écartai légèrement de Caleb.

— Non, dis-je tout haut.

Et aucun des trois hommes ne releva, comme s'ils avaient compris que ce n'était pas à eux que je parlais.

— *J'ai été gentille jusqu'à maintenant, ma petite,* susurra Belle dans ma tête.

— Je ne suis pas votre petite, alors cessez de m'appeler ainsi !

— *Puisque tu t'obstines à refuser ma gentillesse, je vais cesser de te l'offrir.*

— Si c'est ça votre idée de la gentillesse, je préfère ne pas savoir…

Je ne pus achever ma pensée, parce qu'à cet instant Belle me prouva qu'elle avait dit vrai.

Elle ne me roula pas ni ne me submergea : son pouvoir me percuta de plein fouet, avec une violence qui m'engourdit l'esprit, me coupa le souffle et stoppa les battements de mon cœur. L'espace d'une seconde ou d'une éternité, je demeurai en suspens. La Jeep avait disparu, et Caleb aussi. Je ne voyais rien, je ne sentais rien, je n'étais rien. Il ne faisait ni jour ni nuit ; il n'y avait plus de haut ni de bas. J'avais déjà frôlé la mort, et je m'étais souvent évanouie. Mais cet instant où le pouvoir de Belle s'abattit sur moi fut la chose la plus proche du néant que j'aie jamais expérimentée.

Dans ce néant tomba la voix de la vampire.

— *Jean-Claude a commencé la danse entre toi, lui et le loup, mais il ne l'a pas achevée. Il a laissé ses sentiments obscurcir son jugement. Je ne suis plus certaine d'avoir été un bon professeur pour lui.*

Je tentai de répondre, mais je ne me souvenais pas où se trouvait ma bouche, ni même comment prendre une inspiration.

— *J'ai découvert cela chez le loup, mais je n'ai rien pu y faire, car il n'est pas l'animal que je peux appeler. Je ne comprends pas les chiens, et les loups leur ressemblent fort.*

Sa voix chuchotait en moi, de plus en plus basse, tremblant à travers mon corps. Ce qui signifiait que j'en avais un. Et cette pensée me fit retomber dedans comme depuis une grande hauteur. Je me retrouvai haletante sur le plancher de la Jeep, les yeux levés vers le visage perplexe de Caleb et celui inquiet de Nathaniel.

La voix de Belle glissait en moi comme une main qui savait parfaitement où me toucher. Soudain, je compris qui avait appris à Jean-Claude à utiliser sa voix comme un outil de séduction.

— *Mais toi, ma petite… toi, je te comprends.*

Je pris une grande inspiration frissonnante, et cela me fit mal dans toute la poitrine, comme si j'étais restée trop longtemps sans respirer.

— De quoi parlez-vous ? demandai-je d'une voix rauque.

— *La quatrième marque, ma petite. Sans la quatrième marque, tu n'appartiens pas réellement à Jean-Claude. C'est la même différence qu'entre le mariage et les fiançailles : le premier est permanent, les secondes, pas nécessairement.*

Je compris ce qu'elle voulait dire une seconde avant de voir deux flammes dansantes, couleur de miel, apparaître dans les airs devant moi. Je savais que c'était la deuxième marque parce que je l'avais déjà reçue trois fois : deux fois de Jean-Claude, et une fois d'un vampire que j'avais tué. Je n'avais encore jamais été capable de me protéger contre elle. Je savais d'expérience que rien de physique n'aurait pu s'interposer pour me sauver. Ce n'était pas quelque chose que je pouvais frapper ou abattre d'un coup de pistolet. Je déteste les choses qu'on ne peut ni frapper ni abattre d'un coup de pistolet. Mais je possède d'autres capacités qui ne sont pas vraiment physiques elles non plus.

Je me projetai le long de ce cordon métaphysique qui me relie à Jean-Claude. La voix de Belle flotta au-dessus de moi.

Elle repoussait le moment d'agir, faisant durer au maximum ma peur et son plaisir.

— *Jean-Claude est mort pour des heures encore. Il ne peut pas t'aider.*

Les flammes ténébreuses de ses yeux commencèrent à descendre tel un ange maléfique venu dévorer mon âme. Alors, je fis la seule chose qui me vint à l'esprit : je me projetai le long de l'autre moitié de ce cordon métaphysique. Vers quelqu'un qui ne m'avait pas aidée depuis des mois. Vers Richard.

J'eus une image de lui dans un bain chaud, tenu contre la poitrine de Jamil. Il leva les yeux comme s'il pouvait me voir. Il chuchota mon nom, mais ou il était trop faible pour me repousser, ou il n'essaya pas.

Durant un instant, j'eus l'impression que ça allait fonctionner. Puis je fus tirée violemment en arrière, repoussée dans ma propre tête et mon propre corps. Cette fois, ce n'était pas Richard qui m'avait rejetée. Des flammes de miel sombre oscillaient au-dessus de mon visage, et je distinguai une vague silhouette, le fantôme d'une longue chevelure noire, des traits brumeux…

— Il y a quelque chose dans la voiture avec nous ! s'époumonait Caleb. Je ne le vois pas, mais je le sens. Qu'est-ce que c'est ? Putain, qu'est-ce que c'est ?

— Belle Morte, répondit Nathaniel d'une voix à la fois basse et étrangement forte.

Je n'eus pas le temps de lever les yeux pour voir les autres, parce que les lèvres spectrales remuaient.

— *Je ne te laisserai pas puiser dans la force du loup. Je t'ai donné la première marque sans même que tu t'en aperçoives. Je vais te donner la deuxième ici et maintenant et, ce soir, par l'intermédiaire de Musette, je te donnerai la troisième. Quand Jean-Claude et moi serons égaux en toi, trois marques contre trois, tu viendras à moi, ma petite. Tu feras le tour du monde si je te le demande, pour le seul plaisir de goûter aux délices de mon sang.*

Cette bouche spectrale descendit vers la mienne. Et je sus que, si elle me donnait son baiser fantôme, je lui appartiendrais. Alors, je fis ce que je fais toujours quand je me sens menacée. Je tentai de frapper son visage. Mais il n'y avait rien de tangible devant moi. Je poussai un cri inarticulé et un appel à l'aide métaphysique.

—*Au secours!*

Soudain, je humai une odeur de forêt, de terre fraîchement retournée, de feuilles mortes qui craquent sous les pieds et de musc de loup.

Belle pouvait m'empêcher d'atteindre Richard, mais elle ne pouvait pas empêcher Richard de m'atteindre. Son pouvoir s'éleva au-dessus de moi tel un nuage boisé, repoussant ces yeux luisants et cette bouche spectrale.

Belle éclata d'un rire qui glissa le long de mon corps, me fit frissonner et me coupa le souffle. C'était bon, si bon! Même si ma tête me hurlait le contraire.

—Vous avez entendu rire quelqu'un? lança Caleb.

Jason répondit « non ». Nathaniel répondit « oui ».

Belle chuchota le long de ma peau, et même le souffle du pouvoir de Richard ne put étouffer sa voix.

—*Si tu touchais la chair de ton loup, peut-être pourrais-tu me repousser, mais pas ainsi... pas à distance. Plus proches sont les corps, plus solides deviennent les liens, et plus puissants. Tu es déjà mienne, ma petite. Tu ne peux pas m'échapper.*

De nouveau, ses yeux descendirent vers moi. Le pouvoir de Richard s'éleva à leur rencontre tel un bouclier impalpable. Celui de Belle se posa à sa surface, comme une feuille sur une mare. Puis il se mit à pousser dessus, à passer au travers.

—Au secours!

Cette fois, je hurlai tout haut à l'adresse de quiconque pourrait m'entendre.

Je sentis la main de Nathaniel sur la mienne, et le pouvoir spectral hésita. Les yeux de flamme sombre se tournèrent vers le métamorphe. Je sentis Belle l'appeler, comme une vibration sourde le long de mes os. Le léopard était le premier animal qu'elle avait pu appeler. Si elle me possédait, elle posséderait aussi mon pard.

Nathaniel tendit sa main libre comme s'il pouvait la voir.

— Non !

Je me dégageai brusquement et, à l'instant où je rompis le contact physique entre nous, ce fut comme s'il devenait moins réel pour Belle. Elle reporta son attention sur moi.

— *Au bout du compte, ils m'appartiendront tous, ma petite.*

— Non, répétai-je, mais d'une voix plus douce, parce que je pensais qu'elle avait raison.

— *Tu me les donneras. Tu me les donneras tous jusqu'au dernier.*

La peur me submergea comme si j'avais été plongée dans de l'eau glacée. La pensée de ce que Belle infligerait à mon pard, à mes amis… Non, je ne pouvais pas la laisser faire.

— Allez vous faire foutre ! Allez vous faire foutre, Belle, vous et votre cheval de Troie !

Ma colère et ma peur semblaient nourrir le pouvoir de Richard. L'odeur musquée du loup était si forte et si entêtante qu'elle m'enveloppait telle une épaisse couverture de fourrure.

La Jeep se décala brusquement sur le côté, suivie par un concert de crissement de pneus et de klaxons furieux. Jason avait renoncé à trouver un endroit sûr où s'arrêter et s'était contenté de se ranger contre les blocs de béton qui divisaient la route en deux. Nathaniel et Caleb furent projetés contre la portière droite. Je n'eus pas le temps de m'inquiéter du fait qu'apparemment personne ne portait sa ceinture de sécurité.

Les yeux de Belle poussaient à travers le pouvoir de Richard. Non sans mal : Richard l'obligeait à déployer des efforts considérables pour conquérir chaque centimètre.

Mais petit à petit, le visage spectral se rapprochait du mien. Je retins mon souffle comme si je craignais, en respirant trop fort, de l'attirer au contact de ma bouche.

Du coin de l'œil, j'aperçus un mouvement. Jason se faufilait entre les sièges avant. Il avait arrêté la Jeep et défait sa ceinture. Il plongea sa main à travers la chose spectrale qui me surplombait, comme s'il ne pouvait pas la voir. Il me saisit le poignet et, à l'instant où il me toucha, la bête de Richard se dressa en moi. J'ai toujours cru que c'était ma bête qui bougeait dans mon corps, mais cette chose – quelle qu'elle soit – appartenait à Richard, pas à moi.

Son loup se déversa en moi telle de l'eau brûlante dans une tasse, me remplissant à ras bord, vidant ma peau de tout ce qui était léopard ou mort, jusqu'à ce que mon dos s'arque, que mes mains s'agitent et que ma bouche s'ouvre sur un cri inarticulé. Je sentis de la fourrure frotter l'intérieur de mon corps, des griffes se planter dans ma chair. Le loup cherchait un moyen de sortir de moi.

Belle siffla comme un grand félin spectral. Ses yeux battirent en retraite, flottant sous le toit de la Jeep tandis que Jason m'attirait à l'avant, me déposai dans le siège passager et me serrait contre lui. Sa proximité parut apaiser le loup ; je le sentis s'asseoir, haletant et avide, regardant la forme spectrale qui le surplombait avec des yeux affamés et arrogants.

Jason avait ses yeux de loup et, pour une fois, je les trouvais parfaits dans son visage humain. Mais c'était le pouvoir de Richard, le pouvoir du clan de Thronnos Rokke qui nous enveloppait tous deux. Jamais encore je n'avais perçu la bête de Richard si distinctement en moi. J'avais l'impression d'être le sac qui contenait sa bête, la cage à l'intérieur de laquelle celle-ci faisait les cent pas faute de pouvoir s'en échapper.

La voix de Belle descendit jusqu'à nous et, cette fois, elle était brûlante de colère.

— *Tu peux passer toute la journée dans les bras de ton loup, mais tu devras assister au banquet de ce soir. Musette sera là… et à travers elle, moi aussi, ma petite.*

— Je ne suis pas votre petite, grondai-je.

— *Tu le seras bientôt*, répliqua-t-elle.

Et lentement, ses yeux s'estompèrent jusqu'à ce que seul un parfum de roses s'attarde encore pour me rappeler que nous avions remporté cette bataille, mais qu'il y en aurait bien d'autres. Je la connaissais trop bien, Belle, à travers les souvenirs de Jean-Claude pour penser le contraire. Une fois qu'elle avait décidé de posséder quelque chose ou quelqu'un, elle n'abandonnait jamais. Belle Morte avait décidé que je serais sienne. Jean-Claude ne l'avait jamais vue renoncer. Je trouvais ça injuste : n'est-ce pas la prérogative des dames que de changer d'avis ?

Évidemment, Belle n'était pas une dame, mais une vampire âgée de deux mille ans. Et ces créatures ne sont pas réputées pour leur versatilité. Elles se cramponnent à leurs opinions, leurs habitudes, leurs objectifs. La dernière fois qu'un maître vampire est venu à Saint Louis et a essayé de me prendre à Jean-Claude, j'ai passé une semaine dans le coma, Richard s'est fait arracher la gorge, et Jean-Claude a failli mourir pour de bon. Les vampires passent leur temps à essayer de me tuer ou de me posséder. Franchement, être populaire, ça craint.

Chapitre 29

Nathaniel avait sorti une des croix en rab de la boîte à gants. Je me balade toujours avec des chargeurs et des crucifix de rechange ; quand vous chassez les vampires, la pénurie des uns peut être aussi mortelle que celle des autres. J'avais vraiment été idiote de faire mettre des croix partout au *Cirque des Damnés* et de ne pas en prendre une sur moi. Certains jours, je suis un peu lente à la détente.

J'étais de retour dans le siège passager, mais je tremblais de tout mon corps. Même si « trembler » n'était pas tout à fait le verbe approprié. Des muscles se contractaient de façon aléatoire dans mon corps, me transmettant de petits spasmes. J'avais froid, alors que c'était une belle journée de fin d'été : soleil agréablement tiède, ciel dégagé, temps doux et lumineux à la fois. Mais malgré la température ambiante, je frissonnais, et aucune montagne de couvertures n'aurait pu y remédier.

Nathaniel m'enveloppait les jambes telle une couette vivante, logé sur le plancher entre le siège et le tableau de bord. J'avais protesté que c'était dangereux… mais pas trop fort ni trop longtemps. Je ne garde pas de couvertures ordinaires dans ma voiture. Mais vu la fréquence à laquelle je m'évanouis depuis quelque temps, je ferais sans doute bien d'en mettre une dans le coffre.

Le long de la 44, les arbres avaient fait place à des maisons et, de temps en temps, à un ancien établissement scolaire que l'on transformait en résidence, en église ou en bâtiment utilitaire d'usage indéfini.

Je caressais la tête de Nathaniel, encore et encore, passant ma main sur la soie tiède de sa chevelure. Il avait sa tête sur mes cuisses, les bras autour de ma taille et son corps entre mes jambes. Parfois, il a des attitudes sexuelles, mais parfois – comme en ce moment –, il est juste réconfortant. L'intimité, c'est une chose difficile à obtenir avec beaucoup de gens, parce qu'ils sont trop occupés à penser au sexe. À mon avis, c'est pour ça que les chiens sont devenus si populaires. On peut les câliner autant qu'on veut sans qu'ils enfreignent les règles de la bienséance... à part, peut-être, pendant les repas. À moins d'être dressés correctement, ils viennent toujours réclamer un petit bout de ce que vous êtes en train de manger. Mais bon, ce sont des animaux, pas des gens en costume de fourrure. Là tout de suite, j'avais besoin d'un animal domestique, pas d'une personne. Nathaniel pouvait être les deux. Cette notion me mettait mal à l'aise, mais c'était la vérité.

Jason conduisait. Caleb avait toute la banquette arrière pour lui. Personne ne disait rien. À mon avis, personne ne savait quoi dire. Je voulais que Jean-Claude se réveille. Je voulais lui raconter ce que Belle avait fait. Je voulais qu'il affirme qu'il existait un moyen de l'empêcher de m'atteindre... un moyen autre que me donner lui-même la quatrième marque. S'il le faisait, je cesserais de vieillir, et je ne pourrais pas mourir avant lui. Théoriquement, il est immortel : donc, je le deviendrais aussi.

Alors, pourquoi ai-je refusé jusqu'ici ? Premièrement, parce que ça me fout la trouille. En tant que chrétienne, je ne suis pas certaine d'aspirer à la vie éternelle sur Terre. Et Dieu, et le paradis, et le Jugement dernier ? D'un point de vue théologique, quelles seraient les conséquences ? D'un point de vue plus terre à terre, dans quelle mesure cela me rendrait-il encore plus dépendante de Jean-Claude ? Il est déjà capable d'envahir mes rêves ; que se passerait-il si nous franchissions le dernier pas ? À moins que refuser la quatrième marque soit juste une autre façon pour moi de ne pas me donner complètement à quelqu'un.

Mais si le seul moyen de ne pas appartenir à Belle était d'appartenir à Jean-Claude, mon choix serait vite fait. Si j'appelais mon confesseur tout de suite, pourrait-il me renseigner sur les implications de la quatrième marque avant la tombée de la nuit ? Ça fait des années que le père Mike répond pour moi à des questions tout aussi bizarres.

— Anita, dit Jason avec une pointe d'anxiété dans la voix.

Je lui jetai un coup d'œil et compris qu'il essayait probablement d'attirer mon attention depuis un moment.

— Désolée, je réfléchissais.

— Je crois que nous sommes suivis.

Je haussai les sourcils.

— Que veux-tu dire ?

— Quand j'ai failli provoquer un carambolage pour pouvoir te toucher, j'ai aperçu une bagnole dans le rétro arrière. Elle était très près de nous, presque pare-chocs contre pare-chocs. C'est l'une de celles qui a failli nous rentrer dedans quand j'ai pilé.

— Il y a beaucoup de circulation. Des tas de voitures collent au train des autres.

— Oui, mais toutes celles qui étaient près de nous quand je me suis arrêté ont filé aussi vite que possible. Celle-ci est toujours derrière nous.

Je jetai un coup d'œil dans le rétro extérieur et aperçus une Jeep bleu foncé.

— Tu es sûr que c'est la même ?

— Je n'ai pas relevé le numéro de la plaque, mais c'est le même modèle, la même couleur, et il y a toujours deux hommes à l'intérieur : un brun et un blond avec des lunettes.

Je scrutai la Jeep qui semblait nous suivre. Deux hommes, un brun et un blond. Ça pouvait être une simple coïncidence. Ou pas.

— Partons du principe qu'ils nous filent bel et bien.

— Que veux-tu que je fasse ? s'enquit Jason. Que je les sème ?

— Non. Rabats-toi sur la droite et prends la première sortie qui ne nous ramène pas vers le *Cirque*, ordonnai-je. Je ne veux pas les conduire à Jean-Claude.

— Presque tous les monstres de Saint Louis savent que l'antre du Maître de la Ville se trouve sous le *Cirque des Damnés*, répliqua Jason en changeant néanmoins de file.

— Mais les types derrière nous ne savent pas que nous allons là-bas, répliquai-je.

Jason haussa les épaules et continua à se rabattre jusqu'à la file de droite. L'autre Jeep attendit que deux voitures se soient interposées entre nous et que Jason ait mis son clignotant avant de se rabattre à son tour. Si nous ne l'avions pas surveillée, ou si un véhicule plus haut s'était trouvé entre nous, je ne l'aurais pas remarquée.

— Et merde, lâchai-je.

Mais un peu de chaleur me revenait. Rien de tel que la perspective d'une scène d'action pour vous ramener dans le présent et vous aider à vous concentrer.

— Qui sont ces types ?

Jason venait de poser à voix haute la question que je ruminais tout bas.

Caleb jeta un coup d'œil vers l'arrière.

— Pourquoi nous suivrait-on ?

— Des journalistes ? suggéra Jason.

— Je ne crois pas, répondis-je.

Je ne voyais plus rien hormis le toit de la Jeep bleu foncé au-dessus des autres voitures derrière nous.

— Et maintenant, je vais où ? demanda Jason en arrivant au bout de la rampe de sortie.

Je secouai la tête.

— Je ne sais pas. Où tu veux.

Qui étaient ces types ? Pourquoi nous suivaient-ils ? D'habitude, quand quelqu'un se met à me surveiller, ça indique que je suis sur une piste. Mais ce jour-là… aucune des deux enquêtes pour lesquelles je collaborais avec la BIS n'était assez avancée pour ça. J'aurais préféré que ce soient des journalistes, mais mon petit doigt me soufflait que ça n'était pas aussi simple et inoffensif que ça.

Jason prit à droite. La première voiture derrière nous tourna à gauche, la deuxième à droite, et la Jeep aussi. De petits drapeaux surmontaient les noms des rues : des drapeaux italiens marqués « La Colline ». Les gens d'ici aiment vous faire savoir où vous êtes, et ils sont fiers de leurs racines italiennes. Même leurs bornes anti-incendie sont peintes en vert, blanc et rouge.

Nathaniel releva la tête, juste assez pour demander tout bas :

— C'est Belle ?

— Quoi ? marmonnai-je sans détacher mon regard du rétroviseur.

— Tu crois que c'est l'équipe de jour de Belle ?

Je réfléchis. Jamais encore je n'avais rencontré de vampire qui possède plus d'un serviteur humain, mais j'en connaissais quelques-uns qui avaient plusieurs Renfield. Un Renfield, pour un vampire américain, c'est un humain qui le sert, non pas à cause d'une quelconque connexion mystique, mais parce qu'il est son donneur de sang et voudrait devenir un vampire lui-même. Du temps où je chassais les vampires au lieu de coucher avec eux, je qualifiais de « serviteurs humains » tous les humains associés aux vampires. Je ne fais plus cette confusion, maintenant.

— Je suppose que ça pourrait être des Renfield, concédai-je.

— C'est quoi, un Renfield ? s'enquit Caleb.

Il avait pivoté sur la banquette arrière pour observer directement la voiture qui nous séparait de la Jeep bleue.

— Retourne-toi, Caleb. Quand cette bagnole prendra un autre chemin, je ne veux pas que nos poursuivants s'aperçoivent que nous les avons remarqués.

Il se retourna sans discuter, ce qui n'était pas son genre. Je n'approuve pas que l'on use de menaces pour faire obéir les gens, mais c'est la seule chose qui marche avec certaines personnes. Caleb en faisait peut-être partie.

Je lui expliquai ce qu'était un Renfield.

— Comme le type qui bouffe des insectes dans *Dracula*, commenta-t-il.

— C'est ça.

— Cool, dit-il.

Et il avait l'air de le penser.

Une fois, j'ai demandé à Jean-Claude comment on appelait les Renfield avant la sortie du bouquin de Bram Stoker, en 1897. « Des esclaves », m'a-t-il répondu. Il me taquinait sans doute, mais je n'ai pas eu le courage de m'en assurer.

La voiture qui roulait juste derrière nous tourna dans une allée de garage, nous révélant brusquement la Jeep. Je me forçai à ne pas la regarder directement et à ne la surveiller que dans le rétro extérieur… mais ce fut dur. Je voulais me retourner, et ce, d'autant plus que je n'étais pas censée le faire.

La Jeep n'avait rien d'inquiétant, et ses occupants non plus. Ils avaient tous deux les cheveux courts, soigneusement coupés et coiffés, et la carrosserie du véhicule était si propre qu'elle brillait. La seule chose inquiétante, c'est qu'ils se trouvaient toujours derrière nous. Puis… ils tournèrent eux aussi dans une allée de garage.

— Merde, lâchai-je.

— Pas mieux, dit Jason.

Mais je vis ses épaules s'affaisser comme si sa tension s'était relâchée d'un coup.

— On devient peut-être trop paranos, non ? suggérai-je.

— Peut-être, admit Jason.

Mais il continua à passer plus de temps le regard rivé au rétro qu'à la route devant lui, comme s'il n'arrivait pas tout à fait à y croire. Comme je n'y croyais pas vraiment non plus, je ne le rappelai pas à l'ordre. Il ne commettait pas d'imprudence, et moi non plus, je m'attendais que la Jeep bleue réapparaisse et nous reprenne en chasse. Que ce soit juste une ruse, et pas deux types inoffensifs. Mais rien de tel. Nous longeâmes la rue résidentielle encombrée de voitures garées des deux côtés, jusqu'à ce que les arbres et les véhicules en stationnement nous dissimulent l'allée de garage dans laquelle la Jeep avait tourné.

— On dirait qu'ils allaient juste dans la même direction que nous, commenta Jason.

— On dirait, dis-je.

Nathaniel se frotta le visage contre ma jambe.

— Tu sens toujours la peur, comme si tu n'y croyais pas, fit-il remarquer.

— Parce que je n'y crois pas.

— Pourquoi ? demanda Caleb, se penchant entre les sièges avant.

Je pivotai enfin vers lui, mais pas pour le regarder : pour scruter la rue déserte derrière nous.

— L'expérience.

Je sentis un parfum de roses et, la seconde d'après, la croix que je portais autour du cou se mit à luire doucement.

— Doux Jésus, souffla Jason.

Mon cœur battait douloureusement dans ma poitrine, mais ce fut d'une voix ferme que je répondis :

— Elle ne peut pas me rouler tant que je porte une croix.

— Tu en es sûre ? demanda Caleb, s'écartant de moi pour se rencogner sur la banquette arrière.

— Oui, j'en suis sûre.

— Pourquoi ? insista-t-il, les yeux écarquillés.

Je clignai des yeux tandis que la douce lueur blanche s'intensifiait dans l'ombre des arbres mais demeurait quasi invisible dans la lumière directe du soleil.

— Parce que j'ai la foi, dis-je d'une voix aussi douce et aussi certaine que cette lueur.

J'avais déjà été éblouie par des croix qui se mettaient brusquement à irradier une blancheur aveuglante, mais uniquement quand je me trouvais face à face avec un vampire qui me voulait du mal. Belle était loin ; la faiblesse de la lueur en témoignait.

J'attendis que le parfum de roses s'intensifie de nouveau, mais il demeura ténu, présent et pourtant diffus dans l'air. J'attendis que la voix de Belle résonne dans ma tête, mais le silence perdura. Chaque fois qu'elle s'était adressée à moi télépathiquement, le parfum de roses avait été suffocant. Là, il demeurait très léger et je n'entendais pas Belle.

Je serrai la croix dans ma main ; je sentis sa chaleur et son pouvoir me picoter la peau, palpitant tel un cœur contre ma paume. Caleb me demanda comment je pouvais avoir la foi. La question que je me pose toujours, c'est comment peut-on ne pas l'avoir ?

Je perçus la colère de Belle comme un souffle d'air chaud. Une vague de pouvoir emplit la Jeep, me coupant le souffle et hérissant mes cheveux dans ma nuque. Mais tout ce que la vampire put projeter, ce fut une image d'elle assise devant sa coiffeuse. Ses longs cheveux noirs détachés l'enveloppaient ainsi qu'un peignoir soyeux. Elle se regardait dans le miroir, les yeux pleins de feu ambré, vides à l'exception de la couleur de son pouvoir.

— Vous ne pouvez pas me toucher, pas maintenant, chuchotai-je.

Elle regarda dans le miroir comme si je me tenais derrière elle et qu'elle pouvait me voir. La fureur changea son beau visage en quelque chose d'effrayant, un masque aussi grotesque que ceux de Halloween. Puis elle pivota et regarda au-delà de moi. La peur qui s'inscrivit alors sur ses traits était si réelle, si inattendue que je ne pus m'empêcher de me retourner.

Je vis… quelque chose. Des ténèbres. Une obscurité semblable à une vague qui se dressait au-dessus de moi, au-dessus de nous, telle une montagne liquide grimpant à l'assaut du ciel. Le boudoir que Belle avait construit avec son pouvoir s'effondra, tomba en poussière comme le rêve qu'elle était, et les ténèbres dévorèrent les coins de la pièce brillamment éclairée à la bougie. Des ténèbres absolues, si noires qu'elles jetaient des reflets multicolores, comme une flaque d'huile ou un mirage. Comme si elles étaient constituées de toutes les couleurs qui aient jamais existé, de toutes les images qui aient jamais été contemplées, de tous les soupirs et de tous les cris poussés depuis la nuit des temps.

J'avais déjà entendu l'expression « ténèbres primordiales » mais, jusqu'à cet instant, je ne l'avais jamais comprise. Désormais, je la comprenais, et je me désespérais.

Je levai les yeux vers un océan de ténèbres qui me surplombait comme si la terre et le ciel n'avaient jamais existé. C'étaient les ténèbres d'avant la lumière, avant le mot de Dieu. Comme le souffle d'une création antérieure. Mais d'une création que je ne pouvais et ne voulais pas comprendre.

Belle hurla la première. Je crois que j'étais trop choquée pour émettre le moindre son, ou même pour éprouver de la peur. Je scrutais cet abysse de ténèbres primordiales, et je connaissais le désespoir… mais pas la peur.

Mon esprit essayait vainement de trouver des mots pour le décrire. Il ressemblait à une montagne à cause de sa masse et de cette impression d'avalanche imminente, mais ce n'en était pas une. On aurait plutôt dit un océan, si un océan était capable de se dresser plus haut que le plus haut des pics et de se tenir devant vous, défiant la gravité et toutes les autres lois connues de la physique. Et comme avec un océan aperçu depuis le rivage, je ne pouvais qu'imaginer la largeur et la profondeur des ténèbres incommensurables qui s'étendaient devant moi.

Quelles étranges créatures nageaient là-dedans ? Les ténèbres abritaient-elles des choses que seuls pouvaient révéler les rêves… ou les cauchemars ? Tandis que je contemplais l'obscurité liquide et ondulante, mon hébétude commença à se dissiper. Comme si l'engourdissement du désespoir avait été un bouclier protecteur, un bouclier destiné à empêcher mon esprit de se briser. L'espace de quelques instants, j'avais été un pur intellect qui se demandait : « Qu'est-ce que c'est ? Comment puis-je l'appréhender ? » Mais l'hébétude s'estompa comme si les ténèbres l'aspiraient, s'en nourrissaient.

Je restai debout devant elles, tremblante, la peau couverte d'une sueur glacée, et je les sentis aspirer ma chaleur et s'en nourrir. Alors, je sus à quoi j'avais affaire. C'était un vampire. Peut-être le tout premier vampire : une entité si ancienne qu'envisager de la chair ou un corps humain capable de la contenir était une idée risible. Elle était les ténèbres primordiales rendues tangibles. Elle était la raison pour laquelle les humains ont peur du noir… pas de ce qui se tapit sous son couvert, mais du noir lui-même. Il fut un temps où elle marchait parmi nous, se nourrissait de nous, et quand la nuit tombait, quelque part au fond de notre esprit, nous nous souvenions de ces ténèbres affamées.

Cet océan de ténèbres brillantes s'avança vers moi, et je sus que, s'il me touchait, je mourrais. Je ne pouvais pas me détourner, ne pouvais pas m'enfuir parce qu'on ne peut pas échapper à l'obscurité… pas vraiment. La lumière ne dure pas. Cette dernière pensée ne venait pas de moi. Et elle ne venait pas non plus de Belle.

Le nez en l'air, je scrutai les ténèbres qui se penchaient vers moi, et je sus qu'elles mentaient. C'est l'obscurité qui ne dure pas. L'aube finit toujours par venir, et elle fait battre en retraite l'obscurité… pas l'inverse. Si j'avais pu trouver assez d'air, j'aurais hurlé, mais il me restait juste assez de souffle pour murmurer. Les ténèbres s'inclinaient vers moi ; je ne pouvais ni les frapper ni leur tirer dessus, et je n'avais pas assez de pouvoir psychique personnel pour les tenir à distance. Alors, je fis la seule chose possible : je priai.

— Je vous salue Marie, pleine de grâce. Le Seigneur est avec vous…

Les ténèbres hésitèrent.

— Vous êtes bénie entre toutes les femmes, et Jésus, le fruit de vos entrailles, est béni.

Un léger frémissement parcourut l'obscurité liquide.

— Sainte Marie, mère de Dieu, priez pour nous…

Soudain, de la lumière naquit au cœur des ténèbres. Ma croix était suspendue à mon cou dans ce paysage onirique. Le métal brillait telle une étoile captive, blanche et étincelante, et contrairement à ce qui se passait dans la réalité, je pouvais voir au-delà. Voir cette pureté repousser les ténèbres.

Soudain, je repris conscience du siège de la Jeep, de la ceinture en travers de ma poitrine, du corps de Nathaniel lové autour de mes jambes. Même en plein soleil, ma croix brillait si fort que je dus détourner les yeux et que ma vision se brouilla quand même. Elle n'aurait pas continué à étinceler de la sorte si le danger était passé. Alors, j'attendis l'attaque suivante de la Mère de Toutes Ténèbres.

À l'intérieur de la Jeep, l'atmosphère se fit caressante comme par une parfaite nuit d'été, quand vous pouvez humer le parfum de chaque brin d'herbe, de chaque feuille, de chaque fleur : une couverture d'air odorant qui vous enveloppe, plus douce que du cachemire, plus légère que de la soie. Ma gorge me parut soudain très fraîche, comme si je venais de boire un verre d'eau glacée. Je la sentais encore tapisser ma bouche, je goûtais encore ses effluves de jasmin.

Nathaniel enfouit son visage dans mon giron pour se protéger les yeux de la lumière. J'avais l'impression de porter un soleil miniature autour du cou.

— Merde, jura Jason. J'ai du mal à voir la route. Tu ne pourrais pas la mettre en veilleuse ?

Le monde était encore plein de halos blancs, et je n'osai pas tourner la tête pour le regarder. L'odeur de la nuit était la seule chose que je pouvais sentir, comme si tout le reste avait disparu. Je pouvais presque goûter de nouveau l'eau parfumée dans ma gorge. Si réelle, si réelle…

— Non, réussis-je à chuchoter.

Je continuai à attendre que des mots résonnent dans ma tête, mais le silence se prolongea, tout comme l'odeur de nuit estivale, le goût d'eau fraîche et l'impression grandissante que quelque chose d'énorme se rapprochait. Comme quand vous vous tenez debout sur des rails de chemin de fer et que vous sentez les premières vibrations sous vos pieds, mais que vous ne voyez encore rien. Aussi loin que porte votre regard, il n'y a pas le moindre train : juste ces vibrations semblables à un pouls métallique qui vous informent que plusieurs tonnes d'acier se précipitent vers vous.

Tous les ans, des gens meurent sur des lignes de chemin de fer, et souvent, leurs derniers mots sont : « Je n'ai pas vu le train arriver. » J'ai toujours cru que les trains devaient être magiques : sans quoi, les gens les verraient et ne resteraient pas sur les rails. De mon côté, je sentais les vibrations et je n'aurais pas demandé mieux que de fuir, mais les rails étaient dans ma tête, cloués le long de mon corps, et je ne voyais pas comment m'en écarter.

Quelque chose frotta contre ma peau, comme un animal frôlant mon corps de toute la longueur du sien. Je sentis le mouvement de recul de Nathaniel, mais je ne le vis pas à travers la lumière blanche. En revanche, j'entendis sa voix essoufflée, effrayée.

— Qu'est-ce que c'est ?

J'ouvris la bouche sans savoir ce que j'allais répondre lorsque cet animal invisible percuta ma poitrine et la croix. Celle-ci flamboya si vivement que nous criâmes tous les quatre. Jason dut enfoncer le frein et s'arrêter au milieu de la rue, aveuglé, incapable de conduire plus longtemps, supposai-je.

La lumière commença à diminuer. L'espace d'un instant, je me demandai si elle avait brûlé mes rétines ; puis ma vision revint progressivement à travers un voile de taches dansantes. Je sentais encore sa présence pressant sur moi, me clouant à mon siège, pesant sur la croix comme si elle dévorait la lumière.

Nathaniel me regardait. Ses yeux violets étaient devenus ceux d'un léopard, d'un gris profond légèrement bleuté au soleil.

— C'est une métamorphe, chuchota-t-il.

Et je compris pourquoi. Les métamorphes ne peuvent pas devenir des vampires, et vice-versa. Le virus de la lycanthropie semble immuniser ses porteurs contre ce qui pourrait faire d'eux des vampires. Aucun humain ne peut cumuler les deux. C'est la règle. Mais ce qui pressait contre moi était animal, pas humain. Même si je ne pouvais pas définir de quel genre d'animal il s'agissait, je n'avais pas le moindre doute là-dessus.

Je me préoccuperai plus tard de découvrir pourquoi la Mère de Toutes Ténèbres était à la fois une vampire et une métamorphe. Pour l'instant, peu m'importait ce qu'elle était, je voulais juste qu'elle me foute la paix.

La croix brillait toujours, mais seulement le métal lui-même, comme s'il était creux et que des bougies brûlaient à l'intérieur. La lumière ondulait et clignotait désormais. Jamais encore je ne l'avais vu ressembler autant à celle du feu véritable. Mais c'était un feu froid. La forme animale poussait et se tendait comme si elle essayait de grimper à l'intérieur de moi, et la croix continuait à briller pour l'en empêcher, jouant le rôle d'un bouclier métaphysique.

— Que pouvons-nous faire pour t'aider ? s'enquit Jason.

La Jeep était toujours arrêtée au milieu de la rue. Une voiture coincée derrière nous jouait du klaxon. Il y avait des véhicules garés le long du trottoir des deux côtés, de sorte que nous bloquions le passage. Tout le quartier se composait de petites maisons proprettes dont aucune n'avait d'allée de garage. Jason activa les warnings, et le chauffeur derrière nous fit marche arrière jusqu'à l'intersection précédente.

J'avais presque peur d'ouvrir mes liens avec Jean-Claude et Richard. Et si les ténèbres primordiales pouvaient se déverser en eux pour s'emparer du vampire et du métamorphe ? Jean-Claude n'avait aucune foi pour se défendre. Richard était croyant, mais j'ignorais s'il portait encore une croix, ces jours-ci. Ça faisait longtemps que je ne l'avais pas vu en arborer une.

Pendant que je réfléchissais, Jason me saisit la main. L'odeur de nuit ne s'estompa pas ; bien au contraire, elle s'intensifia, comme si on venait de passer une deuxième couche de peinture par-dessus la première. Le musc des loups emplit la voiture. L'eau fraîche qui semblait avoir coulé dans ma gorge prit un arrière-goût d'humus plutôt que de jasmin.

L'image d'une énorme tête animale pourvue des plus gros crocs que j'aie jamais vus s'imposa à mon esprit. La fourrure qui la recouvrait était fauve, dorée et rousse, avec des variations qui ne formaient pas de rayures : le pelage d'un lion plutôt que celui d'un tigre. Des yeux de flamme dorée plongèrent leur regard dans les miens, et cette gueule monstrueuse s'ouvrit en grand pour rugir de rage. Le son ressemblait au cri d'une panthère, quelques dizaines de tons plus bas.

Les pionniers prennent toujours les cris des panthères pour des cris de femmes. Mais personne n'aurait confondu cette bête avec une femme. Avec un homme, peut-être… un homme torturé qui hurlait pour le salut de son âme.

Je hurlai aussi, comme si la tête se trouvait vraiment devant moi et non à des milliers de kilomètres, de l'autre côté de la planète. Nathaniel gronda, assis sur le plancher de la Jeep, retroussant les lèvres sur ses canines qui s'allongeaient rapidement. Caleb avait glissé entre les sièges, et ses yeux avaient viré au jaune. Il se mit à frotter sa joue contre mon épaule comme pour me marquer avec son odeur, puis s'arrêta et gronda à son tour comme s'il avait touché le félin spectral.

Jason ne hurla pas : il poussa ce rugissement qui hérisse la fourrure des fauves, un rugissement qui n'a rien à voir avec la chasse et la nourriture, mais qui annonce un combat pour la survie. C'était un son destiné à protéger un territoire, à mettre les intrus en fuite, à se débarrasser des fauteurs de troubles. Un son qui disait : « Fous le camp ou crève. »

Et la bête rugit en réponse, un son qui aurait dû figer mon sang dans mes veines et qui me rappela que mes ancêtres s'étaient pelotonnés autour d'un petit feu en guettant avec terreur l'éclat de ses yeux au-delà de la lumière des flammes. Mais je ne réfléchissais plus comme un être humain. Je n'étais même pas certaine que le verbe « réfléchir » soit approprié pour décrire ce qui se passait dans mon esprit.

J'avais l'impression d'être complètement présente dans l'instant. Je sentais le cuir du siège épouser mon corps, Nathaniel se presser contre mes jambes et glisser ses mains le long de mes cuisses, Caleb gronder, le visage tout près de ma joue, Jason m'agripper le bras comme si ses doigts avaient pris racine dans ma chair et qu'il était devenu une partie de moi.

Je sentais l'odeur de la peau de Caleb, le savon qu'il avait utilisé ce matin-là et l'amertume de sa peur. Nathaniel se dressa sur ses genoux et, l'espace d'un instant, son visage se superposa à la tête du fauve à dents de sabre. Mais je humais l'odeur de vanille de ses cheveux, alors que le félin spectral n'en dégageait aucune.

Jason se rapprocha, collant presque son visage contre le mien et reniflant l'air. Il sentait le savon, le shampoing et son odeur à lui, si familière et si réconfortante : comme l'odeur de vanille des cheveux de Nathaniel, l'eau de Cologne ruineuse de Jean-Claude ou, autrefois, la tiédeur au creux du cou de Richard. Ça n'avait rien de sexuel ; ça me faisait le même effet que l'odeur du pain chaud ou de mes biscuits préférés sortant tout juste du four. Ça me donnait l'impression d'être chez moi et en sécurité.

Je tournai la tête vers Caleb, et mon nez toucha sa joue. Sous la peur, le savon et la peau, il sentait le léopard : une odeur légère sous sa forme humaine, mais néanmoins présente, qui me picotait et me faisait plisser le nez. Je reportai mon attention sur le poids qui continuait à peser sur ma croix radieuse. Je plongeai mon regard dans ces yeux jaunes, détaillai ces crocs n'appartenant à aucune créature qui arpente encore la Terre de nos jours. Ils ne dégageaient aucune odeur.

Jason reniflait l'air devant mon visage. Son regard pâle de loup croisa le mien, et je sus qu'il avait compris lui aussi.

En tant que vampire, elle sentait les soirées d'été, l'eau fraîche et le jasmin. En tant que métamorphe, elle n'avait pas d'odeur, parce qu'elle n'était pas là. C'était une projection télépathique. Et cette projection avait du pouvoir, mais elle n'était pas réelle… pas tangible.

Quelle que soit la quantité de pouvoir que vous y investissez, une projection télépathique est limitée dans ce qu'elle peut faire physiquement. Elle peut vous foutre les jetons au point que vous vous jetterez sous les roues d'une voiture pour tenter de la fuir, mais elle ne peut pas vous pousser du trottoir. Elle peut vous inciter à faire des choses regrettables, mais elle ne peut pas vous blesser directement. En tant que vampire, la Mère de Toutes Ténèbres était tenue à distance par ma croix et ma foi. Et en tant que métamorphe, elle n'était pas réelle.

Nathaniel s'était littéralement hissé à travers l'image que je voyais toujours en suspens devant ma poitrine. Ce fut lui qui le dit à voix haute :

— Elle n'a pas d'odeur.

— Elle n'est pas réelle, dis-je.

— Je sens un grand fauve qui ressemble à un léopard mais qui n'en est pas un, intervint Caleb d'une voix grondante, si basse qu'elle blessait presque les tympans.

— Tu le sens avec ton nez ? demanda Jason.

Caleb renifla le long de mon corps. À tout autre moment, je l'aurais accusé de trop s'approcher de mes seins, mais pas là. Jamais je ne l'avais vu aussi sérieux que tandis qu'il reniflait ma poitrine et que son visage traversait cette gueule maléfique. Il s'arrêta, les yeux à quelques centimètres des yeux jaunes de l'apparition, et feula comme un félin surpris.

— Je ne le sens pas avec mon nez, mais je le vois.

— La vision peut être trompeuse, dis-je.

— Qu'est-ce que c'est ?

— Une projection psychique. La vampire n'a pas pu franchir le barrage de ma croix, alors elle a opté pour une autre forme, mais le gros minet ne tient pas la distance aussi bien que… ce qu'elle est, et le diable m'emporte si je sais de quoi il s'agit. (Je fixai ces yeux jaunes et regardai cette gueule massive qui rugissait sous mon nez.) Vous n'avez pas d'odeur, vous n'êtes pas réelle. Un simple cauchemar. Or, les cauchemars ne possèdent que le pouvoir qu'on leur donne. Je ne vous donne rien. Retournez d'où vous venez. Regagnez vos ténèbres.

Soudain, j'eus l'image d'une pièce sombre mais pas totalement obscure, comme si un peu de lumière filtrait depuis un autre endroit. Il y avait un lit recouvert d'une courtepointe en soie noire, et une silhouette allongée dessous. La pièce avait une drôle de forme, ni carrée ni ronde… presque hexagonale. Elle possédait des fenêtres mais, sans savoir pourquoi, j'avais la certitude que celles-ci ne donnaient pas sur le monde. Elles ouvraient sur des ténèbres qui ne s'éclaircissaient jamais, qui ne variaient jamais.

J'étais attirée par le lit comme on se sent attiré dans un cauchemar. Je ne voulais pas regarder, mais je devais le faire. Je ne voulais pas voir, mais je ne pouvais pas m'en empêcher.

Je tendis la main vers cette courtepointe noire et brillante. Je savais que c'était de la soie, à la manière dont elle reflétait la lumière venue de plus bas, beaucoup plus bas de l'autre côté des fenêtres. Une lueur dansante qui ne pouvait être que celle d'un feu : aucune lumière électrique n'avait jamais troublé l'obscurité de ce lieu.

J'effleurai la courtepointe, et la silhouette remua comme quelqu'un d'endormi qui fait un rêve perturbant. À cet instant, je compris que moi aussi j'étais un songe pour elle, que je ne me tenais pas réellement dans son sanctuaire et qu'importait l'exactitude de ma vision, je ne pouvais pas me projeter jusqu'à elle et rabattre la courtepointe. Mais je compris aussi que tout ce qu'elle m'avait fait ce jour-là, elle l'avait fait dans un sommeil de plus en plus long… si long que les autres la croyaient parfois morte, espéraient qu'elle soit morte, redoutaient qu'elle soit morte, priaient pour qu'elle soit morte s'ils avaient encore le courage de le faire. Qui les morts sans âme peuvent-ils bien prier ?

Un soupir agita l'atmosphère dépourvue d'air de la chambre, et ce souffle fut accompagné d'un murmure… le premier son qui ait résonné en ce lieu depuis des siècles.

— *Moi.*

Il me fallut un moment pour comprendre que c'était la réponse à ma question. « Qui les morts sans âme peuvent-ils bien prier ? » : « Moi. »

Sous la courtepointe, la silhouette s'agita de nouveau. Elle n'était pas réveillée, pas encore, mais elle remontait vers la surface, emplissait peu à peu sa propre conscience.

Je retirai vivement ma main et reculai. Je ne voulais pas la toucher. Surtout, je ne voulais pas la tirer de son sommeil. Mais ignorant de quelle façon j'étais arrivée dans sa chambre, j'ignorais également comment en sortir. Je n'avais encore jamais été le rêve de quelqu'un d'autre, même si certains m'ont accusée d'être leur cauchemar. Comment sort-on du rêve d'autrui ?

Le murmure résonna de nouveau dans la chambre.

— *En le réveillant.*

Pour la deuxième fois, elle m'avait répondu. Merde. Une idée affreuse commençait à germer dans mon esprit. Les ténèbres pouvaient-elles s'abîmer dans leur sommeil ? se perdre dans l'obscurité ? Était-il possible que la mère de tous les cauchemars soit prisonnière du royaume des songes ?

— *Je ne suis pas prisonnière*, me répondit le murmure dans le noir.

— Alors, quoi ? lançai-je tout haut.

Et sous la courtepointe, le corps se retourna complètement, emplissant le silence du glissement de la soie sur la peau. Ma gorge se noua et je me maudis d'avoir parlé sans réfléchir.

— *J'attends*, souffla l'air autour de moi.

— *Vous attendez quoi ?* pensai-je en me concentrant très fort.

Cette fois, je n'obtins pas de réponse. Mais un nouveau bruit se fit entendre. Près de moi, une respiration profonde et régulière comme celle d'un dormeur. J'aurais pourtant juré que la silhouette sous la courtepointe ne respirait pas un instant plus tôt.

Je ne voulais pas être là quand elle se redresserait ; je ne voulais vraiment pas. Qu'attendait-elle depuis tout ce temps ?

Cette fois, la voix s'éleva depuis le lit, faible comme si elle n'avait pas servi depuis une éternité, si rauque et si ténue que je n'aurais su dire si elle était mâle ou femelle.

— *Quelque chose d'intéressant.*

Sur ce, je sentis enfin quelque chose émaner de la silhouette. Je m'étais attendue à de la malveillance, de la cruauté, de la colère, mais pas à de la curiosité. Comme si elle se demandait ce que j'étais, et qu'elle ne s'était pas posé d'autre question depuis un millénaire… ou deux, ou trois.

Je humai une odeur de loup, musquée, douceâtre et entêtante, si réelle que je la sentis glisser sur ma peau. Soudain, une croix apparut autour de mon cou, et la lumière blanche emplit la chambre. Elle m'aurait sans doute permis de voir clairement la silhouette dans le lit, mais ou bien je fermai les yeux sans m'en rendre compte, ou bien il est des choses que l'on ne doit pas voir, même en rêve.

Je revins à moi dans la Jeep. Les visages inquiets de Nathaniel et de Caleb étaient penchés sur moi. Un énorme loup était assis sur le siège conducteur, et il me reniflait le nez. Je levai une main pour toucher sa fourrure douce et épaisse. Alors, je vis briller du liquide sur le cuir du siège… le produit de la métamorphose de Jason.

— Jésus, Marie, Joseph, tu n'aurais pas pu te transformer dans le coffre ? Ça ne partira jamais !

Jason poussa un grognement et, même sans connaître le langage des loups, je compris ce qu'il me disait : « Sale petite ingrate. » Mais c'était tellement plus facile de me concentrer sur mes sièges bousillés que de penser que je m'étais trouvée en présence de la Mère de Toutes Ténèbres, l'Abysse primordial incarné.

Grâce aux souvenirs de Jean-Claude, je savais que les vampires l'appelaient Douce Mère, Marmée noire, et une dizaine d'autres euphémismes pour lui donner l'air bienveillant et, euh, maternel. Mais j'avais senti son pouvoir, son obscurité et, au bout du compte, un intellect aussi vide et froid que le mal. Elle était intriguée par ma personne à la façon dont les scientifiques sont intrigués par une nouvelle espèce d'insectes. Ils veulent en trouver un spécimen, le capturer et le mettre dans un bocal, que cela lui plaise ou non. Après tout, ce n'est qu'un insecte.

Ils pouvaient bien l'appeler Douce Mère si ça leur chantait, mais Douce Amère aurait été vraiment plus près de la vérité.

Chapitre 30

Caleb avait grimpé dans le coffre de la Jeep et pris la bâche en plastique que j'y garde depuis peu, pour les fois où je transporte des bestioles plus remuantes et plus crasseuses que des poulets. Nous l'avions étalée sur le siège conducteur afin que Nathaniel puisse conduire. J'avais voulu le faire moi-même, mais Jason avait grogné jusqu'à ce que je renonce. Il n'avait pas tort : je ne me sentais pas dans une forme éblouissante. Nathaniel, dont les yeux étaient redevenus lilas, m'avait dit :

— Tu t'es évanouie. Tu as cessé de respirer. Puis Jason t'a secouée, et tu as hoqueté comme si tu avais failli te noyer. (Il avait secoué la tête, l'air grave.) Nous avons dû continuer à te secouer comme un prunier, Anita. Tu t'obstinais à ne pas respirer.

S'ils avaient été humains, j'aurais sans doute protesté et dit qu'ils se trompaient. Mais ils ne l'étaient pas. Si trois métamorphes m'avaient vue ou entendue cesser de respirer, j'étais bien obligée de les croire.

Très Chère Maman avait-elle tenté de me tuer ? ou cela avait-il été un accident ? Je penchais plutôt pour la seconde hypothèse. Et ce que j'avais entrevu de sa façon de penser me suffisait pour savoir que peu lui importerait. Elle n'éprouverait pas de regret, ne serait pas désolée de m'avoir tuée serait-ce involontairement. Elle ne réfléchissait pas comme une personne ou, du moins, pas comme une personne normale et civilisée. Elle avait l'esprit d'un sociopathe, totalement dénué d'empathie, de compassion ou de remords.

D'une certaine façon, elle devait mener une existence très sereine. Pour se sentir seule, aurait-il fallu qu'elle possède une capacité supérieure de s'émouvoir ? Je le pensais, mais je n'en étais pas sûre. Simplement, la solitude n'était pas un concept que je pouvais lui associer. Si vous ne comprenez même pas que l'on puisse éprouver de l'amour ou de l'amitié, pouvez-vous vous sentir seul ? Je secouai la tête.

—Qu'y a-t-il ? s'enquit Nathaniel.

—Si tu ne comprends même pas qu'on puisse éprouver de l'amour ou de l'amitié, peux-tu te sentir seul ?

Il haussa les sourcils.

—Aucune idée. Pourquoi tu me demandes ça ?

—Nous venons de frôler la Mère de Toutes Ténèbres, et elle ressemble plutôt à la Mère de Tous les Sociopathes. Très peu d'êtres humains sont de purs sociopathes. C'est plutôt comme s'il leur manquait une case çà et là. Il est rare de rencontrer la sociopathie à l'état brut mais, à mon avis, Très Chère Maman se qualifie haut la main.

—Peu importe si elle se sent seule ou pas, intervint Caleb.

Je tournai la tête pour lui jeter un coup d'œil. Ses yeux marron étaient écarquillés, et il avait pâli sous son bronzage. Sans réfléchir, je humai l'air. Des tas d'odeurs tournoyaient à l'intérieur de la voiture : le musc du loup, la vanille du shampoing de Nathaniel, et Caleb… la jeunesse de Caleb. Je ne sais pas comment l'expliquer, mais j'avais l'impression de sentir à quel point sa viande serait tendre et son sang vigoureux. Il dégageait une odeur de propre, de peau lavée à l'aide d'un savon légèrement parfumé mais, en dessous, je distinguais une autre fragrance. Douce et amère, comme le sang est à la fois salé et sucré.

Je pivotai autant que ma ceinture de sécurité m'y autorisait et dis :

— Tu sens bon, Caleb. Tu es tout tendre et effrayé.

C'était lui le prédateur, pas moi. Mais la tête qu'il fit fut celle d'une proie : yeux écarquillés, traits flasques, lèvres entrouvertes. Je regardai son pouls battre contre la peau de son cou et je fus saisie par une brusque envie de ramper sur la banquette arrière pour passer ma langue dessus, pour planter mes dents dans cette chair si tendre et libérer cette veine captive.

Je voyais son pouls comme un bonbon dur qui s'échapperait en un seul morceau et viendrait rouler dans ma bouche. Je savais que ça ne serait pas comme ça : que si je mordais sa veine, les palpitations mourraient dans un giclement écarlate. Pourtant, l'image du bonbon s'imposait à mon esprit, et l'idée de sentir du sang envahir ma bouche ne me semblait pas si terrible.

Je fermai les yeux pour ne plus voir le cou de Caleb et me concentrai sur ma respiration. Mais chaque fois que j'inspirais, je m'emplissais les narines du parfum doux-amer de sa peur. Je sentais presque le goût de sa chair dans ma bouche.

— C'est quoi, mon problème ? demandai-je tout haut. J'ai envie de déchiqueter le cou de Caleb. Il est trop tôt pour que Jean-Claude soit déjà réveillé. Et puis d'habitude, je n'ai pas envie de sang… ou du moins, pas seulement.

— La pleine lune est proche, répondit Nathaniel. C'est l'une des raisons pour lesquelles Jason a perdu le contrôle et s'est transformé sur tes beaux sièges en cuir.

Je rouvris les yeux et tournai la tête vers lui pour ne plus voir la peur de Caleb.

— Belle a voulu me pousser à me nourrir de Caleb, mais elle n'a pas réussi. Alors, pourquoi me paraît-il tout à coup si appétissant ?

Nathaniel avait enfin trouvé une bretelle d'accès pour rejoindre la 44. Il se glissa derrière une grosse voiture jaune dont la carrosserie aurait eu bien besoin d'un coup de peinture, ou était peut-être en train d'en recevoir un, car le côté droit était barbouillé de sous-couche grise. J'aperçus un mouvement dans le rétroviseur. C'était la Jeep bleue. Elle se trouvait au bout de la rue étroite bordée de bagnoles, dont elle venait de franchir le coin. Le conducteur dut nous voir, car il s'arrêta, espérant sans doute que nous ne l'avions pas remarqué.

— Merde, lâchai-je.

— Quoi ? demanda Nathaniel.

— Cette foutue Jeep est au bout de la rue. Que personne ne se retourne.

Ils se figèrent en plein mouvement, à l'exception de Jason qui n'avait même pas essayé de regarder derrière lui. Les loups ne pouvaient peut-être pas faire ce genre de mouvement. À moins qu'il soit occupé à observer autre chose. En y regardant de plus près, je vis qu'il observait Caleb.

— Tu as envie de bouffer Caleb ?

Il tourna sa grosse tête poilue vers moi et je reçus de plein fouet la force de son regard vert pâle.

On raconte que les chiens descendent des loups, mais il y a des moments où j'en doute sérieusement. Il n'y avait rien d'amical, de bienveillant ou de vaguement domestiqué dans ces yeux. Jason pensait à manger. Il ne me jeta un coup d'œil que parce qu'il savait que je l'avais surpris à convoiter une proie sous ma protection ; puis il reporta son attention sur Caleb, qu'il considérait comme de la viande. Les chiens ne regardent pas les gens – ni même les autres chiens – en pensant ce genre de chose. Les loups, si. Je suis stupéfaite qu'il n'existe aucun récit d'attaque d'humain par un loup nord-américain affamé. Quand on les regarde dans les yeux, on voit bien qu'il est impossible de les raisonner.

Je sais que les lycanthropes ont toujours envie de viande fraîche juste après leur première transformation. Mais Jason est un loup depuis un bail, et il est capable de se contrôler. Malgré tout, je n'aimais pas la façon dont il regardait Caleb, et j'aimais encore moins le fait qu'il projetait son besoin sur moi.

— Que veux-tu que je fasse pour la Jeep ? demanda Nathaniel.

Je m'arrachai à la contemplation de Jason et de ma faim. Cela me coûta un gros effort mais, si la Jeep était pleine de méchants, c'était sur eux que je devais me concentrer, pas sur mes appétits métaphysiques.

— Je n'en ai pas la moindre idée. C'est rare qu'on me prenne en filature. D'habitude, les gens essaient juste de me tuer.

— Je dois entrer sur l'autoroute ou faire demi-tour. Si je reste là, ils vont deviner que nous les avons repérés.

Là, il marquait un point, et un bon.

— L'autoroute, décidai-je.

Nathaniel se dirigea vers la bretelle d'accès.

— Où allons-nous ensuite ?

— Au *Cirque des Damnés*, je suppose.

— Tu veux vraiment les entraîner là-bas ?

— Comme Jason l'a fait remarquer tout à l'heure, la plupart des gens savent où le Maître de la Ville dort pendant la journée. Et puis, les rats-garous sont toujours là-bas, et la plupart d'entre eux sont d'anciens mercenaires ou quelque chose du genre. Je vais les appeler et demander l'avis de Bobby Lee.

— Son avis sur quoi ? demanda Caleb depuis la banquette arrière.

Il avait toujours les yeux écarquillés, et il sentait toujours la peur, mais il ne regardait pas le loup assis à sa gauche. La chose qui l'effrayait ne se trouvait pas si près.

— S'il faut capturer ces types, ou faire demi-tour et tenter de les suivre.

— Les capturer ? Les capturer comment ?

— Aucune idée, mais je suis plus calée en capture de méchants qu'en filature. Je ne suis pas flic, Caleb, pas vraiment. Je peux repérer un indice s'il me saute à la figure et donner une opinion avertie sur un crime commis par un monstre mais, à la base, j'exerce un métier autrement plus expéditif que celui d'enquêtrice.

Il eut l'air perplexe.

— Je suis une exécutrice, Caleb, lui rappelai-je patiemment. Je tue des choses.

— Parfois, il faut prendre les choses en filature avant de pouvoir les tuer, fit remarquer Nathaniel.

Je scrutai son profil si sérieux, son regard rivé sur la circulation, ses mains positionnées exactement à dix heures dix sur le volant. Il a son permis depuis moins d'un an. Et si je n'avais pas insisté, il ne l'aurait sans doute jamais passé.

— C'est vrai, mais je ne veux pas tuer ces types, je veux juste les interroger. Je veux savoir pourquoi ils nous suivent.

— Je ne crois pas que ce soit le cas.

— Pardon ?

— Ils ne sont pas entrés sur l'autoroute derrière nous.

— Ils se sont rendu compte qu'ils étaient repérés, peut-être.

— Ou comme tout le monde, ils connaissent l'adresse diurne du Maître de la Ville. Donc, ils savent où ils peuvent trouver sa petite amie, répliqua Nathaniel sans quitter la route des yeux.

Il sait pourtant que je déteste être la petite amie du Maître de la Ville, ou du moins, je déteste qu'on m'appelle ainsi. Cela dit, il avait raison. Si vous savez qui fréquente et où dort la personne que vous voulez retrouver, il n'est pas difficile de lui mettre la main dessus. Être prévisible… encore une chose que je déteste.

La grosse tête poilue de Jason contourna le dossier de mon siège et se frotta contre mon épaule, ses moustaches me chatouillant le cou. Sans réfléchir, je levai la main et le grattai entre les oreilles comme un chien.

À l'instant où je le touchai, la faim me parcourut depuis le sommet du crâne jusqu'à la plante des pieds. Tous mes poils se hérissèrent et j'eus l'impression que quelque chose tentait d'escalader l'arrière de mon crâne tant ma nuque me picotait.

Le loup et moi pivotâmes vers Caleb d'un même mouvement. Si mes yeux avaient pu se transformer, ils l'auraient fait.

Caleb eut l'air terrifié. S'il était resté immobile, ce serait peut-être passé, mais il décroisa les bras de sa poitrine presque nue et se déplaça sur le côté.

Jason gronda et, avant de pouvoir réfléchir, je me retrouvai à quatre pattes sur le plancher au pied de la banquette arrière. Je n'avais même pas eu le temps de penser que c'était une mauvaise idée de défaire ma ceinture de sécurité dans une voiture qui roulait à plus de cent kilomètres à l'heure. Ça aurait pu me faire reprendre mes esprits si Caleb n'avait pas tenté de s'enfuir. Il passa par-dessus le dossier de la banquette, et Jason et moi nous coulâmes à sa suite comme de l'eau franchissant le moindre obstacle.

Nous n'eûmes pas besoin de plaquer Caleb au sol. Il était recroquevillé dans un coin du coffre, les mains pressées sur la poitrine, prenant le moins de place possible. Je crois qu'il savait que, s'il touchait l'un de nous, ça irait très mal pour lui. Jason s'assit sur son arrière-train, retroussant ses babines et laissant un grondement s'échapper entre ses crocs étincelants. Pas besoin de mots pour comprendre que ça signifiait : « Ne t'avise surtout pas de bouger. »

Caleb ne bougea pas.

J'étais à genoux devant lui, et tout ce que je voyais, c'était la veine qui battait sur son cou, le pouls qui se jetait répétitivement contre sa peau pour tenter de se libérer. Je voulais l'aider.

Soudain, je sentis une odeur de forêt, d'arbres et d'une fourrure de loup qui n'était pas celle de Jason. Richard souffla à travers mon esprit comme un nuage parfumé. Malgré les kilomètres qui nous séparaient, je le vis dans ma baignoire. Passé autour de sa poitrine, un bras encore plus bronzé que le sien l'est à longueur d'année le soutenait dans l'eau. Jamil faisait son devoir de Hati en l'empêchant de se noyer. Comme Jason avec moi un peu plus tôt, le sexe en moins.

Richard est légèrement homophobe. Il n'aime pas qu'un homme lui montre qu'il aime les autres hommes, surtout s'il fait lui-même partie des hommes en question. Je peux difficilement lui jeter la pierre, sur ce coup-là, vu que je réagis un peu pareil vis-à-vis des femmes. Si sophistiquée que je sois censée être, il m'arrive d'oublier qu'une autre femme pourrait avoir envie de moi. Je suis surprise chaque fois que ça arrive.

Le visage de Jamil se devinait derrière celui de son Ulfric, mais c'était comme si seul Richard pouvait m'apparaître clairement dans cette vision onirique. À travers l'eau et la lumière des bougies, j'apercevais des parties de son corps. Les lycanthropes ont parfois des problèmes de photosensibilité, et le plafonnier n'était pas allumé. Les bougies assombrissaient l'eau et dissimulaient la plus grande partie du corps de Richard. À mon grand regret. Je me sentais comme une voyeuse métaphysique. Mais chacune de mes faims a toujours été facile à transmuter en une faim différente.

Richard leva les yeux vers moi, et la vue de son visage surmonté de cheveux courts me serra la gorge. Je voulus demander : « Pourquoi ? », mais il parla le premier. C'était la première fois que nous conversions ainsi, télépathiquement, et cela me surprit. Je savais déjà que je pouvais le faire avec Jean-Claude ; j'ignorais que j'en étais aussi capable avec lui.

— *C'est ma faim que tu éprouves, Anita. Je suis désolé. Cette créature m'a fait quelque chose qui m'a privé de mon contrôle.*

Un instant, je crus qu'il parlait de la Mère de Toutes Ténèbres, puis je compris qu'il faisait allusion à Belle.

Je scrutai les yeux effrayés de Caleb et, une fois de plus, mon regard fut attiré par son cou, puis descendit le long de sa poitrine vers son ventre. Il respirait si fort que je percevais son pouls sous son nombril, vibrant à travers la ligne de poils qui disparaissait sous son jean. Son ventre était doux et tendre, plein de chair dans laquelle mordre.

— *Anita*, dit Richard. *Anita, écoute-moi.*

Je dus cligner des yeux pour chasser l'image de la chair frémissante de Caleb et, soudain, Richard m'apparut plus clairement que ce qui se trouvait devant moi.

— *Quoi ?*

Je savais que je n'avais pas dit ce mot à voix haute, seulement dans ma tête.

— *Tu peux changer la faim en désir, Anita.*

Je secouai la tête.

— *Je préfère bouffer Caleb que coucher avec lui.*

— *Tu n'as jamais mangé personne ; sinon, tu ne dirais pas ça*, répliqua Richard.

Je ne pouvais pas prétendre le contraire.

— *Tu veux vraiment dire que ça ne te dérangerait pas que je me tape Caleb ?*

Il hésita, et l'eau clapota dans la lumière des bougies tandis qu'il s'agitait. J'aperçus un genou et un bout de cuisse.

— *Si c'est pour t'éviter de le bouffer, oui.*

— *Tu détestes me partager, même avec Jean-Claude.*

— *Mais nous ne sortons plus ensemble, Anita.*

Aïe.

— *Désolée. Un instant, j'ai failli oublier.* (L'élancement de douleur, semblable à celui d'une plaie mal refermée, m'aida à réfléchir un peu plus clairement.) *Jason est sous sa forme de loup. Et je ne fais toujours pas dans la zoophilie.*

— *Sur ce point au moins, je peux t'aider.*

Je vis sa bête jaillir de lui comme une ombre dorée et retomber à l'intérieur de moi. Ce fut comme si j'avais reçu un coup de poignard métaphysique dont la lame me traversa pour plonger en Jason. Soudain, je me retrouvai prise au milieu de tout ce pouvoir, de toute cette souffrance, de toute cette rage : la nourriture préférée de la bête. Je restai à genoux, haletante, le souffle trop court pour crier.

Jason s'en chargea à ma place, et je sentis sa bête s'écouler hors de lui… Non, se résorber en lui, comme si on bourrait un truc énorme dans une valise déjà pleine. Mais cette valise, c'était son corps. Je sentis ses os se tordre, ses muscles s'arracher à ses ligaments pour s'attacher ailleurs. Merde, qu'est-ce que ça faisait mal ! Je captai vaguement une pensée de Richard : si le processus était aussi douloureux, c'est parce qu'il le forçait. Quand on résiste à la métamorphose, ça fait encore plus mal.

La fourrure du loup se rétracta dans la chair pâle qui émergeait entre ses poils comme si, jusque-là, elle avait été prisonnière d'une couche de glace en train de fondre. Le corps de Jason refit surface tandis que ses os et ses muscles raccourcissaient, le laissant nu et frissonnant dans une flaque de liquide clair. Celui-ci imprégna immédiatement mon jean au niveau des genoux.

Jason s'était transformé, mais pas nourri. Et désormais, il avait été obligé de se transformer de nouveau, moins d'une demi-heure plus tard. S'il s'était nourri entre-temps, ça aurait peut-être été. Là, il se recroquevillait sur lui-même en une boule compacte pour conserver le peu de chaleur corporelle qui lui restait et prendre le moins de place possible.

Comme Caleb, il devait savoir que me toucher serait une très mauvaise idée.

Jason ne constituait plus un danger pour Caleb. Jusqu'à ce qu'il ait récupéré, il ne constituerait plus un danger pour personne. En fait… Je suivis du regard la courbe de ses fesses, si lisses, si fermes, si tendres. Il était complètement nu et je n'avais pas la moindre pensée sexuelle. Richard n'avait fait que me donner un choix de repas.

Je le dévisageai à travers cette vision qui le rendait cristallin et brouillait tout le reste.

— *Tout ce dont j'ai envie, c'est planter mes dents dans sa chair. Tu l'as rendu vulnérable, et j'ai toujours besoin de me nourrir, parce que tu as toujours besoin de te nourrir.*

— *Je vais trouver quelque chose à manger ici. Je vais chasser. Mais toi, tu ne peux pas te le permettre, Anita. Tu ne veux faire de mal ni à l'un, ni à l'autre.*

Je poussai un long hurlement, laissant ma frustration se déverser de ma bouche, écorcher ma gorge, serrer mes poings et percuter le côté de la Jeep. J'entendis le métal grincer, et cela me fit cligner des yeux. Du coup, je vis ce que je venais de faire. La portière était marquée d'un impact rond de la taille de mon poing. Et merde.

Caleb émit un petit bruit. Je baissai les yeux et, tout ce que je vis, ce fut la chair tendre de son ventre. Je la sentais presque sous mes dents. Soudain, je me retrouvai accroupie au-dessus de lui, reniflant son ventre. Je ne me souvenais pas m'être approchée.

— *Anita!* aboya Richard.

Je levai la tête comme s'il se tenait vraiment devant moi. Il repoussa le bras de Jamil et prit appui contre le bord de la baignoire. Puis il passa les mains sur sa poitrine, l'une d'elles traçant le contour d'un mamelon et l'autre descendant plus bas tandis qu'il se mettait debout. L'eau ruissela le long de son corps en ruisseaux argentés, et sa main continua à descendre.

Elle caressa son ventre, suivit la ligne de poils qui partait de son nombril et, enfin, prit son sexe et ses testicules et commença à jouer avec.

Je regardai son membre s'allonger et durcir, et la faim bascula comme si quelqu'un venait d'appuyer sur un interrupteur. Mais à l'instant où elle se mua en désir, l'ardeur s'embrasa. Elle jaillit de mes entrailles telle une flamme qui se propagea en un clin d'œil au reste de mon corps, et la main de Richard tripotant son sexe l'attisa, la changeant en un rideau incendiaire qui m'enveloppa.

Mais Jean-Claude n'était pas là pour nous aider, cette fois, et Richard n'était pas en état de dresser un bouclier mental. L'ardeur fila le long du cordon métaphysique qui nous reliait et le frappa comme un 38 tonnes lancé à cent vingt à l'heure. Elle arqua son dos, crispa sa main sur son pénis et le fit tomber assis sur le bord de la baignoire, les jambes dans l'eau.

Je scrutai ses grands yeux bruns, son visage si nu sans la masse de ses cheveux pour l'encadrer, et je vis la terreur le disputer au désir sur ses traits. Je ne crois pas qu'il avait déjà éprouvé la pleine force de l'ardeur auparavant. Elle le submergeait, lui coupait le souffle et l'empêchait de bouger. Mais cela ne durerait pas. J'étais bien placée pour le savoir.

Je lui répétai ses propres paroles.

— *Tu peux changer l'ardeur en faim, mais nous allons devoir nous nourrir de quelque chose ou de quelqu'un, Richard. Il est trop tard pour faire autrement.*

Même sa voix dans ma tête me parvint étranglée.

— *Je me sens plus mal et mieux à la fois. Je crois que je peux chasser. Jusqu'ici, je n'étais pas assez solide.*

— *Chaque médaille a deux faces, Richard.*

J'étais en colère contre lui, une rage exquise et brûlante qui me permettait de surnager dans l'ardeur au lieu de m'y noyer. L'ardeur essayait de me submerger moi aussi, mais je serrai ma rage contre ma poitrine et m'agitai de plus belle pour rester à la surface.

Je sentis le désir de Richard se transformer, sentis le besoin de chair, de sang et de mort lui nouer les entrailles tandis que celui de sexe s'amenuisait et refluait dans le lointain.

— *Je vais chasser. Dès que j'aurai attrapé un animal, ça devrait aller mieux.*

— *Ça ne m'aidera pas beaucoup, Richard*, répliquai-je sur un ton cinglant.

— *Je suis désolé, Anita. Je ne comprenais pas.*

À cet instant, je sus que je pouvais changer de force sa faim en ardeur. De la même façon qu'il avait obligé Jason à changer de forme, je pouvais donner à sa faim l'objet de mon choix. Je pouvais répandre ma magie sur sa peau et le contraindre à se nourrir de la même façon que moi. Mais je n'en fis rien. Richard avait fait ce qu'il avait fait en toute innocence ; je ne pouvais pas lui rendre la pareille délibérément.

— *Va chasser, Richard.*

— *Anita... je suis désolé.*

— *Tu es toujours désolé, Richard. Maintenant, sors de ma tête avant que je fasse quelque chose que nous regretterions tous les deux.*

Il rompit le contact, mais pas de façon claire et nette. D'habitude, ses boucliers s'abattent entre nous comme des portes métalliques. Là, ce fut comme du caramel qui s'étire, les fils poisseux refusant de lâcher entre deux morceaux ressemblant toujours aux moitiés d'un même tout. Je voulais réunir ces deux morceaux, nous fondre dans la chaleur jusqu'à ce que nous ne formions plus qu'une seule masse gluante et, pour une fois, Richard ne pouvait pas m'en empêcher. Il ne possédait pas le contrôle nécessaire pour me maintenir à distance.

Jean-Claude se réveilla. Je sentis ses yeux s'ouvrir tout grands, le sentis prendre une première inspiration hoquetante, sentis la vie le remplir. Il était de retour parmi les vivants.

Jason me regardait de ses yeux bleu ciel.

— Il est réveillé.

J'acquiesçai.

— Je sais.

Nathaniel parla comme s'il avait entendu ma conversation muette avec Richard.

— Nous sommes presque arrivés au *Cirque*, Anita.

— Combien de temps ?

— Cinq minutes, peut-être moins.

— Débrouille-toi pour que ce soit moins.

La Jeep fit un bond en avant quand il enfonça l'accélérateur. Je regagnai la banquette arrière et bouclai ma ceinture de sécurité. Pas pour me protéger au cas où nous aurions un accident, mais pour me rappeler que je ne devais pas craquer avant d'être arrivée au *Cirque* et d'avoir rejoint Jean-Claude.

Chapitre 31

Je combattis l'ardeur pendant tout le reste du trajet jusqu'au *Cirque*. Je la combattais encore quand je fonçai à travers le parking et tambourinai à la porte de derrière. Je passai en courant devant un Bobby Lee éberlué et parvins juste à lui lancer :

— Demande à Nathaniel, pour la Jeep.

Puis je m'engouffrai dans l'escalier qui descendait dans les entrailles du *Cirque*.

Richard courait, lui aussi. Il courait entre les arbres, giflé par les branches et les feuilles. Mais c'était comme s'il ne se trouvait pas tout à fait là : esquivant, zigzaguant comme de l'eau faite chair, de la chair faite vitesse. Il courait entre les arbres et, soudain, j'entendis quelque chose de gros surgir de la végétation devant lui. Il leva la tête, et la traque s'engagea.

J'atteignis la chambre de Jean-Claude à l'instant où Richard apercevait la biche qui s'élançait devant lui, filant pour sauver sa vie. Il y avait d'autres métamorphes dans la forêt, la plupart sous leur forme de loup, mais pas tous.

Sans tenir compte des gardes en faction devant la porte, j'ouvris celle-ci à la volée et la refermai d'un geste décidé derrière moi. J'ignore ce qu'ils eurent le temps de voir ou de percevoir, et c'est probablement aussi bien.

Sur le lit, les draps bleus encadraient toujours le corps immobile et mort d'Asher. Seul le Maître de la Ville était réveillé ; seul le Maître de la Ville bougeait. Je projetai une pensée interrogatrice et sentis tous les autres vampires endormis dans leurs cercueils ou bordés dans leur lit. J'effleurai l'esprit d'Angelito, qui faisait les cent pas, agité et perplexe, se demandant pourquoi le plan diabolique de sa maîtresse avait échoué. Il leva les yeux comme s'il me voyait ou me sentait d'une façon quelconque.

Puis je me retrouvai à la porte de la salle de bains. Richard s'était jeté sur la biche écroulée, qui se débattait avec l'énergie du désespoir. Un sabot le frappa au ventre, déchirant sa peau. Mais d'autres membres de la meute avaient rejoint leur Ulfric, et la malheureuse bête n'avait aucune chance de s'en tirer.

Un loup au pelage noir lui déchiqueta la gorge. Je sentis Richard sous sa forme humaine la chevaucher, l'immobiliser tandis que ses efforts faiblissaient, que ses mouvements devenaient spasmodiques et incontrôlables. Puis sa peur s'évapora comme les bulles d'une bouteille de champagne ouverte depuis trop longtemps.

La porte de la salle de bains alla percuter le mur. Je ne me souvenais pas l'avoir touchée. À peine l'avais-je franchie qu'elle claqua derrière moi… et là encore, je n'eus pas conscience de l'avoir refermée.

Jean-Claude se trouvait dans la grande baignoire en marbre noir. Il était à genoux, ses longs cheveux noirs plaqués sur ses épaules. Déjà propre. Il m'avait sentie me déchaîner et fondre sur lui telle une tempête de besoin, et il avait pris un bain. Évidemment, il m'avait déjà sentie dans cet état, mais ce n'était pas toujours sur lui que je m'étais abattue.

Une odeur de sang frais et tiède me parvint quand Richard se pencha vers la gorge de la biche. Le loup qui l'avait tuée s'était retiré pour permettre à son Ulfric de se nourrir. La peau de l'animal dégageait une odeur âcre, presque amère, comme si sa peur avait suinté par tous ses pores. Je n'avais aucune envie de me trouver dans la tête de Richard quand il mordrait dans cette chair.

Je grimpai dans la baignoire tout habillée, et l'eau chaude imbiba mon jean presque jusqu'à mes fesses.

— Aidez-moi.

J'avais voulu crier, mais seul un murmure sortit de ma bouche.

Jean-Claude se leva et l'eau ruissela le long de sa blancheur parfaite, attirant mon regard vers le bas de son corps. Il était flasque, pas du tout prêt à me satisfaire. Je hurlai de frustration et Richard plongea ses dents dans de la peau couverte de poils.

Si Jean-Claude ne m'avait pas retenue, je serais tombée dans l'eau. Soudain, je cessai de sentir Richard. Ce fut comme si une porte venait de me claquer à la figure. Il y eut une seconde de silence, de calme qui m'imprégna jusqu'aux tréfonds de mon âme. Puis Jean-Claude dit :

— Je peux te protéger de notre Richard, ma petite, et réciproquement, mais je ne peux pas nous protéger tous les deux contre l'ardeur.

Je levai les yeux vers lui. J'étais à demi affaissée dans ses bras, les jambes pliées et penchée en arrière. J'ouvris la bouche pour dire quelque chose mais, à cet instant, comme pour me prouver qu'il avait dit vrai, l'ardeur revint à la charge en rugissant.

Un spasme violent me parcourut, et Jean-Claude faillit me lâcher. Mes cheveux trempèrent dans l'eau. Il me redressa et me serra contre lui. Mes mains, ma bouche, tout mon corps se moulèrent sur le sien, caressèrent sa peau lisse, suivirent dans son dos le tracé des cicatrices de fouet qui, loin de ternir sa perfection, ne faisaient que la sublimer.

Il s'arracha à mon baiser dévorant pour hoqueter :

— Ma petite, je ne me suis pas nourri. Il n'y a pas de sang dans mon corps.

Je scrutai ses yeux parfaitement normaux avec leurs prunelles bleu marine et leur frange de cils noirs. Nul pouvoir n'émanait d'eux. D'habitude, à ce stade des préliminaires, ses pupilles ont totalement disparu.

Je dus remonter à la surface de l'ardeur, à travers le besoin qui me submergeait pour comprendre ce qu'il voulait dire. Je repoussai mes cheveux sur le côté.

— Alors, nourrissez-vous et baisez-moi.

— Je ne peux pas rouler ton esprit, ma petite. Ce ne serait que douloureux.

Je secouai la tête, les yeux fermés, mes mains palpant fiévreusement ses épaules et ses bras.

— Je vous en prie, Jean-Claude. Nourrissez-vous. Nourrissez-vous de moi.

— Si tu avais les idées claires, tu ne me le proposerais pas.

Je sortis mon tee-shirt rouge de mon jean mais eus du mal à baisser les bretelles de mon holster… comme si j'avais oublié la bonne façon de m'y prendre. Je poussai un cri de frustration inarticulé.

Peut-être à cause de ça, ou peut-être parce que Jean-Claude s'efforçait de combattre trop de choses à la fois, je sentis soudain Richard se nourrir, avalant goulûment de grosses bouchées de chair. Prise d'un haut-le-cœur, je m'étranglai et m'affaissai contre le bord de la baignoire. L'eau me monta jusqu'à la taille. Je ne voulais pas vomir, mais…

Jean-Claude me toucha le dos, et je cessai de sentir Richard.

— Je ne peux pas nous protéger tous les deux de notre loup, de ton ardeur, de la mienne et de ma propre soif de sang. C'est trop pour moi.

Je m'assis sur le bord de la baignoire, les mains posées bien à plat pour me stabiliser.

— Dans ce cas, n'essayez pas. Choisissez votre bataille.

— Et lesquelles me conseilles-tu de choisir ? demanda Jean-Claude d'une voix douce.

L'ardeur se dressa telle une vague, repoussant la nausée, me faisant oublier la sensation du goût de la viande dans ma gorge. Jamais encore je n'avais pris conscience qu'elle pouvait être aussi bienveillante.

Comme s'il avait lu dans mes pensées, Jean-Claude dit :

— Quand on ne lutte pas contre elle, l'ardeur n'est pas si terrible.

— Comme la bête. Si on l'accepte, elle fait moins de dégâts à l'intérieur.

Il acquiesça.

— Oui, ma petite.

L'ardeur me remit debout. Je ne vacillais plus. J'étais stable et solide dans mon désir. Je m'avançai dans l'eau chaude qui me montait jusqu'aux cuisses, mon jean plaqué sur mes jambes ainsi qu'une seconde peau, mes baskets semblables à deux poids morts.

Je m'arrêtai devant Jean-Claude, sans le toucher autrement que du regard. La puissance de ses cuisses, le renflement de son entrejambe dont la peau était légèrement plus foncée que sur le reste de son corps, la ligne de poils noirs qui remontait vers son nombril, les courbes lisses de sa poitrine et le cercle clair de ses mamelons, la pâleur presque scintillante de sa cicatrice en forme de croix. Puis la ligne gracieuse de ses épaules et de son cou, et enfin son visage.

Je n'ai jamais su regarder Jean-Claude en face sans me sentir submergée. J'aurais pu endurer la gloire ténébreuse de sa chevelure, mais ses yeux, ses yeux… Le bleu le plus foncé qui existe avant le noir, et le plus riche que j'aie jamais vu. Et ses cils, si épais qu'ils ressemblent à de la dentelle noire. Et ses traits si délicats, si finement ciselés, comme par un artisan qui aurait accordé la plus grande attention à leur moindre courbe : les pommettes hautes, le menton élégant, les sourcils bien arqués… Et sa bouche magnifique, si rouge contre la blancheur de sa peau !

Je touchai son visage, le caressai de la tempe au menton, mais les gouttes d'eau accrochées à sa peau empêchèrent mes doigts de glisser en un geste fluide. L'ardeur était toujours en moi, pareille à un grand poids tiède. Mais cette fois, je l'accueillais sans réticence ; je lui étais reconnaissante d'avoir chassé la bête de Richard, et je ne pouvais, ne voulais penser qu'à l'homme debout devant moi.

Les yeux levés, je scrutai son visage et ne pus m'empêcher de réciter :

— « Est-ce là l'heureux visage qui fit lever mille trières... (je glissai ma main derrière sa nuque et l'attirai doucement vers moi comme pour l'embrasser) et brûler les tours sublimes d'Illion ? (Je tournai la tête sur le côté et rabattis ma chevelure pour exposer mon cou.) Ô belle Hélène, d'un baiser fais de moi un immortel. »

— « Mais ici, n'est-ce pas aussi l'enfer ? répliqua Jean-Claude. Ne crois-tu pas que moi, qui ai vu le visage de Dieu et goûté les joies immortelles des cieux, je ne souffre dix mille enfers d'être dépossédé de l'éternel bonheur ? »[1]

Je tournai de nouveau la tête vers lui pour le dévisager.

— Ça aussi, c'est extrait du *Docteur Faust*, n'est-ce pas ?

— Oui.

— Je ne connais que ce passage, avouai-je.

— Laisse-moi t'en réciter un autre. « Je t'ai embrassée avant de te tuer. Il ne me restait plus qu'à me tuer pour mourir sur un baiser. »[2]

— Ce n'est pas de Marlowe, fis-je remarquer.

— D'un de ses contemporains.

— Shakespeare ?

— Tu me surprends, ma petite.

---

1. La traduction des deux passages du *Docteur Faust* est de Charles Le Blanc. (*NdT*)

2. La traduction de ce passage d'*Othello* est de Victor Hugo. (*NdT*)

— Vous m'avez donné un indice trop évident. Marlowe et Shakespeare sont à peu près les seuls contemporains que l'on cite encore aujourd'hui. (Je fronçai les sourcils.) Pourquoi me refusez-vous ce que je réclame avec tant d'insistance ?

— Parce qu'aujourd'hui l'ardeur te chevauche, et tu m'invites à me nourrir. Mais lorsque tu auras recouvré tes esprits, tu crieras à la trahison, et tu me puniras par tes regrets. (Une expression de désir et de frustration intense passa sur son visage.) Plus que tout, je veux boire ton sang, ma petite. Mais si je le fais maintenant, alors que tu ne te contrôles pas, tu me le refuseras plus obstinément que jamais par la suite.

J'aurais voulu protester, trouver une autre citation capable de le persuader, mais le fait est que je ne contrôle pas l'ardeur aussi bien que lui… pas encore. La seule vision de sa beauté me faisait tout oublier : le peu de poésie que je connaissais, la logique, la raison, la retenue… tout ce qui n'était pas sa perfection physique et mon propre besoin.

Je tombai devant lui plus que je m'agenouillai. L'eau du bain imprégna mon tee-shirt, mon soutien-gorge et m'enveloppa de sa chaleur tandis que mon regard remontait le long du corps de Jean-Claude. Il baissa les yeux vers moi : des yeux toujours humains, magnifiques mais normaux. Je voulais plus que ça.

Lentement, je me penchai vers lui pour l'embrasser.

— Ma petite, tu ne peux rien faire tant que je ne me serai pas nourri.

Je posai ma bouche sur son entrejambe. Il ferma les yeux et émit un doux soupir.

— Je ne dis pas que c'est désagréable, mais tu n'obtiendras rien de moi.

Je gobai son pénis. Il était petit et flasque, de sorte que je pus l'avaler entièrement. J'aime le sentir ainsi dans ma bouche, non seulement parce que je n'ai pas à lutter contre son érection pour respirer et déglutir, mais à cause de la différence de texture. Aucune partie d'un corps féminin ne procure cette sensation-là. Je le fis rouler doucement à l'intérieur de ma bouche, et il frissonna. Puis je me mis à le téter, les yeux levés vers lui pour voir sa tête basculer en arrière et ses mains se convulser, n'agrippant que de l'air.

Je m'écartai juste assez pour que mon souffle caresse la peau humide de son sexe.

— Nourrissez-vous, pour que je puisse le faire aussi.

Jean-Claude secoua la tête et baissa les yeux vers moi avec une expression têtue que je ne lui avais pas vue souvent.

— J'accepterai que tu me donnes du plaisir, ma petite, mais pas de sang… pas pendant que tu es enivrée par l'ardeur. Si tu souhaites toujours que je t'étreigne une fois l'ardeur apaisée, je le ferai avec une joie immense. Mais pas maintenant, pas comme ça.

Je fis glisser mes mains le long de ses hanches mouillées.

— J'ai besoin de me nourrir maintenant, Jean-Claude. Pitié.

— Non, dit-il en secouant de nouveau la tête.

L'ardeur s'était montrée conciliante jusque-là, plus douce que jamais. Hélas, le refus que lui opposait Jean-Claude la dissuada de le rester, et moi avec. Brusquement, je me sentis furieuse, trompée, lésée.

Je tentai de réfléchir clairement sans y parvenir. J'avais été sage, très sage pendant très longtemps. Je ne m'étais pas nourrie de Caleb, alors que personne ne me l'aurait reproché. Je ne m'étais pas nourrie de Nathaniel alors qu'il était ma pomme de sang. Je voulais lui laisser une journée pour se rétablir avant de m'attaquer de nouveau à lui. Ça ne me plaisait pas qu'il se soit évanoui au club. Je n'avais pas non plus embêté Jason, qui était pourtant trop faible pour me repousser. Dès que j'avais senti Jean-Claude se réveiller, j'avais su ce que je désirais. Je n'avais prêté aucune attention aux autres hommes en chemin : à mes yeux, ils n'existaient pas.

Et voilà que Jean-Claude me repoussait, me rejetait. Une petite partie de moi savait que c'était faux, que j'étais injuste envers lui, mais sa voix était ténue et lointaine. Beaucoup plus près de la surface, d'autres voix hurlaient : « Baise-le, bouffe-le, prends-le. »

J'avais lutté jusqu'à l'extrême limite de mes forces. En moi, il ne restait plus que le besoin, et il était impitoyable.

De nouveau, je pris le sexe de Jean-Claude dans ma bouche, et je fis quelque chose qui n'est possible que lorsqu'il ne bande pas. J'aspirai doucement ses testicules à la suite de son membre. C'est une sensation extraordinaire de le tenir tout entier dans ma bouche, de caresser la peau flasque de ses bourses avec le bout de ma langue, de faire rouler ces œufs délicats contre mes dents et mes joues. De cette façon, il remplit ma bouche et m'étire les joues, mais tout en largeur. En l'absence de… longueur assortie, je ne m'étrangle pas, et je n'ai pas besoin de lutter pour respirer.

Il me semblait que j'aurais pu le tenir ainsi pendant des jours. Je suçai son membre et ses testicules en même temps ; je scellai mes lèvres à la base de son sexe et le léchai, le fis rouler dans ma bouche, l'explorai. Lorsque je levai les yeux, je vis que les siens étaient enfin devenus entièrement bleus. Mais ça n'avait plus d'importance. Empoignant ses fesses douces et musclées, je m'abandonnai tout entière au plaisir de ce que je lui faisais.

J'entendais ses gémissements, sentais son corps frissonner et trembler sous mes caresses, mais c'était une sensation lointaine. Sa chair emplissait ma bouche ; elle roulait si aisément sous ma langue ! J'ai toujours adoré le sucer pendant qu'il est flasque, mais je n'ai jamais pu en profiter longtemps parce que, comme la plupart des hommes, il ne le reste pas plus de quelques secondes dès qu'on commence à s'occuper de lui.

Je resserrai l'anneau de mes lèvres sur la base de son sexe et lui fis sentir la pression de mes dents à l'endroit où il aurait suffi que je morde sauvagement pour tout emporter. Je savais quelle confiance il me manifestait en me laissant faire. J'appuyai juste assez pour lui arracher un petit cri, puis tirai doucement sur son appareil génital, faisant pression avec mes lèvres essentiellement.

Je laissai ses testicules s'échapper de ma bouche et me mis à sucer son membre avec vigueur, plus fort sans doute que j'aurais dû le faire, aussi vite et goulûment que j'en avais envie. Plus de contrôle, plus d'attente : juste la sensation de son sexe qui coulissait dans ma bouche au rythme que je lui imprimais.

Il hurla mon nom, hurla moitié de douleur et moitié de plaisir. Alors, l'ardeur nous submergea tous les deux. La chaleur jaillit en moi ; je la sentis se répandre et se propulser à l'intérieur de Jean-Claude, si intense qu'il me semblait qu'elle aurait dû faire bouillir l'eau autour de nous. D'une certaine manière, je me maîtrisais encore suffisamment pour éviter de me laisser emporter trop loin et le lâcher avec ma bouche. Je convulsai contre ses jambes, plantant mes ongles dans ses fesses, ses hanches, ses cuisses, tandis qu'il vacillait au-dessus de moi et luttait pour conserver son équilibre.

Il finit par se laisser tomber sur le bord de la baignoire, où il resta assis, en appui sur ses bras tendus, le souffle court, et le simple fait qu'il respire – même difficilement – m'apprit qu'il avait nourri son ardeur pendant que je nourrissais la mienne. Parfois, ça se résume à un échange d'énergie.

Je m'extirpai suffisamment de la baignoire pour venir m'asseoir près de lui, mais sans le toucher. Juste après que l'ardeur a été nourrie, un simple contact peut suffire à la rallumer, surtout entre deux personnes qui la possèdent l'une comme l'autre. C'était ainsi entre Belle et Jean-Claude, et c'est parfois ainsi entre nous.

Ses yeux étaient toujours entièrement bleus, semblables à un ciel nocturne dans lequel les étoiles se seraient noyées. D'une voix essoufflée, il dit :

— Tu te débrouilles de mieux en mieux pour nourrir l'ardeur sans véritable orgasme, ma petite.

— J'ai un bon professeur.

Il m'adressa le sourire qu'un homme adresse à une femme juste après avoir terminé ces choses-là, quand ce n'est ni la première ni la dernière fois qu'ils les font ensemble.

— Tu es une élève douée, comme on dit.

Je le dévisageai, statue d'albâtre aux cheveux si noirs et aux yeux si bleus. Les plis et les creux de son corps exposé à la lumière électrique m'étaient aussi familiers qu'un chemin favori que je pourrais arpenter éternellement sans jamais m'en lasser.

Pourtant, ce n'est pas pour sa beauté surnaturelle que je l'aime : c'est pour lui, tout simplement. Mon amour se compose d'un millier de petites touches, un million de conversations, un milliard de livres partagés. De dangers et d'ennemis affrontés ensemble, d'une détermination commune à protéger coûte que coûte les gens qui dépendent de nous, et d'une certitude profonde qu'aucun de nous ne changerait l'autre même s'il le pouvait. J'aime Jean-Claude ; je l'aime tout entier parce que, sans ses manigances machiavéliques, sans ses pensées torves, il serait quelqu'un d'autre. Amoindri et pas aussi intéressant.

Assise sur le bord de la baignoire avec mon jean trempé et mes baskets posées au fond, je le regardais rire ; je regardais ses yeux redevenir humains, et j'avais envie de lui. Pas juste pour faire l'amour, même si ça en faisait partie, mais pour tout ce qu'il était.

— Tu as l'air bien sérieuse, ma petite. À quoi penses-tu donc ?

— À vous, répondis-je doucement.

— Et pourquoi cette mine solennelle ?

La bonne humeur commença à s'estomper de son visage, et je devinai – sans en être absolument certaine – qu'il craignait que je sois sur le point de fuir encore. Il le craignait sans doute depuis l'instant où j'avais partagé un lit avec lui et Asher. D'habitude, je prends mes jambes à mon cou après chaque événement qui chamboule mon univers.

— Un ami dont je ne soupçonnais pas la sagesse m'a dit que je refusais une partie de moi à tous les hommes de ma vie. Et que je le faisais pour me protéger, pour ne pas me laisser consumer par l'amour.

L'expression de Jean-Claude s'était faite très prudente, comme s'il avait peur que je déchiffre ses sentiments.

— Je voulais protester, mais je n'ai pas pu. Parce qu'il avait raison.

Jean-Claude continuait à me regarder sans broncher, mais je voyais autour de ses yeux une crispation inquiète qu'il ne parvenait pas à dissimuler totalement. Il attendait que le coup tombe, parce que c'était ce que je lui avais appris.

J'inspirai profondément, expirai lentement et achevai :

— Ce que je vous refuse, c'est de boire mon sang. Nous nourrissons mutuellement notre ardeur, maintenant, mais je ne partage toujours pas mon sang avec vous.

Jean-Claude ouvrit la bouche comme pour dire quelque chose, puis la referma. Il redressa le dos et posa les mains sur ses cuisses. Il n'essayait pas seulement de garder une expression neutre : tout son langage corporel était sous contrôle.

— Il y a quelques minutes, je vous ai demandé de vous nourrir de moi, et vous avez dit : « Pas tant que l'ardeur te submergera. » Pas tant que je serais enivrée par elle. (Je fus forcée de sourire, car l'adjectif était bien choisi. L'ardeur produit sur moi l'effet d'une liqueur métaphysique.) Mais j'ai nourri l'ardeur, et vous aussi. Je ne suis plus saoule.

Jean-Claude était complètement immobile, comme seuls les très vieux vampires parviennent à l'être. J'avais l'impression que, si je détournais les yeux une seule fraction de seconde, il disparaîtrait.

— Nous avons tous deux nourri l'ardeur, c'est exact, dit-il prudemment.

— Et je vous offre toujours mon sang.

Il prit une grande inspiration.

— Je le veux, ma petite. Tu sais à quel point je le désire.

— Oui.

— Mais pourquoi maintenant ?

— Je viens de vous le dire : j'ai parlé avec un ami.

— Je ne peux pas te donner ce qu'Asher t'a donné, nous a donné, hier. Vu que tu portes mes marques, je ne pourrai peut-être même pas rouler ton esprit, et ça ne sera que douloureux pour toi.

— Dans ce cas, faites-le pendant que je prends du plaisir. Nous avons constaté à maintes reprises que mes capteurs de plaisir et de douleur tendent à s'emmêler les pinceaux quand je suis suffisamment excitée.

Cela le fit sourire.

— Tout comme les miens.

Et je souris aussi.

— Allons-y, pelotons-nous.

— Et ensuite ? demanda-t-il à voix basse.

— Le moment venu, mordez-moi et baisez-moi.

Il éclata d'un rire surpris.

— Présenté de façon aussi romantique, comment pourrais-je refuser ?

Je me penchai vers lui et l'embrassai doucement sur les lèvres.

— « Sur ses lèvres mon âme se déploie enfin, et bat de l'aile un instant. Viens, viens Hélène ! Prends mon âme encore…

Ah ! C'est sur ces lèvres que je veux vivre, car elles ont le goût du bonheur et tout est vain qui n'est pas Hélène. »[1]

Jean-Claude me dévisagea avec un désir presque douloureux.

— Je croyais que tu ne te rappelais rien d'autre de la pièce.

— Ça vient de me revenir, chuchotai-je. Et vous ?

Il secoua la tête, et nous étions si proches que ses cheveux se mêlaient aux miens. Noir sur noir, impossible de dire où finissaient les uns et où commençaient les autres.

— Quand tu es si près de moi, j'oublie tout le reste.

— Tant mieux. Mais promettez-moi que nous nous procurerons le texte entier et qu'un soir nous nous ferons la lecture à tour de rôle.

Il eut ce sourire qui m'est plus précieux qu'aucun autre, ce sourire sincère et vulnérable qui est peut-être l'un des seuls vestiges de l'homme qu'il aurait été si Belle Morte ne l'avait pas trouvé.

— Je te le promets très volontiers.

— Bien. Maintenant, aidez-moi à enlever ce jean trempé et laissons là la poésie pour ce soir.

Il prit mon visage dans ses mains en coupe.

— Entre nous, c'est toujours de la poésie, ma petite.

Soudain, j'eus la bouche sèche et du mal à déglutir à cause de la boule qui s'était formée dans ma gorge.

— Oui, mais parfois, ça ressemble plutôt à une chanson paillarde, répliquai-je d'une voix essoufflée.

Jean-Claude rit et m'embrassa, puis m'aida à retirer mon jean mouillé, mes baskets mouillées, mes chaussettes mouillées et tout le reste.

Lorsque ma croix jaillit de mon tee-shirt, elle ne se mit pas à briller. Elle demeura inerte et scintillante sous la lumière électrique. Jean-Claude détourna les yeux, comme toujours

---

1.. Comme précédemment, traduction par Charles Le Blanc. (*NdT*)

quand il voit un objet saint, mais ce fut le seul indice qui trahissait son malaise. Dans un sursaut, je pris conscience que jamais les croix que je portais parfois en sa présence ne s'étaient mises à briller. Pourquoi ?

D'habitude, je suis plutôt du genre direct pour tout ce qui ne touche pas aux sentiments. Mais puisque j'essayais de changer, je tournai ma question différemment.

— Cela vous fait-il mal de regarder ma croix en face ?

Jean-Claude regardait résolument le bord de la baignoire.

— Non.

— Alors, pourquoi détournez-vous les yeux ?

— Parce que sinon, elle se mettra à briller, et je ne le souhaite pas.

— Comment savez-vous qu'elle se mettra à briller ?

— Parce que je suis un vampire, et toi, une véritable croyante.

Il continuait à regarder l'eau, le marbre de la baignoire, n'importe quoi et n'importe où sauf ma poitrine sur laquelle pendait toujours la croix.

— Aucune de mes croix n'a jamais brillé quand vous étiez le seul vampire dans les parages.

Surpris, il leva brièvement les yeux, puis les baissa de nouveau.

— C'est impossible.

Je réfléchis.

— Je ne me souviens pas que ce soit jamais arrivé. En général, vous détournez les yeux, j'enlève ma croix et nous vaquons à nos petites affaires. Mais elle ne se met pas à briller.

Il s'agita suffisamment pour faire clapoter l'eau et projeter de petites éclaboussures contre mes jambes.

— C'est important ? demanda-t-il sur un ton qui signifiait bien à quel point le sujet le perturbait.

— Je n'en sais rien.

— Si tu ne veux pas que je me nourrisse, je vais m'en aller.

— Ce n'est pas ça du tout, Jean-Claude. Sincèrement.

Il posa une main sur le bord de la baignoire et enjamba celui-ci.

— Jean-Claude…

— Non, ma petite. Tu n'as pas vraiment envie de le faire ; sans quoi, tu ne t'accrocherais pas à ton objet saint.

Il s'empara d'une serviette d'un bleu vibrant assorti à la couleur des draps de son lit et entreprit de se sécher.

— Ce que je veux dire… Oh, et puis merde, je ne sais pas où je veux en venir. Mais ne partez pas.

Je levais les mains pour défaire le fermoir de la croix sur ma nuque lorsque la porte s'ouvrit. Asher entra dans la salle de bains, couvert de sang séché… le mien, et rien que le mien. Cela aurait dû me perturber, mais ce ne fut pas le cas. Ses cheveux tombaient toujours autour de ses épaules en vagues douces et épaisses, semblables à de l'or filé, et dans son cas, ce n'était pas une simple image. Ses yeux avaient le bleu très pâle du ciel hivernal, mais plus chaleureux, plus… vivant.

Il se dirigea vers nous. Les cicatrices ne le rendaient pas moins parfait ; elles faisaient partie de lui, partie de son long corps nu, et elles ne parvenaient pas à entacher sa grâce divine. Il était si beau que le simple fait de le voir me coupait le souffle et me comprimait douloureusement la poitrine. Je voulus lui dire : « Rejoins-nous », mais ma voix s'était éteinte sous le coup de l'émerveillement tandis qu'il s'approchait, glissant sur ses pieds nus.

La croix s'embrasa, pas du même feu blanc et aveuglant que dans la Jeep, mais d'une lumière assez vive pour m'éblouir. Assez vive pour m'aider à penser. Asher était toujours d'une beauté sublime – rien ne pouvait changer ça – mais, désormais, je pouvais de nouveau respirer, bouger, parler. Même si je ne voyais pas quoi dire. Jamais encore une croix n'avait brillé en sa seule présence… jusqu'à ce jour.

Ce fut Jean-Claude qui formula tout haut ce que je pensais tout bas.

— Qu'as-tu fait, mon ami, qu'as-tu fait ?

Il tournait le dos à l'éclat de la croix et utilisait la serviette de bain pour se protéger les yeux.

Asher avait levé un bras devant son visage.

— J'ai essayé de la rouler juste assez pour lui donner du plaisir, mais l'ardeur était trop forte.

— Qu'as-tu fait ? répéta Jean-Claude.

Je les observais tous deux dans la lumière de la croix, l'un dissimulé derrière sa serviette et l'autre derrière son propre bras, et je répondis à la place d'Asher :

— Il a roulé mon esprit aussi complètement que possible.

Alors même que les mots franchissaient mes lèvres, je sus qu'il avait fait bien plus que ça. J'ai déjà été roulée... y compris par Jean-Claude, lors de notre première rencontre. Mais les pouvoirs surnaturels capables d'embrumer l'esprit des humains sont légion ; beaucoup de vampires en possèdent un. Les plus jeunes doivent capter votre regard pour l'exercer ; les plus vieux n'ont besoin que de se concentrer un peu sur vous. Je suis immunisée contre la plupart d'entre eux, en partie par mes capacités naturelles de nécromancienne, en partie grâce aux marques de Jean-Claude. Mais je ne suis pas immunisée contre Asher.

La croix continuait à briller, et les vampires à se protéger les yeux. Alors même qu'ils se cachaient de la lumière blanche, j'avais toujours envie d'eux... mais, désormais, je me demandais quelle partie de ce désir venait de moi, et quelle partie provenait des manipulations mentales d'Asher. Et merde.

Chapitre 32

Nous nous retirâmes dans la chambre, mais pas pour faire quoi que ce soit d'amusant. Je m'étais séchée et j'avais enfilé des fringues de rechange que je garde au *Cirque*. En revanche, j'avais dû remettre mes baskets mouillées. Ma croix était de nouveau planquée sous mon T-shirt. Dès que je l'avais mise dessous, elle avait cessé de briller, mais je la sentais toujours tiède et palpitante contre ma poitrine.

Jean-Claude avait enroulé la serviette de bain bleue autour de sa taille ; elle lui tombait presque jusqu'aux chevilles. Il en avait torsadé une plus petite autour de ses cheveux, et la couleur du tissu éponge faisait ressortir le bleu de ses yeux. Sans l'auréole somptueuse de sa chevelure, son visage ressemblait à celui d'un jeune garçon. Seules ses pommettes l'empêchaient d'avoir l'air trop féminin. Il était toujours beau, mais un peu moins sans ce rideau de velours noir.

En guise de vêtements, Asher ne portait que mon sang séché et la cascade dorée de ses cheveux. Il faisait les cent pas dans la pièce comme une bête en cage.

Jean-Claude s'était simplement assis au bord du lit, aux draps bleus couverts de sang et d'autres fluides. Il avait l'air découragé.

Je me tenais le plus loin possible d'eux, les bras croisés sur le ventre. Je n'avais pas remis mon holster d'épaule pour éviter d'être tentée de caresser mon flingue pendant la discussion.

Je voulais que l'hostilité retombe, pas qu'elle atteigne de nouveaux sommets.

Jean-Claude enfouit son visage dans ses mains. Il n'était que peau blanche et tissu bleu, entouré par les draps et les serviettes.

— Pourquoi as-tu fait ça, mon ami ? Si seulement tu t'étais retenu, en ce moment même, nous serions ensemble comme nous sommes destinés à l'être.

Je n'aimais pas qu'il s'exprime en mon nom avec une telle certitude, mais je ne pouvais pas le contredire sans mentir, aussi laissai-je filer. Garder le silence est rarement une mauvaise initiative de ma part.

Asher s'arrêta et dit :

— Anita m'a senti me nourrir. Elle savait que je pouvais rouler son esprit complètement. Elle ne m'a pas ordonné de ne pas le faire. Elle m'a demandé de la prendre, de me nourrir d'elle, et je l'ai fait. J'ai fait ce qu'elle m'avait demandé, et elle savait de quelle façon je le ferais parce qu'elle m'avait déjà nourri une fois auparavant.

Jean-Claude leva la tête comme un noyé qui remonte à la surface pour prendre de l'air.

— Je sais qu'Anita t'a nourri quand tu étais mourant dans le Tennessee.

— Elle m'a sauvé, affirma Asher, debout au pied de l'immense lit à baldaquin.

Je les regardais tous les deux, se découpant sur les draps bleus sur lesquels nous avions pris tellement de bon temps quelques heures auparavant. Je les regardais et j'avais envie d'eux, et mes bras se crispèrent autour de moi comme pour m'empêcher de mettre mes désirs à exécution.

— Oui, elle t'a sauvé mais, cette fois-là, tu ne l'as pas roulée complètement. Sinon, j'aurais senti ton empreinte sur son esprit et sur son cœur. Elle n'y était pas.

— J'ai tenté de rouler son esprit parce qu'il me semble que tous les vampires qui boivent son sang sont sous son emprise, qu'ils dépendent d'elle d'une façon ou d'une autre. Presque comme si, quand ils boivent son sang, c'était elle qui les contrôlait et non l'inverse.

Je ne bougeai pas de ma place, mais ça, je ne pouvais pas le laisser passer.

— Fais-moi confiance, Asher, ce n'est pas comme ça que ça marche. Il est déjà arrivé que des vampires me mordent en me tenant sous leur emprise.

Il me dévisagea de ses yeux si pâles.

— Mais c'était il y a combien de temps ? Tes pouvoirs ont considérablement grandi depuis.

Mon regard ne cessait de glisser le long de son corps, suivant le tracé de mon sang séché sur sa peau d'un blanc légèrement doré. Je dus fermer les yeux pour ne plus voir les deux hommes et pouvoir prononcer la phrase suivante.

— As-tu l'impression d'être obligé de faire ce que je te demande ?

Asher hésita, et je luttai contre l'envie de le regarder.

— Non, répondit-il d'une voix douce.

Je pris une grande inspiration, la relâchai lentement, rouvris les yeux et luttai de toutes mes forces pour ne regarder que son visage.

— Tu vois ? Tu n'es pas en mon pouvoir.

Il fronça légèrement les sourcils.

— Cela signifie-t-il que tu es en *mon* pouvoir ?

— Je ne peux pas arrêter de vous mater tous les deux. Je ne peux pas cesser de penser à ce que nous avons fait et à ce que nous pourrions encore faire.

Il partit d'un rire dur qui me blessa les oreilles.

— Comment pourrais-tu ne pas penser à nous alors que nous sommes devant toi dans le plus simple appareil ou presque ?

— Je vois que tu n'es pas du tout arrogant, raillai-je en continuant à serrer mes bras autour de moi comme si c'était l'endroit le plus sûr où je pouvais les mettre.

— Anita… Moi aussi, je suis obnubilé par toi. La blancheur de ton dos, la courbe de tes hanches, la rondeur de tes fesses sous moi… La sensation de me frotter contre ta peau douce et tiède.

— Arrête, dis-je, et je dus me détourner parce que je rougissais et que j'avais du mal à respirer tout à coup.

— Pourquoi ? Nous pensons tous à la même chose.

— Ma petite n'aime pas qu'on lui rappelle le plaisir qu'elle a pris.

— Grand Dieu, pourquoi ?

Je tournai la tête juste à temps pour voir Jean-Claude esquisser ce haussement d'épaules si français qui veut tout dire et rien dire à la fois. D'habitude, c'est un mouvement gracieux, chez lui. Ce jour-là, je n'y décelai que de la lassitude.

— Anita, appela Asher.

Je reportai mon attention sur lui et, cette fois, je parvins à le regarder dans les yeux… des yeux si magnifiques qu'ils ne me faisaient pas beaucoup moins d'effet que son corps.

— Si je ne m'abuse, tu m'as dit que tu me voulais en toi. Et quand j'ai dénudé ton cou, tu as dit : « Oui, Asher, oui. »

— Je me souviens très bien de ce que j'ai dit.

— Alors comment peux-tu m'en vouloir d'avoir exaucé tes désirs ? (Il fit trois pas dans ma direction, et je reculai. Cela l'arrêta net.) Comment peux-tu rejeter la faute sur moi ?

— Je ne sais pas, mais c'est le cas. Je ne peux pas mesurer à quel point c'est injuste ou non, mais c'est le cas.

Jean-Claude intervint, sa voix était semblable au soupir du vent autour d'une demeure isolée.

— Si tu t'étais retenu, mon ami, en ce moment, nous pourrions être ensemble dans la baignoire.

— N'en soyez pas si sûr, répliquai-je sur un ton cinglant dont je me réjouis.

Jean-Claude me regarda de ses yeux bleu marine.

— Veux-tu dire que tu serais capable de refuser un tel plaisir après y avoir goûté ?

Cette fois, je ne rougis pas : je blêmis.

— La question ne se pose plus, n'est-ce pas ? Puisqu'il a triché.

Je tendis un doigt accusateur vers Asher pour souligner mon propos.

Il me regarda fixement, bouche bée.

— En quoi ai-je triché ?

Jean-Claude se reprit la tête entre les mains.

— Ma petite ne tolère pas qu'on utilise des pouvoirs vampiriques sur elle.

Sa voix me parvint étouffée mais étrangement distincte.

Le regard d'Asher passa de l'un à l'autre.

— Jamais ?

— À de très rares exceptions.

— Dans ce cas, elle ne t'a jamais goûté comme tu dois l'être, laissa tomber Asher, étonné.

— C'est son choix, dit Jean-Claude.

Il releva lentement la tête, son regard braqué sur moi, et je vis de la colère dans ses yeux bleus.

Je ne comprenais pas tout de cette conversation, et je n'étais pas certaine de vouloir tout comprendre, aussi l'ignorai-je. J'ai toujours été douée pour faire comme si ce qui me met mal à l'aise n'existait pas.

— L'important, c'est qu'Asher a utilisé ses pouvoirs vampiriques sur moi. Il a fait quelque chose pour influencer la façon dont je le considère. Maintenant, je ne sais plus, je ne saurai jamais plus si ce que j'éprouve est réel ou si ça vient de lui.

Sur ce point au moins, je savais que je tenais un argument moral solide.

Jean-Claude fit un geste qui signifiait en substance : « Tu vois ? C'est ce que je te disais. »

La colère disparut du visage d'Asher, qui devint aussi vide et inexpressif que celui de Jean-Claude parfois.

— Donc, ce n'était qu'un mensonge.

— Qu'est-ce qui était un mensonge ?

— Quand tu disais que tu voulais que je sois avec Jean-Claude et toi.

Je fronçai les sourcils.

— Non, ce n'était pas un mensonge. Je le pensais.

— Dans ce cas, mon faux pas ne change rien.

— Tu as manipulé mon esprit. C'est plus qu'un faux pas, me semble-t-il. Je trouve ça sacrément grave.

J'avais posé les mains sur mes hanches… c'était toujours mieux que m'accrocher à moi-même pour ne pas toucher quelqu'un d'autre. J'accueillais ma colère à bras ouverts, parce qu'elle rendait les deux hommes moins irrésistibles. Évidemment, elle ternissait tout… pas seulement leur beauté.

— Donc, tu as menti, insista Asher, de marbre.

Je détestais le voir se barricader en lui-même de cette façon, mais je ne savais pas comment l'en empêcher.

— Putain, mais non, je n'ai pas menti ! C'est toi qui as enfreint les règles, Asher, pas moi.

— Je n'ai rien enfreint du tout. Tu as promis que nous serions ensemble tous les trois. Tu m'as ouvert ton lit. Tu m'as suppliée de te prendre. Jean-Claude a dit qu'il ne fallait pas toucher à ton joli petit cul, et ton orifice le plus profond était déjà occupé. Où étais-je censé aller ?

Je luttai pour ne pas rougir et échouai lamentablement.

— C'était l'ardeur qui parlait, et tu le savais.

Il recula jusqu'au bord du lit et se laissa à demi tomber sur les draps bleus, saisissant un des montants du baldaquin pour ne pas glisser sur la soie. Son expression était toujours neutre, mais son corps réagissait comme si je l'avais frappé, et je compris que je venais de commettre une grosse bourde.

— Je t'avais bien dit qu'une fois l'ardeur apaisée tu trouverais un moyen de me rejeter, de rejeter ça… (D'un grand geste, il désigna Jean-Claude et le lit.) Et tu viens de me donner raison.

Il se redressa en s'aidant du baldaquin et, une fois debout, continua à s'y accrocher pendant quelques instants comme s'il n'était pas certain que ses jambes le porteraient. Il fit un pas hésitant à l'écart du lit, vacilla, en fit un deuxième puis un troisième. Chacun d'eux était plus ferme que le précédent. Il se dirigea vers la porte.

— Une minute. Tu ne vas pas t'en aller comme ça.

Il s'arrêta mais sans se retourner. Il me répondit en m'offrant une vue dégagée sur la perfection de son côté pile.

— Je ne peux pas partir avant que Musette s'en aille. Je ne lui donnerai pas de prétexte pour me ramener à la cour avec elle. Si je n'appartiens à personne, c'est ce qu'elle fera, et je ne serai pas en position de refuser. (Il se frotta les bras comme s'il avait froid.) Mais dès que Musette sera partie, je me mettrai en quête d'un autre Maître de la Ville. Il en est qui me recueilleraient volontiers.

Je m'approchai de lui.

— Non, non. Tu dois me laisser le temps de réfléchir à ce que tu as fait. Ce n'est pas juste de t'en aller ainsi.

Je l'avais presque rejoint quand il fit volte-face, et la rage que je lus sur ses traits m'arrêta comme si j'avais heurté un mur.

— Juste ? Te voir offrir tout ce dont tu as toujours rêvé, tout ce que tu pensais ne jamais retrouver, et te le faire arracher la seconde suivante… parce que tu as fait exactement ce qu'on te demandait, ce qu'on te suppliait de faire ? Tu trouves ça juste, toi ?

Il ne criait pas, mais sa voix vibrait de colère, et chacune de ses paroles était semblable à un tisonnier chauffé au rouge qu'il me jetait à la figure.

Face à tant de colère, je ne sus quoi répondre.

— Je ne veux pas, je ne peux pas rester ici et vous voir tous les deux ensemble. Je préférerais être loin de vous plutôt que si proche, mais interdit de séjour dans votre lit, vos bras, votre cœur… (Il se couvrit le visage de ses mains et poussa un cri étranglé.) Être avec nous en tant qu'amante, c'est accepter de t'abandonner à nos pouvoirs. (Il arracha ses mains à son visage et me laissa voir ses yeux entièrement bleus, sa colère s'étant substituée au sang qu'il n'avait pas bu.) Pas une seconde je n'ai envisagé que Jean-Claude n'avait pas déjà utilisé les siens sur toi. (Il reporta son attention sur l'autre homme toujours assis au bord du lit.) Comment peux-tu être avec elle depuis si longtemps et résister à la tentation ?

— Elle s'est montrée intraitable sur le sujet, répondit Jean-Claude. Du moins t'a-t-elle volontairement laissé boire son sang. Je n'ai jamais eu cet honneur.

Asher fronça les sourcils, une expression qui convenait mal à son visage. Imagine-t-on un ange contrarié ?

— Ça, je le savais, et ça continue à me stupéfier. Mais elle t'a concédé ses charmes, et je n'aurai plus jamais ce plaisir.

Tout s'enchaînait beaucoup trop vite pour moi.

— Jean-Claude connaît les règles, et nous nous y tenons tous les deux.

Bien entendu, quelques minutes plus tôt, j'étais sur le point de changer les règles en question. Mais il me semblait qu'Asher n'avait vraiment pas besoin de le savoir.

Il secoua la tête, et sa chevelure mousseuse glissa par-dessus ses épaules.

— Même si je connaissais les règles, Anita, je ne pourrais pas les respecter.

— Que veux-tu dire ?

—Anita… Quels que soient les efforts déployés par certains d'entre nous afin de se faire passer pour tels, nous ne sommes pas humains. Mais nous ne sommes pas mauvais ou nuisibles pour autant. Tu es entrée dans notre monde ; pourtant, tu te refuses le meilleur de nous en t'obstinant à ne considérer que le pire. Mais le plus terrible, c'est que tu refuses à Jean-Claude le meilleur de son propre monde.

—Qu'est-ce que c'est censé signifier ?

—Tu es sa seule partenaire, mais il ne peut pas prendre son plein plaisir avec toi, ni avec personne d'autre. (Il fit un geste dont le sens m'échappa.) Ne fais pas cette tête, Anita.

—Quelle tête ?

—Cette tête si… américaine. Le sexe ne se limite ni à la pénétration, ni à l'orgasme. C'est encore plus vrai pour nous que pour vous.

—Pourquoi, parce que vous êtes français ?

Il me regarda avec tant de sérieux que ma tentative d'humour retomba comme un poids mort, me comprimant la poitrine.

—Nous sommes des vampires, Anita. Plus encore, nous sommes des vampires de la lignée de Belle Morte. Nous pouvons te donner un plaisir que personne d'autre ne peut t'offrir, et nous pouvons éprouver un plaisir que personne d'autre ne peut ressentir. En acceptant de se restreindre, Jean-Claude se refuse une grande partie de ce qui rend notre existence plaisante, voire supportable.

Je reportai mon attention sur l'intéressé.

—Dans quelle mesure vous êtes-vous retenu ?

Il refusa de soutenir mon regard.

—Jean-Claude, répondez-moi, insistai-je.

—Contrairement à Asher, je ne peux pas faire de ma morsure un pur plaisir. Je ne peux pas rouler ton esprit aussi totalement que lui, dit-il en gardant obstinément les yeux baissés.

— Ce n'est pas ce que je vous ai demandé.

Il soupira.

— Parmi les choses dont je suis capable, il en est que tu n'as pas encore expérimentées. J'ai tenté de me conformer à tes désirs en toute chose.

— Eh bien, je m'y refuse, intervint Asher.

Nous reportâmes tous deux notre attention sur lui.

— Anita trouvera toujours une raison de ne pas se donner complètement à nous. Elle ne parvient même pas à autoriser son unique amant vampire à satisfaire sa vraie nature. Comment supporterait-elle une relation pleine et entière avec deux d'entre nous ?

— Asher…, commençai-je.

Mais je ne savais pas quoi répondre. Tout ce que je savais, c'est qu'un étau me comprimait la poitrine et que j'avais du mal à respirer.

— Non. Aucun homme ne te satisfera jamais totalement. Aucun homme ne sera jamais assez pur pour toi… à plus forte raison un vampire. Le besoin, voire l'amour, te pousse vers nous, mais il ne suffit pas pour que tu nous laisses être nous-mêmes. (De nouveau, il secoua la tête, et l'éclat doré de sa chevelure se fragmenta tel un miroir brisé.) Mon cœur est trop fragile pour jouer à ça, Anita. Je t'aime, mais je ne peux pas vivre ainsi.

— Tu ne vas même pas me laisser une heure pour digérer le fait que tu m'as manipulée avec tes pouvoirs vampiriques ?

Il posa les mains sur mes épaules, et leur poids me tiédit la peau.

— Si ce n'est pas ça, ce sera autre chose. Je t'ai observée avec Richard, avec Jean-Claude, et maintenant avec Micah. Micah trouve son chemin dans le labyrinthe de tes sentiments en disant « amen » à tout ce que tu fais et en acceptant tout ce que tu lui demandes. Jean-Claude a gagné une place en bordure de ce labyrinthe en sacrifiant un plaisir inimaginable. Richard refuse de s'y engager parce qu'il a son propre dédale intérieur et parce que deux personnes perturbées à ce point dans un couple, c'est une de trop. Il faut que quelqu'un soit prêt à faire des compromis, et ce n'est ni ton cas ni celui de Richard.

Il me lâcha, et l'absence de ses mains sur moi me fit presque vaciller, comme s'il avait abattu mon abri au cœur d'une tempête. Il se mit à reculer vers la porte.

—Je pensais que je ferais n'importe quoi pour être avec Jean-Claude et sa nouvelle servante. N'importe quoi pour reposer de nouveau dans l'étreinte protectrice de deux personnes qui m'aimeraient. Mais maintenant, je comprends que ton amour sera toujours conditionnel et que, malgré toutes tes bonnes intentions, quelque chose te retient. Quelque chose t'empêche de t'abandonner totalement à l'instant, à cette chose lumineuse qu'on nomme l'amour. Tu te brides, et tu brides ceux qui t'aiment. Je ne supporterai pas que tu m'offres ton amour à un moment pour me le refuser la minute suivante. Je ne peux pas vivre ainsi, constamment puni pour une chose qu'il m'est impossible de changer.

—Je ne te punis pas, répliquai-je d'une voix étranglée qui sonna étrangement à mes propres oreilles.

Asher eut un sourire triste et laissa tomber ses cheveux devant la moitié scarifiée de son visage pour me regarder sans rien montrer d'autre que son profil parfait.

—Pour reprendre une de tes expressions, ma chérie : tu te fous de ma gueule ou quoi ?

Il se détourna et se dirigea vers la porte. Je le rappelai.

—Asher, s'il te plaît…

Mais il ne s'arrêta pas. La porte se referma derrière lui, et un profond silence emplit la pièce.

Ce fut Jean-Claude qui le brisa, et sa voix douce me fit sursauter.

—Prends tes affaires et va-t'en, Anita.

Alors, je le regardai. J'avais le cœur dans la gorge et une trouille monstre.

— Vous me jetez dehors ? demandai-je d'une voix que je ne reconnus même pas.

— Non, mais pour le moment, j'ai besoin d'être seul.

— Vous ne vous êtes pas encore nourri.

— Veux-tu dire que tu me nourrirais volontairement, après tout ce qui vient de se passer ? demanda-t-il, la tête baissée et le regard rivé au plancher.

— En fait, je ne suis plus vraiment d'humeur.

Je luttais pour reprendre le contrôle de ma voix. Jean-Claude ne me virait pas, mais je détestais qu'il refuse de me regarder en face.

— Je vais me nourrir, mais ce sera seulement pour manger, et je ne te considère pas comme de la nourriture. Donc, j'aimerais que tu t'en ailles.

— Jean-Claude…

— Va-t'en, Anita. Je ne veux pas de toi ici pour le moment. Je ne veux pas être obligé de te regarder là tout de suite.

Les premiers frémissements de colère crépitaient dans sa voix comme une mèche qu'on vient d'allumer et qui ne brûle pas encore tout à fait.

— Et si je vous disais que je suis désolée ? lançai-je d'une toute petite voix.

— Que tu comprennes que tu as des raisons de l'être est un bon début, mais ça ne suffit pas. Pas aujourd'hui. (Alors, il leva la tête. Ses yeux brillaient dans la lumière électrique… non pas de pouvoir mais de larmes contenues.) Et puis ce n'est pas à moi que tu dois des excuses. Maintenant, va-t'en avant que je dise quelque chose que nous regretterions tous les deux.

J'ouvris ma bouche et pris une inspiration pour répondre, mais il leva la main et dit simplement :

— Non.

Je récupérai mon flingue et mon holster dans la salle de bains. En revanche, je laissai mes vêtements mouillés par terre. Je ne me retournai pas, et je ne tentai pas d'embrasser Jean-Claude pour lui dire au revoir : si je l'avais touché, je crois qu'il aurait été capable de me faire du mal. Pas de me frapper, non. Mais il existe un millier de façons de blesser une personne qu'on aime sans recourir à la violence physique.

Dans ses yeux brillaient des mots emprisonnés, tout un monde de douleur. Et je ne voulais pas entendre ces mots ; je ne voulais pas éprouver cette douleur. Je ne voulais ni la voir, ni la toucher, ni la confronter aux plaies ouvertes de mon propre cœur. J'étais persuadée d'avoir raison. Une fille se doit d'avoir des règles et de les faire respecter. Je ne laisse pas les vampires baiser mon esprit. Je ne leur accorde que mon corps. Une heure auparavant, ça me paraissait un bon principe.

Je refermai la porte derrière moi, m'adossai au battant et luttai pour contrôler mon souffle. Une heure auparavant, mon univers était beaucoup plus stable.

Chapitre 33

J'étais toujours adossée à la porte, tremblante, quand Nathaniel s'approcha de moi. Au début, je ne le vis pas, même s'il se tenait juste devant moi. Je regardais par terre, et je vis d'abord ses baskets, ses jambes et son short avant de lever lentement les yeux. Il me sembla que je mettais une éternité à remonter le long de son corps et à croiser ses yeux violets si familiers.

— Anita…, dit-il doucement.

Je tendis une main pour l'interrompre. Si quelqu'un faisait preuve de gentillesse envers moi, j'allais m'écrouler, et je ne pouvais pas me le permettre. Asher était debout, donc Musette et Cie devaient l'être aussi. En temps normal, cette pensée aurait suffi pour que je sonde automatiquement les environs afin de savoir si les vampires alentour étaient endormis ou pas. Mais cette fois je ne sentis rien. J'étais ce que Marianne, ma prof, aurait appelé « psychiquement aveugle ». Ça arrive parfois quand on a reçu un choc physique ou émotionnel. Métaphysiquement parlant, je ne serais bonne à rien jusqu'à ce que le contrecoup se dissipe… s'il finissait par se dissiper. À cette seconde, il me semblait que la terre aurait dû s'ouvrir sous mes pieds et m'avaler comme le trou noir qui dévorait mon cœur.

— Qu'y a-t-il, Nathaniel ? demandai-je à peine plus fort qu'un chuchotement.

Je me raclai la gorge pour répéter un peu plus fort, mais il avait entendu.

— Les deux types qui nous suivaient dans la Jeep bleue sont dehors. Ils surveillent le parking. Ils ont une autre bagnole, mais nous les avons reconnus.

Je hochai la tête et le trou noir commença à se refermer. J'avais toujours mal et j'étais toujours psychiquement aveugle mais, pour régler ce problème-là, ça n'avait pas d'importance. Un flingue se fiche de vos pouvoirs métaphysiques. Et il ne critique pas votre vie privée. Les chiens non plus, mais je n'ai pas besoin de ramasser les crottes de mon Firestar après avoir tiré. Parfois, quelqu'un est obligé de sortir un sac à viande, mais ce n'est généralement pas à moi de disposer du cadavre.

Je me sentais mieux. Plus calme. Ça, je pouvais le faire.

— Trouve Bobby Lee, ordonnai-je à Nathaniel. J'ai besoin de ses meilleurs gars pour une intervention bagnole.

— Une intervention bagnole ?

— On va les coincer à l'intérieur et découvrir pourquoi ils nous filent.

— Et s'ils ne veulent pas nous le dire ?

Je dévisageai Nathaniel tout en enfilant les bretelles de mon holster et en défaisant ma ceinture pour la passer dans les lanières. Sans répondre, j'ajustai mon flingue comme je le voulais. Je suis obligée de caler la crosse un peu plus bas que nécessaire pour une vitesse optimale car, plus haut, elle bute dans mon sein gauche quand je dégaine, ce qui n'arrange rien niveau rapidité. Donc, je tâche d'éviter que ma poitrine soit sur le trajet.

D'après la légende, les Amazones se coupaient un sein pour mieux tirer à l'arc. Je n'y crois pas. À mon avis, ce sont les hommes qui ont inventé ça parce qu'ils pensent qu'une femme ne peut pas être une grande guerrière sans s'amputer au préalable des attributs de sa féminité… symboliquement ou pas. Alors que nous pouvons être de grandes guerrières sans nous mutiler : il nous suffit de porter nos armes un peu différemment.

Nathaniel me dévisagea d'un air très solennel.

— Je n'ai pas apporté de flingue.

— Peu importe, parce que tu ne viens pas.

— Anita…

— Non, Nathaniel. Je t'ai appris à tirer pour éviter que tu te fasses mal et pour que tu puisses te défendre en cas d'urgence. Ça n'en est pas un. Donc, je veux que tu restes à l'intérieur, hors d'atteinte.

Quelque chose passa sur son visage, quelque chose qui ressemblait beaucoup à de l'entêtement. Quelque chose qui s'estompa très vite, mais que je n'avais pas l'habitude de voir chez lui. Je veux que Nathaniel devienne plus indépendant, pas plus têtu. C'est à peu près la seule personne dans ma vie qui fait ce que je lui demande, quand je le lui demande. Et à cet instant plus que jamais, j'appréciais beaucoup.

Je le serrai dans mes bras, et je crois que mon geste nous surprit tous les deux. Contre l'odeur de vanille de ses cheveux, je lui chuchotai à l'oreille :

— Fais ce que je te dis, s'il te plaît.

Il resta immobile et silencieux l'espace d'un battement de cœur. Puis il me rendit mon étreinte et répondit tout bas :

— D'accord.

Je m'écartai de lui lentement et scrutai son visage. Je voulais lui demander si mes règles lui pesaient, si j'avais supprimé la moitié des plaisirs de sa vie, à lui aussi. Mais je m'abstins parce que je ne voulais pas vraiment savoir. Non que le courage me manquât ; disons plutôt que la lâcheté me submergeait. J'avais eu ma dose de vérités blessantes pour la journée.

J'embrassai Nathaniel sur la joue et me mis à la recherche de Bobby Lee. Lui, ça ne me dérangeait pas qu'il soit dans la ligne de mire. D'abord parce qu'il était entraîné pour ça.

Mais aussi parce que je ne couchais pas avec lui et que je ne l'aimais pas. Parfois, l'amour vous rend égoïste. Parfois, il vous rend stupide. Et parfois, il vous rappelle pourquoi vous êtes si attachée à votre flingue.

Chapitre 34

À l'aide de jumelles, je surveillais une voiture garée dans le coin le plus éloigné du parking employés du *Cirque des Damnés*. Nathaniel avait raison : il s'agissait bien des deux mêmes types. Sauf qu'à présent ils occupaient une grosse Impala dorée datant des années 1960, ou quelque chose dans le genre. Vieille et massive, mais en bon état. Et très différente de la Jeep bleue flambant neuve dans laquelle nous les avions repérés pour la première fois.

Ils avaient également échangé leurs places : cette fois, c'était le blond qui se trouvait derrière le volant. Grâce aux jumelles, je voyais qu'il avait l'air encore jeune, disons plus de vingt-cinq ans mais moins de quarante. Il était rasé de près et portait un col roulé noir avec des lunettes à monture argentée. Il avait des yeux clairs… gris ou bleus.

Le brun avait mis une casquette et de grosses lunettes de soleil. Il avait un visage mince également rasé de près, et un gros grain de beauté au coin de la bouche.

Tout en les observant, je me demandai pourquoi ils restaient assis là sans rien faire. Ils auraient au moins pu lire le journal ou boire un café.

Ils avaient suivi toutes les instructions du *Manuel du Castor criminel* : changer de voiture, modifier superficiellement son apparence… Et ça aurait pu marcher s'ils n'étaient pas restés garés à l'extérieur du *Cirque des Damnés* sans rien faire. Si parfait que soit leur déguisement, des gens qui restent assis à rien faire dans une bagnole au milieu de la matinée ne passent pas inaperçus. D'autant que le parking des employés est quasi désert avant midi. Après la tombée de la nuit, nous ne les aurions sans doute pas repérés aussi vite mais, à cette heure-ci, il n'y avait pas foule de véhicules pour les dissimuler.

Bobby Lee était en train de m'expliquer tout ça et plus encore.

— S'ils n'avaient pas changé de bagnole, ça aurait voulu dire qu'ils se moquaient d'être repérés. Voire, qu'ils voulaient l'être. Mais là, je crois vraiment qu'ils essaient de vous suivre discrétos.

Je lui rendis les jumelles.

— Pourquoi ?

— D'habitude, quand des gens se mettent à nous suivre, on sait pourquoi.

— J'ai d'abord pensé que c'étaient des Renfield qui bossaient pour Musette et Cie. Mais je ne crois pas qu'ils se seraient donné la peine de modifier ainsi leur apparence. En règle générale, ce ne sont pas des lumières.

Bobby Lee grimaça.

— Comment pouvez-vous être amie avec autant de sangsues et continuer à les mépriser ainsi ?

J'eus un haussement d'épaules qui, contrairement à celui de Jean-Claude, n'avait rien de français ni de gracieux.

— Je suppose que j'ai du bol.

Bobby Lee continua à sourire, mais son regard se fit sérieux.

— Que voulez-vous faire, pour ces deux-là ?

L'espace d'une seconde, je crus qu'il parlait de Jean-Claude et d'Asher, puis je compris qu'il parlait des deux zouaves dans l'Impala. Que j'aie pu croire autre chose ne serait-ce qu'une seconde en disait long sur ma concentration. Celle-ci était assez mauvaise pour que je risque de me faire tuer au cours d'une fusillade.

Je pris une grande inspiration, puis une autre, les relâchant lentement en essayant de me vider la tête. Je devais être ici et maintenant, pas en train de m'inquiéter de la complexité grandissante de ma vie amoureuse. Ici et maintenant avec des hommes et des femmes armés, sur le point de risquer leur vie parce que je le leur demandais. Les deux types dans la voiture n'étaient peut-être pas dangereux, mais nous ne pouvions pas compter là-dessus. Nous devions agir comme s'ils l'étaient. Si nous nous trompions, il n'y aurait pas de mal. Et si nous avions raison, nous serions aussi prêts que possible.

Pourtant, je ne pouvais m'empêcher de penser qu'une catastrophe se préparait. Je levai les yeux vers Bobby Lee, qui me toisait.

— Je ne veux pas que vous vous fassiez tuer.

— On préférerait éviter, nous aussi.

Je secouai la tête.

— Non, ce n'est pas ce que je voulais dire.

Il me dévisagea, l'air brusquement grave.

— Qu'est-ce qui ne va pas, Anita ?

Je soupirai.

— Je crois que je commence à me faire trop vieille pour ces conneries. Pas pour risquer ma vie, mais pour mettre en danger celle des autres. La dernière fois que les rats-garous m'ont aidée, l'un de vous est mort à cause de moi, et une autre a été grièvement blessée.

— Je m'en suis bien remise.

Claudia se dirigea vers nous. Elle mesurait bien un mètre quatre-vingt-douze et sa musculature était impressionnante. Elle avait relevé ses longs cheveux noirs en une queue-de-cheval qui dégageait son visage dépourvu de maquillage. Je ne l'ai jamais vue maquillée et, peut-être à cause de cela, il me semble qu'elle n'en a pas du tout besoin.

Elle portait une brassière de sport bleu marine et un jean indigo. Elle porte très souvent des brassières, sans doute parce qu'elle a du mal à trouver des T-shirts capables de contenir la largeur spectaculaire de ses épaules et de sa poitrine. Elle fait beaucoup de muscu, mais pas au point d'en devenir masculine. Non, malgré sa taille et sa carrure, Claudia est définitivement une fille.

La dernière fois que je l'ai vue, une balle lui avait pratiquement emporté le bras. Il restait de légères cicatrices blanc et rose pâle sur son épaule droite. Les munitions en argent laissent des traces même aux métamorphes. Sur le coup, on m'avait dit qu'il y avait peu de risques pour qu'elle perde l'usage de son bras. Mais j'étais soulagée de constater que le droit semblait aussi indemne et musclé que le gauche.

— Vous avez l'air en forme. Comment va votre bras ? demandai-je en souriant.

Leurs capacités de régénération : c'est ce que je préfère chez les monstres que je fréquente. Dans mon entourage, les humains ordinaires ont tendance à tomber comme des mouches. Alors que les monstres survivent. Hourra pour les monstres !

Claudia fléchit son bras, et les muscles saillirent sous sa peau. C'était toujours aussi impressionnant. Moi aussi, je fais de la muscu, mais je ne ressemble pas à ça.

— Je n'ai pas encore récupéré cent pour cent de mes forces. Pour l'instant, je ne peux pas soulever plus de soixante-dix kilos avec ce bras-là.

Je peux soulever mon propre poids en développé-couché et, jusque-là, j'étais très fière d'arriver à faire des exercices pour les biceps avec des poids de vingt kilos. Tout à coup, je me sentais minable.

Je voulus demander à Claudia si ça ne le dérangeait pas de risquer de nouveau son corps stupéfiant et sa vie pour moi, mais je m'abstins. On ne doit pas poser certaines questions. Pas à voix haute.

Je restai là, appuyée contre la vitre réfléchissante noire qui, vue de dehors, semble faire partie du mur. Je me suis toujours demandé comment il était possible que quelqu'un soit toujours là pour m'accueillir à la porte de service du *Cirque*. Maintenant, je sais. Nous aurions pu surveiller les méchants toute la journée sans qu'ils s'en rendent compte.

Nous nous trouvions dans une sorte d'étroit grenier situé au-dessus de la partie principale du *Cirque*. L'alcôve où nous avions pris position était équipée de jumelles, de fauteuils confortables et d'une petite table. Le reste des combles était essentiellement occupé par des câbles, des fils électriques et de l'équipement, comme les coulisses d'un théâtre. Le *Cirque* – un ancien entrepôt transformé – a des poutres apparentes sur l'essentiel de la surface de son plafond, mais désormais, je connaissais l'existence d'une étroite bande close qui faisait le tour du bâtiment à son sommet. J'avais demandé s'il existait d'autres vigies dissimulées, et on m'avait répondu : « Évidemment. » À question idiote…

— Claudia conduira l'un de nos véhicules, m'annonça Bobby Lee.

— Je croyais que le plan était de faire conduire les deux bagnoles par des gens à l'air inoffensif et normal, objectai-je. (Claudia me jeta un regard glacial.) Sans vouloir vous offenser, vous êtes tout sauf ordinaire.

— Elle mettra une chemise pour planquer ses muscles, elle détachera ses cheveux, et elle ressemblera à une fille, déclara Bobby Lee.

Mon regard passa de l'un à l'autre. Claudia était plus grande que lui, aussi large d'épaules et probablement plus musclée.

— Vous savez, Bobby Lee, si je devais faire un bras de fer contre l'un de vous deux, c'est vous que je choisirais comme adversaire.

Il cligna des yeux, perplexe. Mais Claudia comprit.

— Vous gaspillez votre salive, Anita. Je peux soulever autant de fonte que je veux : même pour les meilleurs d'entre eux, je reste une fille.

Ce fut le tour de Bobby Lee de nous dévisager tour à tour.

— De quoi parlez-vous ?

Je lui expliquai en m'efforçant de ne pas utiliser de mots trop compliqués.

— Claudia est plus grande et plus costaude que la plupart des autres rats-garous qui se trouvent ici en ce moment. Pourquoi lui faites-vous conduire une des voitures, alors que nous étions tombés d'accord sur le fait que les chauffeurs devaient avoir l'air normaux et inoffensifs ? Elle a tout sauf l'air normale et inoffensive.

Bobby Lee cligna encore des yeux, les sourcils froncés.

— On ne verra pas ses muscles sous la chemise.

— Elle fait plus d'un mètre quatre-vingt-dix, bordel, et elle a des épaules aussi larges que les vôtres. Vous n'arriverez pas à planquer ça même sous une toile de tente.

— Je m'en rends bien compte, Anita.

— Alors pourquoi l'avoir choisie, elle ?

Il tenta de comprendre où je voulais en venir et finit par renoncer. Après tout, c'est un type qui a passé le plus clair de son temps à réfléchir avec ses muscles. Même plus futés que la moyenne, des muscles ne valent pas un cerveau quand il s'agit de penser.

— C'est la seule fille que nous ayons sous la main aujourd'hui, vous mise à part. Et vous, ils vous reconnaîtraient tout de suite.

— Vous voulez vraiment dire que les méchants se sentiront moins menacés par Claudia que par un homme moins grand et moins costaud ?

Cette fois, c'était suffisamment clair pour que Bobby Lee pige. Il ouvrit la bouche, la referma, l'ouvrit de nouveau et eut un rire bref.

— Je comprends votre point de vue, mais pour être honnête… Oui, ils se sentiront moins menacés. Les hommes ne considèrent pas les femmes comme un danger potentiel, si costauds qu'elles soient. En revanche, ils considèrent tous les hommes comme un danger potentiel. Même les freluquets.

Je secouai la tête.

— Pourquoi, parce que nous avons des seins et pas vous ?

— Laissez tomber, Anita, intervint Claudia. Ce sont des hommes ; ils ne peuvent pas s'en empêcher.

Comme je ne suis pas un homme, je partis du principe que Bobby Lee avait raison et que les méchants paniqueraient moins si une des personnes impliquées dans notre faux accident était une femme. Je dois admettre que, même moi, physiquement, j'ai moins peur d'une autre femme. Mais ça ne me paraît pas normal.

Claudia enfila une chemise d'homme bleu clair par-dessus sa brassière et la boutonna – manches comprises – mais pas jusqu'en haut, histoire qu'on voie quand même le haut de sa poitrine. Puis elle enleva son élastique et secoua la tête. Ses cheveux se répandirent sur ses épaules en une cascade brune brillante, adoucissant ses traits décidés et, soudain, j'entrevis ce qu'elle pourrait donner si elle faisait un effort pour avoir l'air d'une fille normale. Le mot « spectaculaire » me vint à l'esprit.

Bobby Lee la regarda faire, bouche bée. J'aurais sans doute pu lui tirer deux balles dans le buffet avant qu'il réagisse. Merde alors. Il baissait d'un cran dans mon estime.

Claudia croisa mon regard et haussa un sourcil joliment arqué qui disait tout. Ce fut un de ces moments de parfaite compréhension entre filles, et à mon avis, elle n'en vivait pas plus souvent que moi. Nous passions toutes les deux beaucoup trop de temps à traîner avec des mecs.

Mais peu importe le nombre de fois où nous leur avons sauvé la vie et réciproquement ; peu importe le nombre de kilos que nous pouvons soulever en développé-couché ; peu importent notre taille, notre carrure et notre compétence : à leurs yeux, nous restons des filles. Et pour la plupart d'entre eux, ce fait conditionne tout le reste. Ce n'est ni un bien ni un mal : c'est comme ça, voilà tout.

Une femme peut oublier qu'un homme est un homme s'ils sont suffisamment amis, mais un homme oublie rarement qu'une femme est une femme. La plupart du temps, ça me fout dans une rage terrible. Mais cette fois, nous allions utiliser ce raisonnement contre les méchants. Ils verraient les cheveux et les seins de Claudia et ils la sous-estimeraient, juste parce que c'est une fille.

Chapitre 35

À ma connaissance, ils ne me filaient que depuis une journée : alors pourquoi tant de détermination à en découvrir la raison ? Premièrement, quand quelqu'un en a après vous, c'est toujours mieux de savoir que de ne pas savoir ; deuxièmement, j'étais d'une humeur exécrable.

Je ne voyais vraiment pas quoi faire au sujet d'Asher. Je ne voulais pas le perdre, mais je n'étais plus du tout certaine que ce sentiment soit sincère. En fait, j'étais à peu près sûre qu'il découlait de ses manipulations mentales. Peut-être ne l'avais-je jamais aimé. Peut-être était-ce un mensonge depuis le début. La partie rationnelle de mon esprit savait que je me leurrais sur ce dernier point, mais la partie effrayée se satisfaisait de cette théorie.

Ce qui m'inquiétait le plus, c'est que j'ignorais comment réagir. Était-ce une réaction justifiée de jeter Asher à cause de sa trahison ? ou Asher avait-il raison, et n'avait-il fait que ce que je lui demandais ? Avais-je tort ? Si oui, combien d'autres fois m'étais-je trompée et montrée injuste ? Je perdais toute notion de bien et de mal. Sans la colère que provoquait en moi toute infraction à mes valeurs morales, je me sentais vacillante et irréelle. Comme si je n'étais plus moi-même.

Et si Claudia se faisait tuer à cause de moi, comme son pote Igor quelques mois auparavant ? Et si Bobby Lee se faisait tuer à cause de moi comme son pote Cris ? J'avais provoqué la mort de cinquante pour cent des rats-garous que leur roi

Rafael avait assignés à ma protection. Personne ne s'était jamais plaint mais, cette fois, l'idée de pertes supplémentaires me semblait intolérable.

Si je n'étais pas prête à laisser des gens risquer leur vie, notre plan ne fonctionnerait pas. Nous avions besoin de quatre véhicules pour bloquer autant d'accès et faire en sorte que les méchants ne puissent pas s'enfuir. Nous allions leur barrer la route et tenter de discuter avec eux. Ce qui impliquait de mettre au moins quatre personnes en danger. Et même davantage, puisque Bobby Lee voulait des tireurs embusqués dans les rares voitures en stationnement sur le parking. Ces tireurs sortiraient du *Cirque* quand les méchants seraient occupés à chercher un moyen de quitter le parking. Du moins, c'était le plan.

Et c'était un bon plan, à moins que les méchants sortent des flingues et se mettent à tirer. Auquel cas, nous serions obligés de riposter. S'ils se faisaient tuer dans la fusillade, je ne serais pas plus avancée. Je ne saurais toujours rien, et certains des rats de Rafael seraient peut-être morts à cause de moi.

— Ça va, Anita ? s'enquit Bobby Lee.

Je me massai les tempes du bout des doigts et secouai la tête.

— Non, pas vraiment. Ça ne me va pas vraiment.

— Qu'est-ce qui ne vous va pas ?

— Tout ça.

Les mots avaient à peine franchi mes lèvres que je vis la voiture de Claudia arriver par la route du fond, et celle de Frédo par la route d'en face. J'avais mis un point d'honneur à lui demander comment il s'appelait. On ne devrait pas envoyer au casse-pipe des gens dont on ne connaît même pas le nom. Frédo mesurait un peu plus d'un mètre soixante-dix ; il avait une silhouette mince, le teint mat, des mains gracieuses et plus de couteaux sur lui que j'en avais vu sur personne depuis un bail. D'après Bobby Lee, Claudia et lui pouvaient faire en sorte que l'accident ait l'air authentique parce qu'ils étaient tous les deux des conducteurs aguerris. Il avait prononcé ce dernier mot comme s'il était en lettres majuscules. J'avais demandé à prendre le volant d'une des deux bagnoles, et il m'avait informée que je ne savais pas conduire. Ce à quoi je n'avais rien pu répliquer. Mais en cet instant, regarder des gens prendre des risques à ma place était plus difficile que d'en prendre moi-même.

J'avais confiance dans le jugement de Bobby Lee. Vraiment. En revanche, je ne faisais pas confiance aux méchants... à part pour se montrer imprévisibles et dangereux.

Je regardai les deux voitures se rapprocher, et je faillis crier : « Non, ne faites pas ça ! » Mais je voulais savoir qui me suivait, et surtout, si je disais « stop », si mes nerfs me lâchaient dans une situation aussi ordinaire, à quoi pourrais-je encore bien servir ? La vérité, c'est que mes nerfs avaient déjà lâché. Je ne dis rien, mais j'eus l'impression que la seule chose qui m'empêchait de vomir mon cœur était le pincement de mes lèvres.

Je priai. *Mon Dieu, faites que personne ne soit blessé.* Puis une pensée me vint quelques secondes avant la collision. Si Bobby Lee et ses copains pouvaient mettre en scène un accident, ils auraient probablement été capables de suivre ces deux types pour voir où ils les menaient. Procéder à une bête filature ne m'avait pas traversé l'esprit. J'avais immédiatement envisagé une confrontation. Merde alors.

Les deux voitures se percutèrent, et cela eut l'air authentique. Claudia descendit de la sienne, grande et hyperféminine malgré la distance. Frédo l'imita en hurlant et en agitant les bras.

Les méchants démarrèrent et se dirigèrent vers la sortie du parking, plus loin dans la rue que l'accident venait de bloquer. Ils fuyaient comme... euh... des rats.

Ils s'arrêtèrent avant d'avoir terminé leur virage, ce qui signifiait qu'ils avaient repéré la troisième voiture rangée le long du mur, celle qui bloquait la ruelle entre le *Cirque* et le bâtiment voisin.

Bobby Lee me précéda en direction de l'escalier. Nous dévalâmes les marches, certains que le quatrième véhicule (un camion) avait bloqué la ruelle de derrière, celle où se trouvait le quai de déchargement. Nous avions tous deux renoncé au privilège de faire partie des premiers tireurs dans le parking pour observer le déroulement des faits.

Le temps de faire irruption dehors, des tireurs avaient surgi entre les quelques voitures garées dans le parking comme des champignons après une averse. Je me sentis presque ridicule en dégainant mon flingue pour prendre ma place dans le demi-cercle. Claudia, Frédo et les deux autres conducteurs arrivaient de l'autre côté pour former la seconde moitié du cercle.

D'accord, ce n'était pas un cercle parfait, sinon, nous aurions pris le risque de nous tirer dessus. C'était plutôt un cercle métaphorique, mais l'effet, lui, fut parfait.

L'Impala resta immobile au milieu du cercle de nos flingues, moteur allumé et aucune arme en vue pour le moment. Le blond avait les mains posées fermement sur le volant. En revanche, je ne voyais pas celles du brun à la casquette.

Des cris s'élevèrent de notre côté, du style : « Les mains en l'air ! » et « Pas un geste ! » Les types n'avaient pas bougé, mais leur moteur tournait toujours et je ne voyais toujours pas les mains du passager. Braquant mon flingue sur eux d'une seule main, je levai l'autre. J'ignore si les tireurs le virent ou comprirent ce que je voulais, mais Bobby Lee vit et comprit, lui. Il imita mon geste, et les cris cessèrent aussitôt. Le silence que seul rompait encore le ronronnement du moteur de l'Impala retomba sur le parking.

Je le brisai d'une voix forte :

— Coupez le moteur.

Le type à la casquette dit quelque chose que je ne pus entendre à travers les vitres. Lentement, le blond baissa une main, et le moteur s'arrêta.

Le type à la casquette était visiblement mécontent. Malgré les grosses lunettes de soleil qui dissimulaient la moitié de son visage, le pli de sa bouche le trahissait. Il avait toujours les mains hors de vue. Le blond avait remis les siennes sur le volant.

— Les mains bien en vue, ordonnai-je. Tout de suite.

Les mains du blond parurent vibrer sur le volant, indiquant qu'il les aurait volontiers mises bien en vue si elles n'y avaient pas déjà été. Il dit quelque chose à son compagnon, qui secoua la tête.

Je baissai mon flingue, inspirai un grand coup, bloquai ma respiration, visai et relâchais lentement mon souffle en appuyant sur la détente. La détonation résonna fortement dans le silence, et il me fallut un moment pour réussir à entendre le sifflement de l'air qui s'échappait du pneu crevé. Je braquai de nouveau mon Firestar sur la vitre du blond.

Il écarquilla de grands yeux et parla très vite à son copain.

— Bobby Lee. Demandez à quelqu'un de l'autre côté d'appuyer un flingue sur la vitre passager, réclamai-je.

— Vous voulez qu'ils tirent ?

— Pas encore et, s'ils sont obligés de le faire, je ne veux pas qu'ils risquent de toucher le conducteur avec la même balle. (Je levai les yeux.) Visez en conséquence.

Ce fut Claudia qui fit un pas en avant et appuya le canon de son flingue sur la vitre passager, en calculant son angle de tir conformément à mes instructions. À une distance si réduite, les balles ont une fâcheuse tendance à traverser les corps pour ressortir de l'autre côté.

Sans lever les yeux vers moi ni détacher son regard de l'homme qu'elle visait, Claudia demanda :

— J'ai la permission de le descendre ?

— Nous n'avons besoin que d'un survivant pour l'interroger, répondis-je.

Elle sourit, découvrant des dents très blanches : un sourire féroce et effrayant dans son joli visage encadré par une masse de cheveux bruns.

— Génial.

— C'est la dernière fois que je vous le demande. Posez vos mains en évidence, ou nous tirons.

Le type à la casquette ne réagit pas. Ou bien il était stupide, ou bien…

— Bobby Lee, est-ce que quelqu'un protège nos arrières ?

— Vous voulez dire, au cas où on nous prendrait à revers ?

— Oui. Je le trouve terriblement têtu pour quelqu'un qui ne peut s'attendre à aucun secours.

Bobby Lee aboya quelque chose dans une langue dure qui ressemblait à de l'allemand, mais qui n'en était pas, et son accent du Sud disparut complètement. Certains des rats-garous firent volte-face pour surveiller le périmètre. Nous étions à découvert ; personne ne risquait de nous approcher sans se faire remarquer. Seul un tireur armé d'un fusil à lunette aurait constitué un véritable danger pour nous.

Mais nous ne pouvions rien faire contre un éventuel sniper et, parce que nous étions impuissants, nous dûmes nous comporter comme s'il n'y en avait pas. Ce qui n'empêcha pas ma nuque de me démanger comme si je sentais un viseur sur ma peau. J'étais à peu près certaine qu'il ne s'agissait que de mon imagination, mais celle-ci me pose toujours problème quand je suis trop excitée. Je tentai de penser à quelque chose d'autre : par exemple, la raison pour laquelle ce type ne voulait pas lever ses putains de mains.

De nouveau, je levai l'index. Un. Puis le majeur. Deux.

Le blond parlait à toute vitesse. J'entendis sa voix étouffée à travers les vitres.

— Obéis, bordel, obéis !

J'étais en train de déplier mon annulaire quand le type à la casquette leva lentement les mains. Elles étaient vides, mais j'aurais parié toutes mes économies qu'il avait une grosse saloperie sur les genoux. Ouais.

Claudia ne bougea pas, probablement parce qu'on ne lui avait pas dit de bouger. Franchement, je préférais qu'elle continue à viser le type. Comme ça, s'il tentait de saisir le truc qu'il avait sur les genoux, elle pourrait tirer avant qu'il s'en serve.

Je fis tourner ma main libre en l'air, mimant le geste de descendre une vitre. L'Impala était assez ancienne pour ne pas disposer de vitres électriques. Le blond tourna la poignée lentement, sans retirer son autre main du volant. Un type prudent. Il me plaisait.

Une fois la vitre ouverte, il reposa sa main gauche sur le volant sans rien dire. Il ne proclama pas son innocence et n'avoua pas non plus sa culpabilité. Très bien.

Je suis si petite que je n'eus pas besoin de me baisser beaucoup pour voir les jambes de l'autre homme. Il n'avait rien sur les genoux, ce qui signifiait qu'il avait dû pousser par terre le truc qu'il tenait pour nous empêcher de le voir. De quoi diable pouvait-il bien s'agir ?

Je haussai légèrement la voix.

— Vous, avec la casquette. Posez lentement les mains sur le tableau de bord. Bien à plat. Et si vous vous avisez de les enlever, nous vous abattrons. C'est bien compris ?

Il refusait de me regarder.

— C'est bien compris ?

Il commença à lever les mains.

— Oui.

— Pourquoi me suiviez-vous ? demandai-je en m'adressant surtout au blond, parce que je sentais que l'autre n'était pas du genre bavard.

— Je ne sais pas de quoi vous parlez.

Son accent allemand était léger, mais suffisamment de gens dans ma famille paternelle ont le même pour que je sois capable de le reconnaître. Évidemment, ils ont tous passé la soixantaine, et ils ne sont pas rentrés chez eux depuis un bail. J'aurais parié que Blondinet était une importation plus récente.

— Qu'avez-vous fait de votre jolie Jeep bleue ? demandai-je.

Son visage se figea.

— Je te l'avais dit, cracha le type à la casquette.

— Ouais, on vous a repérés, dis-je. Ça n'était pas trop difficile.

— Vous ne nous auriez pas vus si vous n'aviez pas roulé en zigzag, se défendit Blondinet.

— Désolée, mais nous avions quelques problèmes techniques.

— L'un de vous a viré poilu, ricana le type à la casquette.

Lui, il n'avait aucun accent. Un Américain de classe moyenne, originaire du milieu de nulle part.

— Donc, vous vous êtes demandé ce qui clochait, et vous vous êtes approchés suffisamment pour voir, dis-je. (Ils gardèrent le silence.) Vous allez descendre de cette voiture très, très lentement. Si l'un de vous fait mine de dégainer une arme, il se peut que vous mouriez tous les deux. Je n'ai besoin que d'un seul d'entre vous pour l'interroger. L'autre peut bien crever. Je ferai de mon mieux pour que l'un de vous survive, mais je ne me foulerai pas pour vous sauver tous les deux, parce que je n'en ai pas besoin. C'est clair ?

— Oui, répondit Blondinet.

— Limpide comme de la putain d'eau de roche, ajouta le type à la casquette.

Bien vu, Anita. Un poète pareil ne pouvait être qu'un Américain.

Alors j'entendis les sirènes. Elles étaient proches, toutes proches… probablement devant l'entrée du *Cirque*, de l'autre côté du bâtiment. J'aurais aimé croire qu'elles ne faisaient que passer, mais quand on brandit une telle quantité de flingues dans un endroit découvert, on ne peut pas compter là-dessus.

—Jamais un flic dans les parages quand on en a besoin, grogna Bobby Lee, mais essayez de faire quoi que ce soit d'illégal, et c'est toute une brigade qui vous tombe dessus.

—Si vous rangez vos flingues avant qu'ils débarquent, nous ferons comme s'il ne s'était rien passé, proposa le type à la casquette avec un sourire satisfait et en se penchant vers moi pour être certain que je le voie bien.

Je lui rendis son sourire, et le sien faiblit parce que j'avais l'air beaucoup trop réjouie. Je n'avais qu'une seule main libre. Ce fut donc d'un geste maladroit que je tirai mon badge de ma poche… mais seul compte le résultat. Je brandis mon étoile métallique nichée dans sa petite pochette.

—Marshal fédéral, connard. Laissez vos mains où je peux les voir jusqu'à l'arrivée des gentils policiers.

—Pourquoi nous arrêtez-vous ? s'enquit le blondinet à l'accent germanique. Nous n'avons rien fait.

—Je n'en suis pas si certaine. Nous allons commencer par port d'armes dissimulées sans permis, puis soupçon de vol de voiture. (Je tapotai le flanc de l'Impala.) Elle n'est pas à vous, et mon petit doigt me dit que ce que votre copain a laissé tomber par terre est illégal dans ce pays. Bobby Lee, nous n'avons plus besoin de toute cette foule.

Il comprit ce que je voulais dire et aboya un nouvel ordre en quasi-allemand. Les rats-garous détalèrent si vite que je fus incapable de les suivre des yeux. Je les avais déjà vus faire ça une ou deux fois.

Claudia resta à son poste, et Bobby Lee refusa de partir, mais nous n'étions plus que trois quand le premier policier nous aperçut. Enfin, cinq, en comptant les méchants.

Deux flics en tenue longèrent la ruelle, à pied parce que le camion qui bloquait le passage n'avait pas bougé, mais son chauffeur marchait devant eux avec les mains sur la tête.

Sa posture révélait un holster vide. Ils l'avaient délesté de son flingue.

Je m'assurai de brandir mon badge le plus haut possible. Quand ils franchirent l'angle du bâtiment, je criai :

— Marshal fédéral !

Ils se planquèrent derrière les rares voitures qui se trouvaient de ce côté du parking et glapirent :

— Jetez vos armes !

— Marshal fédéral Anita Blake ! criai-je de plus belle. Les autres sont mes adjoints.

— Vos adjoints ? chuchota Bobby Lee.

— Faites tout ce que je dis et tout ira bien, marmonnai-je du coin de la bouche.

— Oui, m'dame.

Je m'écartai suffisamment de la voiture pour mieux faire voir mon badge.

— Marshal fédéral Blake, répétai-je. Contente de vous voir, messieurs.

Les agents restèrent à couvert derrière le bloc moteur des bagnoles, mais ils cessèrent de gueuler contre nous. Ils essayaient de déterminer la profondeur de la merde dans laquelle ils se retrouveraient si nous étions bien des fédéraux et qu'ils sabotaient une de nos interventions, mais ils ne se souciaient pas suffisamment de leur carrière pour risquer leur peau. Je les approuvais.

Je baissai la voix pour m'adresser aux deux types dans la voiture avant de me diriger vers les policiers.

— Port d'armes dissimulées sans permis, port d'armes illégales de toute façon, voiture volée, et je parie que, quand on rentrera vos empreintes dans la machine, elle s'allumera comme un sapin de Noël.

Je souris et fis un signe de tête aux deux flics planqués derrière les voitures. Le badge les avait calmés, mais ils n'avaient pas rangé leur flingue, et j'entendais d'autres sirènes dans le lointain. Ils avaient appelé des renforts. Je ne pouvais pas les en blâmer. Ils n'avaient aucun moyen de savoir si l'un de nous était bien un flic.

Je jetai un coup d'œil à Blondinet.

— Et puis, dans le coin, les flics n'aiment pas trop que des criminels collent aux basques des marshals fédéraux.

— Nous ne savions pas que vous apparteniez à la police, se défendit-il.

— Vos services de renseignements sont nuls.

Les mains toujours sur le volant, il acquiesça.

— En effet.

Je rangeai mon Firestar et brandis mon badge très haut. Puis, gardant mes deux mains en évidence pour montrer que je n'étais plus armée, je me dirigeai prudemment vers les deux agents en tenue et les autres qui émergeaient lentement de la ruelle, le flingue à la main. Il y a des jours où j'adore avoir un badge. Celui-ci en faisait définitivement partie.

Chapitre 36

Trois heures plus tard, assise dans la grande salle du commissariat, je sirotais un café vraiment amer en attendant que quelqu'un me laisse parler à mes prisonniers. J'avais un badge et le droit de nommer adjoint qui je voulais en cas d'urgence.

Les flics avaient emmené Bobby Lee, Claudia et le chauffeur du camion pour les interroger. Tous trois avaient été renvoyés chez eux une heure auparavant. Bobby Lee voulait rester avec moi, mais son avocat lui avait dit qu'il avait une sacrée chance de pouvoir quitter les lieux au bout de seulement deux heures et qu'il devrait la saisir. Ce qu'il avait fait quand j'avais insisté pour qu'il s'en aille.

Évidemment, ça avait pas mal aidé que la police ait trouvé un pistolet-mitrailleur MP5 Heckler & Koch aux pieds des méchants, sans parler d'une demi-douzaine d'armes plus modestes, de quatre couteaux et d'une de ces fameuses matraques télescopiques. Sans compter que la voiture qu'ils conduisaient ne leur appartenait pas.

Le type à la casquette, celui qui était si peu bavard, avait servi dans l'armée pendant des années, si bien que ses empreintes avaient permis de l'identifier très vite. Curieusement, il n'avait pas de casier. J'aurais parié presque n'importe quoi que c'était un criminel. Mais si je ne me trompais pas, il était sans doute assez bon pour ne jamais se faire pincer.

Le blondinet n'existait pas dans nos archives. À cause de son accent allemand et parce que j'avais beaucoup insisté, les flics avaient envoyé les deux jeux d'empreintes à Interpol pour vérifier si nos lascars n'étaient pas recherchés hors du pays. Mais il faudrait du temps pour obtenir des résultats.

Aussi m'avait-on laissé me remettre de mes émotions dans une chaise très inconfortable, près du bureau d'un inspecteur fantôme. Sa plaque était marquée « P. O'Brien » mais, d'après ce que j'avais vu pendant ces trois heures, l'inspecteur O'Brien n'existait pas. Ce n'était qu'un mythe devant le bureau duquel on faisait asseoir les gens en leur promettant qu'il viendrait bientôt leur parler.

Je n'étais pas en état d'arrestation. Personne ne me reprochait rien. J'étais tout à fait libre de m'en aller, mais pas de parler aux prisonniers sans la présence d'un tiers. Soit. Je leur avais donc parlé en présence d'un policier, et ils n'avaient rien répondu sinon qu'ils voulaient voir leur avocat. Après leur avoir lu leurs droits, c'était tout ce que nous avions pu tirer d'eux.

Nous avions de quoi les retenir au moins soixante-douze heures mais, après ça, nous serions dans la merde, à moins que leurs empreintes se révèlent associées à un mandat d'arrêt encore actif.

Je bus une nouvelle gorgée de café, grimaçai et reposai prudemment le gobelet sur le bureau de l'inspecteur Casper. Je n'avais jamais pensé tomber sur un café que je ne pourrais pas boire. Je m'étais trompée. Celui-ci avait un goût de chaussettes de gym usagées, et presque la même consistance.

Je me redressai et envisageai de quitter les lieux. Mon badge nous avait permis de ne pas finir en prison et d'y faire mettre les deux méchants, mais c'était à peu près tout. Les flics locaux n'appréciaient pas qu'une personne dotée d'un titre fédéral vienne empiéter sur leurs plates-bandes.

Une femme vint se planter devant moi. Elle mesurait environ un mètre soixante-dix ; elle portait une jupe noire un peu plus longue que la mode le préconisait et des chaussures confortables pas particulièrement branchées. Son chemisier doré ressemblait à de la soie, mais était probablement taillé dans une matière synthétique plus facile à nettoyer. Ses cheveux brun foncé étaient striés par une telle quantité de gris et de blanc qu'on aurait dit qu'elle s'était fait des mèches. Naturellement punk.

Deux rides profondes encadraient un beau sourire. Elle me tendit la main. Je me levai pour la lui serrer. Sa poigne était ferme et décidée. Je jetai un coup d'œil à la veste posée sur le dossier de la chaise de l'inspecteur O'Brien et sus à qui j'avais affaire avant même qu'elle se présente.

— Désolée d'avoir mis tant de temps à revenir vers vous. Nous avons eu une journée chargée.

Elle m'invita à me rasseoir, ce que je fis.

— Je comprends.

Elle sourit de nouveau mais, cette fois, ses yeux restèrent froids, comme si elle ne me croyait pas.

— C'est moi qui vais m'occuper de cette affaire. Aussi, je voudrais juste clarifier quelques points.

Elle posa sur son bureau le dossier qu'elle avait apporté, l'ouvrit et parcourut ses notes.

— Pas de problème, dis-je.

— Vous ignorez pourquoi ces deux hommes vous suivaient, c'est exact ?

— En effet.

Elle me jeta un regard très direct. Ses yeux étaient gris foncé.

— Pourtant, la situation vous a paru assez grave pour que vous nommiez… (elle consulta ses notes) dix civils adjoints afin de vous aider à les capturer.

Je haussai les épaules et lui adressai mon expression neutre la plus affable.

—Je n'aime pas être suivie par des inconnus.

—Vous avez dit aux agents présents sur les lieux que vous soupçonniez ces hommes de transporter des armes illégales. Et ce, avant que nous fouillions leur personne ou leur véhicule. Comment avez-vous su qu'ils transportaient des armes illégales… (elle marqua une hésitation) marshal Blake ?

—L'instinct, je suppose.

Ses yeux gris devinrent brusquement aussi froids qu'un ciel hivernal.

—Arrêtez votre baratin et dites-moi ce que vous savez.

J'écarquillai les yeux.

—J'ai dit tout ce que je savais à vos agents, inspecteur O'Brien, je vous le jure.

Elle me toisa avec un tel mépris que j'aurais dû me recroqueviller dans mon siège et tout avouer. Le problème, c'était que je n'avais rien à avouer. Que dalle : voilà l'étendue de ce que je savais.

J'optai pour la sincérité.

—Inspecteur O'Brien, je vous jure que j'ai remarqué qu'on me suivait aujourd'hui sur l'autoroute. Plus tard, j'ai revu les mêmes types à l'extérieur de l'endroit où je me trouvais, mais dans une voiture différente. Jusque-là, j'étais persuadée d'avoir fait une petite crise de paranoïa. Mais quand j'ai compris qu'ils me filaient réellement, j'ai voulu qu'ils arrêtent. Et j'ai voulu savoir pourquoi ils le faisaient en premier lieu. (Je haussai les épaules.) C'est la vérité absolue. J'aimerais avoir quelque chose à vous cacher mais, sur ce coup-là, je n'en sais pas plus que vous.

O'Brien referma sèchement le dossier et donna un coup avec sur le bureau comme pour aligner les papiers qu'il contenait. Mais son geste ressemblait à un automatisme ou à une manifestation de colère.

— Ne me faites pas vos yeux de Bambi, mademoiselle Blake. Ça ne prend pas avec moi.

Des yeux de Bambi, moi ?

— M'accuseriez-vous de faire usage de mes charmes féminins sur vous, inspecteur ?

Cela la fit presque sourire, mais elle se retint.

— Pas exactement, mais j'ai déjà rencontré des femmes dans votre genre, petites et toutes mignonnes. Vous n'avez qu'à faire une moue innocente pour que les hommes tombent à vos pieds dans leur empressement à vous croire.

Je la dévisageai pendant une seconde pour vérifier si elle plaisantait, mais elle avait l'air sérieuse.

— Quels que soient les griefs que vous nourrissez, trouvez quelqu'un d'autre sur qui passer vos nerfs. Je suis venue ici et je vous ai dit la stricte vérité. Je vous ai aidés à boucler deux types dangereux qui trimballaient des armes chargées avec des balles perforantes, des « tueuses de flics ». Et vous n'avez pas l'air très reconnaissants.

Elle me gratifia encore de son regard glacial.

— Vous êtes libre de partir, mademoiselle Blake.

Je me levai et lui souris, les yeux tout aussi froids et hostiles que les siens.

— Merci beaucoup, madame O'Brien, dis-je en insistant sur le « madame ».

— Pour vous, c'est « inspecteur O'Brien », rectifia-t-elle comme je me doutais qu'elle le ferait.

— Alors, c'est « marshal Blake » pour vous, répliquai-je.

— J'ai gagné le droit de me faire appeler « inspecteur », Blake. Je n'ai pas hérité de mon titre sur une décision de loi. Vous avez peut-être un badge ; ça ne fait pas de vous un flic.

Doux Jésus, elle était jalouse. Je pris une grande inspiration et la relâchai lentement. Mordre à l'hameçon et me disputer avec elle ne me mènerait nulle part. Du coup, je m'abstins. Un bon point pour moi.

— Je ne suis peut-être pas votre genre de flic, mais j'ai été nommée marshal fédéral en toute légalité.

— Et cela vous donne le droit d'intervenir dans toutes les affaires impliquant des créatures surnaturelles. Ce qui n'est pas le cas de celle-ci. (Elle leva les yeux vers moi. Son visage était calme, mais des traces de colère s'attardaient encore sur ses traits.) Donc, au revoir.

Je soutins son regard et comptai lentement jusqu'à dix.

Un autre inspecteur s'approcha à grands pas. Il avait des cheveux blonds bouclés coupés court, des taches de rousseur et le visage illuminé par un grand sourire. S'il avait été plus récent dans ses fonctions, j'aurais entendu couiner ses chaussures.

— James dit qu'on vient d'attraper un genre de super-espion international ; c'est vrai ?

Une expression douloureuse passa sur le visage d'O'Brien. Je l'entendis presque penser : « Et merde. »

J'adressai un sourire radieux à son collègue.

— Interpol a trouvé quelque chose ?

Il acquiesça vivement.

— L'Allemand est suspecté de terrorisme et recherché partout pour espionnage industriel. Il…

O'Brien l'interrompit.

— Foutez le camp, inspecteur Webster. Et vite.

Le sourire du type s'évanouit.

— J'ai fait quelque chose de mal ? C'est le marshal qui les a arrêtés ; je pensais qu'elle…

— Foutez le camp tout de suite, gronda O'Brien sur un ton menaçant.

Un loup-garou n'aurait pas fait mieux. L'inspecteur Webster s'éloigna sans rien ajouter, l'air perplexe et inquiet.

Il y avait de quoi. O'Brien était du genre rancunier à mort ; j'aurais parié qu'elle lui ferait payer sa bourde. Avec les intérêts.

Elle me dévisagea avec, dans les yeux, une colère qui n'était pas uniquement dirigée contre moi. Peut-être parce qu'elle était la seule femme dans son boulot depuis des années et que ça l'avait rendue amère. Ou peut-être parce qu'elle était naturellement mal embouchée. Je n'en savais rien, et je m'en fichais.

— Capturer un espion international par les temps qui courent, c'est le genre de chose qui peut valoir une sacrée promotion à un flic, dis-je sur un ton badin.

La haine que je lus dans ses yeux me fit frémir.

— Vous savez bien que vous n'avez pas de souci à vous faire. (Je secouai la tête.) O'Brien, je ne fais pas carrière dans la police. Ni même chez les fédéraux. Je suis une exécutrice de vampires et je vous file un coup de main dans les affaires où des monstres sont impliqués. Notre statut de marshal est si récent et si particulier que nous ignorons encore si on va nous faire intégrer la hiérarchie et nous donner la possibilité de monter en grade. Je ne menace pas votre avancement. M'attribuer le mérite de cette arrestation ne me servirait à rien. Alors, profitez-en.

Son regard passa de la haine à la méfiance.

— Qu'est-ce que vous avez à y gagner ?

— Vous ne comprenez toujours pas, hein ? Qu'a dit votre collègue ? Espion international, suspecté de terrorisme, recherché pour espionnage industriel… et ce n'est que le début de la liste, apparemment.

— Et alors ? demanda-t-elle en croisant les mains sur le dossier posé devant elle comme pour m'empêcher de le saisir et de me barrer en courant.

— Il me filait, O'Brien. Pourquoi ? Je ne suis jamais sortie du pays. Qu'est-ce qu'un espion international peut bien me vouloir ?

Elle fronça légèrement les sourcils.

— Vous ne savez vraiment pas pourquoi ces deux types vous suivaient, n'est-ce pas ?

Je secouai la tête.

— Non. Et à ma place, ça vous plairait que des malfrats de ce calibre vous collent aux basques ?

— Non, admit-elle d'une voix radoucie, hésitante.

Elle leva les yeux vers moi. Son regard avait perdu sa dureté. Elle ne s'excusa pas, mais elle me tendit le dossier.

— Si vous ignorez pourquoi ils en ont après vous, mieux vaut que vous sachiez exactement à quel genre de criminels vous avez affaire… marshal Blake.

Je souris.

— Merci, inspecteur O'Brien.

Elle ne me rendit pas mon sourire, mais elle envoya Webster nous chercher un autre café. Et avant qu'il le verse dans nos tasses, elle lui demanda d'en refaire du frais. Cette fille me plaisait de plus en plus.

Chapitre 37

Il s'appelait Leopold Walther Heinrick. De nationalité allemande. Suspecté de presque tous les crimes majeurs existants. Et par « majeurs », j'entends le contraire de « mineurs ». Il ne faisait ni dans le vol de sacs à main, ni même dans la simple escroquerie. On le soupçonnait de travailler pour des groupes terroristes du monde entier, et notamment ceux qui œuvraient pour le bénéfice de la race aryenne. Non qu'il n'ait jamais accepté d'argent de la part de commanditaires qui ne cherchaient pas à rendre le monde plus sûr pour les racistes, mais il semblait avoir une petite préférence pour ces derniers. Les affaires d'espionnage auxquelles il était associé aidaient généralement des gens à peau claire à conserver le pouvoir, ou à en obtenir le plus possible sur des gens à peau moins claire.

Le dossier contenait une liste de partenaires connus, avec des photos de certains d'entre eux : parfois des identités judiciaires mais, le plus souvent, des clichés de surveillance faxés avec une définition pas terrible. Des visages de profil ; des types qui s'engouffraient dans une voiture, entraient ou sortaient de bâtiments dans des pays lointains. On aurait dit qu'ils se savaient surveillés ou qu'ils craignaient de l'être. Je ne cessais de revenir à deux d'entre eux. Deux hommes. Le premier était de profil et portait un chapeau. Le second avait la tête levée et le visage flou.

O'Brien vint derrière moi pour observer les photos que j'avais posées côte à côte sur son bureau.

— Vous les connaissez ?

— Je n'en suis pas sûre.

Je tripotai le bord des photos comme si ça pouvait rendre les deux hommes plus réels, les forcer à me révéler leurs secrets.

— Vous n'arrêtez pas de les regarder.

— Je sais, mais je ne parviens pas à les identifier. J'ai l'impression de les avoir déjà vus quelque part. Il y a peu de temps. Mais où et dans quelles circonstances, je ne m'en souviens pas. En tout cas, si ce n'était pas eux, c'étaient des gens qui leur ressemblaient beaucoup.

Je scrutai les images grainées, faites de petits points noirs et blancs, comme si le fax était une copie d'une copie. Qui pouvait dire d'où provenait l'original ?

O'Brien eut l'air de deviner à quoi je pensais, car elle dit :

— Vous travaillez à partir de fax de mauvaises photos de surveillance. Vous auriez du bol de reconnaître votre propre mère là-dessus.

Je hochai la tête et saisis celle qui représentait le grand brun costaud en train de monter dans une voiture. Derrière lui se dressait un bâtiment ancien mais, vu que je n'y connais rien en architecture, ça ne m'apprenait pas grand-chose. Il avait les yeux baissés comme s'il faisait attention à ne pas tomber du trottoir, de sorte que je ne le voyais même pas de face.

— Si je pouvais voir une photo de face, peut-être... À moins qu'ils nous aient déjà envoyé tout ce qu'ils avaient ?

— Oui. Du moins, c'est ce qu'ils nous ont dit. (O'Brien n'avait pas l'air de les croire outre mesure, mais elle devait faire comme si.) Ils craignent que d'autres copains de Heinrick se trouvent sur le sol américain. Nous allons distribuer des copies de ces photos à tous les patrouilleurs, avec l'ordre de suivre ces types le cas échéant et de faire un rapport, mais de ne surtout pas chercher à les appréhender.

— Vous pensez qu'ils sont si dangereux que ça ?

Elle me jeta un coup d'œil éloquent.

— Vous venez de lire le CV de Heinrick. À votre avis ?

Je haussai les épaules.

— Ouais, ils sont probablement dangereux. (Je relus la liste des noms des partenaires connus de Heinrick.) Aucun d'eux ne me dit quoi que ce soit.

Je refermai le dossier et le glissai sous les deux photos. Cette fois, je pris la deuxième, celle du type aux cheveux clairs... blancs ou d'un blond très, très pâle. Il n'y avait guère de décor pour me permettre de déterminer sa taille. C'était une photo de face, prise de près, qui ne montrait que la moitié supérieure de son corps. Penché au-dessus d'une table, il parlait à quelqu'un. Ce cliché était meilleur que l'autre, plus détaillé, mais je ne parvenais toujours pas à situer son sujet.

— Ça a été pris avec un appareil dissimulé ?

— Pourquoi me demandez-vous ça ?

Je déplaçai la photo pour que O'Brien puisse mieux la voir.

— D'abord, l'angle est bizarre. On dirait que l'appareil se trouve à hauteur de hanche. Ensuite, le type parle sans regarder l'objectif, et sa posture est très naturelle. Je parierais qu'il ne sait pas qu'on le photographie.

— Vous avez peut-être raison. (Elle me prit la photo des mains et l'examina en la tournant un peu.) En quoi la façon dont elle a été prise vous importe-t-elle ?

Ses yeux étaient devenus aimables et froids, de bons yeux de flic soupçonneux et désireux de découvrir tout ce que je savais.

— Écoutez, j'étais là quand vous avez tenté d'interroger Heinrick et son copain. On aurait dit un putain de disque rayé. Vous pouvez les garder soixante-douze heures mais, à mon avis, ils passeront chaque minute de ces soixante-douze heures à se taire.

— C'est probable, oui.

— On pourrait essayer le bluff. Dire à Heinrick que ses amis devraient vraiment se montrer plus discrets. Mais impossible de déterminer où cette photo a été prise. C'est juste une pièce.

O'Brien secoua la tête.

— Non, nous n'en savons pas assez pour bluffer. Pas encore.

— Si je me souviens où j'ai déjà vu ces types, ça suffira peut-être.

Elle me dévisagea comme si je venais enfin de dire quelque chose d'intéressant.

— Oui, peut-être, acquiesça-t-elle prudemment.

— Et si ça ne me revient pas avant la fin du délai légal de garde à vue, on pourra quand même essayer de leur tirer les vers du nez ?

— Pour quelle raison ?

Je croisai les bras sur ma poitrine et luttai contre l'envie de m'étreindre moi-même.

— Parce que je veux savoir pourquoi ce zozo me suit. Franchement, s'il ne s'intéressait pas spécifiquement à moi, je serais plus inquiète pour Saint Louis en général.

O'Brien fronça les sourcils.

— Pourquoi ?

— Si Heinrick et Cie avaient juste été repérés se baladant en ville, je dirais qu'ils sont là pour une affaire de terrorisme, probablement un truc à connotation raciale. (Je touchai le dossier sans l'ouvrir.) Bien qu'il ait travaillé quelquefois pour « des gens de couleur », comme on dit. Je me demande comment il se justifie auprès de ses potes suprématistes ?

— C'est peut-être juste un mercenaire, hasarda O'Brien. Le fait qu'il ait bossé pour des suprématistes blancs pourrait être une simple coïncidence : c'étaient eux qui avaient du fric à proposer au moment où il en avait besoin.

Je levai les yeux vers elle.

— Vous y croyez vraiment ?

— Non. (Et elle sourit.) Vous pensez comme un flic, Blake, je vous l'accorde.

Je pris ça pour le grand compliment que c'était.

— Merci.

— En effet : si ça marche comme un canard et que ça fait « coin-coin », c'est probablement un canard. Son dossier nous dit que Heinrick est un suprématiste blanc, mais qu'il n'a pas de scrupule à prendre le fric des personnes qu'il essaie de détruire. C'est un raciste, pas un fanatique.

J'acquiesçai.

— Je pense que vous avez raison.

Elle me dévisagea pendant une seconde ou deux, puis hocha la tête comme si elle venait de prendre une décision.

— Si l'expiration du délai de garde à vue approche et que nous n'avons toujours rien, vous pourrez revenir, et nous irons à la pêche aux infos. Mais pour ça, il nous faudra un meilleur appât que deux mauvaises photos.

— Je suis d'accord. Je ferai de mon mieux pour trouver quelque chose avant que nous devions aller tondre le lion dans son antre.

— « Tondre le lion dans son antre » ? s'étonna-t-elle. Vous lisez quoi au juste ?

Je secouai la tête.

— J'ai des amis qui me font la lecture. Quand il n'y a pas d'images, je suis perdue.

Elle me jeta un autre coup d'œil mi-dégoûté, mi-amusé.

— J'en doute, Blake. J'en doute fort.

En fait, Micah, Nathaniel et moi nous relayons pour lire à voix haute le soir. Micah a été choqué d'apprendre que ni Nathaniel ni moi n'avions jamais lu le *Peter Pan* original ;

aussi avons-nous commencé par ça. Puis j'ai découvert que Micah n'avait jamais lu *La Toile de Charlotte.* Nathaniel l'avait lu tout seul quand il était petit, mais personne ne le lui avait jamais lu. En fait, il ne se souvenait pas qu'on lui ait jamais lu quoi que ce soit dans son enfance. C'est tout ce qu'il avait dit – que personne ne lui avait lu de livres dans son enfance –, mais je trouvais ça très révélateur.

Donc, nous nous relayons pour lire à voix haute le soir, un rituel curieusement plus intime et réconfortant que le sexe. On ne raconte pas ses histoires préférées de quand on était petit aux gens avec qui on baise ; on les raconte aux gens qu'on aime. Toujours ce mot : l'amour. Je commençais à croire que j'ignorais sa signification.

— Blake ? Blake, vous êtes toujours avec moi ?

Je dévisageai O'Brien en clignant des yeux. Elle me parlait, et je ne l'avais pas entendue.

— Désolée. Je suppose que je réfléchis trop fort.

— Je ne sais pas à quoi vous pensiez, mais ça n'avait pas l'air réjouissant.

Que pouvais-je bien répondre ? qu'une moitié l'était et l'autre pas du tout… comme une grande part de ma vie amoureuse ? Je me contentai de répéter :

— Désolée. Ça me met un peu sur les nerfs d'être la cible d'un type du genre de Heinrick.

— Vous n'aviez pas l'air effrayée, Blake. Vous aviez l'air de quelqu'un qui se pose trop de questions.

— J'ai déjà eu des assassins aux trousses, mais pas des terroristes spécialisés en politique. Il n'y a rien de politique dans ce que je fais.

À l'instant où j'entendis les mots sortir de ma bouche, je pris conscience que c'était faux. Il existait deux types de politique dans lesquels j'étais impliquée jusqu'au cou : celui des vampires et celui des métamorphes. Merde. Ce mec avait-il été engagé par Belle ? Non, je ne pensais pas.

J'avais touché son esprit de façon trop intime ; elle croyait encore pouvoir me contrôler, m'utiliser. Donc, elle n'avait pas de raison de chercher à me détruire. Pas encore.

Richard est toujours occupé à se sortir de la merde dans laquelle il s'est foutu quand il a tenté de faire de sa meute une véritable démocratie. Vous voyez le genre : un vote par personne. Ça n'a pas du tout marché, parce qu'il avait oublié de se garder un droit de veto présidentiel. Il est le roi des loups, leur Ulfric, mais il a sapé toutes les bases de son pouvoir, et il n'a toujours pas fini de les rebâtir. Je lui file un coup de main, mais certains membres de la meute considèrent ça comme un signe de faiblesse supplémentaire. Richard aussi, à vrai dire.

Mais à ma connaissance, personne n'en veut au clan de Thronnos Rokke. Les meutes voisines préfèrent nous foutre la paix jusqu'à ce que la poussière retombe. Personne n'est en mesure de défier Richard pour prendre sa place. Hormis Sylvie qui ne le fait pas, parce qu'elle aime bien Richard et qu'elle ne veut pas être obligée de le tuer.

Si Richard n'avait pas peur de ce que Sylvie ferait en tant qu'Ulfric, il abdiquerait peut-être pour lui laisser son trône. Mais il sait – et Sylvie elle-même l'a admis – qu'elle commencerait par ordonner l'exécution de tous ceux qu'elle soupçonne de trahison. Ce qui fait au moins une dizaine de personnes, voire une vingtaine. Richard ne veut pas la laisser faire. Mais si Sylvie avait un problème avec lui, elle viendrait m'en parler. Donc…

Je levai les yeux vers O'Brien. Elle m'observait attentivement, essayant de lire mes pensées sur mon visage. J'ignorais si je lui avais donné matière à déduction. Je n'étais vraiment pas au sommet de ma forme, ce jour-là.

— Parlez-moi, Blake, réclama-t-elle.

J'optai pour une semi-vérité… ce serait toujours mieux que rien.

— J'étais en train de penser que je trempe bien dans une sorte de politique.

— Laquelle ?

— La politique vampirique. Je suis très liée au Maître de la Ville de Saint Louis. Je ne crois pas que Heinrick travaillerait sciemment pour un mort-vivant, mais il pourrait ne pas connaître son commanditaire. La plupart des gens comme lui bossent avec des intermédiaires, pour préserver l'anonymat de toutes les personnes impliquées.

— En quoi le fait que vous sortez avec le Maître de la Ville constituerait-il, pour un vampire, une raison de vous éliminer ?

Je haussai les épaules.

— La dernière fois que quelqu'un a essayé de me tuer, c'était plus ou moins pour ça. Il pensait que ça affaiblirait Jean-Claude, que ça l'empêcherait de se concentrer.

O'Brien posa ses fesses sur le bord du bureau, les bras croisés sur le ventre.

— Vous pensez vraiment que c'est ça ?

Je fronçai les sourcils et secouai la tête.

— Aucune idée. Je ne crois pas, mais c'est la seule raison politique que je vois.

— Je vais mettre une note dans le dossier et faire passer. Nous pourrions vous faire bénéficier d'une protection policière.

— Vous avez le budget pour ça ?

Elle eut un sourire qui n'avait rien de joyeux.

— D'après son dossier, Heinrick est un terroriste. Croyez-moi, en ce moment, c'est un mot qui permet de mobiliser les hommes nécessaires.

— Vous ne devriez pas plutôt dire : les agents nécessaires ? demandai-je en la regardant sans broncher.

Elle ricana.

— Pitié, je ne suis pas si politiquement correcte. Et je ne crois pas que vous le soyez non plus.

— Désolée, je n'ai pas pu résister.

— Et puis vous collaborez avec la police depuis assez longtemps pour savoir qu'en général ce sont des hommes.

— Très juste.

— Alors, vous voulez une escorte ou une surveillance policière ?

— Laissez-moi y réfléchir.

O'Brien s'écarta de son bureau. Ce n'était pas une géante, mais elle me dominait largement.

— Pourquoi ne voulez-vous pas que nous vous protégions, mademoiselle Blake ?

— Je pourrais avoir une copie du rapport ?

Elle eut un sourire dénué de chaleur.

— Remplissez un formulaire de demande, et vous devriez avoir une réponse d'ici un ou deux jours.

— Je ne peux pas juste le photocopier ?

— Non.

— Pourquoi ?

— Parce que vous ne voulez pas de notre protection, ce qui signifie que vous cachez quelque chose.

— Possible mais, si vous me laissez une copie des photos, j'arriverai peut-être à identifier ces deux types.

— Comment ?

Je haussai les épaules.

— J'ai des relations.

— Et vous croyez qu'elles seront mieux renseignées que le gouvernement ?

— Je connais leurs motivations et leurs fréquentations. Je ne peux pas en dire autant de toutes les branches de notre gouvernement.

Nous nous fixâmes pendant quelques secondes.

— Je ne vais pas débattre de ça avec vous.

— Tant mieux. Maintenant, puis-je au moins avoir une copie de ces deux photos ?

— Non, répondit O'Brien sur un ton définitif.

— Vous vous comportez comme une gamine.

Elle découvrit les dents en un rictus amical.

— Et vous, vous cachez quelque chose. Si jamais ça nuit au bon déroulement de cette enquête, je ferai en sorte que ça vous coûte votre badge.

Je faillis répliquer : « Essayez un peu, pour voir », mais je me retins. Je ne possède pas ce badge depuis assez longtemps pour savoir ce que je peux me permettre – ou non – avec. Je devrais probablement me pencher sur ce genre de détails.

— O'Brien, je n'en sais pas suffisamment sur la raison pour laquelle Heinrick me filait pour vous cacher quoi que ce soit.

— Ça, c'est ce que vous dites.

Je soupirai et me levai.

— D'accord.

— Bonne journée, Blake. Allez parler à vos relations et voyez où ça vous mène. Moi, je vais m'en tenir au gouvernement et à Interpol. Je sais, je suis vieux jeu comme fille.

— Comme vous voudrez.

— Allez, fichez-moi le camp.

Je partis.

CHAPITRE 38

J'ouvris la portière de ma Jeep et entendis sonner mon portable. Je n'arrête pas d'oublier que j'en ai un et de le laisser dans ma voiture. Je me jetai à plat ventre sur le cuir chaud des sièges et, tout en refermant la portière derrière moi, tâtonnai de l'autre main sur le plancher. Je sais : ça aurait été plus facile de laisser la portière ouverte et mes jambes dehors, mais je n'avais aucune envie de faire une chose pareille. Pas parce que j'avais des méchants aux trousses, juste à cause de ma paranoïa féminine naturelle.

Je refermai les doigts sur le téléphone au moment où la quatrième sonnerie retentissait… la dernière avant que ma ligne bascule sur messagerie.

— Ouais, c'est moi. Qu'est-ce qu'il y a ?

J'étais malpolie et essoufflée mais, au moins, j'avais décroché.

— *Ma petite ?* lança Jean-Claude sur un ton interrogateur, comme s'il n'était pas cent pour cent certain d'être tombé sur moi.

Malgré le levier de vitesse enfoncé entre mes côtes et le cuir surchauffé contre mon bras, je me sentis tout de suite mieux. Parce que j'entendais sa voix ; parce qu'il avait appelé le premier. Et que donc, il ne devait pas m'en vouloir tant que ça.

— C'est moi, Jean-Claude. J'avais encore oublié mon portable dans la Jeep, désolée.

Je voulais dire d'autres choses, mais je n'y arrivais pas. En partie parce que je ne savais pas comment les formuler.

—*La police vient d'emmener Jason.*

—Quoi ?

—*La police est venue au* Cirque, *et elle a emmené Jason.*

Sa voix était très calme… limite vide. Ce qui signifiait qu'il dissimulait un tas d'émotions qu'il n'avait pas envie de partager.

Je me déplaçai légèrement pour que le levier de vitesse cesse de me poignarder et restai allongée sur les sièges un moment. Les premiers signes avant-coureurs de la panique papillonnaient dans mon ventre.

—Pourquoi l'ont-ils emmené ? demandai-je d'une voix presque aussi normale que celle de Jean-Claude.

—*Pour l'interroger au sujet d'un meurtre*, répondit-il avec des inflexions presque désinvoltes.

Ma voix se fit encore plus atone.

—Quel meurtre ?

—*Le sergent Zerbrowski a dit que tu comprendrais. Qu'emmener Jason sur une scène de crime était une mauvaise idée. Je n'étais pas au courant que tu emmenais qui que ce soit quand tu visitais des scènes de crime.*

—Vous dites ça comme si j'allais voir des amis.

—*Je ne voulais pas t'insulter, mais pourquoi Jason se trouvait-il avec toi ?*

—Je me sentais trop mal pour conduire, et la police refusait d'attendre que je me rétablisse.

—*Pourquoi te sentais-tu trop mal pour conduire ?*

—Apparemment, parce qu'Asher m'avait pris beaucoup de sang. Et que je réagissais mal au fait d'avoir eu l'esprit roulé. J'étais plutôt dans un sale état.

—*C'est-à-dire ?*

À présent, je décelais quelque chose dans sa voix, quelque chose que je ne parvenais pas à identifier.

— Je me suis évanouie deux fois et j'ai vomi, ça vous va ? Maintenant, concentrons-nous sur le problème en cours. Ont-ils vraiment arrêté Jason ?

— *Je ne crois pas. En revanche, ils lui ont passé les menottes avant de l'emmener.*

— C'est la procédure standard avec tous les gens dont on sait ou soupçonne qu'ils sont des lycanthropes. (Je me redressai en position assise. Les sièges avant de la Jeep n'étaient vraiment pas conçus pour qu'on s'allonge dessus.) Vous savez que, s'ils ne l'ont pas arrêté, il est libre d'interrompre l'interrogatoire et de partir à tout moment ?

— *C'est une jolie théorie, ma petite*, dit Jean-Claude sur un ton las.

— C'est la loi.

— *Peut-être pour les humains.*

Je ne pus réprimer mon indignation.

— La loi s'applique à tout le monde, Jean-Claude. C'est comme ça que ça marche.

Il rit doucement, sans que son rire ait rien de surnaturel, pour une fois.

— *D'habitude, tu n'es pas si naïve, ma petite.*

— Si la loi ne s'applique pas à tout le monde, c'est qu'il y a un gros problème.

— *Je ne te contredirai pas sur ce point.*

— Si c'est Zerbrowski qui est venu le chercher, je sais où ils ont emmené Jason. Je ne suis pas très loin du QG de la BIS.

— *Que vas-tu faire ?* s'enquit Jean-Claude, une trace de rire frémissant toujours dans sa voix.

— Libérer Jason, répondis-je en bouclant ma ceinture et en tentant de coincer mon portable contre mon épaule afin de démarrer la Jeep.

— *Tu crois que c'est possible ?*

— Bien sûr.

Je faillis laisser tomber le téléphone, mais la Jeep démarra. Décidément, j'avais du mal à coordonner mes mouvements, ce jour-là.

— *Tu as l'air bien confiante, ma petite.*

— Parce que je le suis, dis-je malgré le papillonnement dans mon ventre. Il faut que j'y aille.

— *Bonne chance, ma petite. J'espère que tu pourras sauver notre loup.*

— Je ferai de mon mieux.

— *Oh, je n'en doute pas. Je t'aime, ma petite.*

— Moi aussi, je vous aime.

Nous raccrochâmes. Du moins la conversation s'était-elle terminée sur une note positive. C'était mieux que de nous hurler après. Je laissai tomber mon portable sur le siège d'à côté et passai la première.

Une seule urgence à la fois. D'abord, sauver Jason. Puis contacter mes relations pour leur demander si elles savaient quelque chose au sujet d'Heinrick. Puis me préparer pour le grand banquet avec Musette et Cie. Oh, et trouver un moyen d'empêcher le fiasco avec Asher de creuser un gouffre infranchissable entre Jean-Claude et moi.

C'était une de ces journées où je me dis qu'une autre vie, quelque chose de plus calme, me conviendrait peut-être mieux. Mais où ai-je fourré le ticket de caisse, et peut-on ramener au magasin un achat qui date de plus de vingt ans ? Où se procure-t-on une vie différente quand celle qu'on a part tellement dans tous les sens qu'on ne sait plus par quel bout la prendre ? Franchement, j'aimerais bien le savoir.

Chapitre 39

Personne ne m'arrêta à la porte. Personne ne m'arrêta dans l'escalier. Au contraire, tous les gens que je croisai me lancèrent : « Salut, Anita, ça gaze ? » Je ne suis pas un membre officiel de la Brigade d'Investigations surnaturelles, mais je bosse avec eux depuis si longtemps que je fais partie des meubles : tout le monde trouve normal que je sois là. En fait, tout le monde s'attend que j'y sois.

Ce fut l'inspecteur Jessica Arnet qui finit par me dire autre chose qu'une variation sur le thème de « Bonjour ».

— Où est le beau gosse qui vous suit toujours comme votre ombre ?

— Lequel ? demandai-je.

Elle éclata de rire et rougit légèrement. Ce fut ce dernier détail qui éveilla mes soupçons. Jessica flirte systématiquement avec Nathaniel mais, jusque-là, je pensais que c'était juste par jeu.

— C'est vrai que vous semblez fréquenter plus que votre part de beaux gosses, mais je parlais de celui qui a les yeux violets.

J'aurais parié qu'elle connaissait parfaitement le nom de Nathaniel.

— Oh, lui. Il est resté à la maison, aujourd'hui.

Elle posa une pile de dossiers sur un bureau qui n'était pas le sien et repoussa les cheveux bruns qui lui tombaient devant les yeux. Ils étaient bien trop courts pour ce genre de geste… probablement un vestige du temps où elle les portait plus longs. Sa nouvelle coupe sous les oreilles ne flattait pas vraiment son visage. Qui restait tout de même un joli visage triangulaire, avec une ossature délicate et un sourire plaisant. Je n'avais jamais remarqué qu'elle était si mignonne.

Nathaniel avait-il parfois envie de sortir avec une fille ? Pas de sadomasochisme, juste un resto et un ciné. Un jour, je contrôlerai l'ardeur et je n'aurai plus besoin de pomme de sang, pas vrai ? En tout cas, c'est le plan. Donc, Nathaniel devrait avoir une copine, non ? Si je n'ai pas l'intention de le garder, il devrait au moins en chercher une.

Je sentis un début de migraine poindre entre mes yeux. L'inspecteur Arnet faillit me toucher le bras, mais interrompit son geste.

— Vous allez bien ?

Je me forçai à sourire.

— Je cherche Zerbrowski.

Elle me dit dans quelle pièce il se trouvait, probablement parce qu'elle ignorait qu'elle n'était pas censée le faire. Mais je n'en étais même pas certaine. Techniquement, tout ça faisait partie de l'enquête pour laquelle Dolph avait sollicité mon avis ; donc, j'avais le droit d'être là quand ils interrogeaient les suspects. À mes yeux, l'argument semblait logique bien qu'un poil désespéré, comme si j'essayais de me convaincre moi-même.

Je m'approchai de la porte sur la pointe des pieds de manière à pouvoir regarder par la petite fenêtre. La télé vous fait croire que les salles d'interrogatoire sont toutes équipées d'une immense baie en verre sans tain. En réalité, très peu d'unités disposent du budget et de la place nécessaires pour cela. Il me semble que la vraie vie est déjà bien assez dramatique sans baies vitrées. Et qu'il n'y a pas d'angles caméra flatteurs : juste de la douleur. Ou peut-être étais-je juste d'une humeur de dogue.

Je voulais jeter un coup d'œil dans la pièce pour m'assurer que c'était la bonne. Jason et Zerbrowski étaient bien assis devant la petite table, mais ce qui me scia les jambes, ce fut d'apercevoir Dolph adossé au mur du fond. Zerbrowski avait dit qu'il était en congé pour deux semaines. M'avait-il menti ? Je n'en avais pas eu l'impression. Pourtant, Dolph était bien là. Pourquoi ?

Je toquai sèchement. Puis j'attendis en m'efforçant de rester calme, ou du moins d'en avoir l'air. Zerbrowski entrouvrit la porte. Il écarquilla les yeux derrière ses lunettes.

— Ce n'est pas le moment, lança-t-il en grimaçant pour essayer de me faire comprendre que Dolph était là.

— Je sais que Dolph est là, Zerbrowski. Je croyais qu'il était en congé maladie pour quelque temps.

Zerbrowski soupira, mais son regard se fit coléreux. Je pense qu'il m'en voulait de ne pas m'éclipser et de lui compliquer la vie. Mais compliquer la vie des gens, c'est ma grande spécialité. Il devrait le savoir, depuis le temps.

— Le lieutenant Storr est ici parce qu'il est toujours le chef de la Brigade d'Investigations surnaturelles. C'est lui qui a attiré notre attention sur ce suspect.

— Suspect ? Pourquoi Jason est-il suspect ?

— Mieux vaudrait ne pas en discuter dans le couloir, Anita.

— En effet. Laisse-moi donc entrer, pour qu'on puisse parler comme des gens civilisés. C'est toi qui me forces à rester dans le couloir.

Zerbrowski s'humecta les lèvres et faillit se tourner vers Dolph, mais se retint.

— Entre, dit-il à contrecœur.

Et il ajouta plus bas :

— Mais reste de ce côté de la pièce.

Je le suivis à l'intérieur et me plaçai à l'endroit qu'il me désigna, avec la table entre Dolph et moi. On aurait dit qu'il craignait que son supérieur me saute dessus.

— Tu ne vas pas la laisser assister à cet interrogatoire, protesta Dolph.

Zerbrowski carra les épaules et lui fit face.

— Nous lui avons demandé de nous aider dans cette enquête.

— Je ne lui ai rien demandé du tout.

— Bien sûr que si, répliquai-je.

Dolph ouvrit la bouche et la referma en pinçant les lèvres. Il avait les bras croisés sur le ventre et se tenait les coudes si fort que ça avait l'air douloureux, comme s'il craignait ce qu'il pourrait faire de ses mains si elles n'étaient pas occupées. Une rage stupéfiante se lisait dans ses yeux. D'habitude, il a l'un des meilleurs regards de flic que je connais : neutre, inexpressif. Ce jour-là, ses yeux exprimaient absolument tout, mais sans me dire d'où venait sa colère.

Assis au bout de la table, Jason tentait d'avoir l'air aussi petit et inoffensif que possible. Comme il n'est pas beaucoup plus grand que moi, il ne s'en tirait pas trop mal.

Zerbrowski referma la porte et s'assit du côté de la table où se trouvait Dolph, me laissant la chaise d'en face. Je ne la pris pas.

— Pourquoi avez-vous amené Jason ici ?

— Il présentait des blessures défensives concordant avec le crime.

— Tu ne penses quand même pas qu'il est impliqué dans ce… (je cherchai le mot juste) dans cette boucherie, n'est-ce pas ?

— C'est un loup-garou, et il présente des blessures défensives, s'obstina Dolph. S'il n'a pas violé la victime, il a violé quelqu'un d'autre.

— Vous êtes ici en tant qu'observateur, lieutenant, intervint Zerbrowski, mais son expression disait qu'il aurait préféré être n'importe où ailleurs plutôt que dans cette pièce, en train d'ordonner à Dolph de la fermer.

Dolph voulut dire quelque chose et se retint avec difficulté.

— Très bien, sergent, continuez.

Ces quelques mots étaient plus incendiaires qu'un feu de forêt.

— Attends, protestai-je. Tu as parlé de viol.

— Nous avons trouvé du sperme sur la première scène de crime, dit Zerbrowski.

— La crucifixion ?

— Non, la femme taillée en pièces, répliqua vivement Dolph.

— Sur ce genre de scène de crime, la présence de sperme ne signifie pas qu'il y a eu viol : juste que le meurtrier a pris son pied. C'est malsain, mais ça n'implique pas nécessairement de contact sexuel. J'ai vu le corps. Il n'en restait pas assez pour déterminer si la victime avait subi des abus sexuels. (Une pensée affreuse me vint.) Pitié, dis-moi que vous ne parlez pas de la tête.

Zerbrowski fit un signe de dénégation.

— Non. Il était répandu sur les lieux.

Ce fut presque un soulagement. Presque.

— Alors pourquoi Dolph a-t-il parlé de viol ?

— Les restes de la deuxième victime étaient dans un meilleur état.

Je dévisageai Zerbrowski.

— Je ne me souviens pas qu'on m'ait signalé une seconde attaque du même type.

— Tu n'avais pas besoin de savoir, répliqua Dolph. Tu avais raison. Je t'avais appelée la première fois, mais je n'allais pas réitérer mon erreur.

Je l'ignorai de mon mieux et continuai à regarder Zerbrowski, qui articula en silence : « Plus tard. » Il m'expliquerait quand nous serions seuls tous les deux. Très bien. Je ne pouvais rien faire au sujet du métamorphe psychopathe qui errait en liberté dans les parages, mais je pouvais peut-être rattraper la situation en cours avant qu'elle dérape.

— Qu'a répondu Jason quand vous lui avez demandé comment il avait récolté ces blessures ?

— Qu'un gentleman devait savoir faire preuve de discrétion. Même moi, j'ai trouvé ça nul, grimaça Zerbrowski.

Je reportai mon attention sur Jason. Il haussa les épaules comme pour dire : « Que voulais-tu que je réponde ? » Sans doute pensait-il que j'aurais détesté qu'il raconte aux flics que nous avions couché ensemble. Il avait raison : je ne voulais pas que Dolph et Zerbrowski le sachent. En fait, idéalement, j'aurais voulu que personne ne le sache. Mais ma pudeur ne valait pas la peine que Jason finisse en taule.

Je soupirai et dis la vérité.

— Ses plaies ne sont pas des blessures défensives.

— Il est salement griffé, Anita. Et nous avons des Polaroid pour le prouver. Dolph avait remarqué des égratignures sur la première scène de crime. Elles ont disparu, mais il en a de nouvelles.

— C'est moi qui lui ai fait ça, dis-je d'une voix aussi neutre que possible.

Dolph émit un son qui ressemblait plus à un ricanement qu'à un rire. Il n'eut pas besoin de mots pour signifier qu'il ne me croyait pas. Mais Zerbrowski crut préférable de le préciser.

— Va raconter ça à des gens plus crédules, Anita. Avec nous, ça ne prend pas.

Je relevai mes manches pour lui montrer mes propres égratignures en voie de guérison.

— Quand j'ai eu peur de lui faire trop mal, je me suis griffée moi-même.

Zerbrowski écarquilla les yeux.

— Doux Jésus, Blake, tu es toujours aussi sauvage ?

— Tu n'en sauras jamais rien, Zerbrowski.

— Si c'est un « oui », j'aime autant. (Il faillit toucher certaines de mes plaies les plus profondes, se retint et faillit toucher celles de Jason à la place.) J'espère au moins que c'était bon.

Jason baissa les yeux vers la table et gloussa tout bas, l'air à la fois gêné et très content de lui.

— Ça suffit, dis-je.

Il m'adressa un large sourire qui fit pétiller ses yeux bleus.

— Oui, maîtresse. À vos ordres, maîtresse.

Je le foudroyai du regard sans réussir à contenir son hilarité.

Dolph s'écarta du mur pour venir examiner mon bras par-dessus la table.

— Je n'y crois pas, Anita. Tu as très bien pu te griffer les bras en venant pour lui fournir un alibi.

— Les plaies ne sont pas si récentes, rétorquai-je.

Il voulut me prendre le bras, mais je reculai hors de portée.

— Je n'ai pas envie que tu recommences à me brutaliser, merci beaucoup.

Il se pencha vers moi, et Jason repoussa sa chaise comme s'il ne voulait pas se retrouver pris au milieu.

— Tu mens ! aboya Dolph. Les blessures des métamorphes guérissent très vite, à moins d'avoir été causées par une arme en argent ou par un autre monstre. C'est toi qui me l'as appris. Si c'était vraiment toi qui l'avais griffé, Jason aurait déjà cicatrisé, depuis le temps.

— Cette même logique ne s'applique-t-elle pas dans le cas des victimes ?

— Pas si c'est la deuxième qui lui a infligé ces blessures.

Dolph m'assena cette information comme un coup... ce qu'elle était, d'une certaine façon.

Je jetai un coup d'œil à Zerbrowski.

—Je ne peux pas débattre de ça si j'ignore l'heure de la mort de cette femme. J'ai besoin que vous me disiez quand elle est décédée.

Zerbrowski ouvrit la bouche pour répondre, mais Dolph le prit de vitesse.

—Pourquoi, pour que tu puisses fournir un meilleur alibi à ton copain ?

—Dis donc, Zerbrowski, je ne vois pas ta main dans le cul de Dolph, mais elle doit pourtant y être, parce que, chaque fois que je te pose une question, c'est de sa bouche que sort la réponse.

Moi aussi j'étais penchée au-dessus de la table, désormais.

—Ses égratignures sont plus anciennes que les tiennes, Anita, gronda Dolph. Mieux cicatrisées. Jamais un juge n'acceptera de croire qu'elles ont été faites au même moment.

—Jason est un métamorphe. Il guérit plus vite. Je te l'ai appris, tu te souviens ?

—Tu es vraiment en train de me dire que tu as baisé avec lui ?

J'étais trop furieuse pour que ce verbe me fasse frémir.

—Je préfère « fait l'amour », mais la réponse est « oui ».

—Si c'était vrai, les marques seraient déjà complètement refermées. Du moins, si tu es bien une humaine ordinaire, comme tu ne cesses de me le répéter.

La migraine me poignardait entre les yeux, comme si elle tentait de se frayer un chemin hors de mon crâne. Je n'étais vraiment pas d'humeur pour une telle discussion.

—Ce que je suis ou pas ne te regarde en rien. Je te dis que c'est moi qui ai griffé Jason. Je me suis laissé emporter par la passion. En outre, il y a de grandes chances pour qu'il se soit trouvé avec moi au moment où le second meurtre a été commis. On peut te donner notre emploi du temps, si tu veux.

—Ce serait bien, oui.

Zerbrowski avait légèrement écarté sa chaise de nous, mais sans déserter son poste. Il était resté plus près de toute cette rage frémissante que beaucoup de gens auraient osé le faire à sa place.

Cela me coûta un effort de réflexion, mais je parvins à reconstituer mon emploi du temps des deux jours précédents. Je n'étais probablement pas avec Jason quand le premier meurtre avait été commis mais, pour le second, j'étais presque sûre de mon coup.

Zerbrowski fit de son mieux pour conserver une expression neutre pendant qu'il notait. Tout l'interrogatoire était enregistré mais, comme Dolph, il préfère écrire les choses. Je n'y avais jamais pensé avant, mais sans doute était-ce une habitude héritée de son supérieur.

Dolph resta debout près de la table, nous dominant tous, tandis que je récitais mon emploi du temps et que Zerbrowski me réclamait des précisions.

Pendant ce temps, Jason resta aussi silencieux et immobile que possible. Les mains croisées sur la table devant lui et le nez baissé, il nous jetait de fréquents coups d'œil sans tourner la tête ni bouger le reste de son corps. Il me rappelait un lapin dissimulé dans l'herbe haute, espérant que les chiens ne le trouveraient pas. Une analogie parfaitement risible, puisque Jason est un loup, et pourtant parfaitement exacte. Être un loup-garou ne vous protège pas contre les lois humaines… bien au contraire, la plupart du temps. Parfois, ça peut même provoquer votre mort. Nous n'en étions pas encore là, mais ça pouvait changer.

Un métamorphe accusé d'avoir assassiné un humain a généralement droit à un procès bâclé et à une condamnation à mort. S'il est déclaré renégat – c'est-à-dire, si on découvre qu'il chasse activement les humains – et si la police ne parvient pas à le capturer, le tribunal émet un mandat d'exécution. Ça fonctionne quasi de la même façon que pour les vampires.

Un vampire soupçonné de meurtre et considéré comme un danger public peut faire l'objet d'un mandat d'exécution émis par un juge. Une fois ce mandat en main, mes collègues et moi avons le droit de tuer à vue le vampire en question. Remplacez « vampire » par « métamorphe », et c'est la même formule. Pas de procès, que dalle, juste une traque et une exécution sommaire. J'ai déjà accompli des missions de ce genre. Pas énormément, mais quelques-unes.

Il y a quelques années, un mouvement s'est créé pour réclamer que les humains utilisateurs de magie soient soumis à la même procédure, mais trop d'organisations de défense des droits de l'homme sont montées sur leurs grands chevaux. En tant qu'humaine utilisatrice de magie, je m'en réjouis. En tant qu'exécutrice, je ne sais pas trop comment j'aurais réagi si j'avais dû traquer et abattre un autre être humain. Bien sûr, il m'est arrivé d'en tuer dans des situations de légitime défense, quand ils menaçaient ma vie ou celle des gens que j'aime. Mais ce n'est pas tout à fait la même chose.

Actuellement, les sorciers ont droit à un procès. S'ils sont reconnus coupables d'avoir utilisé la magie pour commettre un meurtre, ils sont automatiquement condamnés à mort. Ce qui arrive dans quatre-vingt-dix-neuf pour cent des cas. Les juges répugnent à remettre en liberté des personnes capables de tuer magiquement. Donc, un de mes objectifs dans la vie, c'est de ne jamais me retrouver à la barre des accusés.

Je savais que Jason n'avait rien fait de mal, mais je savais aussi de quelle façon le système fonctionne pour ceux d'entre nous qui sont un peu plus qu'humains. Parfois, leur innocence n'entre pas en ligne de compte.

— Quelqu'un peut-il confirmer ton emploi du temps ? interrogea Zerbrowski.

— Plusieurs personnes, oui, acquiesçai-je.

— Plusieurs personnes, répéta Dolph. (Il avait l'air dégoûté et, là non plus, je ne comprenais pas pourquoi.) Tu ne sais même pas qui est le père, pas vrai ?

Cela me fit cligner des yeux telle une biche prise dans la lumière des phares d'une voiture.

— De quoi veux-tu parler ?

Il me toisa comme si je lui avais déjà menti.

— L'inspecteur Reynolds nous a révélé son petit secret.

Je le dévisageai par-delà la table. Il était toujours penché, et moi toujours debout, de sorte que nos yeux se trouvaient sensiblement au même niveau.

— Et alors ?

Il émit un son entre quinte de toux et ricanement.

— Elle n'est pas la seule à avoir vomi et à s'être évanouie sur la scène de crime, dit-il avec un rictus satisfait, comme s'il venait de marquer un point avec la précision chirurgicale d'un scalpel.

Je fronçai les sourcils.

— Désolée, mais je ne comprends pas.

Je me sentais aussi perplexe que je devais en avoir l'air.

— Ne fais pas ton ingénue, Anita. Tu n'es pas douée pour ça.

— Je ne fais pas mon ingénue. Mais ce que tu racontes n'a pas de sens.

Puis une idée me vint. Non, impossible. Dolph ne pouvait pas croire…

Je le dévisageai et décidai que si, il pouvait le croire.

— Tu penses que je suis enceinte ?

— Je ne pense pas, j'en suis sûr.

Je me détendis légèrement. Je n'aurais pas dû.

— Donc, je te le redemande : sais-tu qui est le père, ou tes amants sont-ils trop nombreux pour que tu en aies la moindre idée ?

Zerbrowski se leva. Il était assez près de Dolph pour que celui-ci soit obligé de reculer légèrement vers le mur.

— Je crois que tu devrais y aller, Anita, dit Zerbrowski.

Dolph me fusillait du regard. J'aurais dû me mettre en rogne, mais j'étais trop surprise pour ça.

— J'ai déjà vomi sur des scènes de crime.

Zerbrowski fit un pas en arrière. Il avait l'air résigné, comme quelqu'un qui voit arriver le train et qui sait que personne ne s'écartera des rails à temps. Moi, ça ne me semblait pas si grave.

— Tu ne t'étais encore jamais évanouie, répliqua Dolph.

— J'étais malade, Dolph, trop malade pour conduire jusque-là.

— Tu as l'air parfaitement rétablie maintenant, gronda-t-il, laissant affleurer dans sa voix cette colère qui semblait l'habiter en permanence depuis quelque temps.

Je haussai les épaules.

— Ça devait être un virus.

— Ça n'aurait pas un rapport avec les marques de crocs dans ton cou, par hasard ?

Je levai la main sans réfléchir et dus me retenir de les toucher. Franchement, je les avais oubliées.

— J'étais malade, Dolph. Même moi, il m'arrive de tomber malade.

— Tu as déjà fait le test du syndrome de Vlad ?

Je pris une grande inspiration et me dis « Oh, et puis merde ». Dolph n'allait pas lâcher le morceau. Il voulait se battre ? D'accord. Vu mon humeur, un petit concours de hurlements serait le bienvenu.

— Je ne le dirai qu'une fois : je ne suis pas enceinte. Peu m'importe que tu me croies ou non, parce que tu n'es ni mon père, ni mon oncle, ni mon frère, ni quoi que ce soit d'autre. Je croyais que tu étais mon ami, mais je commence à en douter.

— Ou tu es l'une des nôtres, ou tu es l'une d'entre eux, Anita.

— L'une de quoi ? demandai-je.

J'étais à peu près sûre de ce qu'il voulait dire, mais je tenais à l'entendre.

— Un monstre, chuchota-t-il.

— Tu me traites de monstre ? articulai-je d'une voix basse et prudente.

— Je dis juste qu'il va falloir que tu choisisses ton camp. Es-tu avec nous ou avec eux ? demanda-t-il en désignant Jason.

— Tu as rejoint les rangs d'Humains Contre Vampires ou un autre groupe d'extrême droite, Dolph ?

— Non, mais je commence à penser qu'ils ont raison.

— Et qu'un bon vampire est un vampire mort, c'est bien ça ?

— Ils sont tous morts, Anita. (Profitant de ce que Zerbrowski s'était écarté, Dolph fit un pas vers moi.) Ce sont des putains de cadavres qui n'ont pas assez de bon sens pour rester dans leur foutue tombe.

— D'après la loi, ce sont des êtres vivants qui ont les mêmes droits que les humains.

— La loi se trompe peut-être sur ce coup-là.

Une partie de moi voulait dire : « Tu sais que nous sommes enregistrés ? », et une autre partie se réjouissait qu'il l'ait oublié. S'il passait pour un fanatique à moitié cinglé, ce serait bon pour le cas de Jason. Le fait que ça nuirait à sa propre carrière m'ennuyait, certes, mais pas assez pour que je sacrifie Jason. J'aimerais sauver tous mes amis. Mais quand quelqu'un a vraiment décidé de se saboter, votre pouvoir d'intervention a des limites. Vous ne pouvez pas nettoyer la merde des autres pour eux, pas à moins qu'ils soient prêts à prendre un balai et une serpillière pour vous aider.

Dolph ne m'aidait pas du tout. Il se pencha encore, les deux mains posées à plat sur la table, et approcha son visage de celui de Jason, qui se recroquevilla sur sa chaise. Zerbrowski me consulta du regard et j'écarquillai les yeux. Nous savions tous les deux que, si Dolph rudoyait un suspect comme il m'avait rudoyée un peu plus tôt, sa carrière serait foutue pour de bon.

— Ça paraît tellement humain… et pourtant, ça ne l'est pas, lâcha-t-il.

Ça ne me plaisait pas du tout qu'il parle d'un de mes amis comme d'un objet.

— Tu as vraiment laissé ce type te toucher ?

« Ce type ». Vous voyez ? Même quand vous détestez les monstres, c'est difficile de faire la distinction entre choses et humains.

— Oui.

Zerbrowski contournait Dolph pour essayer d'atteindre Jason… histoire de se mettre entre eux, j'imagine.

Dolph pivota vers moi, toujours penché très bas, toujours trop près de Jason.

— Et la morsure dans ton cou, c'est celle du vampire avec qui tu baises ?

— Non, répondis-je. C'est celle d'un autre vampire. J'en baise deux, maintenant.

Dolph tituba comme s'il avait reçu un coup. Il s'appuya lourdement sur la table et, l'espace d'un instant, je crus qu'il allait s'effondrer sur les genoux de Jason. Mais il se ressaisit au prix d'un effort visible. Zerbrowski lui toucha le bras.

— Posez-vous, lieutenant.

Dolph laissa Zerbrowski l'asseoir. Il ne réagit pas lorsque son subordonné fit lever Jason de sa chaise et l'entraîna à l'écart. Il ne les regardait pas. Il n'avait d'yeux que pour moi… des yeux emplis de douleur.

— Je savais que tu aimais les sangsues, mais j'ignorais que tu étais une pute.

Je sentis mon visage devenir froid et dur. Si je n'avais pas été si crevée et si stressée, peut-être… Mais non. Je n'ai aucune excuse pour ce qui sortit alors de ma bouche, aucune excuse sinon que Dolph m'avait blessée et que je voulais lui rendre la pareille.

— Et où en es-tu de ton problème de petits-enfants, Dolph ? Ta future bru est toujours une vampire ? (Je sentis Zerbrowski réagir à la nouvelle et compris que, jusque-là, j'avais été la seule à savoir.) C'est toujours une mauvaise idée de foutre en rogne les gens à qui on s'est confié, grimaçai-je.

Et immédiatement, je regrettai d'avoir dit ça. Mais il était trop tard. Foutrement trop tard.

Dolph se leva, les mains sous la table, et renversa celle-ci avec fracas. Nous détalâmes tous. Zerbrowski se plaça devant Jason contre le mur du fond. Je me réfugiai dans un coin près de la porte.

Dolph mit la pièce sens dessus dessous. Il n'y a pas d'autre façon de le décrire. Les chaises allèrent s'écraser contre les murs et la table les suivit. Il finit par ramasser une des chaises métalliques et, comme si elle l'avait offensé plus que les autres, se mit à la fracasser à coups redoublés contre le sol.

La porte s'ouvrit. Des flics apparurent sur le seuil, flingue braqué devant eux. Je crois qu'ils s'attendaient à trouver un loup-garou déchaîné. La vue de Dolph en train de s'acharner sur le mobilier les arrêta net. Ils auraient probablement volontiers abattu un loup-garou, mais ne voulaient sans doute pas tirer sur Dolph. Évidemment, aucun d'eux ne se porta volontaire pour le maîtriser à mains nues.

La chaise finit par plier sous les assauts de Dolph, et il tomba à genoux. Sa respiration haletante emplit la pièce, comme si les murs eux-mêmes étaient essoufflés.

Je me dirigeai vers la porte et chassai tout le monde en disant des trucs du genre : « C'est bon, ça va aller. Vous pouvez nous laisser. » Je n'étais pas du tout sûre que ce soit bon ou que ça irait, mais je voulais vraiment qu'ils nous laissent. Aucun flic n'a besoin de voir son lieutenant péter les plombs. Ça ébranle sa foi en lui. Déjà que la mienne était pratiquement en ruine...

Je refermai la porte derrière eux et regardai Zerbrowski à l'autre bout de la pièce. Nous nous fixâmes sans rien dire. Je crois que ni lui ni moi ne savions quoi dire ou quoi faire.

La voix de Dolph s'éleva comme si elle montait des profondeurs de son être, comme s'il avait dû la hisser une main après l'autre comme un seau hors d'un puits.

— Mon fils va devenir un vampire.

Il me dévisagea avec un tel mélange de douleur et de colère que je ne trouvai rien à répondre.

— Tu es contente ?

Je me rendis compte que des larmes séchaient sur son visage. Il avait pleuré en dévastant la pièce. Mais ce fut sans pleurer qu'il ajouta :

— Ma bru veut le transformer pour qu'il ait éternellement vingt-cinq ans.

Il émit un son à mi-chemin entre cri et gémissement.

Dire que j'étais désolée ne me semblait pas suffisant. Rien ne m'aurait paru suffisant. Mais c'était tout ce que j'avais à lui offrir.

— Je suis désolée, Dolph.

— Désolée ? Pourquoi ? Les vampires sont des gens, eux aussi.

Ses larmes se remirent à couler en silence. Si je ne l'avais pas regardé en face, je n'aurais jamais su qu'il pleurait.

— C'est vrai que je sors avec un suceur de sang et que certains de mes amis n'ont pas de pouls, mais je n'approuve toujours pas qu'on transforme des humains.

Dolph leva les yeux vers moi. La douleur était en train de noyer la colère. Son regard devenait à la fois plus facile et plus dur à soutenir.

— Pourquoi ? Pourquoi ?

Je ne crois pas que cette question signifiait vraiment « Pourquoi ne l'approuves-tu pas ? ». Ça ressemblait plutôt au cri universel « Pourquoi moi ? Pourquoi mon fils, ma fille, ma mère, mon pays, ma maison ? Pourquoi moi ? Pourquoi la vie est-elle injuste ? Pourquoi tout le monde n'a-t-il pas droit à une fin heureuse ? ». À ce pourquoi-là, je n'avais aucune réponse. Mais j'aurais bien aimé.

Alors, je fis comme si j'avais compris de travers.

— Je ne sais plus bien. Mais chaque fois que je rencontre un vampire que j'ai connu du temps où il était encore humain, ça me met mal à l'aise. (Je haussai les épaules.) Je suis incapable de te dire pourquoi. Je trouve ça perturbant, c'est tout.

Un sanglot hoquetant secoua la grande carcasse de Dolph.

— Perturbant…

Il poussa un rire étranglé, puis se couvrit le visage de ses mains et se laissa aller à ses larmes.

Zerbrowski et moi restâmes plantés là, les bras ballants. Je ne saurais dire lequel d'entre nous se sentait le plus impuissant. Il longea prudemment le mur en direction de la porte, entraînant Jason à sa suite. Mais Dolph sentit le mouvement.

— Il ne va nulle part.

— Il n'a rien à voir avec ça, dis-je.

Dolph s'essuya la figure d'un geste rageur.

— Tu ne lui as pas fourni l'alibi pour le premier meurtre.

— Vous cherchez un tueur en série. Si un suspect est innocent d'un des crimes, en général, il est innocent de tous.

Il secoua obstinément la tête.

— Nous avons le droit de le garder soixante-douze heures, et c'est ce que nous allons faire.

Je jetai un coup d'œil à la pièce dévastée, croisai le regard de Zerbrowski et doutai que Dolph ait encore le pouvoir de prendre une telle décision.

— La pleine lune est dans quelques jours.

— Nous le mettrons dans un établissement sécurisé.

Les établissements en question sont dirigés par le gouvernement. C'est là que vont les métamorphes fraîchement transformés pour s'assurer qu'ils ne feront de mal à personne. L'idée, c'est qu'ils y restent jusqu'à ce qu'ils soient capables de contrôler leur bête, puis qu'ils sortent pour reprendre le cours normal de leur vie.

Ça, c'est la théorie. En réalité, une fois admis là-dedans – que ce soit volontairement ou non – ils n'en sortent presque jamais. Les organismes de défense des métamorphes ont engagé la longue bataille juridique qui sera nécessaire pour faire interdire ces pratiques ou les déclarer inconstitutionnelles.

Je regardai Zerbrowski. Il me fixa avec une horreur et une lassitude croissantes. Je n'étais pas certaine qu'il ait le cran nécessaire pour empêcher Jason de finir dans une de ces prisons à peine améliorées si Dolph insistait. Non, ça ne pouvait pas arriver. Je ne pouvais pas le permettre.

Je reportai mon attention sur Dolph.

— Jason est un loup-garou depuis des années. Il contrôle parfaitement sa bête. Pourquoi l'envoyer dans un établissement sécurisé ?

— Parce que sa place est là-bas, répondit Dolph.

Et la haine en lui avait chassé la douleur.

— Sa place n'est pas en prison, et tu le sais.

— Il est dangereux.

— Pourquoi ?

— C'est un loup-garou, Anita.

— Donc, il doit être enfermé parce que c'est un loup-garou.

— Oui.

Zerbrowski semblait sur le point de vomir.

— Enfermé juste parce que c'est un loup-garou, insistai-je.

Je voulais que Dolph s'entende parler, qu'il se ressaisisse et revienne sur cette déclaration. Mais ce ne fut pas le cas.

— Oui.

Voilà, c'était dit et enregistré. Impossible de revenir dessus à présent. Ça pourrait être utilisé contre lui… et ça le serait sûrement. Je ne pouvais rien faire pour l'aider mais, à cet instant, je sus que Jason ne terminerait pas dans un établissement sécurisé. Une partie de moi était soulagée ; l'autre avait si peur pour Dolph qu'un goût métallique m'emplit la bouche.

Zerbrowski se dirigea vers la porte en poussant Jason devant lui.

— Nous allons vous laisser seul quelques minutes, lieutenant.

Du menton, il me fit signe de sortir avec lui.

Dolph ne tenta pas de nous arrêter. Il resta à genoux sur le sol avec une expression choquée, comme s'il avait enfin pris conscience de ce qu'il venait de dire et de ce qu'il risquait.

Nous sortîmes tous les trois et Zerbrowski referma la porte derrière nous. Dans la grande salle, tous ses collègues nous regardaient. Ils essayaient de se retenir, mais chacun d'eux s'était trouvé une occupation urgente dans les parages. Jamais je n'avais vu un tel nombre d'inspecteurs si pressés de remplir de la paperasse sur leur bureau, ou même sur celui de quelqu'un d'autre du moment qu'il se trouvait près de la salle d'interrogatoire.

Zerbrowski parcourut le groupe du regard.

— Dispersez-vous, les gars. Nous n'avons pas besoin d'un public.

Ils se regardèrent en se demandant visiblement s'ils devaient l'écouter, lui obéir. Si l'ordre était venu de Dolph, ils se seraient exécutés sur-le-champ. Mais ils finirent par se disperser à contrecœur, s'éloignant seuls ou par deux vers d'autres coins de la grande salle. Ceux dont le bureau se situait non loin de nous semblèrent se rappeler qu'ils avaient des coups de fil à passer et que ça ne pouvait pas attendre.

Zerbrowski se pencha vers moi et dit tout bas :

— Emmène M. Schuyler, et foutez le camp.

— Que dira Dolph ?

Il secoua la tête.

— Je n'en sais rien, mais je sais que Schuyler ici présent ne mérite pas d'être bouclé dans un de ces établissements sécurisés.

— Merci, sergent, dit Jason en souriant.

Zerbrowski ne lui rendit pas son sourire.

— Vous pouvez être très chiant, Schuyler, et vous êtes un métamorphe… mais pas un monstre.

Ils partagèrent un de ces moments de complicité masculine. À leur place, des femmes se seraient serrées dans les bras l'une de l'autre, mais c'étaient des hommes, et ils ne se serrèrent même pas la main.

— Merci, Zerbrowski.

Cette fois, Zerbrowski eut un faible sourire.

— Ça fait plaisir de savoir que quelqu'un est content de moi, aujourd'hui.

Il reporta son attention sur moi. Nous nous dévisageâmes.

— Que va-t-il arriver à Dolph ? demandai-je.

Il devint encore plus grave, ce qui, vu sa mine déprimée de l'instant d'avant, n'était pas un mince exploit.

— Je n'en ai aucune idée.

Dolph en avait dit suffisamment pour se faire virer de la police si ça venait à se savoir. Pire encore, si on apprenait que le chef de la Brigade d'Investigations surnaturelles éprouvait une telle haine envers les vampires et les métamorphes, c'était le résultat de toutes leurs enquêtes depuis la création de l'unité qui risquait d'être remis en question.

— Débrouille-toi pour qu'il prenne ses deux semaines de congé maladie, Zerbrowski. Qu'il ne remette pas les pieds ici tout de suite.

— C'était bien mon intention.

— Bien sûr. Pardon.

— Maintenant, Anita, va-t'en, s'il te plaît.

Je lui touchai le bras.

— N'y retourne pas sans renforts, d'accord ?

— Perry m'a dit ce que Dolph t'avait fait l'autre jour. Ne t'en fais pas, je serai prudent. (Il jeta un coup d'œil à la porte fermée.) S'il te plaît, Anita, vas-y avant qu'il sorte.

Je voulais dire quelque chose. Quelque chose de réconfortant ou d'utile, mais je ne trouvais rien. La seule chose utile que je pouvais faire, c'était partir. Alors, je quittai les lieux avec Jason.

Partir me semblait lâche. Rester aurait été stupide. D'habitude, entre la lâcheté et l'imbécillité, je choisis toujours la seconde option. Ce jour-là, je dérogeai à ma propre règle. Et puis, pour ce que j'en savais, Dolph risquait de surgir de la salle d'interrogatoire comme un taureau enragé et de charger Jason, ou moi. Nous arriverions peut-être à étouffer ce qui s'était passé entre nous quatre dans la salle d'interrogatoire mais, s'il cassait tout dans les bureaux de la brigade, ce serait la fin de sa carrière. Il s'était peut-être déjà – probablement déjà – tiré une balle dans le pied. Mais peut-être ou probablement, c'est toujours mieux que certainement.

Je laissai Zerbrowski recoller les morceaux parce que je n'aurais pas été capable de le faire. Je suis beaucoup plus douée pour casser les choses que pour les réparer.

Chapitre 40

Jason appuya sa tête contre le dossier du siège passager de la Jeep. Il avait les paupières closes et l'air las. De gros cernes soulignaient ses yeux. Même si Jason a le teint clair, il n'est pas blanc. Il ne brunit pas au soleil, mais il dore légèrement. Ce jour-là, il était aussi pâle qu'un vampire, et sa peau semblait trop fine, comme si une grande main lui avait frotté le visage et l'avait usé.

— Tu as une tête affreuse, commentai-je.

Il sourit sans ouvrir les yeux.

— Vile flatteuse.

— Non, je suis sincère, tu n'as pas du tout l'air dans ton assiette. Ça va aller ce soir, avec le banquet et tout le reste ?

Il rouvrit les yeux juste assez pour me couler un regard.

— Ce n'est pas comme si j'avais le choix. Ou comme si aucun de nous l'avait.

Présenté comme ça…

— Je suppose que non, admis-je d'une voix subitement lasse, elle aussi.

Jason sourit de nouveau, la tête toujours renversée en arrière et les paupières presque closes.

— Si le lieutenant n'avait pas pété un câble, tu crois que je serais en route pour un établissement sécurisé ?

Je bouclai ma ceinture et démarrai.

— Tu ne m'as pas répondu, fit-il remarquer d'une voix basse mais insistante.

Je passai la première.

— Peut-être. Je ne sais pas. Si Dolph n'avait pas pété un câble, comme tu dis, il n'aurait sans doute jamais pensé à t'envoyer là-bas de toute façon. (Je sortis du parking.) Mais il aurait pu t'interroger quand même. Tu es salement amoché, et tu es un loup-garou.

Je haussai les épaules.

Jason tendit ses bras au-dessus de sa tête et arqua le dos contre le siège, étirant tout son corps jusqu'à la pointe de ses orteils. C'était un mouvement d'une grâce étrange, qui fit remonter les manches de son tee-shirt et révéla ses écorchures. Il y ajouta un tortillement, une sorte de frisson ou de vague qui partit du bout de ses doigts, descendit le long de ses bras, de sa poitrine, de sa taille, de ses jambes musclées et de ses pieds.

Un klaxon furieux, suivi par un crissement de freins, ramena mon attention sur la route et le fait que je conduisais. Je réussis à ne percuter personne, mais il s'en fallut de peu. Je m'éloignai en endurant une débauche de gestes grossiers et le rire de Jason.

— Je me sens mieux, maintenant, dit-il quand il eut fini de s'esclaffer.

Je lui jetai un coup d'œil et fronçai les sourcils. Ses yeux bleus pétillaient et tout son visage irradiait une intense satisfaction. J'essayai de me retenir mais fus forcée de sourire. Jason m'a toujours fait cet effet. Je le trouve désarmant.

— Qu'y a-t-il de si drôle ? demandai-je, amusée.

— J'essayais de flirter et ça a marché. Jamais encore tu n'avais réagi à la vue de mon corps, pas même quand j'étais nu.

Je me concentrai très fort sur la route tandis que mes joues s'empourpraient.

Jason gloussa.

— Tu rougis. Oh mon Dieu, tu rougis !

— Continue comme ça et tu vas réussir à me gonfler.

Je tournai sur Clark et pris la direction du *Cirque*.

— Tu ne comprends pas, pas vrai ?

Il me regarda avec une expression que je ne pus déchiffrer : un mélange de ravissement, de perplexité et… d'autre chose.

— Je ne comprends pas quoi ?

— Je ne suis plus invisible sur ton radar à mecs.

— Quoi ?

— Tu remarques les hommes, Anita. Mais jusqu'ici, tu ne faisais pas attention à moi. Je commençais à me sentir comme l'eunuque de la cour.

Je lui jetai un bref regard interrogateur avant de reporter mon attention sur la route. Je ne voulais pas risquer un nouvel accident. J'avais eu ma dose d'adrénaline pour la journée.

— Tu sais très bien ce que je veux dire.

Je soupirai.

— Peut-être.

— Même si tu étais sous l'empire de l'ardeur, ce n'était pas juste un coup, pour toi.

Si j'avais été debout, je me serais dandinée en regardant mes pieds. Je me contentai de me concentrer encore plus intensément sur la route.

— Si tu as quelque chose à dire, Jason, dis-le.

— Ne fais pas la tête, Anita. Tout ce que je voulais dire, c'est que, même si nous ne nous touchons plus jamais, je suis sur ton écran radar, maintenant. Tu me vois. Tu me vois vraiment.

Il semblait particulièrement ravi.

Et j'étais très gênée. Aussi préférai-je changer de sujet.

— Crois-tu que le lycanthrope qui viole et tue ces femmes soit quelqu'un du coin ?

— Je sais que non, répondit-il sur un ton catégorique.

Je ne pus m'empêcher de lui jeter un coup d'œil.

— Tu as l'air bien sûr de toi.

— C'était un loup-garou, mais pas quelqu'un de notre meute. Or, tous les loups-garous de la région de Saint Louis appartiennent au clan de Thronnos Rokke.

— Comment sais-tu que c'était un loup ? Ça aurait pu être une demi-douzaine d'autres prédateurs semi-humains.

— Ça sentait le loup. (Il fronça les sourcils.) Tu ne l'as pas senti dans la maison ?

— Je n'ai pas senti grand-chose à part du sang, Jason.

— Parfois, j'oublie que tu n'es pas encore l'une de nous.

— C'est un compliment ou un reproche ?

Il grimaça.

— Ni l'un ni l'autre.

— Comment peux-tu être si certain que ce n'était pas un de nos loups ?

— L'odeur n'était pas celle de la meute.

— Oublie que je suis humaine et que mon odorat n'est pas quatre cents fois plus sensible. Explique-moi ça avec des mots simples.

— Sous ma forme humaine, mon odorat n'est pas aussi développé que sous ma forme de loup. Le monde est si plein de vie… Les odeurs sont comme les images. C'est difficile à expliquer à quelqu'un qui n'en a pas fait l'expérience, mais disons que, dans la hiérarchie des sens, sous forme humaine, le toucher vient juste après la vue. Sous forme de loup, c'est l'odorat qui vient juste après la vue… voire qui la précède parfois.

— Admettons. Qu'est-ce que ça signifie pour cette enquête ?

— Je sais que le tueur est un loup-garou et que ce n'est pas l'un des nôtres.

— Ton témoignage ne sera pas recevable devant un tribunal.

— Je m'en doutais. Honnêtement, je t'en aurais parlé plus tôt si je n'avais pas supposé que tu l'avais senti toi aussi.

Il semblait inquiet désormais, et soudain plus jeune à cause de ça. Ce qui lui conférait le charme d'un lycéen. Mais ses paroles me donnèrent à réfléchir.

— La plupart des chiens policiers refusent de pister les loups-garous… ou n'importe quel autre type de métamorphe, d'ailleurs. Dès qu'ils sentent leur odeur, ils se mettent à geindre et se recroquevillent sur eux-mêmes. Comme s'ils disaient aux enquêteurs : « Débrouillez-vous, les gars. »

— Je savais que les chiens ne nous aimaient pas, mais j'ignorais que c'était à ce point.

— Ça dépend des races, mais la plupart d'entre eux ne veulent pas se frotter à vous. Je ne peux pas leur en vouloir.

— Donc, je suppose qu'il est inutile d'aller au chenil chercher un limier ?

— Tu les ferais tous hurler à la mort.

— D'accord. (Il sourit.) Si tu as quelque chose à dire, Anita, dis-le.

— Un loup-garou sous sa forme animale pourrait-il pister ce tueur ?

Jason réfléchit, de nouveau très sérieux.

— Probablement, mais ça m'étonnerait que les flics l'autorisent. Ils ne nous aiment pas beaucoup non plus.

— Je sais. Mais je poserai quand même la question à Zerbrowski quand il appellera.

— Tu es sûre qu'il va le faire ?

— Oui.

— Pourquoi ?

— Parce qu'il y a déjà deux victimes et que tous les médias ne doivent parler que de ça.

— Si tu regardais la télé, que tu lisais un journal de temps en temps ou même que tu écoutais la radio, tu saurais ce genre de choses.

— Peu importe. Il est urgent de résoudre cette affaire avant que d'autres innocents soient tués. Zerbrowski appellera parce que les flics n'ont aucune piste valable : sans quoi, ils ne t'auraient pas emmené. Si Dolph avait quelque chose de plus consistant à se mettre sous la dent, même perturbé comme il l'est, il n'aurait pas perdu son temps à t'asticoter.

— Tu en es sûre ?

— Avant toute autre chose, Dolph est un flic. S'il avait quelqu'un à pister, il aurait été dehors en train de le traquer au lieu de te chercher des noises pour rien.

— Je ne sais pas trop, Anita. Je n'ai pas vu grand-chose en lui qui ressemblait à un flic. Il a l'air d'avoir laissé ses problèmes personnels prendre le pas sur tout le reste.

J'aurais protesté si j'avais pu, mais j'en fus incapable.

— Je parlerai de mon idée à Zerbrowski. S'ils sont assez désespérés, ils tenteront peut-être le coup.

— À ton avis, que faudrait-il pour qu'ils en arrivent là ?

J'entrai dans le parking du *Cirque des Damnés*.

— Deux victimes de plus, peut-être trois. Utiliser un loup-garou pour en traquer un autre titillerait probablement le sens de l'humour de Zerbrowski, mais réussir à convaincre ses supérieurs… ce sera une autre paire de manches.

— Deux victimes de plus, peut-être trois ? Doux Jésus, Anita, pourquoi ne pas essayer avant que d'autres malheureuses y laissent la vie ?

— Les flics sont comme la plupart des gens, Jason : ils n'aiment pas dévier de leur routine. Utiliser un métamorphe sous sa forme animale comme limier surnaturel, c'est un peu trop innovant pour eux.

— D'accord, mais j'ai senti ce qu'il y avait là-haut, Anita. Tellement de sang, tellement de viande… Un être humain ne devrait pas se trouver réduit à ça.

— Ne sommes-nous pas seulement de la bouffe sur pattes pour les métamorphes ?

J'avais dit ça sur le ton de la plaisanterie, mais Jason eut l'air offensé.

— Tu es bien placée pour savoir que non.

— Peut-être, acquiesçai-je, sentant mon sourire s'évanouir. Écoute, je suis désolée, je ne voulais pas te vexer, mais j'ai été menacée par trop de métamorphes pour nourrir encore la moindre illusion quant à la place que j'occupe dans leur chaîne alimentaire. Et un tas de métamorphes sont persuadés de se trouver au sommet.

— Je ne crois pas du tout à ces conneries selon lesquelles nous serions le maillon ultime. Si nous représentons vraiment le summum de l'évolution, comment se fait-il que, bien que nous existions depuis des millénaires, vous autres pauvres humains continuiez à avoir sur nous la supériorité du nombre et finissiez généralement par nous tuer ?

Je me garai près de la porte de derrière et coupai le moteur. Jason ouvrit sa portière et, en descendant de voiture, il dit par-dessus son épaule :

— Ne te leurre pas, Anita : les bons vieux humains ordinaires font davantage de victimes dans nos rangs que nous en ferons jamais dans les leurs. (Il eut un sourire qui n'avait rien de joyeux.) Ils font même davantage de victimes dans leurs propres rangs que nous.

Puis, sans m'attendre, il traversa le parking à grandes enjambées.

J'avais réussi à offenser Jason. Jusque-là, je n'étais même pas sûre que ce soit possible. Ou il grandissait, ou je devenais moins diplomate. Comme je ne pouvais pas décemment m'être montrée moins diplomate que d'habitude, je supposai que Jason grandissait. Pour la première fois depuis belle lurette, je me demandai s'il se satisferait toujours d'être le loup domestique et le hors-d'œuvre de Jean-Claude. Certes, il avait un boulot de stripteaseur. Mais on ne peut pas se déshabiller pour de l'argent et nourrir les vampires éternellement, non ?

Chapitre 41

Bobby Lee m'attendait dans l'entrée : grand, blond et presque lumineux comparé à la réserve sombre qui s'ouvrait derrière lui. Mais son humeur était plutôt noire.

— Les flics auraient dû me laisser rester avec vous.

— À mon avis, ils ne m'ont pas crue quand je leur ai dit que je vous avais nommés adjoints.

— Vous auriez dû leur dire que nous étions vos gardes du corps.

— Je ferai ça la prochaine fois.

Je lui racontai ce que j'avais appris à la brigade tandis que nous descendions l'escalier apparemment interminable qui s'enfonce dans les niveaux inférieurs du *Cirque des Damnés*. Les marches sont assez larges pour que quatre personnes puissent les emprunter de front, mais leur espacement m'a toujours paru étrange, comme si à la base elles avaient été taillées pour quelque chose de pas très humain. En tout cas, pas pour des bipèdes.

— Heinrick… Ce nom ne me dit rien.

Je tournai la tête vers Bobby Lee si brusquement que je trébuchai. Il me saisit le bras pour m'empêcher de tomber. Alors, je me rendis compte que je ne savais pas grand-chose sur lui.

— Vous bossez pour Rafael ; vous ne pouvez pas être un suprématiste blanc !

Lorsqu'il fut certain que j'avais recouvré mon équilibre sur les marches un peu trop larges, il me lâcha.

— Ma petite chérie, je connais des suprématistes blancs qui réservent leur haine à des gens un peu plus bronzés que Rafael.

— Les vrais Sudistes ne disent pas « ma petite chérie ».

Il grimaça.

— Ils le disent quand ces putains de Nordistes attendent ça d'eux.

— Nous sommes dans le Missouri. Ce n'est pas exactement le nord du pays.

— Ça l'est pour les gens de chez moi.

— Et où est-ce, chez vous ?

Son sourire s'élargit.

— Quand nous ne serons pas occupés à tenter d'éviter une catastrophe, nous pourrons boire une bière ou un café ensemble et nous raconter notre vie. Pour l'instant, concentrez-vous, ma petite chérie, parce qu'on est dans la merde jusqu'au cou et on continue à s'enfoncer.

— Si vous ne connaissez pas Heinrick, comment savez-vous que nous nous enfonçons ?

— J'étais mercenaire avant que les gens de Rafael me recrutent. Je connais des personnes qui lui ressemblent.

— Qu'est-ce qu'un type comme lui peut bien me vouloir ?

— Son copain et lui avaient une bonne raison de vous surveiller. Il faut juste que vous la trouviez.

Je secouai la tête.

— Vous parlez comme un de mes amis. Il me dit toujours que, quand ça part en vrille, je devrais savoir pourquoi les méchants en ont après moi.

— Il a raison.

— Pas toujours, Bobby Lee, pas toujours.

Mais cette conversation me fit penser à Edward. Il a commencé sa carrière comme mercenaire, puis tuer des humains est devenu trop facile pour lui, et il est passé aux monstres. Une catégorie qui, chez lui, englobe beaucoup de monde : les vampires et les métamorphes, mais aussi les tueurs en série, les acteurs de *snuff movies*, et toutes les proies qui l'intéressent. Mais il faut que la paie soit bonne : Edward ne bosse pas gratuitement. Enfin, pas souvent. Parfois, il le fait juste pour le plaisir de chasser une créature qui fout une trouille mortelle au reste de l'humanité.

— Dans le réseau de Rafael, est-ce que quelqu'un a des contacts au sein des canaux non gouvernementaux ? Je ne veux pas devoir de faveur à quiconque, et je ne veux mettre personne en danger. Je veux juste découvrir ce que les canaux gouvernementaux ignorent ou refusent de communiquer à la police de Saint Louis.

— Il y a parmi nous d'anciens militaires, des agents des forces spéciales, ce genre de choses. Je poserai la question.

J'opinai du chef.

— Bien.

De mon côté, j'appellerais Edward pour lui demander s'il connaissait Heinrick.

Je me remis à descendre les marches. Bobby cala son pas sur le mien, même si c'était sûrement gênant pour lui vu qu'il a des jambes beaucoup plus longues que les miennes. Mais il ne se plaignit pas, et je ne proposai pas d'accélérer. Je n'avais pas vraiment hâte de revoir Jean-Claude et Asher. Je ne savais toujours pas quoi leur dire.

Nous arrivâmes en vue de la grande et lourde porte qui donne sur les logements souterrains. Elle était légèrement entrouverte, comme si on nous attendait.

— Au fait, Jean-Claude et Asher réclament votre présence dans la chambre de Jean-Claude, m'annonça Bobby Lee.

Je soupirai, et ma contrariété dut se lire sur mon visage, car il me toucha le bras.

— Ne faites pas cette tête, poupée. Ils ont dit qu'ils vous devaient des excuses.

Je haussai les sourcils. Des excuses ? D'eux à moi ? Ça me plaisait beaucoup. Ça me plaisait vraiment beaucoup.

Chapitre 42

Ce n'était pas les excuses auxquelles je m'attendais mais, dans ces circonstances, n'importe quelles excuses valaient mieux que rien. Surtout si elles ne venaient pas de moi. Évidemment, il leur fallut près de cinq minutes pour me les adresser, parce que, dès l'instant où mon regard se posa sur eux deux vêtus de leurs atours de banquet, je devins muette, sourde et quasiment aveugle à tout le reste.

Je ne crois pas que la magie ou les pouvoirs vampiriques y furent pour quoi que ce soit. Ils étaient juste d'une élégance époustouflante. Asher portait une veste d'or pâle rehaussée de broderies plus foncées à travers lesquelles courait un fil d'or véritable qui soulignait également le col, les revers et les larges manchettes. Son scintillement se mêlait à celui des cheveux dorés d'Asher, qui cascadaient sur ses épaules et ajoutaient de l'emphase à ses gestes.

Des volants blancs mousseux, semblables à un nuage dompté, ornaient le plastron et les poignets de sa chemise. Pour avoir souvent fouillé dans le placard de Jean-Claude, je savais qu'ils n'étaient pas aussi doux qu'ils en avaient l'air. Quant au pantalon, il était assorti à la veste, avec une ligne de broderie courant le long de chaque jambe. Des bottes coquille d'huître moulaient ses mollets et venaient se rabattre au-dessus de ses genoux ; elles étaient attachées par des liens de cuir brun clair et de petites boucles dorées que l'on pouvait apercevoir quand il marchait.

C'était Asher que j'avais remarqué le premier, peut-être à cause de ses pouvoirs ou peut-être parce qu'un tel rayonnement ne pouvait que capter le regard. Comme celui du soleil : vous ne pouvez pas vous empêcher de le voir, de tourner votre visage vers sa chaleur et d'en savourer la glorieuse caresse sur votre peau. Mais quand le soleil est haut dans le ciel, en général, la lune s'y trouve aussi… pâle esquisse de ce qu'elle deviendra plus tard dans la nuit, mais présente néanmoins : floue et brumeuse, dure et froide. La nuit, il n'y a qu'elle. Nul ne peut plus voir le soleil, et elle règne sans partage sur le ciel.

Le manteau de Jean-Claude était taillé dans un velours noir si doux et si fin qu'on aurait dit de la fourrure. C'était un vêtement d'opéra qui lui descendait jusqu'aux chevilles. Des broderies bleu roi se détachaient sur les revers et les manchettes, assorties à celles de son gilet noir. Mais la chemise qu'il portait dessous était de la même nuance de bleu que les draps de soie sur son lit : un bleu céruléen, la couleur du ciel à l'approche de la nuit. Cela faisait ressortir la teinte de ses yeux, semblables à des joyaux vivants sertis dans le blanc très pur de sa peau et encadrés par le noir ténébreux de sa chevelure.

Le jabot de soie qui bouffait sur sa poitrine disparaissait à l'intérieur de son gilet. Il était piqué d'une épingle d'or et de saphir : une pierre presque aussi grosse qu'un de ses yeux. Ses boutons de manchette assortis scintillaient quand il bougeait les mains. Les saphirs avaient le bleu des fleurs de maïs ou de la mer des Caraïbes.

Ses cheveux formaient une masse de boucles noires. On aurait dit qu'il en avait pris moins de soin que d'habitude, qu'il ne s'était pas donné la peine de les démêler et de les coiffer. Ils cascadaient sur ses épaules et dans son dos, où ils se fondaient au velours de son manteau comme un accessoire vivant.

L'espace d'un instant, je crus qu'il portait un pantalon en cuir ; puis je me rendis compte que ses cuissardes recouvraient la totalité de ses jambes. Il portait bien un pantalon en dessous, mais c'était à peine si celui-ci dépassait. Quand il pivotait, on pouvait apercevoir l'arrière de ses bottes. Elles allaient de sa cheville jusqu'au pli de ses fesses, et étaient nouées à l'aide d'un lacet du même bleu vif que sa chemise.

J'étais partagée entre l'envie de sauter de joie parce que j'avais le droit de jouer avec ces deux canons, et celle de prendre mes jambes à mon cou parce que c'était trop pour moi. J'adoptai un entre-deux et réussis à rester immobile au milieu de la pièce, sans sortir en courant ni me jeter à leurs pieds comme une vulgaire groupie. Mais cela me demanda plus d'efforts que je l'aurais admis.

— Ma petite, as-tu entendu un seul mot de ce que nous venons de dire ?

Je m'étais rendu compte que leurs lèvres remuaient pendant que je contemplais toute cette splendeur masculine mais, même si ma vie en avait dépendu, je n'aurais pas pu en restituer un seul mot. Je rougis et admis :

— Pas vraiment.

L'air exaspéré, Jean-Claude posa les mains sur ses hanches, écartant les pans de son manteau d'opéra et les repoussant vers l'arrière. Puis il se dirigea vers moi.

— C'est bien ce que je craignais, Asher. Tu l'hypnotises complètement. Si nous n'arrivons pas à atténuer… (il fit un geste pour ponctuer sa phrase, et ce fut à ce moment-là que je découvris sa bague de saphir étincelant dans la lumière des bougies) la fascination que tu exerces sur elle, elle ne sera bonne à rien ce soir.

— Si j'avais envisagé qu'elle puisse être affectée à ce point, je me serais retenu.

Jean-Claude se tourna vers Asher. Je vis que le dos de son manteau était brodé lui aussi. Les arabesques bleu roi dessinaient une sorte de motif que je ne parvenais pas à identifier à travers ses cheveux.

— Vraiment, mon ami ? Te serais-tu refusé un tel plaisir ? Aurais-tu été capable d'y résister ?

— Si j'avais su, oui. Aucun plaisir au monde n'aurait pu me pousser à nous affaiblir pendant le séjour de Musette et de son escorte.

Je fronçai les sourcils et secouai la tête.

— Une minute, les garçons.

Ils se tournèrent vers moi, l'air surpris… sans doute parce que ma voix semblait si normale.

— Ça ne peut pas être dû aux pouvoirs d'Asher, à moins que leurs effets s'étendent à Jean-Claude, parce que vous me semblez tout aussi renversants l'un que l'autre. J'ai envie de faire des bonds partout en criant : « Youpi, j'ai le droit de faire mumuse avec les deux ! » (Je clignai des yeux et luttai pour ne pas rougir.) Désolée, j'ai vraiment dit ça tout haut ?

Les deux hommes échangèrent un regard, puis reportèrent leur attention sur moi.

— Que veux-tu dire, ma petite ? Je ne t'avais encore jamais vue rester ainsi muette et hébétée devant moi.

Je les détaillai tous deux et secouai la tête.

— Il faut vraiment que je vous explique ? Très bien.

Je me dirigeai vers la psyché qui se trouvait de l'autre côté de la pièce et leur fis signe de me rejoindre.

— Dépêchez-vous, nous n'avons pas toute la nuit.

Malgré leur mine perplexe, ils obtempérèrent. Je me laissai quelque peu distraire en les voyant glisser vers moi vêtus de toute cette soie, de tout ce cuir et de tous ces machins scintillants.

Lorsqu'ils s'arrêtèrent enfin devant moi, ils me dévisagèrent sans prêter la moindre attention au miroir. Je dus leur toucher le bras et les pousser l'un vers l'autre pour que le crème doré de la veste d'Asher se déverse sur le velours noir du manteau de Jean-Claude, pour que les ondulations blondes des cheveux d'Asher se mêlent aux boucles noires de Jean-Claude et que le bleu vif de la chemise de ce dernier fasse également ressortir la couleur des yeux d'Asher.

— Regardez-vous, et osez me dire que n'importe quel mortel ne passerait pas plusieurs minutes à vous contempler bêtement en faisant « Ouah ! ».

Ils se regardèrent dans le miroir ; ils se regardèrent l'un l'autre, et Jean-Claude sourit enfin. Mais pas Asher.

— Tu as raison, ma petite : si ce n'était qu'un effet des pouvoirs d'Asher, il ne s'étendrait pas à moi. (Il se tourna vers moi.) Mais jamais encore je ne t'avais vue si impressionnée.

— C'est parce que vous n'avez pas fait attention.

Il secoua la tête.

— Non, ma petite. J'aurais remarqué.

Je haussai les épaules.

— C'est peut-être parce que je ne vous avais encore jamais vus tous les deux en habit de soirée. Le double impact est quelque peu étourdissant.

Jean-Claude s'éloigna de quelques pas et pivota sur lui-même, les bras écartés, pour me faire admirer sa tenue.

— Tu trouves que c'est trop ?

Je faillis rire.

— Non, pas du tout. Mais j'ai le droit d'être confondue par tant de beauté.

— Très poétique, ma petite.

— En vous regardant tous les deux, je regrette de ne pas être poète, parce que je suis incapable de vous rendre justice. Vous êtes d'une beauté stupéfiante, merveilleuse, spectaculaire.

Asher traversa la pièce en direction de la fausse cheminée. C'était difficile de voir dans la pénombre mais, ce soir-là, quelqu'un avait disposé deux bougies sur le rebord de marbre, dans de hauts bougeoirs en cristal semblables à des vases.

Les cheveux d'Asher scintillaient dans leur lumière vacillante. Il posa une main sur le manteau de la cheminée et, tête baissée, s'abîma dans la contemplation de l'âtre froid comme s'il était hypnotisé par le nouveau pare-feu de Jean-Claude : un énorme éventail antique serti dans du verre. Ses panneaux écarlate et vert vif s'ornaient de fleurs et de dentelle délicate. C'était un bel objet, mais pas à ce point.

Je jetai un regard interrogateur à Jean-Claude, qui me fit signe de rejoindre Asher. Comme je ne bougeais pas, il me prit par la main et me conduisit à l'autre homme.

Asher dut nous entendre approcher, car il dit :

— J'étais furieux contre toi, Anita, vraiment furieux. Si furieux que je n'ai pas envisagé que tu puisses avoir une bonne raison d'être furieuse toi aussi.

Jean-Claude me pressa la main comme pour me signifier de ne pas l'interrompre mais, étant donné que je semblais avoir l'avantage, je n'en avais de toute manière pas l'intention. On n'interrompt pas les autres quand on est en train de gagner une discussion.

— Jason nous a dit à quel point tu avais été malade après que j'ai bu ton sang. Il est naturel que cela te fasse désormais redouter mon étreinte. (Asher leva brusquement la tête, les yeux écarquillés et presque fous, perdus dans le scintillement de ses cheveux et la lueur vacillante des bougies.) Je ne voulais pas te faire de mal. Ça n'a jamais été aussi… (il parut chercher le mot juste) terrible pour mes autres… (de nouveau, il hésita) victimes.

Je ne savais pas quoi répondre à ça, parce que j'étais partiellement d'accord avec lui. Il me semblait qu'en ne me demandant pas la permission au préalable il avait fait de moi une victime de ses pouvoirs. Mais que je m'en sois rendu compte ou non, j'avais dû ruminer le problème toute la journée dans un coin de mon cerveau, parce que j'étais désormais certaine d'une chose : je n'avais pas totalement raison non plus. Et merde.

Je lâchai la main de Jean-Claude. Le contact de sa peau gênait ma concentration.

— Je comprends pourquoi tu as cru que je savais ce que ça impliquait de te laisser boire mon sang. Je t'ai effectivement demandé de me mordre ; j'ai offert de te nourrir, et c'est vrai : je savais que ta morsure pouvait abattre mes défenses naturelles. (Ce fut mon tour de regarder le joli pare-feu qui ne connaîtrait jamais la caresse des flammes.) J'étais tellement submergée par le désir que je ne réfléchissais plus. Mais ce n'était pas ta faute. Tu n'es pas dans ma tête. Tu ne pouvais te fier qu'aux mots qui sortaient de ma bouche. (Je levai les yeux et soutins le regard bleu pâle d'Asher.) Oh, et puis merde. Quand bien même tu aurais pu lire mes pensées à ce moment-là, tout ce que tu aurais vu, c'est que je voulais que tu me prennes, quoi que ça puisse signifier. Dans ma tête, il n'y avait plus ni règles ni panneau « Stop ».

Je poussai un long soupir tremblant parce que j'avais peur, peur de l'admettre à voix haute, peur d'être consumée par le désir, l'amour ou quel que soit le putain de nom qu'on veuille donner à cette émotion.

— Je voulais que tu me prennes pendant que Jean-Claude me faisait l'amour. Je voulais que nous soyons tous ensemble comme autrefois.

— Tu n'avais jamais été avec nous ainsi, rétorqua Asher. (Par-dessus ma tête, il regarda Jean-Claude.) Tu vois, c'est bien ce que nous craignions. Ce sont des souvenirs qui la lient à moi. Ce qu'elle éprouve n'est pas réel. Avec ou sans mon pouvoir de fascination, ce n'est pas réel.

— C'est ce que je me tue à te dire, Asher. Parce que tu as manipulé mon esprit, je ne saurai jamais si mes sentiments pour toi sont réels. Mais une chose est sûre : ce que j'éprouvais avant que nous partagions un lit la nuit dernière était bien réel. Et je ne l'éprouvais pas pour le vieux toi, celui d'avant l'eau bénite, mais pour le toi d'aujourd'hui, tel que tu es maintenant.

Il secoua la tête et détourna les yeux, s'assurant que ses cheveux forment une barrière entre nous pour que je ne voie pas son visage.

— Mais j'ai utilisé mes pouvoirs pour te fasciner comme un serpent hypnotise un oiseau. J'ai capturé ton esprit, et je l'ai fait sciemment.

Je touchai ses cheveux ; il sursauta et s'écarta de moi. Je ne tentai pas de le suivre. Je pris une grande inspiration et la relâchai lentement. J'aurais préféré affronter une dizaine de méchants plutôt que poursuivre cette confession.

— À ta décharge, nous étions déjà nus et en train de nous envoyer en l'air avant que tu uses de tes pouvoirs sur moi.

Asher leva les yeux. À travers les ombres et la lumière vacillante, je distinguais suffisamment ses traits pour voir sa mine perplexe.

— De nous envoyer en l'air ?

— De faire l'amour, reformula Jean-Claude. C'est une expression d'argot américaine.

— Ah, dit Asher, même s'il ne semblait pas plus éclairé.

Je poursuivis obstinément. Une fois ma décision prise, je suis du genre à aller jusqu'au bout.

— Ce que je veux dire, c'est que nous étions déjà bien lancés. Tu n'avais pas roulé mon esprit quand nous nous sommes tous déshabillés. Tu n'avais pas roulé mon esprit pendant les préliminaires. Tu n'avais pas roulé mon esprit quand je t'ai léché derrière les genoux, et ailleurs. (Je me forçai à soutenir son regard qui reflétait de plus en plus de calme.) Tout cela, je l'ai fait de mon plein gré. Si tu avais pu me prendre sans planter tes crocs en moi, j'aurais préféré. Mais je voulais vous sentir tous les deux à l'intérieur.

Je dus fermer les yeux parce que j'étais assaillie par une image si forte que mes genoux flageolèrent. Cette fois, quand la vague de sensations frappa, je ne griffai pas l'air. Mais ma main se crispa sur le manteau de la cheminée, et mon souffle se fit haletant.

— Ça va, ma petite ? s'inquiéta Jean-Claude.

Je hochai la tête.

— Par rapport à mon premier flash-back d'orgasme, ce n'est rien du tout.

— Flash-back ? interrogea Asher.

— Elle a revécu le plaisir éprouvé avec nous un peu plus tôt dans la journée, expliqua Jean-Claude.

Asher parut encore plus contrarié.

— Elle présente tous les symptômes. Je ne pensais pas que ce serait le cas. Je croyais que sa nécromancie la protégerait.

— Je dois également vous dire qu'à mon avis Belle Morte est partiellement responsable de l'état dans lequel je me suis traînée une bonne partie de la journée. Elle s'est nourrie de Richard et de moi à travers vous deux.

Jean-Claude s'adossa au mur, les bras croisés.

— Jason nous l'a déjà raconté, ma petite. Mais je persiste à croire que ton pouvoir a combattu celui d'Asher toute la journée. C'est une question très ancienne : que se passerait-il si une force irrésistible rencontrait un objet inamovible ?

— Asher étant la force irrésistible et moi l'objet inamovible, devinai-je.

— Oui.

J'aurais aimé protester contre cette répartition des tâches, mais la comparaison était trop appropriée.

— Qu'est-ce que ça va avoir comme conséquences sur notre ménage à trois ?

Quelque chose passa brièvement sur le visage de Jean-Claude avant que son expression devienne aussi neutre que possible. Ce fut Asher qui demanda :

— Tu serais prête à recommencer ?

Je voulus lâcher le manteau de la cheminée et me ravisai, juste au cas où.

— Peut-être. (Je regardai le beau visage immobile de Jean-Claude.) Je crois que j'ai enfin atteint la limite de Jean-Claude, trouvé un compromis qu'il n'est pas prêt à faire.

— Que veux-tu dire, ma petite ?

— Je veux dire que, si vous perdez Asher par ma faute, ça ouvrira un gouffre infranchissable entre nous.

— Donc, tu coucheras avec moi pour ne pas perdre Jean-Claude.

Soudain, Asher était fou de rage, les yeux pleins de flammes bleues liquides. Son humanité s'évapora sous mes yeux, le laissant pâle et toujours magnifique, mais à la manière d'une statue ou d'un joyau… une beauté dure et étincelante que n'animait aucune vie, aucune douceur.

Il se tenait devant moi, ses cheveux dorés formant autour de son visage un halo soufflé par le vent de son propre pouvoir. C'était une vision d'une beauté terrible ; il ressemblait à l'ange de la mort descendu des cieux pour venir me chercher.

Je n'avais pas peur de lui. Je savais qu'il ne me ferait pas de mal, pas consciemment. Et j'étais encore plus certaine que Jean-Claude ne l'y autoriserait pas. Mais j'en avais assez. Assez de ce petit jeu entre nous. D'une certaine façon perverse, Asher et moi étions bien assortis, un duo de rêve pour un thérapeute. Chacun de nous avait tellement de problèmes d'intimité ; chacun de nous forçait les personnes de son entourage à sauter à travers tellement de cerceaux pour l'atteindre… Même moi, ça me fatiguait.

Je défis ma ceinture et la fis glisser dans les passants de mon jean, puis la sortis de ceux de mon holster. D'une voix qui résonna dans la pièce et rampa le long de ma colonne vertébrale, Asher demanda :

— Que fais-tu ?

Je finis d'ôter ma ceinture et me débarrassai du holster dans la foulée.

— Je me déshabille. J'imagine que Jean-Claude a préparé des vêtements de soirée pour moi aussi. Mais je vous préviens : il n'est pas question que je porte une tenue assortie à la vôtre si je dois me cogner des jupons, un corset et *tutti quanti*. On ne peut pas bouger avec ces saloperies.

— N'aie crainte, ma petite. Tes critères ont été ma priorité numéro un quand j'ai choisi ces vêtements. (Jean-Claude écarta les bras et prit une pose séduisante bien qu'un peu trop théâtrale.) Même les nôtres n'entravent pas nos mouvements.

Nous ignorions tous les deux le vampire qui nous foudroyait du regard. Quand vous êtes furieux, rien ne vous coupe davantage l'herbe sous le pied que le fait que personne ne fasse attention à vous.

Je commençai à enlever mon tee-shirt et m'interrompis. Je ne voulais pas rejouer la scène de la croix aveuglante. Aussi, je me dirigeai vers le lit pour m'y asseoir afin d'ôter mes chaussures plus confortablement.

— Donc, Jason vous a raconté ce qu'a fait Belle ?

— Oui. Elle t'a donné la première marque.

— Elle sait, Jean-Claude. Elle sait que Richard et moi n'avons pas la quatrième.

Je sautai sur le lit, déposant ma ceinture et mon holster près de moi. Puis je me concentrai pour défaire les lacets de mes baskets, parce que je redoutais la suite de la conversation.

— Tu évites mon regard, ma petite. Pourquoi ? Craindrais-tu ce que je m'apprête à dire ?

— Je sais que, si vous me donniez la quatrième marque, Belle ne pourrait plus m'atteindre. Je serais protégée contre elle.

— Non, ma petite. Pas de mensonges entre nous. Belle ne pourrait plus te marquer comme sienne, mais tu ne serais pas protégée pour autant. Je pourrais me servir de ce prétexte pour m'approprier ce dernier petit bout de toi, mais je ne le ferai pas, parce que je crains la réaction de Belle.

Une basket à la main, je levai les yeux vers lui.

— Que voulez-vous dire ?

— Pour l'instant, elle pense pouvoir te voler à moi et faire de toi sa servante humaine. T'utiliser pour accroître son propre pouvoir. Si elle se rend compte que tu es hors de sa portée, elle risque de décider qu'elle te préfère morte.

— Si elle ne peut pas m'avoir, personne ne m'aura, c'est ça ?

Jean-Claude acquiesça brièvement et haussa les épaules comme pour s'excuser.

— C'est une femme très pragmatique.

— Non, c'est une vampire très pragmatique. Croyez-moi, c'est un tout autre niveau.

— C'est vrai. J'aimerais prétendre le contraire, mais je ne peux pas.

Asher se dirigea vers nous. Ses yeux étaient toujours entièrement bleus, comme si un ciel d'hiver avait empli son crâne mais, cela mis à part, il avait retrouvé son apparence ordinaire… ce qui était rien moins qu'extraordinaire. Du moins ne créait-il pas de vent surnaturel, ne lévitait-il pas à quelques centimètres du sol.

— Vous êtes tous les deux affaiblis par l'absence de la quatrième marque. Sans elle, aucun de vous deux n'est aussi puissant qu'il le pourrait. Tu le sais, Jean-Claude.

— Oui, mais je connais Belle. Elle détruit tout ce qu'elle ne peut pas posséder.

— Ou rejeter, dit Asher d'une voix dans laquelle vibrait assez de chagrin pour que ma gorge se serre.

J'avais enlevé mes baskets et fourré dedans mes chaussettes de jogging.

— En te rejetant, elle t'a détruit, fis-je remarquer d'une voix que je voulais douce, mais qui sonna à mes oreilles comme ma voix normale.

Asher me foudroya du regard tandis que ses pupilles émergeaient à travers le feu bleu, comme des îles jaillissant des profondeurs de la mer.

— Ce que je veux dire, c'est qu'elle t'a infligé la seule chose qui, à tes yeux, pouvait être pire que la mort. Elle t'a chassé de son lit et, par conséquent, de celui de Jean-Claude.

— Si elle ne m'a pas tué, c'est parce qu'elle avait promis à Jean-Claude de ne pas le faire.

Je jetai un coup d'œil à l'intéressé.

— J'ai accepté de lui revenir pour un siècle si elle sauvait la vie d'Asher. S'il était mort, j'aurais repris ma liberté.

— Donc, elle a fait le nécessaire pour me maintenir en vie, ajouta Asher d'une voix si amère qu'elle me suffoqua presque. Certaines nuits, je t'ai maudit d'être toujours vivant, Jean-Claude.

— Je sais, mon ami. Belle Morte me faisait souvent remarquer que je t'épargnerais beaucoup d'humiliations en te laissant mourir.

— J'ignorais qu'elle t'avait donné ce choix.

Jean-Claude détourna les yeux, incapable de soutenir le regard de l'autre homme.

— C'était égoïste de ma part. Je préférais que tu vives et que tu me haïsses, plutôt que tu meures et que je n'aie plus aucun espoir de te récupérer un jour. (Alors, il leva la tête, et son visage exprimait une émotion brute à mille lieux de son habituelle neutralité.) Ai-je eu tort, Asher ? Aurais-tu vraiment préféré mourir alors ?

Assise sur le lit, je les observais en attendant la réponse. D'une certaine façon, j'étais leur spectatrice ; et d'une autre façon, je n'étais pas là du tout.

— Il y a eu des moments où j'ai appelé la mort de tous mes vœux.

Jean-Claude se détourna. Asher lui toucha le bras, le bout de ses doigts posé sur sa manche de velours. Ce simple contact sembla paralyser Jean-Claude. S'il respirait encore, je ne pouvais pas le voir.

— La nuit dernière fut l'un de ces moments.

Ils se dévisagèrent. Les doigts d'Asher effleuraient à peine le bras de Jean-Claude. Mais il y avait tant de choses entre eux : des siècles d'amour, de douleur et de haine. On aurait dit que tout cela bouillonnait dans l'air, presque visible dans la lumière vacillante des bougies.

Je voulus leur dire de s'embrasser et de se réconcilier, mais je savais qu'ils ne le feraient pas. J'ignorais quel était leur problème ; je savais juste qu'ils étaient incapables de ce genre de choses sans Julianna. Elle était le pont qui les reliait, l'intermédiaire qui leur permettait de s'aimer. Sans elle, ils se tenaient chacun sur un bord de l'abysse qui les séparait, incapables de franchir celui-ci.

Je ne serai jamais Julianna. J'ai trop de souvenirs d'elle pour ne pas m'en rendre compte. Elle était douce et tendre, tout le contraire de moi. Mais je pouvais quand même faire une chose… peut-être.

Je me laissai glisser à terre et me dirigeai d'abord vers Asher, parce que je ne voulais pas le vexer de nouveau. Je me dressai sur la pointe des pieds, et il dut se baisser pour que je l'embrasse, mais il ne tenta pas de résister. Je pris son visage entre mes mains ainsi qu'une tasse de la porcelaine la plus fragile, risquant de se briser au moindre faux mouvement. Je l'embrassai avec délicatesse, buvant à cette coupe comme si c'était un don sacré… et ça l'était.

Je me tournai vers Jean-Claude avec le goût d'Asher sur les lèvres. Je pris son visage comme j'avais pris celui de l'autre homme, et je l'embrassai. Il resta passif sous la caresse de mes lèvres.

Puis je m'écartai d'eux.

— Maintenant que nous nous sommes embrassés et réconciliés, il faut que je m'habille… et qu'on parle avant le banquet.

— Qu'on parle de quoi, ma petite ? s'enquit Jean-Claude d'une voix basse et rauque, comme s'il avait du mal à respirer.

— De la Mère de Toutes Ténèbres.

— Jason l'a mentionnée aussi, mais j'espérais qu'il avait mal compris.

— Ça ne peut pas être la Douce Mère, protesta Asher. Elle ne s'est pas réveillée depuis un millénaire.

— Elle n'est pas réveillée, le détrompai-je, mais elle s'agite dans son sommeil.

Les deux hommes se regardèrent. Ce fut Asher qui dit :

— Je suggère que nous mettions nos différends puérils de côté jusqu'à ce que nous ayons résolu cette très sérieuse énigme.

— Quels différends puérils ? demandai-je.

— Nos histoires de ménage à trois.

Je secouai la tête.

— Asher, je t'adore, mais je n'ai plus assez d'énergie pour déblayer toute cette merde émotionnelle. Tu te rends compte que, niveau intimité amoureuse, tu es encore plus épouvantablement compliqué que moi ? (Il ouvrit la bouche pour répondre, la referma et haussa les épaules.) En fait, toi et moi, nous sommes très bien assortis dans le genre « je ne t'ai pas encore tué sous le coup de l'exaspération, mais ça pourrait venir ». Mais je suis d'accord : pour l'instant, nous devons mettre nos petites histoires de côté.

Asher s'inclina gracieusement.

— Il en sera comme ma dame l'ordonne.

— Tant que ça te conviendra, grommelai-je.

Alors, il éclata de rire, un son plaisant qui glissa le long de ma peau et contracta mon bas-ventre. Je laissai échapper un soupir.

— Et maintenant, où avez-vous rangé mes fringues pour le désastre de ce soir ?

Chapitre 43

Bien entendu, je me plaignis des vêtements choisis par Jean-Claude. Le velours noir et la soie bleue semblaient présenter mes seins comme dans une corbeille de fruits mûrs à point. Les couleurs soulignaient la pâleur presque translucide de ma peau et les courants bleutés qui circulaient dessous : mes veines pleines de sang qui deviendrait rouge vif au contact de l'oxygène.

Stephen m'avait coiffée et maquillée. Ce n'était pas la première fois qu'il se chargeait de me préparer pour une de nos petites sauteries. Et il s'occupe souvent des autres stripteaseurs du *Plaisirs Coupables*. Je l'avais laissé relever mes cheveux en une cascade de boucles, dénudant ainsi mon cou blanc. Les marques de crocs d'Asher y étaient encore bien visibles.

— Sérieusement, rouspétai-je. Vous auriez aussi bien pu mettre mes seins et mon cou sur un plateau avec une étiquette « Servez-vous ».

Stephen recula après avoir appliqué mon dernier trait d'eye-liner.

— Tu es ravissante, Anita.

Il le pensait sans doute, mais il n'avait d'yeux que pour mon maquillage : son œuvre. Il me considérait comme une toile vierge. Les sourcils froncés, il procéda à un minuscule ajustement qui me fit cligner des paupières. Il me tamponna le coin de l'œil avec un Kleenex et recula de nouveau. Il me détailla du sommet du crâne jusqu'au menton et hocha la tête.

— C'est bon.

— C'est positivement appétissant, oui, lança une voix depuis le seuil.

Micah entra et referma la porte derrière lui. À l'instant où je le vis, je sus que j'avais perdu le droit de me plaindre de ma tenue.

Il était vêtu entièrement de bleu turquoise, avec une tonalité verte assez prononcée pour faire flamboyer ses yeux. Sa chemise avait des trous sur le dessus des épaules, au niveau des biceps et deux sur les avant-bras. Des lacets noirs passés à travers le tissu étaient noués autour de son coude, au-dessus et au-dessous des trous pour empêcher les manches de glisser. Les manchettes étaient larges et amidonnées, avec des boutons noirs brillants et des découpes sur l'intérieur du poignet. Soulignée par le tissu turquoise, sa peau paraissait plus bronzée, plus lisse et plus tiède que jamais.

Son pantalon était assorti à sa chemise, et pas seulement du point de vue de la couleur. Sur les côtés, des trous révélaient la légère saillie de ses hanches et laissaient entrevoir ses cuisses. Il y en avait sûrement d'autres plus bas, mais ils étaient dissimulés par les bottes qui lui montaient jusqu'aux genoux. Ce pantalon était si moulant qu'il ne nécessitait pas de ceinture ; pourtant, les extrémités d'un lacet noir glissé dans les passants se balançaient au rythme des pas de Micah. Il m'avait presque rejointe quand je pris conscience que des trous se découpaient aussi sur la face intérieure des jambes de son pantalon.

Je secouai la tête.

— Il y a plus de trous que de tissu.

Micah me sourit.

— Je suis là pour servir de nourriture. Il faut bien que nos invités puissent avoir accès à mon sang. Jean-Claude ne voulait pas leur donner d'excuse pour déshabiller qui que ce soit.

Je jetai un coup d'œil au vampire.

—Micah ne nourrira pas ces gens.

—Non, ma petite, il est réservé à notre consommation personnelle. Néanmoins, nous ne voulons pas être obligés de le déshabiller. Si nous gardons tous nos vêtements, ils seront forcés d'en faire autant, sous peine de commettre un faux pas monumental. Dans notre demeure, ils sont censés respecter nos règles.

Présenté de cette façon, je ne pouvais guère protester... mais ce n'était pas l'envie qui m'en manquait. Je dévisageai Micah plus attentivement.

—Il a les yeux maquillés, constatai-je.

Je me levai de la chaise sur laquelle je m'étais assise pendant que Stephen s'occupait de moi et fis le pas qui me séparait de Micah. En fait, tout son visage était maquillé, mais de façon si adroite que ça ne se voyait pas au premier abord.

—Ces yeux sont irrésistibles. Ils méritaient d'être décorés, affirma Jean-Claude.

Les cheveux de Micah étaient tirés en arrière, formant une sorte de chignon artistiquement tressé.

—Où sont passées toutes ses boucles? demandai-je.

—Elles ont été lissées au fer, expliqua Jean-Claude en s'approchant. (Il faillit toucher les cheveux de Micah comme pour me prouver à quel point sa coiffure était belle.) Rien de ce que nous lui avons fait pour le mettre en valeur n'a paru le déranger. En tout cas, il n'a pas protesté. (Jean-Claude me regarda de ses propres yeux soulignés par un trait de khôl.) C'était un changement agréable.

Micah cligna de ses yeux stupéfiants, rendus encore plus incroyables par le maquillage.

—Tu n'aimes pas?

Je secouai la tête.

— Si, si. Tu es très beau. (Je haussai les épaules.) Je ne sais pas, c'est juste… différent. (Je me tournai vers Jean-Claude.) Je ne vous avais jamais vu si maquillé.

— Belle Morte m'a fait passer l'envie de m'apprêter ainsi, répondit-il tous boucliers mentaux dressés, comme s'il ne voulait pas partager avec moi les souvenirs suscités par cette phrase.

— Alors pourquoi avoir peinturluré Micah ?

— Tu n'aimes pas, répéta l'intéressé, déçu.

Je fronçai les sourcils.

— Ce n'est pas ça. Pourquoi t'avoir maquillé comme ça ? Qu'avons-nous à gagner en te présentant sous cette apparence ? Et n'essayez pas de prétendre qu'il n'y a pas une très bonne raison. (Je pivotai pour inclure Asher, assis dans un fauteuil à l'autre bout de la pièce, dans le regard que je jetai à la ronde.) Aucun de vous ne se serait donné autant de mal sans une très bonne raison. Vous n'avez pas arrêté de vous plaindre que nous n'avions pas assez de temps pour nous préparer avant le banquet. (D'un geste, je désignai Micah.) Ça vous a pris beaucoup de temps que vous auriez pu occuper autrement. Donc, je vous le demande à tous les deux : qu'est-ce que vous manigancez ?

Ils échangèrent un regard, puis Asher baissa les yeux et fit semblant d'étudier soigneusement ses ongles manucurés. Mais je n'étais pas dupe.

Je reportai mon attention sur Jean-Claude.

— Allez, crachez le morceau.

Il eut un haussement d'épaules plus embarrassé que gracieux.

— Musette a enfin été obligée de nous fournir la liste complète des membres de son escorte. Elle ne nous a dissimulé que trois noms, parce que cela fait apparemment partie du cadeau de Belle et qu'elle souhaite que cela reste une surprise jusqu'au dernier moment.

— Donc, trois invités mystères. Quel rapport avec le fait que vous ayez pomponné Micah à ce point ?

— Un des vampires qui participera au banquet de ce soir est très sensible à la beauté masculine. Asher et moi nous sommes querellés avec lui plus d'une fois.

— Et ?

— Exhiber une si délectable friandise sous son nez et ne pas l'autoriser à la goûter est une perspective qui nous ravit.

— Que c'est mesquin, commentai-je.

Une brusque colère transparut sur le visage de Jean-Claude et emplit ses yeux de flammes bleues.

— Tu ne comprends pas, ma petite. Belle a envoyé Paolo pour nous tourmenter. Pour nous rappeler ce que nous fûmes jadis et notre impuissance. Nous étions des présents que Belle offrait à qui elle voulait, sans que nous puissions protester. Elle ne le faisait jamais à la légère mais, si notre présence dans le lit de quelqu'un pouvait lui permettre d'acquérir une chose qu'elle souhaitait, elle se servait de nous et laissait autrui faire de même.

Il faisait les cent pas, son manteau de velours flottant derrière lui telles des ailes noires.

— La perspective de m'asseoir de nouveau à la même table que Paolo me rend malade, et Belle savait très bien qu'il en serait ainsi. Je le hais d'une façon et avec une intensité que je préfère ne pas te décrire. Mais nous ne pouvons pas lui faire de mal. Belle l'a envoyé pour qu'il nous tourmente tous les deux par sa simple présence. Il ricanera, et chacun de ses regards, chacun de ses gestes envers une autre personne nous rappellera ce qu'il fut jadis autorisé à nous infliger.

Jean-Claude s'arrêta devant moi, sa colère ondulant dans l'air comme des flammes invisibles.

— Mais nous pouvons au moins faire ceci, ma petite. Nous pouvons exhiber nos trésors. Montrer à Paolo ce dont Asher et moi jouissons, et qu'il n'a pas le droit de toucher.

Paolo est un de ces hommes qui convoite toujours ce que les autres possèdent. Ne pas pouvoir se repaître de l'objet de ses désirs, de toutes les façons possibles et imaginables, le ronge de l'intérieur. (Il me caressa le cou du bout des doigts, laissant sur ma peau une traînée de chaleur qui me fit hoqueter moitié de douleur et moitié de plaisir.) Je veux que Paolo souffre, ne serait-ce qu'un tout petit peu, parce qu'il n'est pas en mon pouvoir de le faire souffrir plus.

Je scrutai son visage si plein de colère et soupirai.

—Ça va être comme ça toute la nuit, n'est-ce pas ? Belle n'a envoyé que des gens qui vous mettent mal à l'aise, qui vous détestent ou que vous détestez.

—Non, ma petite. Musette et Valentina nous font peur. Je crois que Bartolomé est venu uniquement pour se distraire. Paolo est le premier dont la présence me met hors de moi.

Je touchai son visage, recueillant cette colère dans ma paume en coupe. Ses yeux redevinrent normaux, ou du moins, aussi normaux qu'ils pouvaient l'être. Je regardai Micah par-dessus son épaule.

—Ça ne te dérange pas d'allumer un vampire ?

—Tant que je ne suis pas obligé de lui offrir ma vertu, non.

Cela me fit sourire.

—Si Micah est d'accord, moi aussi. (Je pris le visage de Jean-Claude à deux mains, pas pour l'embrasser, mais pour le forcer à me regarder en face.) Mais ne quittons pas le ballon des yeux. Nous venger n'est pas l'objectif de cette soirée.

Il posa ses mains sur les miennes.

—Nous sommes ici ce soir parce que Belle Morte est le sourdre de sang de notre lignée et qu'elle a le droit de nous envoyer des émissaires. Mais ne t'y trompe pas, ma petite : Musette et son escorte, eux, sont ici pour se venger de nous.

—Se venger de quoi ?

Ce fut Asher qui répondit depuis l'autre bout de la pièce.

— Se venger parce que nous avons quitté Belle Morte, évidemment.

Je le dévisageai.

— Pourquoi « évidemment » ?

Les deux vampires échangèrent un autre regard dont la signification m'échappa. Puis Jean-Claude lâcha :

— Parce que Belle Morte croit être la femme la plus désirable du monde.

Je haussai les sourcils.

— Elle est très belle, je vous l'accorde. Mais la plus belle femme du monde... c'est ridicule. La beauté est une chose relative. Certains préfèrent les blondes et d'autres les brunes.

— J'ai dit « la plus désirable », ma petite, pas « la plus belle ».

— Je ne vois pas la différence.

Une ombre passa sur le visage de Jean-Claude.

— Des hommes se sont suicidés parce que Belle les avait renvoyés de son lit. Des monarques se sont déclaré la guerre, rendus fous par l'idée qu'un autre homme jouisse de ses faveurs.

— Voulez-vous dire que quelqu'un qui a couché avec Belle Morte ne se satisfera plus jamais d'une autre partenaire ? demandai-je, perplexe.

— C'est ce qu'elle croit.

— Pourtant, Asher et vous l'avez quittée. Deux fois chacun.

— Exactement, ma petite. Ne comprends-tu pas ?

— Pas vraiment.

— Si nous avons pu faire une chose pareille, si nous lui préférons une autre partenaire, alors peut-être n'est-elle pas vraiment la femme la plus désirable du monde.

J'y réfléchis quelques secondes.

— Autrement dit, toute cette expédition, c'est juste pour vous punir, Asher et vous ?

— Pas seulement. Je crois que Belle veut, disons, tâter le terrain avant de nous rendre visite en personne.

— Pourquoi voudrait-elle faire ça ?

— Pour des raisons politiques, tu peux en être sûre.

— Et vous punir tous les deux cette fois, c'est… quoi, un bonus ?

Asher et Jean-Claude faillirent échanger un nouveau coup d'œil, mais je touchai le visage de Jean-Claude et le forçai à me regarder.

— Non, assez de vos mystères. Dites-le et qu'on en finisse.

— Belle est la femme la plus désirable du monde. Toute son image d'elle-même, tout son pouvoir est fondé là-dessus. Elle doit comprendre pourquoi nous sommes partis et pourquoi nous préférons ne pas revenir, même maintenant.

— Donc… ?

— Tu es trop subtil, intervint Asher en se levant de son fauteuil et en se dirigeant vers nous.

— Très bien, je t'écoute, dis-je en me tournant vers lui.

— Belle Morte te considérera de la même façon que Julianna autrefois : comme une menace. Mais nous espérons la convaincre que ce qui nous retient loin d'elle n'est pas une femme seule… qu'il y a également un homme dans la balance. Belle n'a jamais considéré les hommes comme des concurrents, pas autant que les autres femmes.

— Voilà donc pourquoi vous avez pomponné Micah.

— Et les autres, grimaça Asher.

Je reportai mon attention sur Jean-Claude.

— Quels autres ?

Il eut le bon goût de prendre l'air embarrassé, mais sans se départir pour autant de son air satisfait.

— Si Musette peut rapporter à Belle que j'entretiens tout un harem masculin, Belle cessera de s'inquiéter à ton sujet.

Je secouai la tête.

— Ça m'étonnerait beaucoup, Jean-Claude. Maintenant qu'elle m'a goûtée, ou elle doit avoir peur de moi, ou elle doit être attirée par mon pouvoir.

— Je crois qu'elle t'a donné la première marque pour me tourmenter, ma petite. Elle ne désire pas réellement faire de toi sa servante humaine, mais elle m'en veut, et elle t'en veut d'être avec moi. (Il secoua la tête.) Elle réfléchit comme une femme, ma petite, et pas une femme moderne. Toi, tu réfléchis plutôt comme un homme. Donc, c'est difficile de t'expliquer.

— Non, je crois que je comprends. Vous allez tenter de convaincre Belle que vous ne l'avez pas laissé tomber pour une femme, mais pour tout un tas de beaux mecs.

— Oui.

— Et si la vision de ce tas de beaux mecs tourmente Paolo, c'est encore mieux.

Jean-Claude eut un sourire qui laissa ses yeux froids et durs.

— Oui, ma petite.

Je ne le fis pas remarquer à voix haute, mais je songeai que Belle Morte n'était pas la seule à agir rarement sans de multiples motivations.

Chapitre 44

Le banquet devait avoir lieu dans une des salles intérieures du *Cirque*, une que je n'avais encore jamais vue. Je savais que l'antre de Jean-Claude était immense et que je n'en connaissais qu'une petite partie, mais je n'aurais pas pensé qu'il puisse abriter une pièce de cette taille.

Elle était caverneuse au sens littéral du terme, parce qu'à l'origine c'était bel et bien une caverne, un espace gigantesque que l'écoulement de l'eau avait creusé dans la roche au fil de plusieurs millions d'années. Désormais, l'eau avait disparu, il restait juste de la pierre et de l'air frais. Mais quelque chose dans le goût de l'atmosphère, dans la façon dont l'air caressait votre peau indiquait que toute cette splendeur ténébreuse était l'œuvre de la nature, et non celle de l'homme. Je ne saurais pas vous énumérer les différences entre les cavernes creusées par la main de l'homme et les cavernes naturelles, mais je vous assure que l'atmosphère y est différente.

J'imaginais qu'elle serait éclairée par des torches, et fus surprise de découvrir des lampes à gaz disposées en cercle pour chasser l'obscurité. Je demandai à Jean-Claude quand il avait fait installer le gaz, et il me répondit que des contrebandiers s'en étaient chargés pendant la prohibition, du temps où cette caverne était un *speakeasy*[1]. Nikolaos, qui était Maître de la Ville de Saint Louis avant Jean-Claude,

1. Bar clandestin pendant la prohibition. (*NdT*)

faisait payer un loyer aux contrebandiers… et permettait à ses vampires de se nourrir des clients saouls. Un bon moyen de subvenir à leurs besoins alimentaires sans se faire prendre : puisque les proies avaient enfreint la loi à la base, elles ne risquaient pas de se précipiter chez les flics pour se plaindre qu'elles avaient été victimes d'une attaque vampirique.

Jamais encore je ne m'étais trouvée dans une pièce uniquement éclairée par les lampes à gaz. La lumière avait la douceur de celle du feu, en moins vacillant et en moins variable. Je m'attendais presque à sentir une odeur de gaz, mais il n'y en avait pas. Jean-Claude m'informa que, dans le cas contraire, ça signifierait qu'il y avait une fuite et que nous ferions bien de prendre nos jambes à notre cou. D'accord, en réalité, il dit « d'évacuer les lieux le plus rapidement possible », mais je compris ce que ça signifiait.

La table de banquet était à la fois magnifique et étrange. Des couverts en or scintillaient, rehaussant les motifs dorés des assiettes en porcelaine. Les serviettes en lin blanc étaient cerclées de ronds de serviette en or. La nappe se composait de trois couches de tissu superposées. La première, blanche et si longue qu'elle touchait presque le sol, avait le tour brodé de fleurs et de feuilles en fils d'or. Celle du milieu était en délicate dentelle dorée. Celle du dessus ressemblait à du lin blanc teint à l'éponge avec de la peinture dorée, de sorte que sa couleur originelle transparaissait çà et là. Les chaises de bois très sombre, presque noir, avaient un dossier ouvragé et un siège tendu de tissu blanc et or.

Au sein de l'obscurité éclairée par les lampes à gaz, la table se dressait telle une île étincelante. Mais deux choses me perturbaient. D'abord, chaque couvert était dressé avec plus d'ustensiles que je savais en utiliser. À quoi diable pouvait bien servir cette minuscule fourchette à deux dents ? Comme elle était posée au-dessus de l'assiette, je supposai qu'elle était destinée à des coquillages, de la salade, un dessert ou un mets inconnu de moi. J'espérais que c'était soit des coquillages, soit un dessert, parce qu'il me semblait avoir repéré la fourchette à salade par ailleurs. N'ayant encore jamais assisté à un banquet vampirique, je tentai d'éviter d'imaginer les autres usages possibles de cette maudite fourchette à deux dents.

Ensuite, plusieurs couverts complets avaient été dressés par terre, sur de grandes serviettes de lin blanc semblables à des nappes de pique-nique individuelles. Ils étaient disposés entre les chaises, afin que l'on puisse tirer et repousser celles-ci sans rien déranger. C'était… bizarre. Debout dans ma robe noir et bleu roi légèrement scintillante, je tapai de mon pied chaussé d'un escarpin noir en essayant de deviner ce que ces couverts faisaient là.

Jean-Claude glissa entre les longs rideaux noirs qui séparaient cette salle d'une pièce adjacente de taille plus modeste où les invités étaient en train de bavarder. Même pendant les dîners normaux, je déteste bavarder avec les autres convives. Mais ce soir-là, c'était du bavardage de combat. Chaque phrase avait un double ou un triple sens. Chacun tentait de se montrer subtilement insultant. Une politesse assassine, douloureuse. Je ne suis pas très douée pour le badinage et, face à Musette et Cie, j'étais carrément désarmée. J'avais besoin d'une pause avant le début des véritables hostilités.

Du moins la pomme de sang mineure de Musette ne se trouvait-elle pas au nombre des convives. On nous avait dit qu'elle avait été renvoyée en Europe parce que sa présence semblait me perturber. Je pensais plutôt que Musette ne voulait pas prendre le risque de perdre son jouet au cas où les choses tourneraient mal.

Asher se glissa à son tour entre les rideaux, semblable à une vision dorée. Mais contrairement à Jean-Claude, il semblait très pressé. Musette n'était pas prête à croire qu'il nous appartenait réellement. Comme je n'en étais pas totalement certaine non plus, elle avait dû sentir l'odeur du mensonge sur moi, même si, d'un point de vue technique, ça n'en était pas un. Je n'aurais jamais dû laisser Asher avec elle, mais j'étais fatiguée. Fatiguée de la politique vampirique. Fatiguée de devoir résoudre des problèmes que je n'avais pas créés et ne comprenais pas vraiment.

— Ma petite, nos invités te réclament.

— Je n'en doute pas.

Jean-Claude cligna des yeux avec cette lenteur et cette grâce qui signifient d'ordinaire qu'il essaie de déterminer le sens véritable de mon argot ou de mes sarcasmes. Au début, je pensais qu'il cherchait juste à mettre en valeur ses cils incroyablement longs, mais faites-lui confiance pour donner du charme à une habitude qui, chez n'importe qui d'autre, serait jugée suprêmement irritante.

— Musette te réclame réellement, intervint Asher.

Et imitant sa voix, il dit :

— « Où est ta nouvelle bien-aimée ? T'a-t-elle déjà abandonné ? »

Ses yeux bleu pâle révélaient un peu trop de blanc sous les iris, trahissant la panique qui frémissait sous la surface.

— Ça ne te ressemble pas de t'éloigner pendant une confrontation si importante et potentiellement dangereuse, ma petite. Que t'arrive-t-il ?

— Oh, je ne sais pas trop. Entre le terroriste international qui me colle aux basques, les envoyés du Conseil vampirique, la perspective d'une soirée de vannes les plus vicieuses que j'aie jamais entendues, la susceptibilité coutumière d'Asher, le pétage de plombs d'un de mes amis et collègues policiers, le tueur en série métamorphe en liberté sur mon territoire et, oh, le fait que Richard et ses loups ne soient pas encore arrivés et qu'aucun d'eux ne réponde à son téléphone, c'est difficile de choisir, répondis-je avec un sourire qui n'avais rien de plaisant… un sourire de défi qui voulait dire : « J'ai plus que mon compte de raisons d'avoir les nerfs, non ? »

— Je ne crois pas qu'il soit arrivé quoi que ce soit à Richard, ma petite.

— Non, vous craignez juste qu'il décide d'ignorer toute notre petite sauterie. Ce qui nous donnerait l'air épouvantablement faibles.

— Damian vole presque aussi bien que moi, rappela Asher. S'ils sont dans les parages, il les trouvera.

— Et s'ils n'y sont pas ? Je veux dire, Richard a dressé un bouclier mental si costaud que ni Jean-Claude ni moi ne pouvons le sentir. Il ne fait jamais ça sans une bonne raison… généralement parce qu'il est en rogne.

Asher soupira.

— Je ne sais pas quoi dire au sujet de votre roi-loup, mais je sais qu'il n'est pas notre unique problème. (Il me dévisagea, une expression butée sur ses traits si séduisants.) Et je ne suis pas susceptible.

Je ne pris pas la peine de le contredire.

— D'accord, mais le problème, c'est que Musette sent ce mensonge-là. Elle me demande si tu m'appartiens ; je réponds que oui, et elle ne me croit pas. Elle ne me croit pas parce que je n'y crois pas moi-même pour le moment. Tu n'es pas totalement mien. La situation est trop nouvelle pour me sembler réelle, et c'est cela que Musette perçoit. Elle m'a pratiquement poursuivie tout autour de la pièce en me bombardant de questions pour déterminer si je couche bien avec toi, et j'avoue : ça m'a fait douter.

Je secouai la tête, et la sensation de mes cheveux sur ma peau me manqua. Je touchai ma nuque exposée, vulnérable. Ça ne me plaisait pas.

— Si c'est juste pour la durée de sa visite, je comprends que tu n'y croies pas, dit Asher.

— Non, ce n'est pas ça. C'est parce qu'il n'y a pas eu pénétration.

Il me dévisagea et leva les yeux vers Jean-Claude.

— Sur ce point, ma petite est très américaine, lui expliqua ce dernier. Si tu ne l'as pas pénétrée, tu n'as pas couché avec elle. Tous ses compatriotes pensent ainsi.

— J'ai recouvert son dos de ma semence, cela ne compte-t-il pas ?

Je rougis si brusquement que la tête me tourna.

— On pourrait changer de sujet, s'il vous plaît ?

Jean-Claude me toucha l'épaule, et j'eus un mouvement de recul. J'avais désespérément besoin qu'on me réconforte, et c'était justement pour ça que je ne pouvais pas le laisser faire. Je sais, ça n'a pas de sens, mais c'était quand même vrai. J'avais cessé de cacher ma tête dans le sable et j'essayais de faire avec les choses telles qu'elles étaient... avec moi telle que j'étais. Et je suis une boule de contradictions. Comme tout le monde, non ?... D'accord, peut-être un petit peu plus que la moyenne.

Je m'éloignai de lui, de lui et d'Asher, mais cela m'emmena également loin des lampes à gaz et plus près des flaques de ténèbres immobiles. Je m'arrêtai. Je ne voulais pas m'enfoncer dans cette obscurité. Je pivotai à demi vers les deux hommes, comme si je n'osais pas complètement tourner le dos aux ténèbres.

— Pourquoi y a-t-il des assiettes par terre ?

Jean-Claude se dirigea vers moi, si gracieux avec ses bottes stupéfiantes et son manteau noir qui virevoltait autour de lui, les broderies reflétant l'éclat de la lumière telles de minuscules étoiles bleu foncé. Sa chemise semblait flotter dans le noir, soulignant son visage et faisant ressortir sa beauté d'une manière presque douloureuse. Évidemment, c'était sans doute pile l'effet qu'il recherchait.

Sa voix parut emplir la caverne tel un murmure tiède.

—Calme-toi, ma petite.

—Arrêtez ça ! aboyai-je.

Je pris conscience que j'avais tourné le dos aux ténèbres et pivoté vers lui comme une fleur vers le soleil, parce que je ne pouvais pas détourner mon regard de lui. Et cette attirance ne devait rien à ses pouvoirs vampiriques : c'était juste l'effet qu'il produisait sur moi, qu'il avait toujours produit sur moi.

—Arrêter quoi ? demanda-t-il d'une voix toujours chaude et sereine, semblable à une couverture douillette.

—D'essayer de me manipuler avec votre voix. Vous me prenez pour une touriste, ou quoi ?

Il sourit et s'inclina légèrement.

—Non, mais tu es aussi nerveuse qu'une touriste. Ça ne te ressemble pas.

Son sourire s'évanouit, remplacé par un petit froncement de sourcils.

Je me frottai les bras à travers la soie et le velours. Ils me gênaient. J'aurais voulu sentir ma propre peau sous mes mains. Il ne faisait pas plus de dix degrés dans la caverne ; j'avais besoin de ces manches longues… mais j'avais davantage besoin de sentir ma peau.

Je levai les yeux vers le plafond. Il se perdait dans les ténèbres qui semblaient peser sur nous, planant au-dessus de la lumière des lampes à gaz telle une main gigantesque et malveillante, désireuse de nous étouffer.

Je soupirai.

—C'est l'obscurité, dis-je enfin.

Jean-Claude me rejoignit mais, comme je m'étais déjà dérobée une fois, il n'essaya pas de me toucher. Je lui avais appris la prudence. Il jeta un bref coup d'œil au plafond et reporta son attention sur moi.

—Mais encore, ma petite ?

Je secouai la tête et tentai de mettre des mots sur ce que je ressentais, tout en me recroquevillant sur moi-même comme pour conserver ma propre chaleur. Je portais une croix. La chaîne en argent passée autour de mon cou se perdait dans le renflement généreux révélé par mon décolleté. J'avais collé un morceau de scotch noir sur la croix elle-même, pour qu'elle ne jaillisse pas de ma robe au mauvais moment. Après les visites précédentes de Belle et de Très Chère Maman, il était hors de question que je continue à me promener sans un objet saint sur moi. Je n'étais pas sûre des conséquences que ça pourrait avoir sur mes coucheries avec Jean-Claude – ou n'importe quel autre vampire – mais, à court terme, j'étais certaine qu'aucun plaisir sexuel ne valait que je coure ce risque.

Jean-Claude me toucha gentiment la main. Je sursautai mais ne m'écartai pas. Il prit cela pour une invitation. Il a toujours pris ce qui n'est pas une rebuffade immédiate et cinglante pour une invitation. Il vint se placer derrière moi et posa les mains sur les miennes, qui agrippaient toujours mes bras.

— Tu es glacée.

Il glissa ses bras autour de ma taille et m'attira doucement contre lui.

— Je te le demande une nouvelle fois, ma petite, dit-il en posant sa joue sur le sommet de ma tête. Que t'arrive-t-il ?

Pivotant face à lui, je me laissais aller dans son étreinte. Je me détendis contre sa poitrine millimètre par millimètre, comme si mes muscles répugnaient à se laisser aller à tout réconfort et toute mollesse.

— Pourquoi y a-t-il des assiettes par terre ?

Jean-Claude soupira et me serra un peu plus fort.

— Ne sois pas fâchée, parce que je n'y peux absolument rien. Je savais que ça ne te plairait pas, mais Belle est très conservatrice.

Asher nous rejoignit.

— À l'origine, elle voulait que nous allongions les humains sur de grands plateaux, comme des cochons de lait… ligotés et impuissants. Ainsi, chaque convive aurait pu choisir une veine et se servir.

Je tournai la tête contre le velours du manteau de Jean-Claude pour dévisager Asher.

— Tu plaisantes, n'est-ce pas ?

Son expression fut une réponse suffisante.

— Merde, tu ne plaisantes pas.

Je levai la tête vers Jean-Claude, qui baissa obligeamment la sienne pour me regarder. Son expression était indéchiffrable, mais j'étais à peu près certaine qu'Asher n'avait pas menti.

— Oui, ma petite. Elle a suggéré que trois humains suffiraient pour toute notre tablée.

— On ne peut pas nourrir autant de vampires avec trois personnes.

— Ce n'est pas tout à fait exact, dit-il doucement.

Je continuai à le regarder jusqu'à ce qu'il détourne les yeux.

— Vous voulez dire que c'est possible si on les vide de leur sang par des morsures multiples.

— Oui, c'est ce que je veux dire, admit-il sur un ton las.

Je me forçai à me laisser de nouveau aller dans ses bras soudain tendus et poussai un soupir.

— Dites-moi, Jean-Claude. Je veux bien croire que c'est Belle qui a insisté pour qu'il en soit ainsi, et que ça aurait pu être largement pire si vous lui aviez accordé tout ce qu'elle désirait. Mais dites-moi.

Il inclina la tête et chuchota dans mes cheveux, son souffle tiède me caressant l'oreille :

— Quand tu manges un steak, invites-tu la vache à s'asseoir à ta table ?

— Non, répondis-je automatiquement. (Puis je tournai la tête afin de voir son visage. Son regard me suffit pour comprendre.) Vous ne voulez quand même pas dire… ?

(Si, c'était exactement ce qu'il voulait dire.) Alors, qui sera assis par terre ?

— Tous les gens qui comptent comme de la nourriture.

Je le regardai sévèrement, et il ajouta très vite :

— Tu seras assise à table, ma petite, tout comme Angelito.

— Et Jason ?

— Les pommes de sang mangent par terre.

— Ce qui inclut Nathaniel.

Jean-Claude acquiesça brièvement et me laissa voir combien il était inquiet de la façon dont j'allais réagir.

— Pourquoi ne m'avez-vous pas prévenue avant ?

— En vérité, il s'est passé tant de choses que j'ai oublié. Jadis, tout cela était très normal pour moi, et Belle respecte la tradition. Certains vampires plus âgés qu'elle n'autoriseraient même pas la nourriture à s'asseoir par terre. (Il secoua la tête assez vivement pour que ses cheveux me touchent le visage. Je sentis son eau de Cologne et cette fragrance indéfinissable qui était simplement son odeur naturelle.) Il est des banquets auxquels tu ne voudrais pas assister, ma petite… dont tu ne voudrais même pas entendre parler tant ils sont horribles.

— Les trouviez-vous horribles du temps où vous y participez ?

— Certains, oui.

Ses yeux s'emplirent de cette tristesse, cette innocence perdue, ces siècles de douleur… toutes ces choses qu'il a perdues et que j'entrevois parfois dans son regard. Pas souvent, mais parfois.

— Si vous me dites qu'il existe pire que ça, je ne vais pas discuter avec vous. Je vous crois.

Surpris, il écarquilla légèrement les yeux.

— Tu ne vas pas discuter ?

Je secouai la tête et l'appuyai contre sa poitrine, enveloppée de ses bras comme d'un manteau.

— Pas ce soir.

— Je devrais être reconnaissant pour ce miracle et ne pas chercher à l'élucider, mais c'est impossible. Tu m'as donné de trop mauvaises habitudes, ma petite. Une fois de plus, je suis obligé de te demander : que t'arrive-t-il ?

— Je vous l'ai dit : c'est l'obscurité.

— Tu n'as jamais eu peur du noir.

— Parce que je n'avais encore jamais rencontré la Mère de Toutes Ténèbres, répondis-je tout bas.

Pourtant, son nom parut résonner dans la pénombre, comme si l'obscurité elle-même attendait que je le prononce, comme si cela pouvait la faire apparaître devant nous. Je savais que ce n'était pas le cas. D'accord : j'étais à peu près sûre que ce n'était pas le cas. Mais ça ne m'empêcha pas de frissonner.

Jean-Claude resserra son étreinte.

— Ma petite, je ne comprends pas.

— Comment le pourrais-tu ? lança une voix derrière nous.

Jean-Claude me fit faire demi-tour dans ses bras comme il pivotait vers la source de cette voix. Son manteau et la jupe de ma robe se gonflèrent et retombèrent autour de nos jambes avec un bruissement soyeux. Ils étaient conçus pour bouger comme une version gothique des tenues de Fred Astaire et Ginger Rogers.

Asher se rapprocha de nous, et je remarquai à quel point sa démarche était empruntée. Il semblait se recroqueviller sur lui-même comme un chien qui s'attend à recevoir un coup de pied. Il était toujours aussi beau, mais il ne restait plus guère de grâce dans ses mouvements : la peur l'avait oblitérée.

Jean-Claude prit ma main gauche dans sa main droite et tendit l'autre à Asher, qui la prit. Nous restâmes debout et immobiles, main dans la main comme des enfants. Ce qui pourrait paraître absurde en regard de la vampire qui nous faisait face. Mais ce n'était pas contre elle que nous voulions nous protéger. C'était contre la nuit en général : contre tout ce qui se trouvait dans la pièce voisine et ce que ça représentait.

Valentina se tenait devant les rideaux. Elle ressemblait à une poupée vêtue tout de blanc et d'or… assortie à la table de banquet, comme Asher. Tous les membres de l'escorte de Musette étaient vêtus de blanc et or, ce qui signifiait que la nappe et les couverts faisaient partie des choses qu'ils avaient négociées. Ça n'aurait pas figuré très haut dans la liste de mes priorités personnelles, mais chacun son truc.

Valentina portait une robe du XVIIe siècle dont la jupe partait très loin des deux côtés, lui donnant une forme ovale. Quand elle marchait, ses nombreux jupons laissaient entrevoir de petites pantoufles dorées. Une perruque blanche dissimulait ses boucles brunes. Elle paraissait trop lourde pour son cou mince et fragile ; pourtant, Valentina marchait comme si cette montagne de cheveux poudrés, ornée de plumes et de joyaux, ne pesait rien. Sa posture était absolument parfaite, mais je savais que c'était grâce au corset qu'elle devait porter. Personne ne rentre dans ce genre de robe sans la lingerie appropriée.

Nulle poudre n'avait été nécessaire pour lui blanchir le teint. Un peu de blush et de rouge à lèvres avaient suffi à la maquiller. Elle arborait une mouche noire en forme de cœur près de sa bouche en bouton de rose. Elle aurait pu avoir l'air ridicule, mais ce n'était pas le cas. On aurait plutôt dit une poupée sinistre. Quand elle ouvrit son éventail blanc et doré d'un geste sec du poignet, je sursautai. Elle éclata d'un rire juvénile, vestige de l'enfant qu'elle avait dû être des siècles auparavant.

— Elle s'est tenue au bord de l'abysse ; elle a scruté ses profondeurs, et ses profondeurs lui ont rendu son regard, n'est-ce pas ?

Je dus déglutir avant de pouvoir répondre, parce que soudain, je frissonnais, et mon pouls battait la chamade.

— Vous parlez comme si vous saviez.

— En effet.

Elle se dirigea vers nous d'un pas glissant et gracieux. Elle avait le corps d'une enfant, mais elle ne se déplaçait pas comme telle. J'imagine que des siècles d'entraînement suffisent à n'importe qui pour apprendre à marcher ainsi.

Elle s'arrêta plus loin que l'aurait fait une personne de taille adulte, de façon à ne pas être obligée de se tordre le cou pour me dévisager. J'avais déjà remarqué cette attitude dans la pièce voisine, pendant que tout le monde bavardait.

—Autrefois, j'étais réellement la fillette dont j'ai encore l'apparence. Je me suis éloignée pour explorer les environs comme le font tous les enfants. (Elle me dévisagea de ses grands yeux bruns.) J'ai trouvé une porte qui n'était pas fermée à clé. Une pièce dotée de nombreuses fenêtres…

—Dont aucune ne donnait sur l'extérieur, achevai-je à sa place.

Elle cligna des yeux.

—Exactement. Sur quoi donnaient les fenêtres ?

—Une salle. Une salle immense. (Je levai la tête vers le plafond caverneux.) Comme celle-ci, mais plus grande. Et la pièce aux multiples fenêtres la surplombait.

—Tu n'as jamais pénétré dans notre sanctuaire intérieur ; de cela, je suis certaine. Pourtant, tu parles comme si tu t'étais trouvée au même endroit que moi.

—Je m'y suis trouvée. Pas physiquement, mais je m'y suis trouvée.

Nous nous dévisageâmes, et dans nos yeux passa une certaine connivence… une terreur partagée.

—À quelle distance t'es-tu approchée du lit ? s'enquit Valentina.

—Plus près que je l'aurais voulu, chuchotai-je.

—J'ai touché les draps noirs parce que je la croyais juste endormie.

—Oh, elle est endormie.

Valentina secoua gravement la tête.

— Non. Elle ne dort pas plus que n'importe quel vampire. Ce n'est pas vraiment du sommeil.

— Elle n'est pas morte, pas comme le reste d'entre vous pendant la journée.

— C'est exact, mais elle n'est pas endormie non plus.

Je haussai les épaules.

— Appelez ça comme vous voudrez. Elle n'est pas réveillée.

— Ce dont nous nous réjouissons grandement, n'est-ce pas ? dit Valentina si bas que je dus me pencher vers elle pour entendre.

— Oui, chuchotai-je en retour. Nous nous en réjouissons.

Elle leva la main pour toucher mon cou, et je frémis... pas à cause du contact de ses doigts, mais de la tension exprimée dans nos paroles. Cette fois, elle ne rit pas.

— Seules toi et moi avons été touchées par cette obscurité.

— Belle Morte aussi, rectifiai-je.

Valentina me jeta un regard interrogateur.

— Belle m'a attirée dans une sorte de rêve quand les ténèbres se sont dressées autour de nous, expliquai-je.

— Notre maîtresse ne nous a pas informés de cela.

— Ce n'est arrivé qu'aujourd'hui, un peu plus tôt dans la journée.

— Mmmh. (Valentina referma son éventail d'un coup sec et le fit glisser entre ses petites mains aux ongles vernis en doré.) Musette devrait en être prévenue.

Elle leva les yeux vers moi, des yeux qui contenaient bien plus de choses qu'ils l'auraient dû. Elle aurait toujours l'air d'être une fillette de huit ans (et plutôt petite pour son âge), mais son regard trahissait l'expérience d'une adulte, et plus encore.

— Des invités surprises sont sur le point de faire leur apparition. Je ne peux pas te révéler de qui il s'agit, car cela mettrait Musette en colère – et, à travers elle, Belle –, mais je pense que ça te déplaira autant qu'à moi. Plus que n'importe qui d'autre, nous considérerons toutes deux leur présence comme le désastre qu'elle est.

— Je ne comprends pas.

— Jean-Claude t'expliquera quand ils se montreront, mais seules toi et moi saurons à quel point leur présence est mauvais signe.

Je fronçai les sourcils.

— Désolée, mais là, je suis paumée.

Valentina soupira et rouvrit adroitement son éventail.

— Nous en reparlerons après leur apparition.

Elle se détourna pour regagner la pièce voisine.

Je la rappelai.

— Qu'est-ce qui vous a sauvée des ténèbres ?

Elle pivota, repliant de nouveau son éventail, comme si jouer avec était devenu un geste inconscient.

— Et toi ?

— Une croix et des amis.

Elle eut un petit sourire qui laissa ses yeux aussi vides et gris qu'un ciel hivernal.

— Ma nounou humaine.

— A-t-elle vu ce qui était allongé sur le lit ?

— Non, mais ce qui était allongé sur le lit l'a vue. Ma nounou s'est mise à hurler. Elle a hurlé, et hurlé, et elle est restée plantée là, le regard dans le vide, jusqu'à ce qu'elle tombe morte. Son corps est resté là très longtemps parce que personne ne voulait entrer dans cette pièce.

Valentina rouvrit son éventail. Cette fois, je réussis à ne pas me laisser surprendre par le petit bruit sec qui accompagnait ce geste, et à ne pas sursauter.

— À la fin, l'odeur était assez atroce.

Elle sourit comme si c'était une bonne plaisanterie dans le genre humour noir, mais son expression ne suivit pas vraiment. Malgré la cruauté de son sourire, son regard était hanté. Elle s'en fut dans un frémissement de rideaux noirs.

Jean-Claude, Asher et moi nous détendîmes visiblement tous les trois lorsque les rideaux se refermèrent derrière elle, et nous échangeâmes un regard.

— Pourquoi ai-je l'impression que je ne suis pas la seule personne trop nerveuse pour affronter ce qui va suivre ?

Asher garda la main de Jean-Claude dans la sienne mais se déplaça pour nous faire face à tous les deux.

— Musette sent le mensonge. Elle ne laissera pas passer ça.

— Valentina et moi venons d'évoquer la mère de tous les méchants vampires, et tu me reparles déjà de Musette.

Jean-Claude me pressa la main et soupira.

— La Douce Obscurité ne m'emportera pas ce soir, Anita. Elle ne me clouera pas à la table, n'arrachera pas mes vêtements et ne me violera pas. Musette, si, dit Asher sur un ton douloureux.

— Tu es à nous, maintenant. D'après la règle, elle ne peut plus te toucher.

— Mais elle sent que c'est un mensonge.

— Je n'y peux rien si l'absence de pénétration apparaît sur son radar vampirique comme un mensonge.

— Musette veut que nous n'ayons pas couché ensemble tous les trois, ma petite, intervint Jean-Claude. Elle cherche n'importe quel prétexte pour se donner une plus grande marge de manœuvre. Tes doutes et ceux d'Asher lui offrent cette marge.

Je fermai les yeux et comptai lentement jusqu'à dix. Quand je les rouvris, les deux hommes m'offraient leur plus belle expression impassible. Ils ressemblaient à deux très beaux portraits soudain devenus tridimensionnels mais toujours pas vivants.

Je pressai la main de Jean-Claude, qui me rendit mon geste.

— Ne faites pas ça, les garçons. J'ai déjà assez de mal à ne pas péter un câble.

Ils clignèrent tous les deux des yeux, lentement, et redevinrent « vivants ». Je frissonnai et retirai ma main de celle de Jean-Claude.

— C'est si perturbant…

— Pourquoi, ma petite ?

— Pourquoi ? Il me demande pourquoi…

Je secouai la tête et croisai les bras sous ma poitrine, formant un berceau pour mes seins… parce qu'entre le soutien-gorge push-up et le décolleté il n'y avait pas moyen de les croiser dessus.

Damian se faufila entre les rideaux noirs. Ses cheveux écarlates brillaient contre le tissu crème et doré de ses vêtements à l'ancienne. Il aurait aussi bien pu sortir d'un tableau du XVIIe siècle, avec ses collants blancs, son pantalon qui s'arrêtait au genou et ces étranges chaussures ornées d'une boucle que les nobles de l'époque affectionnaient tant. Seuls ses cheveux détachés et flamboyants n'étaient pas domestiqués : la seule partie de lui qu'on pouvait reconnaître. Il ne s'était pas porté volontaire pour faire partie du harem de Jean-Claude. Damian est un poil homophobe. Manque de bol pour lui, il est tombé sur la mauvaise bande de vampires.

Il se dirigea vers moi à grandes enjambées et mit un genou à terre sur la moquette. Comme nous avions décidé de respecter l'étiquette, ce soir-là, je ne protestai pas et lui tendis ma main gauche. Il la prit et déposa un baiser sur mes doigts.

— L'Ulfric et son escorte ne vont pas tarder à arriver.

— Qu'est-ce qui les a retardés ? s'enquit Jean-Claude.

Damian leva la tête et nous assena la pleine puissance de son regard vert vif. Sans maquillage, ses yeux semblaient presque trop nus. Il me semblait que tous les autres convives en portaient. Un des coins de sa bouche frémit, et je compris qu'il se retenait de rire.

— Ils ont dû trouver quelqu'un pour arranger les cheveux de l'Ulfric. Il n'y a pas de coiffeur dans leur meute.

— Comment ça, « arranger ses cheveux » ? interrogea Jean-Claude.

Je soupirai.

— Vous savez que vous avez oublié de me parler des assiettes par terre ?

— Oui.

— Eh bien moi, j'ai oublié de mentionner que Richard s'était coupé les cheveux. Pas en allant chez le coiffeur et en réclamant qu'on les lui raccourcisse. Plutôt en taillant lui-même dans la masse à grands coups de ciseaux.

Jean-Claude parut aussi horrifié que je l'avais été.

— Ses beaux cheveux !

— Ouais, je sais.

Jusque-là, j'avais fait de mon mieux pour ne pas y penser. Richard l'avait dit lui-même : nous ne sortions plus ensemble. La longueur de ses cheveux ne me regardait pas. Ce qui ne m'empêchait pas de m'inquiéter, parce qu'en principe les gens bien dans leur tête ne s'amusent pas à se couper les cheveux eux-mêmes à la maison. Ce genre de comportement est typique des personnes qui cherchent à se faire du mal d'une façon plus permanente. N'importe quel psy vous le dira.

Toujours agenouillé devant moi, Damian parla sans lâcher ma main :

— Ils ont trouvé quelqu'un pour réparer les dégâts, mais il a le crâne presque rasé.

Jean-Claude avait viré au verdâtre nauséeux, ce qui était assez surprenant chez un vampire.

— Est-il en état d'assister à ce banquet ?

J'ignorais à qui s'adressait sa question : peut-être à tout le monde, peut-être à personne. Mais lui aussi comprenait que la « mutilation » que s'était infligée Richard ne signifiait rien de bon.

— Je ne suis pas certaine qu'aucun de nous le soit, fis-je remarquer.

Jean-Claude me jeta un regard hostile.

— Nous sommes assez forts pour ça, ma petite.

— Forts, oui, mais fatigués. Je veux dire, je ne peux pas parler pour les autres mais, si Musette vient m'interroger encore une fois sur la nature de nos relations avec Asher, je lui en colle une.

— Les règles te l'interdisent, ma petite.

— Comment faire pour qu'elle cesse de nous emmerder avec ça ? Faudra-t-il que nous baisions devant elle pour la convaincre ?

Damian caressait ma main. Je me dégageai d'un geste furibond.

— Je ne veux pas me calmer. Je suis en rogne, et j'ai le droit.

— Le droit, oui, mais pas le loisir, ma petite.

— Qu'est-ce que ça veut dire encore ?

— Que la colère improductive est un luxe que nous ne pouvons pas nous permettre ce soir. Nous ne voulons pas donner à Musette la moindre raison de franchir les limites si soigneusement négociées.

Il avait raison, et je détestais ça.

— D'accord, d'accord. Vous avez raison, bordel. Vous avez toujours raison quand il s'agit de politique. Mais dans ce cas, comment allons-nous faire pour que Musette cesse de nous gonfler avec Asher ?

— Je vois bien une solution, dit Jean-Claude.

Mais sa solution dut attendre, car Micah et Stephen franchirent les rideaux noirs à leur tour, suivi de Nathaniel et de Merle.

La tenue de Nathaniel se composait essentiellement de rubans de cuir crème qui ne couvraient presque rien. Un string blanc dissimulait son entrejambe mais laissait ses fesses exposées. Ses bottes couleur crème, qui montaient au-dessus du genou, étaient ouvertes à l'arrière, révélant la ligne de ses jambes jusqu'à mi-mollet. Elles avaient un talon de sept centimètres, et Nathaniel savait marcher avec. J'étais consciente qu'il s'exhibait encore plus dévêtu presque chaque soir au *Plaisirs Coupables*; pourtant, sa tenue me perturbait. Mais il le vit et m'assura que cela ne le gênait nullement.

Stephen avait coiffé ses cheveux auburn en tresse indienne, la plus épaisse et la plus longue que j'aie jamais vue. Elle lui descendait jusqu'aux genoux. Son maquillage pourtant délicat faisait ressortir le violet de ses yeux, qu'il rendait presque douloureusement beaux. Sa bouche était dessinée au rouge à lèvres; même de loin, ça donnait envie de l'embrasser. Il aurait eu l'air d'une fille si les bouts de cuir qui lui tenaient lieu de vêtements n'avaient pas révélé un corps aux attributs indéniablement masculins.

Merle portait une variation de la tenue de tous les gardes du corps: pantalon de cuir noir sur bottes de cuir noir à la pointe argentée, tee-shirt noir et blouson de cuir noir. Il n'avait pas eu besoin de les acheter pour l'occasion. Merle mesure plus d'un mètre quatre-vingt; il a des cheveux mi-longs grisonnants, une moustache et un bouc plus foncés que ses cheveux. Il a l'air de ce qu'il est: un motard de longue date et un dur à cuire. Pour l'heure, il était blême de rage, si furieux que sa bête roulait dans l'air autour de lui telle une présence presque visible.

— Que se passe-t-il? demandai-je.

Merle gronda:

— Si ce salopard touche encore mon Nimir-Raj, je lui arrache le bras et je le lui fourre dans le cul.

— Paolo! s'exclamèrent Jean-Claude et Asher à l'unisson.

— Ouais, grogna Merle.

Micah paraissait amusé. Je crois que les attentions de Paolo ne l'avaient pas dérangé mais, d'un autre côté, rares sont les choses qui le dérangent. C'est l'une des personnes les plus cool que je connaisse. Il faut bien ça pour sortir avec moi.

— Ça ne m'ennuie pas, Merle.

— La question n'est pas là, répliqua le garde du corps. C'est insultant. Ça prouve qu'il n'a aucun respect pour nous.

— C'est Paolo, grimaça Asher. Il n'a aucun respect pour personne, à l'exception de Belle.

— Laissez-moi deviner, lançai-je. Paolo tripote aussi Nathaniel.

Merle poussa un grondement sourd qui me donna la chair de poule.

Les rideaux s'ouvrirent. Bobby Lee passa la tête et les épaules à l'intérieur.

— Si vous ne voulez pas qu'on commence à s'entre-tuer sans vous, vous feriez mieux de revenir.

Nous échangeâmes un regard, poussâmes un soupir collectif et retournâmes dans l'arène.

Chapitre 45

Nos gardes du corps tout de cuir noir vêtus formaient un mur de métamorphes – rats, hyènes et léopards mêlés –, de sorte que je ne pus voir qui poussait ce cri aigu et pitoyable.

— Écartez-vous, réclamai-je.

Ils m'ignorèrent.

— Écartez-vous, les gars ! aboya Merle, et les rangs s'ouvrirent tel un océan de cuir noir.

C'était Stephen qui criait, plaqué contre le mur du fond comme s'il essayait de passer au travers. Valentina se tenait devant lui. Elle ne lui faisait rien que je pouvais voir ou même sentir. Mais elle se tenait tout près, une main minuscule tendue vers lui.

Un peu plus loin, Gregory était acculé par Bartolomé, dont le visage juvénile affichait une expression extatique. Je me concentrai sur lui et le sentis se nourrir… se nourrir de la terreur de Gregory. J'avais déjà rencontré un ou deux vampires capables de provoquer la peur chez autrui, puis de l'aspirer. J'ignorais que c'était un pouvoir présent dans la lignée de Belle.

Stephen hurla, et je fis volte-face. Valentina avait posé la main sur son ventre nu. Elle ne se nourrissait pas de sa peur. Elle ne lui faisait mal d'aucune façon que je pouvais voir ou percevoir. Pourtant, Stephen dissimulait son visage, se cachant derrière ses longs cheveux blonds bouclés, et pressait son corps contre la pierre, comme pour se fondre à l'intérieur.

La main minuscule de la fillette vampire descendit jusqu'à sa taille et à la ceinture de son pantalon de cuir blanc, lui arrachant un nouveau cri. Soudain, je compris pourquoi les jumeaux étaient terrorisés par ces deux gamins.

Bobby Lee me rejoignit en jouant des coudes.

— Les gardes du corps sont censés passer devant, Anita, pas derrière.

J'ignorai sa colère parce que je savais qu'elle découlait de sa frustration. Nous avions expliqué aux gardes du corps que nous ne pouvions déclencher les hostilités physiques sous aucun prétexte, que Musette et Cie devaient rompre la trêve les premiers. En ce qui me concernait, elle était rompue.

Je me dirigeai vers Stephen, et un étrange vampire me barra le chemin. Alors, je compris pourquoi nos gardes du corps restaient plantés là les bras ballants. Ce vampire n'était pas immense, mais il était large, et pas seulement costaud. La ligne de ses épaules avait quelque chose d'anormal, et la forme de sa tête clochait. Rien de précis sur quoi je puisse mettre le doigt, mais il n'apparaissait pas comme humain sur mon radar personnel... je veux dire, encore moins que les autres buveurs de sang.

En outre, c'était l'un des premiers vampires noirs que je rencontrais. Certains affirment que le même gène qui immunise les gens d'origine africaine contre la malaria diminue leurs chances de devenir des vampires. Celui-ci se tenait devant moi avec sa peau sombre et pourtant curieusement pâle, couleur d'ivoire chocolaté. Ses yeux étaient d'un jaune doré et, dès l'instant où je les vis, le mot « inhumains » me vint à l'esprit.

Un nouveau hurlement déchira l'air. Peu importait la nature de la créature face à moi. Je m'en fichais complètement.

Je voulus contourner le vampire, et il fit un pas sur le côté. Il ne me menaçait pas, mais il ne voulait pas me laisser passer. Un silence assourdissant s'abattit tout à coup sur la pièce. Ce fut la voix de Gregory qui la brisa avec une force incongrue.

— Ne m'obligez pas à faire ça, pitié, ne m'obligez pas à faire ça !

Jean-Claude murmura quelque chose à Musette, et j'entendis celle-ci lui répondre brièvement en français. En gros, elle disait qu'ils n'avaient pas rompu la trêve, que c'était un simple divertissement.

Je sentis mes épaules se détendre et ma décision se raffermir au creux de moi. Je levai les yeux vers le vampire noir.

— Vous êtes un lâche, un salopard et un pédophile.

Il ne répondit pas et n'eut pas la moindre réaction, et pas parce qu'être imperturbable faisait partie de ses attributions de garde du corps. Je lui lançai encore quelques insultes de choix visant ses ancêtres et son apparence physique ; il se contenta de cligner des yeux sans se troubler. Il ne parlait pas anglais. Très bien.

— Bobby Lee, appelai-je.

Le rat-garou se pencha vers moi, tentant de s'interposer entre moi et le grand méchant vampire.

— Oui, m'dame.

— Submergez-le sous le nombre.

— On peut l'égratigner ?

— Non.

— Alors, on ne le contiendra pas longtemps.

— Je n'ai besoin que d'une minute.

Il acquiesça brièvement.

— J'arriverai peut-être à vous la fournir.

Je plantai mon regard dans le sien.

— Faites-le.

— Oui, m'dame.

Il donna un signal, et tous les rats-garous bougèrent en même temps. Contournant la masse grouillante de cuir noir, je rejoignis rapidement Valentina et Stephen.

Je commençai à parler avant même de les avoir atteints. Je savais que je n'aurais pas beaucoup de temps. Micah apparut près de moi. Merle et Noah, son second garde du corps, étaient pratiquement sur ses talons. Je venais d'envoyer ma propre escorte se colleter avec le vampire noir. Si les choses tournaient mal, je n'étais pas certaine que Merle et Noah me protégeraient. Tant pis.

— Stephen a été sexuellement abusé quand il était enfant. Il a été violé par son propre père et vendu à d'autres hommes, dis-je en m'avançant.

Je me souvenais de ce que m'avait dit Jean-Claude, que Valentina détestait les pédophiles à cause de son propre passé.

Elle tourna vers moi son visage en forme de cœur tandis que sa menotte continuait à caresser l'épaule de Stephen. Celui-ci s'était affaissé sur le sol, recroquevillé en position fœtale.

À présent, je les avais rejoints, et le brouhaha enflait derrière moi. Une bagarre n'allait pas tarder à éclater… une vilaine.

— Je vous jure que je dis la vérité. Regardez-le ; regardez la terreur que lui inspire votre simple contact.

Stephen ne nous regardait ni l'une ni l'autre. Il avait les yeux fermés, les paupières crispées, et ses larmes avaient fait couler son maquillage en longues traînées noires le long de ses joues. Il formait une petite boule compacte, comme s'il était toujours un enfant incapable de se défendre.

Valentina baissa les yeux sur lui et, lentement, une expression horrifiée se fit jour sur son visage. Elle regarda sa petite main comme si c'était une chose affreuse qui venait juste d'apparaître au bout de son bras. Puis elle secoua la tête.

— Non, non, dit-elle… et d'autres choses en français que je ne compris pas.

— Il arrive, dit Merle.

Et je les sentis se planter devant Micah et moi, Noah et lui.

Je touchai le bras de Valentina, qui pivota et leva vers moi un regard rendu vitreux par le choc.

— Rappelez Bartolomé. Expliquez-lui pourquoi Gregory a si peur de lui.

Je sentis le vampire noir percuter Merle et Noah, qui poussèrent en avant pour écarter la mêlée de nous. Micah se tenait tout près de moi, prêt à agir. Il pouvait se métamorphoser et utiliser ses griffes, mais il n'avait pas une masse suffisante pour arrêter le vampire.

La voix de Valentina surmonta la rumeur des combats et résonna à travers la pièce. Je compris qu'elle utilisait un pouvoir vampirique pour se faire entendre.

— Nous avons rompu la trêve. Le premier sang est sur nos mains.

Musette glapit :

— Valentina !

Valentina répéta ses paroles, en français cette fois. Alors, le combat ralentit et cessa. La fillette se tourna vers Musette. Vêtue d'une longue robe blanche, celle-ci ressemblait à une mariée.

— C'est la vérité, Musette. Nous avons suffisamment abusé de ces deux hommes. Je ne permettrai pas que nous continuions.

— Il avait si peur de moi, Valentina, protesta Bartolomé. C'était délicieux, et tu as tout gâché.

La silhouette frêle du jeune garçon était drapée de vêtements très XVIIe, entièrement dorés, de sorte qu'il étincelait à chacun de ses mouvements.

Valentina dit quelque chose tout bas et très vite, en français. Bartolomé ne blêmit pas, mais il jeta un coup d'œil à Gregory et se tourna vers moi.

— C'est vrai ? leur propre père ?

J'opinai du chef.

Les sanglots de Gregory résonnèrent très fort dans le silence qui suivit.

— Violenter des enfants est une chose affreuse, dit Bartolomé. Violenter ses propres fils…

Il cracha et dit quelque chose que je reconnus comme de l'espagnol sans le comprendre.

— Je les ai amenés au *Cirque* afin qu'ils soient sous ma protection, en sécurité. Leur père est revenu récemment, et il essaie de les retrouver. Ils sont ici ce soir pour lui échapper. Je n'avais pas pensé à vous deux.

— Jamais nous n'aurions fait cela si nous avions su, affirma Bartolomé.

— Musette était au courant.

La voix de Jean-Claude parut remplir la tension comme de l'eau versée dans une tasse.

Nous nous tournâmes tous vers lui. Il se tenait non loin de là, près de la masse des gardes du corps qui immobilisaient un second vampire semblable à celui qui m'avait empêchée de rejoindre Stephen.

— Je lui ai parlé du passé de Stephen et de Gregory, parce qu'à l'instant où Stephen a vu Bartolomé et Valentina il a dit qu'il ne pouvait pas les nourrir. Que les souvenirs que cela éveillerait en lui seraient insupportables. Et j'ai rapporté ses propos à Musette. Dans le cas contraire, jamais je n'aurais laissé Stephen et Gregory seuls dans cette pièce sans Anita ou moi-même pour les protéger.

Nous pivotâmes tous vers Musette. Elle ne portait pas de perruque, mais avait bouclé ses cheveux au fer pour former de longues anglaises, si bien qu'elle ressemblait à une poupée de porcelaine, avec ses lèvres rouges, ses yeux soigneusement maquillés, sa peau pâle, sa robe du XVIIe siècle et sa cape qui pendait à son cou. Sa beauté ne se flétrirait jamais, mais la beauté physique ne suffit pas à compenser le sadisme.

— C'est vrai ? demanda Valentina.

— Voyons, ma poulette, serais-je capable d'une chose pareille ?

— Oui. Oui, tu en serais capable.

Les deux enfants vampires dévisagèrent leur aînée sans un mot jusqu'à ce qu'elle détourne les yeux la première. L'espace d'un instant, je vis ce que j'avais cru ne jamais voir. Musette était embarrassée.

— Bobby Lee, emparez-vous d'elle.

— Que fais-tu, ma petite ?

— Je connais les règles, Jean-Claude. Musette vient de renoncer à son sauf-conduit sur notre territoire. Ce qui signifie que nous avons le droit de la mettre aux arrêts jusqu'au départ de sa petite compagnie.

— Mais nous ne pouvons pas lui faire de mal ; elle est trop importante pour Belle.

— Pas de problème. (Je reportai mon attention sur Bobby Lee.) Ramenez-la à sa chambre et remettez la croix sur la porte.

Le rat-garou me dévisagea, puis jeta un coup d'œil à Jean-Claude.

— Vous voulez dire que nous pouvons l'emprisonner, juste comme ça ?

J'acquiesçai. Il soupira.

— J'aimerais bien que ça fonctionne ainsi avec les métamorphes.

— Le fait que les vampires soient si civilisés s'avère parfois utile, grimaçai-je.

Bobby Lee m'adressa un large sourire carnassier. Puis Claudia, lui et une demi-douzaine d'autres gardes du corps s'avancèrent vers Musette. Angelito se plaça devant sa maîtresse, la dissimulant à notre vue. Ce qui n'empêcha pas sa voix de résonner clairement lorsqu'elle lança :

— N'aie crainte, Angelito. Les rats-garous ne me toucheront pas.

Bobby Lee et Claudia étaient plantés face à Angelito. À côté de lui, ils avaient l'air presque petits.

— On peut faire ça à la cool ou à la dure, annonça Bobby Lee. Si vous nous suivez, nous nous rendrons tranquillement jusqu'à vos appartements. Mais si vous refusez de bouger, nous commencerons par vous tabasser, puis nous vous emmènerons de force.

Un frémissement d'excitation dans sa voix disait qu'il espérait une bagarre. Je crois que les métamorphes l'espéraient tous. Aucun d'eux n'avait apprécié de ne pas pouvoir intervenir alors qu'on torturait Stephen et Gregory.

— Écarte-toi, Angelito, ordonna Musette. Tout de suite.

Angelito obtempéra avec une expression trahissant sa réticence. Je fus surprise que Musette se montre aussi coopérative. Elle m'avait plutôt fait l'effet de quelqu'un qui devrait être emporté en se débattant comme un beau diable et en hurlant comme un cochon qu'on égorge.

Bobby Lee tendit une main vers elle.

— Ne me touchez pas, dit Musette.

Le rat-garou interrompit son geste comme s'il était paralysé.

— Emmenez-la, Bobby Lee, ordonnai-je.

— Je ne peux pas, répondit-il.

Et dans sa voix, je décelai quelque chose que je n'y avais encore jamais entendu : de la peur.

— Comment ça, vous ne pouvez pas ?

Lentement, il retira sa main et la serra contre sa poitrine comme s'il s'était fait mal.

— Elle m'a dit de ne pas la toucher, et je ne peux pas le faire.

— Claudia ? appelai-je.

L'amazone secoua la tête.

— Je ne peux pas non plus.

Je compris la gravité de la situation quand je vis le vrai rat qui s'approcha en dandinant son arrière-train pour renifler les jupes blanches de Musette. Il leva vers elle ses yeux noirs brillants, pareils à des boutons de bottines.

Je dévisageai Musette. Ses yeux étaient devenus entièrement bleus, de sorte qu'elle ressemblait à une poupée blonde aveugle. Tout en elle exsudait le triomphe.

— Le rat est l'animal que vous pouvez appeler, devinai-je.

— Jean-Claude ne te l'avait pas dit ?

Et le rire qui frémissait dans sa voix me dit qu'elle savait bien que non.

— Il a oublié de le mentionner.

— Je l'ignorais, intervint Jean-Claude sur un ton parfaitement neutre, ne trahissant rien de ses sentiments. Il y a deux siècles, la chauve-souris était le seul animal qu'elle pouvait appeler.

— Elle en a acquis un second il y a cinquante ans, déclara Asher.

Je lui jetai un coup d'œil.

— Ça aurait été bien de le savoir.

Il haussa les épaules.

— Il ne m'est même pas venu à l'idée que quelqu'un puisse tenter de mettre Musette aux arrêts.

Je reportai mon attention sur la vampire.

— Pourquoi n'avez-vous pas utilisé votre pouvoir pour vous débarrasser des sentinelles rats-garous un peu plus tôt ?

— Je voulais que ce soit une surprise, répondit-elle avec un sourire assez large pour révéler ses canines.

Elle était terriblement contente d'elle-même.

— Très bien. Que tous les gardes du corps qui ne sont pas des rats s'emparent d'elle, ordonnai-je.

— Tuez-les, répliqua Musette en s'adressant à Bobby Lee et à Claudia.

Ça, je ne l'avais pas anticipé. Et merde.

Mais les deux rats-garous secouèrent la tête et reculèrent.

— Vous pouvez nous empêcher de vous toucher, mais pas nous forcer à faire du mal à nos camarades. Vous n'avez pas ce genre de pouvoir, fillette.

Les autres rats-garous reculèrent eux aussi, l'air perplexes et effrayés. D'autres vrais rats arrivaient en trottinant depuis les profondeurs de la caverne. Le problème quand on utilise un endroit naturel, c'est qu'il est souvent livré avec ses habitants naturels. Qui ne sont pas toujours mignons et amicaux.

Ce furent surtout les hyènes-garous qui s'avancèrent. Deux des léopards seulement se qualifiaient comme gardes du corps, et ils restèrent auprès de Micah. Le reste du pard était venu pour servir de nourriture. Et la nourriture ne se bat pas : elle se contente de saigner.

Musette dit quelque chose, et pas en français cette fois… ni en aucun langage que je sois capable d'identifier. Les deux vampires à la peau grise et aux yeux dorés se placèrent devant elle.

— Rappelle nos gardes du corps, ma petite, réclama Jean-Claude. Je ne veux pas les perdre pour ça.

— Les vampires ne sont que deux, protestai-je.

— Mais ils ne sont pas ce dont ils ont l'air.

Je rappelai tout le monde et me tournai vers Jean-Claude.

— Alors, quoi ?

Ce fut Valentina qui s'avança et répondit à ma question.

— Il existe une pièce où les serviteurs de la Douce Obscurité attendent, endormis. De temps en temps, les membres du Conseil vont les voir et tentent de les réveiller pour utiliser leurs services.

Je jetai un coup d'œil aux créatures, puis reportai mon attention sur Valentina.

— Ces deux-là ont fini par entendre leurs appels.

— Ils ne sont pas les seuls, m'informa la fillette. Notre maîtresse a réussi à en réveiller six. Elle pense que c'est une marque de son pouvoir grandissant.

Nous nous dévisageâmes.

— La Mère de Toutes Ténèbres est en train de sortir de son sommeil, et ses serviteurs la précèdent, chuchotai-je.

Si basse qu'elle soit, ma voix parut remplir la caverne d'échos frissonnants.

— C'est ce que je crois, admit Valentina.

— Notre maîtresse est plus puissante que quiconque. Les serviteurs de la Douce Mère se réveillent sur son ordre. C'est un signe de sa grandeur, déclara fièrement Musette.

— Vous êtes une imbécile, Musette. Les ténèbres se réveillent ; la présence de ces deux créatures en est la preuve. Elles obéiront à Belle Morte jusqu'à ce que leur véritable maîtresse se lève. Ensuite… que Dieu vous vienne en aide.

Musette tapa du pied.

— Tu ne gâcheras pas notre plaisir. Tu ne peux pas me toucher ; ils ne te laisseront pas faire.

Je dévisageai les deux créatures et fronçai les sourcils.

— Ce ne sont pas seulement des vampires, n'est-ce pas ?

— Que veux-tu dire, ma petite ?

Je sentais en eux une présence qui n'aurait pas dû y être.

— On dirait des métamorphes. Or, les vampires ne peuvent pas être des métamorphes.

Ces mots avaient à peine quitté ma bouche que je repensai à l'exception récemment découverte. La Mère de Toutes Ténèbres était à la fois une vampire et une métamorphe. Je l'avais senti.

— Je croyais que Très Chère Maman était la première vampire, celle dont vous descendiez tous.

— Oui, ma petite.

— Certains des membres du Conseil sont-ils ses descendants directs ?

Jean-Claude réfléchit pendant quelques instants.

— Nous sommes tous ses descendants, ma petite.

— Ce n'est pas ce que je vous ai demandé.

Ce fut Asher qui répondit.

— Nul parmi nous ne peut se targuer d'être son descendant direct, mais c'est elle qui a fondé le Conseil. Elle qui a créé notre civilisation et nous a donné des règles afin que nous ne soyons plus des bêtes solitaires et que nous cessions de nous entre-tuer à vue.

— Donc, elle est votre mère culturelle, pas la fondatrice de votre lignée.

— Qui peut en avoir la certitude, ma petite ? Elle est à l'origine de ce que nous sommes aujourd'hui. C'est notre Mère de toutes les façons qui comptent.

Je secouai la tête.

— Pas toutes.

Hors de portée des deux créatures, je réclamai :

— Que quelqu'un qui comprend leur langue me serve d'interprète.

Valentina s'avança.

— Ils parlent français, maintenant.

— Parfait. Jean-Claude ?

— Je suis là, ma petite.

— Dites-leur que Musette a renoncé à son sauf-conduit et que nous devons la mettre aux arrêts. Nous ne lui ferons pas de mal, mais nous ne la laisserons en faire à personne d'autre.

Jean-Claude traduisit lentement en français, de sorte que je compris le plus gros de ses paroles. Au fil des ans, mon vocabulaire s'est étoffé, mais j'ai encore du mal à piger quand il parle trop vite.

— Voilà.

— Dites-leur également que, s'ils ne s'écartent pas pour que nous puissions nous emparer de Musette, selon les règles édictées par la Mère de Toutes Ténèbres en personne, nous aurons le droit de les tuer pour désobéissance.

Jean-Claude parut sceptique.

— Contentez-vous de traduire.

Je m'écartai pour rejoindre Bobby Lee, qui transpirait et n'avait pas l'air bien.

— Je suis désolé, Anita. Nous avons failli à notre tâche.

Je secouai la tête.

— Pas encore.

Le rat-garou me dévisagea, perplexe.

— Ouvrez tout grand votre blouson de cuir.

Il obtempéra.

Je pris le flingue rangé dans son holster d'épaule et en aperçus un autre passé à sa ceinture. Selon les règles, seuls les gardes du corps pouvaient être armés. Je pointai le canon vers le sol et ôtai le cran de sûreté.

Bobby Lee écarquilla grands les yeux. Je n'étais pas certaine qu'il me laisserait prendre son flingue, mais il ne fit pas mine de m'arrêter. Alors, je revins prudemment sur mes pas, me frayant un chemin à travers la foule jusqu'en première ligne.

Le flingue était invisible, planqué dans les plis de ma jupe noire.

— Qu'ont-ils répondu, Jean-Claude ?

— Ils ne croient pas que quiconque ici puisse leur faire de mal. Ils disent qu'ils sont invincibles.

— Combien de temps ont-ils dormi ?

Jean-Claude leur posa la question.

— Ils ne savent pas exactement.

— Qu'est-ce qui leur fait penser qu'ils sont invincibles ?

Il leur demanda, et les deux vampires sortirent des épées de leur manteau blanc. Des épées courtes forgées dans un métal plus sombre et plus lourd que l'acier. Du bronze ? Je n'en étais pas sûre. Je savais juste que ce n'était pas de l'acier.

Nous reculâmes tous face aux lames nues, bien que nous ne sachions pas de quoi elles pouvaient bien être faites.

— Ils disent que nulle arme forgée par la main de l'homme ne peut les blesser, rapporta Jean-Claude.

Musette éclata de rire.

— Ce sont les meilleurs guerriers qui aient jamais arpenté ce monde. Tant qu'ils me protégeront, vous ne me toucherez pas.

Je reculai, m'équilibrai autant que possible sur mes talons hauts et levai le flingue de Bobby Lee. Je visai la tête, et je l'atteignis. Le crâne du vampire de droite explosa dans une giclée de sang et de cervelle. L'écho de la détonation parut résonner pendant une éternité, et je n'entendis pas le cri que poussa le second guerrier en me chargeant. Sa tête explosa comme celle de son copain. Toute votre maîtrise du combat au corps à corps ne vous servira à rien si votre ennemi ne vous laisse pas approcher suffisamment.

Musette resta plantée là, trop choquée pour bouger, me sembla-t-il. Ses cheveux blonds et son visage n'étaient plus qu'un masque écarlate au milieu duquel clignaient ses yeux bleus. Sa robe blanche était à moitié repeinte en rouge.

Je visai sa tête et envisageai de tirer. Dieu, ce n'était pas l'envie qui m'en manquait ! Mais je n'eus pas besoin de la voix effrayée de Jean-Claude me disant « Ma petite, je t'en prie, dans notre intérêt à tous, ne fais pas ça » pour hésiter. Je ne pouvais pas tuer Musette à cause des représailles dont userait Belle Morte. Mais je la laissai voir dans mes yeux, sur mon visage, dans la posture de mon corps que j'étais prête à la tuer, que j'en avais envie et que, si elle me fournissait un assez bon prétexte, j'oublierais ma crainte de la vengeance de Belle la seconde nécessaire pour appuyer sur la détente.

Les yeux de Musette se remplirent de larmes. Elle était idiote, mais pas à ce point. Mais je devais quand même vérifier, histoire qu'il n'y ait plus jamais de malentendu.

— Que lisez-vous sur mon visage, Musette ? demandai-je à voix basse, presque dans un chuchotement, parce que je craignais ce que ferait ma main si je me mettais à crier.

La vampire déglutit assez bruyamment pour que mes oreilles encore bourdonnantes l'entendent.

— Je vois ma mort.

— C'est bien ça, approuvai-je. N'oubliez jamais ce moment, Musette, parce que, si ce genre d'incident se reproduit, ce sera le dernier pour vous.

Elle poussa un soupir tremblant.

— Je comprends.

— Je l'espère, Musette. Je l'espère vraiment. (Lentement, je baissai le flingue.) Bien. Merle, peux-tu escorter Musette et Angelito jusqu'à leurs appartements, s'il te plaît ?

Merle s'avança, et une petite armée de hyènes-garous l'imita.

— Ma Nimir-Ra parle et j'obéis.

Je l'avais déjà entendu dire ce genre de chose à Micah, mais jamais à moi – du moins, jamais comme s'il le pensait.

Il enjamba les corps des deux vampires noirs pour prendre le bras de Musette. Les hyènes-garous étaient pâles mais rassurées. Je venais de faire le bonheur de tous les gros bras dans la pièce. À présent, les choses étaient simples : si nos visiteurs recommençaient à faire les malins, nous pouvions les buter.

J'aperçus l'expression de Jean-Claude. Il n'était pas content. Je venais de faciliter le travail des gardes du corps, mais pas celui des politiciens. Au contraire, je venais sans doute de diablement le compliquer.

Merle entraîna Musette sans douceur. La vampire trébucha sur un des corps, et seule la masse des hyènes-garous empêcha Angelito de la rattraper. Elle reprit son équilibre, et un parfum de roses se répandit soudain dans la pièce.

Je crus que j'allais m'étrangler lorsque Musette releva la tête, révélant des yeux couleur de miel ambré.

Chapitre 46

Belle Morte me regarda avec le visage de Musette, et je crois que je cessai de respirer. Pendant un moment, je n'entendis que le martèlement de mon propre cœur dans ma tête. Puis les sons revinrent m'assaillir tel un torrent, et la voix de Belle sortit de la bouche de Musette.

— Je suis fâchée contre toi, Jean-Claude.

Merle tentait toujours de l'entraîner vers la sortie. Ou bien il ne se rendait pas compte de ce qui se passait, ou bien il ne faisait pas de différence entre les deux vampires. Il n'allait pas tarder à prendre conscience de son erreur.

— Lâche-moi, dit calmement Belle.

Il laissa tomber son bras comme si elle l'avait brûlé et recula de la même façon que Bobby Lee avait reculé devant Musette, avec le bras serré contre la poitrine et l'air de souffrir.

— Le léopard est l'animal qu'elle peut appeler, lança Jean-Claude bien inutilement, et sa voix porta à travers un silence épais.

Je n'eus pas le temps de réagir, parce que Belle parlait et disait des choses affreuses.

— Jusqu'ici, j'ai été gentille. (Elle pivota vers les deux vampires morts.) Savez-vous depuis combien de temps le Conseil tente de réveiller les premiers enfants de la Mère ?

Nous savions tous que c'était une question rhétorique, et nous avions tous trop peur pour tenter d'y répondre.

Belle nous fit face, et quelque chose nagea sous le visage de Musette ainsi qu'un poisson effleurant la surface de l'eau.

— Mais j'y suis arrivée. Moi, Belle Morte, j'ai réveillé les enfants de la Mère.

— Pas tous, répliquai-je.

Je regrettai aussitôt d'avoir ouvert ma grande gueule.

Belle me jeta un regard si coléreux qu'il me brûla, et si froid qu'il me fit frissonner. C'était comme si toute la rage et la haine du monde étaient contenues dans ce seul regard.

— Non, pas tous, et tu viens de m'en enlever deux. Comment vais-je bien pouvoir te punir ?

Je tentai de parler malgré ma gorge nouée, mais Jean-Claude y parvint avant moi.

— Musette a rompu la trêve et refusé de l'admettre. Nous n'avons fait que suivre la loi à la lettre.

— C'est vrai, intervint Valentina.

La foule d'adultes en cuir noir s'écarta pour laisser passer la fillette. Celle-ci s'approcha de Musette/Belle tout en prenant garde à demeurer hors de sa portée, remarquai-je.

— Parle, petite.

Valentina raconta comment Musette avait dissimulé des informations sur les abus subis par les jumeaux et ce qui en avait résulté. Le corps de Musette pivota vers Gregory et Stephen. Gregory tenait son frère dans ses bras ; il le berçait. Stephen ne regardait rien ni personne. Du moins, rien ni personne qui se trouvait dans cette pièce.

Belle reporta son attention sur nous et, de nouveau, j'eus l'impression de voir un second visage nager sous celui de Musette. Mais cette fois, il se superposa à ce dernier telle une apparition spectrale. Des cheveux noirs recouvrirent les blonds, des pommettes plus saillantes effacèrent celles de Musette l'espace d'un instant, puis se renfoncèrent sous la beauté plus douce de son hôtesse.

— Musette a rompu la trêve la première. Je vous le concède.

Pourquoi mon cœur ne ralentit-il absolument pas après qu'elle eut prononcé ces deux phrases ?

— Vous avez agi selon la loi et je vais faire de même, à présent, poursuivit Belle de son contralto ronronnant, pareil à de la fourrure caressant la peau et l'esprit. Quand Musette et son escorte reviendront auprès de moi, Asher les accompagnera.

— Pour une simple visite, dit Jean-Claude.

Mais sa voix était pleine de doute.

— Non. Pour rester auprès de moi comme autrefois.

Jean-Claude prit une grande inspiration et la relâcha lentement.

— Selon tes propres lois, tu ne peux pas arracher l'un des nôtres à ceux auxquels il appartient – pas de façon définitive.

— Et si Asher appartenait à quelqu'un, je ne réclamerais pas son retour. Mais il n'est la pomme de sang, le serviteur ou l'amant de personne.

— C'est faux. Il est notre amant, à Anita et à moi.

— Musette m'a fait part de vos affirmations et dit qu'elle sentait vos mensonges, vos efforts pathétiques pour éloigner Asher de son lit.

Belle aussi était capable de sentir le mensonge, s'il portait sur une chose qu'elle comprenait. Aucun vampire au monde ne peut faire la part entre la vérité et le mensonge concernant une chose qui lui échappe. Par exemple, s'il n'éprouve pas de loyauté, il est incapable de discerner ce sentiment chez autrui. J'allais donc essayer de fournir à Belle une explication compréhensible pour elle.

— Croyez-moi, nos efforts n'avaient rien de pathétique.

Jean-Claude me jeta un coup d'œil et je secouai la tête. Il s'écarta gracieusement, parce qu'il savait que j'avais un plan, mais sa voix chuchota dans ma tête : *Sois très prudente, ma petite.*

Ouais, j'allais être prudente.

Belle tourna vers moi son corps d'emprunt.

— Donc, tu admets que vous avez menti à Musette.

— Non, j'ai dit que nos efforts n'avaient rien de pathétique. Coucher avec Asher ne fut pas du tout ce à quoi je m'attendais. Je décrirais ça comme embarrassant, excitant, merveilleux et terrifiant. Mais en aucun cas pathétique.

— Jusqu'ici, tu ne mens pas, constata Belle d'une voix si riche que j'aurais dû pouvoir m'allonger par terre et me rouler dessus comme sur un tapis chaud et suffocant.

Sa voix était aussi hypnotique que pouvaient l'être celles de Jean-Claude et d'Asher, mais elle avait aussi quelque chose d'effrayant.

— Nous avons ouvert notre lit à Asher. Selon les critères européens, nous sommes amants.

— Selon les critères européens, répéta Belle, perplexe.

Son visage émergea de nouveau et, cette fois, il ressemblait à un masque, une présence plus vaste et plus dangereuse que celle de Musette. À travers les souvenirs de Jean-Claude, je savais que Belle n'était pas beaucoup plus grande que Musette, mais elle la surpassait d'un tas de façons qui n'avaient rien de physique.

— Je ne comprends pas ce que ça signifie.

Ce fut Jean-Claude qui répondit.

— Les Américains nourrissent l'étrange idée que seule la pénétration constitue un rapport sexuel entre un homme et une femme. Tout le reste ne compte pas, pour eux.

— Je sens que tu dis vrai, mais je trouve ça très bizarre.

— Moi aussi. Ça n'en reste pas moins la vérité.

Il eut ce haussement d'épaules français, mélange de nonchalance et de désinvolture.

— Ce que Musette sentait n'était pas un mensonge, c'étaient mes doutes quant au fait qu'Asher et moi avions vraiment couché ensemble, clarifiai-je. Faites-moi confiance, nous étions tous nus et en sueur dans ce lit.

Belle tourna vers moi son étrange demi-visage. Ç'aurait été plus effrayant s'il n'avait pas été entouré par les longues anglaises blondes de Musette. Le look Shirley Temple ne lui seyait pas.

— Je te crois, mais tu viens d'admettre que, selon tes propres critères, vous n'êtes pas amants. Par conséquent, Asher m'appartient.

— J'avais oublié : la vérité, ça ne marche pas avec vous.

Elle plissa ses yeux couleur de miel ambré.

— Tu n'as rien oublié du tout, petite. Tu ne me connais pas.

— Les souvenirs de Jean-Claude sont en moi. C'est suffisant. Ils auraient dû me dissuader de vous dire la vérité.

Belle se dirigea vers moi et son corps parut se déployer par-dessus celui de Musette. Apparurent une robe d'or foncé et une main pâle aux ongles couleur de cuivre. Belle se mouvait tel un fantôme drapé autour de son émissaire, de sorte qu'on apercevait parfois celle-ci au travers. L'illusion n'était pas parfaite ; tout le monde voyait que Belle Morte ne se trouvait pas réellement là, mais c'était bien assez pour nous perturber.

Jean-Claude s'était déplacé pour venir se mettre derrière moi. Il me touchait lorsque Belle s'arrêta face à nous. Je me laissai aller contre lui parce qu'elle m'avait déjà marquée une fois sans contact physique, et je dus lutter contre l'envie de m'envelopper de ses bras ainsi que d'un bouclier.

Belle se tenait si près de moi que l'ourlet de l'ample jupe de Musette effleurait mes pieds. Sa robe spectrale semblait cascader sur mes escarpins et monter à l'assaut de mes chevilles. Je ne pouvais plus respirer.

Jean-Claude nous fit reculer, hors de portée de ce pouvoir rampant. Je pris ses bras pour les mettre autour de moi. Tant pis, j'avais trop la trouille.

— Si la vérité ne marche pas avec moi, qu'est-ce qui pourrait marcher à la place, ma petite ? demanda Belle.

Je recouvrai ma voix – essoufflée et effrayée, mais ça, je ne pouvais rien y faire.

— Je suis la petite de Jean-Claude, et celle de personne d'autre.

— Mais tout ce qui est à lui est à moi ; par conséquent, tu m'appartiens.

Je décidai de laisser filer pour le moment. Il y avait d'autres batailles plus cruciales à livrer.

— Vous voulez savoir ce qui marche avec vous ?

— Oui, ma petite, c'est ce que je t'ai demandé.

— Le sexe ou le pouvoir. Si possible, les deux.

— Es-tu en train de m'offrir une place dans ton lit ? ronronna-t-elle.

Je frissonnai et me serrai plus étroitement contre Jean-Claude. Je ne voulais pas jouer à ça avec elle, même sans pénétration.

— Non, répondis-je à peine plus fort qu'un chuchotement.

Elle tendit une main vers moi, cette main blanche aux ongles cuivrés superposée à celle de Musette comme un gant métaphysique. De nouveau, Jean-Claude nous fit reculer d'une fraction de centimètre, et les longs doigts de la vampire manquèrent ma joue d'un cheveu.

Belle le regarda. Ses mèches noires se soulevèrent comme sous l'effet du vent, sauf qu'il n'y avait pas de vent : juste son pouvoir.

— Craindrais-tu qu'une caresse me suffise pour te la prendre ?

— Non, répondit Jean-Claude, mais je sais ce que ton contact peut faire, Belle Morte, et ça m'étonnerait que ça plaise à Anita.

Il avait utilisé mon prénom, chose qu'il ne fait presque jamais. Peut-être parce que Belle s'était accaparé mon surnom.

La colère de la vampire incendia l'air devant nous, faisant évaporer l'oxygène de mes poumons et m'interdisant de respirer sous peine de les brûler. Lorsqu'elle parla, je m'attendis presque à voir ses mots s'inscrire dans l'air en lettres de feu.

— Ai-je demandé si ça lui plairait ?

— Non, admit Jean-Claude d'une voix atone.

Et je le sentis se barricader en lui-même, se replier dans le vide où il se réfugie quand il veut se soustraire au monde. J'eus le temps d'entrevoir cet endroit ; il était encore plus silencieux que celui où je me rends lorsque je tue. Là, on n'entendait même pas de bruit blanc.

L'air se remplit d'une odeur de roses, douceâtre et suffocante. Je hoquetai, et le goût des roses fleurit sur ma langue. Si Jean-Claude ne m'avait pas retenue, je serais tombée. Le parfum écœurant envahit mon nez, ma bouche, ma gorge. Je ne pouvais ni déglutir ni respirer autre chose. J'aurais bien hurlé, mais je n'avais pas d'air pour ça.

J'entendis Jean-Claude crier :

— Arrête !

Belle éclata de rire et, alors même que je suffoquais, ce son me caressa tout le corps telle une main experte.

Une main saisit la mienne et un filet d'air se fraya un chemin dans ma gorge à travers le pouvoir de Belle. Là encore, si j'avais pu, j'aurais hurlé. Le visage de Micah se pencha vers moi. C'était sa main qui tenait la mienne.

— Non, mon chat, dit Belle. Tu m'appartiens, tout comme elle.

Elle s'agenouilla près de nous et tendit la main vers le visage de Micah.

Jean-Claude nous traîna tous en arrière, et nous nous écroulâmes par terre devant Belle, mais de nouveau hors de sa portée, de justesse. Ce dont j'étais prête à me contenter pour le moment.

Un feu ambré brûlait dans les yeux de la vampire. Ses ongles tracèrent des traînées de flammes cuivrées dans l'air comme elle tendait de nouveau la main vers Micah. Jean-Claude voulut nous tirer à l'écart mais, en tombant, nous nous étions emmêlés dans nos manteaux et nos jupons. Comme quoi, la mode peut tuer.

Belle toucha le visage de Micah et fit courir ses ongles flamboyants le long de sa joue. L'odeur de roses se referma sur ma tête telle de l'eau empoisonnée, et je recommençai à me noyer.

Une autre main se posa sur moi. Celle-ci n'avait rien de tiède. Elle n'invoqua ni l'ardeur ni ma bête, mais quelque chose de beaucoup plus froid et de beaucoup plus assuré. Ma nécromancie jaillit du fond de mon être et se répandit sur ma peau, sur mon corps. Je levai la tête et pus soutenir le regard brûlant de Belle. Et respirer, aussi, même si ma gorge me faisait mal.

Je jetai un coup d'œil à mon autre main et vis que c'était Damian qui la tenait. Il avait les yeux écarquillés et je sentais sa peur, mais il était là, à genoux près de moi, affrontant le pouvoir de Belle Morte.

Belle attira le visage de Micah vers elle. Sa peau semblait faite de lumière blanche, ses cheveux de flammes noires, ses ongles et ses yeux de métal en fusion. Ses lèvres brillaient telle une entaille sanglante.

La main de Micah se convulsa dans la mienne, si fort que cela me fit mal. La douleur m'aida à clarifier mes pensées, à les affûter. Belle pressa sa bouche sur celle de Micah, qui poussa un gémissement. Je savais qu'il ne voulait pas qu'elle le touche, et je savais aussi qu'il ne pouvait pas se dérober.

Mais il était à moi. À moi, pas à elle. À moi.

Je m'assis, tenant Micah d'une main et Damian de l'autre – le chaud et le froid, la vie et la mort, la passion et la logique. Les mains de Jean-Claude reposaient toujours sur mes épaules presque nues. Il me prêtait sa force comme je lui prêtais la mienne, mais ce pouvoir-là m'appartenait en propre. Et le léopard n'était pas son animal : il était le mien.

J'invoquai cette partie de moi que touchaient les léopards et, pour la première fois, je pris conscience qu'elle n'était pas liée à Richard, ni même à Jean-Claude. Les léopards étaient à moi, et à Belle.

Je me rassis, le visage si près de celui de la vampire que l'éclat de ses flammes caressa mes joues, et le plaisir que me procura cet infime contact fit frissonner ma peau. Je n'étais pas immunisée contre le toucher de Belle. Simplement, j'avais mon propre pouvoir.

D'habitude, je combats la bête qui s'agite en moi, de quelque nature qu'elle soit. Mais ce soir, je l'accueillis à bras ouverts, je la laissai me submerger, et ce fut peut-être pour cette raison qu'elle se déversa en moi tel un torrent d'énergie brûlante. Si j'avais véritablement été une lycanthrope, elle aurait jailli de mon corps dans un flot de liquide tiède et percuté Micah comme un train lancé à pleine vitesse, un énorme train musclé. Dans l'état des choses, elle se contenta d'arracher sa bouche à celle de Belle Morte et de lui tirer un cri qui fit écho au mien.

Ma bête rugit à travers son corps, et sa bête lui répondit. Elle remonta des profondeurs à la rencontre de la mienne, tels deux léviathans faisant la course vers la surface.

Nous crevâmes cette surface métaphorique ensemble. Nos bêtes roulèrent au travers et à l'extérieur de nos corps, savourant la sensation de fourrure et de muscles. Il n'y avait rien à voir avec les yeux, mais beaucoup de choses à percevoir autrement.

Belle passa les mains au-dessus de nous, caressant notre énergie.

— Délicieux, commenta-t-elle en français.

Elle toucha la peau de Micah, et notre énergie bondit vers elle, lui arrachant un hoquet. Micah se détourna de moi, et sans doute se serait-il laissé capturer de nouveau si je n'avais pas pris son visage entre mes mains. Nous nous embrassâmes.

Cela commença par un frôlement de lèvres, des langues qui explorent, des dents qui mordillent, des bouches qui se pressent l'une contre l'autre. Puis nos bêtes bondirent par nos gorges telles deux âmes échangeant leurs places. Le jaillissement d'énergie nous pressa l'un contre l'autre, planta mes ongles dans la main de Damian et crispa les mains de Jean-Claude sur mes épaules. Je sentis son dos et celui de Damian s'arquer une seconde avant que le pouvoir les percute à leur tour, arrachant à leur gorge des cris de plaisir plus que de douleur.

Micah et moi nous chevauchions mutuellement, bouches ventousées en un baiser interminable comme si nous ne faisions plus qu'un. Puis, lentement, nos énergies jumelées se séparèrent et regagnèrent leurs fourreaux de chair respectifs.

Lorsque je revins à moi, je gisais par terre. Micah était écroulé sur moi ; Damian s'était affaissé près de nous sans lâcher ma main. Bien que toujours assis, Jean-Claude se balançait doucement comme s'il dansait au son d'une musique inaudible pour moi. Je crois qu'il luttait juste pour ne pas tomber mais, chez lui, même cet effort était gracieux.

Belle nous toisait avec une expression proche du ravissement.

— Oh Jean-Claude, Jean-Claude, quels jouets tu as su te fabriquer !

Jean-Claude recouvra l'usage de sa voix pendant que je luttais pour reprendre mon souffle, que le cœur de Micah battait à se rompre contre ma poitrine et que le pouls de Damian palpitait dans sa paume.

— Ce ne sont pas des jouets, Belle.

— Ce sont tous des jouets, Jean-Claude. Certains sont simplement plus difficiles à utiliser que d'autres. Mais ce sont tous des jouets.

Elle passa sa main le long des cheveux soigneusement coiffés de Micah. Son énergie dansa le long du corps du léopard-garou, nous arrachant un soupir à tous les trois – un soupir léger comme un tressaillement de genou qu'on ne peut retenir. Nous restâmes immobiles sous sa caresse.

Belle nous détailla et, même si j'avais du mal à voir à travers son masque étincelant, il me sembla qu'elle se rembrunissait. Elle fit courir ses doigts le long de la joue de Micah et ne parvint à lui tirer aucune réaction. Elle appela sa bête, mais celle-ci était repue et somnolente.

— Les léopards m'appartiennent, Belle, lançai-je d'une voix creuse, comme si je ne m'étais pas tout à fait remplie.

— Le léopard est le premier animal que j'ai pu appeler. Et j'appellerai celui-ci si ça me chante.

Je restai allongée par terre, en proie à une langueur satisfaite. Micah tourna la tête pour poser sa joue sur l'oreiller moelleux de mes seins. Nous regardions Belle avec des yeux paresseux, des yeux de chat. J'aurais dû avoir peur, mais ce n'était pas le cas. Le torrent de pouvoir semblait avoir emporté ma frayeur avec lui. J'avais les idées claires et je me sentais en sécurité.

Belle déversa son pouvoir brumeux sur nous. Elle réussit à nous donner la chair de poule et à nous faire soupirer, mais rien de plus. Elle ne pouvait pas appeler la bête de Micah parce qu'il m'appartenait. Elle ne pouvait pas appeler ma bête parce que j'appartenais à Micah. Nous étions vraiment

Nimir-Ra et Nimir-Raj et, ensemble, nous suffisions à la maintenir à distance.

Belle tourna ses yeux de flamme vers quelqu'un derrière nous et je la sentis se tendre vers un des autres léopards. Sans raison précise, je devinai que c'était Nathaniel. Si elle avait tenté son coup avant que Micah et moi fusionnions, il aurait répondu à son appel mais, à présent, il était trop tard. Nous avions refermé la porte et tiré le verrou. Belle Morte ne pouvait plus toucher nos léopards, pas ce soir.

— C'est impossible, dit-elle d'une voix qui avait perdu un peu de sa qualité ronronnante.

Jean-Claude choisit d'éclairer sa lanterne.

— Tu peux appeler presque tous les grands félins, mais pas ceux qui répondent au Maître des Bêtes.

— Padma siège au Conseil ; tu es l'un de mes enfants. Il est vrai que je ne peux m'emparer de ce qui appartient à un de mes pairs. Mais il est impossible qu'un de mes descendants puisse m'empêcher de posséder ce qui est sien, protesta Belle.

— Peut-être.

Jean-Claude se leva et tendit une main à chacun de nous, à Micah et à moi. En temps normal, je ne permets pas qu'on m'aide à me relever mais, ce soir, je portais une jupe froufroutante, des talons hauts, et nous venions de faire métaphysiquement l'amour en public. Nous prîmes ses mains de concert, et il nous remit debout.

Damian agrippait toujours mon autre main dans une poigne de fer, mais il resta à genoux, le regard légèrement vitreux comme si le jaillissement de pouvoir l'avait déstabilisé plus que nous. Il était le seul qui ne soit pas un maître vampire ou un métamorphe alpha. Je l'attirai contre mes jambes pour qu'il s'y adosse, mais je ne tentai pas de le redresser. Il ne semblait pas encore en état.

— Selon les critères américains, ce n'était pas du sexe, lança Jean-Claude.

Belle éclata de rire, et le son frissonna sur ma peau, mais de façon plus lointaine qu'auparavant. Nous étions soit trop engourdis, soit trop bien protégés pour qu'elle nous touche.

— Pas du sexe ? C'est absurde !

— Peut-être, mais c'est quand même vrai. Toi et moi considérerions ça comme du sexe, n'est-ce pas ?

— Oh, oui. Un divertissement bien suffisant.

Je sentis presque Jean-Claude sourire. Je n'eus pas besoin de le regarder.

— Crois-tu vraiment que nous n'ayons pas fait cela, et davantage encore, avec Asher ?

Belle le dévisagea, et sa colère siffla à travers la pièce tel un vent cinglant venu des rivages de l'enfer.

— Je ne me laisserai pas repousser si facilement. (Elle fit un geste en direction des deux vampires morts.) Tu n'as aucune idée de ce dont ta servante humaine vient de me priver. Ce n'était pas seulement des vampires.

— En effet : c'étaient aussi des lycanthropes, dis-je.

Elle reporta son attention sur moi, avec plus de curiosité que de colère, à présent. Belle a toujours été plus intéressée par le pouvoir que par la mesquinerie, même si, dans un monde idéal, elle jouirait des deux à la fois.

— Comment le sais-tu ?

— J'ai senti leur bête et, un peu plus tôt dans la journée, j'ai senti celle de Très Chère Maman.

— Très Chère Maman ?

Sous son pouvoir scintillant, elle réussit à paraître interloquée.

— La Douce Obscurité, précisa Jean-Claude.

— Je l'ai sentie s'agiter dans son sommeil, Belle. La Mère de Toutes Ténèbres est en train de se réveiller ; c'est pourquoi ses enfants, comme vous les nommez, ont enfin répondu à l'appel de quelqu'un.

— C'est moi qui les ai appelés.

— Vous pouvez appeler tous les grands félins et, entre autres choses, ce sont des félins. Je parierais que le Maître des Bêtes pourrait les appeler aussi, s'il se donnait la peine d'essayer.

Pendant un moment, je crus qu'elle allait taper du pied comme une gamine capricieuse.

— Ils ont répondu à mon appel et à celui de personne d'autre.

— Ça ne vous inquiète pas que les enfants des ténèbres se réveillent ? Ça ne vous fait pas peur ?

— Je me suis donné beaucoup de mal pendant très longtemps afin d'amasser le pouvoir nécessaire pour les réveiller.

Je secouai la tête.

— Vous l'avez sentie aujourd'hui, Belle. Comment pouvez-vous ne pas comprendre que vous n'avez pas atteint un nouveau niveau de pouvoir, que c'est le sien qui remonte à la surface ?

— Non, ma petite, s'obstina Belle. Tu cherches à me détourner de ma vengeance. Je n'oublie jamais une insulte et je m'assure toujours que quelqu'un en paie le prix.

Elle se dirigea vers nous, et le tranchant de son pouvoir agita mes jupons mais ne réussit pas à me couper le souffle, cette fois. Il rampait sur ma peau ainsi que des files d'insectes, mais il ne m'hypnotisait pas, il n'avait rien de spécial. Nous étions tous tellement gorgés de pouvoir que nous ne ressentions plus grand-chose.

Belle passa une main sur la poitrine de Micah, et je sentis son corps se raidir, mais ce n'était pas l'effet auquel la vampire était habituée. Elle caressa le visage de Jean-Claude, et il la laissa faire.

— Merveilleux, comme toujours, commenta-t-il.

— Non, pas comme toujours.

Alors, elle se tourna vers moi.

Je ne voulais pas qu'elle me touche, mais je savais que je pouvais la laisser faire, à présent. Elle n'était pas là en personne, pas là en chair et en os, et cela limitait son pouvoir. Intellectuellement, je le savais, mais la boule dure et froide dans mon ventre n'en était pas convaincue. Je me forçai à rester immobile tandis qu'elle approchait sa main étincelante de mon visage.

Ses doigts ne me brûlèrent pas exactement, mais ils étaient chauds, et son pouvoir s'en déversa, me douchant tout le corps. Cela me fit frissonner et me donna envie de m'écarter d'elle, mais je pouvais le supporter. Je n'étais pas obligée de reculer, pas obligée de m'enfuir.

Belle retira sa main, et une sensation de pouvoir s'attarda contre ma peau. Elle s'essuya sur sa jupe – ou plutôt, sur celle de Musette. Je me demandai si l'autre vampire était encore quelque part là-dedans. Avait-elle conscience de ce qui se passait ? ou s'en était-elle allée pour ne revenir que lorsque Belle aurait terminé ?

Belle se tourna vers Damian. Celui-ci se recroquevilla contre moi tel un chien qui craint de se faire frapper, mais il ne s'enfuit pas. Belle lui toucha la joue. Il frémit et refusa de soutenir son regard, mais il resta à genoux contre moi, et il ne lui arriva rien de pire que la sensation du pouvoir rampant sur sa peau. Lentement, il leva les yeux. Dans ses prunelles, je vis de l'émerveillement et, en dessous, du triomphe.

Belle retira vivement sa main, comme si c'était elle qui venait de se brûler.

— Damian est mon descendant mais pas le tien, Jean-Claude. Il n'a pas le goût de ton pouvoir. (Elle reporta son attention sur moi, et quelque chose que je ne pus comprendre passa sur son beau visage spectral.) Pourquoi a-t-il le goût de ton pouvoir, Anita ? Alors que tu n'as pas le goût du sien…

Je n'étais pas certaine que dire la vérité serait une bonne chose, mais je savais que mentir ne le serait pas.

— Me croiriez-vous si je répondais que je n'en suis pas sûre ?

— Oui et non. Tu dis la vérité, mais tu omets quelque chose.

Je déglutis et pris une grande inspiration. Je ne voulais vraiment pas révéler ça à Belle. Je ne voulais vraiment pas que le reste du Conseil l'apprenne.

La vampire me fixa et écarquilla les yeux. Alors, une partie de son pouvoir flamboyant commença à se dissoudre et fut réabsorbée par le corps de Musette. Et ce fut Musette, mais avec des yeux couleur de miel ambré, qui soutint mon regard.

— D'une façon que je ne m'explique pas, Damian est devenu ton serviteur. Nos légendes évoquent cette possibilité. C'est l'une des raisons pour lesquelles nous éliminions jadis les nécromanciens.

— Je suis bien contente que nous n'en soyons plus là.

— Oh, nous y sommes toujours. Mais nous pensions que, puisque tu étais la servante humaine de Jean-Claude, ça ne posait pas de problème. Parce que ton pouvoir était le sien. (Elle secoua la tête et j'aperçus une réminiscence de cheveux noirs par-dessus les cheveux blonds de Musette, un fantôme ténébreux par-dessus sa peau blanche.) À présent, je n'en suis plus si certaine. Tu as le goût du pouvoir de Jean-Claude, oui, mais Damian n'a le goût que du tien. Et les léopards aussi. Jamais encore un nécromancien n'avait eu d'animal à appeler. (Elle secoua de nouveau la tête.) Avec ton aide et celle de tes serviteurs, Jean-Claude a pu me maintenir à distance, aujourd'hui. Mais si j'étais ici en personne plutôt que par l'esprit, cela ne vous aurait pas sauvés.

— Bien sûr que non. Ta beauté nous aurait subjugués.

— Pas de vile flatterie, Jean-Claude. Tu sais que je déteste ça.

— J'ignorais que c'était faux.

— Je ne suis plus si certaine que ma beauté subjuguerait quiconque parmi vous. D'une façon ou d'une autre, ta servante m'a coupée des léopards et, d'une façon ou d'une autre, tu m'as coupée des vampires qui descendent directement de toi.

À ces mots, mon pouls accéléra légèrement, parce que je ne l'avais même pas sentie tenter de prendre le contrôle de Faust ou de Meng Die. Ces derniers se tenaient aussi loin de nous que possible, vêtus de la tenue de cuir noir des gardes du corps mais si petits à côté des autres qu'ils ne semblaient pas à leur place. Meng Die paraissait effrayée. Pas Faust. Ce qui pouvait signifier tout et n'importe quoi.

— Mais tous les vampires dans cette pièce ne sont pas tes descendants directs, Jean-Claude. Parce que je ne suis pas ici en personne, tu peux me tenir à l'écart de ce qui t'appartient, mais pas de ce qui fut d'abord mien.

Je craignais de voir où elle voulait en venir et j'espérais me tromper.

Belle Morte nous dépassa en nous frôlant, dans un souffle de pouvoir perdu pareil à une brise sur notre peau. Elle se dirigeait vers Asher. Parce qu'elle l'avait créé elle-même, et qu'il était plus vieux que Jean-Claude, il n'était lié à ce dernier par rien, sinon par les vœux que n'importe quel vampire prête à son Maître de la Ville, et par l'amour, peut-être l'amour. Je n'étais pas sûre que ça suffirait à le sauver de Belle. Je crois au pouvoir de l'amour, mais je crois aussi au pouvoir du mal. Aucun des deux ne peut remporter toutes les parties, mais le mal triche plus souvent.

Chapitre 47

Ce fut le moment que choisirent les loups pour entrer par les rideaux du fond. Tout le monde s'interrompit brièvement, parce que leur arrivée doublait le nombre de nos gardes du corps. Je n'eus pas besoin de voir le visage de Belle – ou celui de Musette – pour savoir que ça ne lui plaisait pas. Cela se vit dans la brusque crispation de ses épaules, dans sa façon de serrer légèrement les poings. Soudain, je pris conscience que Musette refaisait surface à travers Belle, telle une mouche prise dans de la glace en train de fondre.

Au même instant, j'aperçus Jason dans une tenue essentiellement composée de lanières bleu foncé, assez semblable à celle de Nathaniel et tout aussi sommaire, complétée par des bottes qui montaient un peu plus haut que le genou. Alors, je me rendis compte que, jusque-là, il n'y avait pas eu de loups dans l'assemblée, à l'exception de Stephen, qui était venu avec Micah. On m'avait bien prévenue que Richard avait été retardé, mais je n'avais pas remarqué l'absence des autres. D'habitude, il y a toujours quelques loups au *Cirque* pour servir Jean-Claude.

Jason s'approcha de moi en souriant mais, dans ses yeux, je vis quelque chose, un avertissement que je ne pus déchiffrer. Je pensais qu'il serait maquillé comme Micah et Nathaniel, mais ce n'était pas le cas. Aucun des membres masculins de la meute ne l'était.

Richard entra dans mon champ de vision. Il était facile à repérer au milieu de la mer de cuir noir qui l'entourait. Je savais qu'il avait massacré sa chevelure, mais je n'avais pas compris à quel point jusqu'à maintenant. Je suis sûre que le coiffeur (ou la coiffeuse) avait fait de son mieux, mais il ne restait pas grand-chose à sauver : moins de trois centimètres de cheveux bruns. Privés des beaux reflets dorés et cuivrés qui agrémentaient leur longueur, ils paraissaient beaucoup plus foncés. Avec cette coupe, Richard ressemblait énormément à son frère aîné, Aaron, et à leur père. L'air de famille avait toujours été évident mais, à présent, il aurait aussi bien pu être leur clone.

Il portait un smoking noir avec une chemise d'un bleu chatoyant et un nœud papillon assorti. Entre sa nouvelle coupe et ses vêtements si classiques, on aurait dit qu'il se trouvait là par erreur, que sa place était ailleurs, dans un endroit bien plus conservateur.

Son regard croisa le mien, et il était encore si séduisant qu'un frisson me parcourut du sommet du crâne jusqu'au bout des orteils. Sans ses cheveux pour me distraire, impossible d'ignorer ses pommettes parfaitement ciselées et sa fossette au menton qui adoucissait quelque peu la virilité insolente de son visage. Ses épaules étaient toujours aussi larges, sa taille toujours aussi étroite, mais pas fine. Rien chez Richard n'est fin. Il est bâti comme un joueur de foot américain plutôt que comme un danseur.

Jamil et Shang-Da, son Hati et son Sköll – les gardes du corps personnels de l'Ulfric – le flanquaient. Jamil portait un haut en lanières de cuir noir avec un pantalon de cuir noir banal et des boots ordinaires. Par contraste avec ses vêtements et sa peau sombre, les perles rouge vif enfilées sur ses tresses africaines ressemblaient à des gouttes de sang. Nos regards se croisèrent et, dans le sien, je vis le même avertissement que celui que Jason avait tenté de m'envoyer. Quelque chose clochait, quelque chose d'autre que ce qui se passait déjà dans cette pièce, mais quoi ?

Sorti de son costard habituel, Shang-Da paraissait mal à l'aise, mais le cuir noir seyait à sa haute silhouette ainsi qu'une armure. C'est le plus grand Chinois que j'aie jamais rencontré, physiquement imposant selon les critères de n'importe quel pays. C'est aussi un guerrier, tout entier dévoué à la protection de son Ulfric. Et il me déteste, parce que les souffrances que j'inflige à Richard depuis des années sont une des rares choses contre lesquelles il ne peut pas le protéger. Les gardes du corps sont impuissants face aux dégâts émotionnels. Shang-Da évita mon regard.

Jason se dirigeait vers moi en ondulant des hanches de manière suggestive. Comme il est stripteaseur professionnel, il maîtrise assez bien la technique. Tout dans son langage corporel criait « Sexe ! », mais ses yeux contenaient l'ombre d'autre chose. Quand il me rejoignit, il passa un bras autour de mes épaules et se pressa tout contre moi, mais ce qu'il chuchota à mon oreille n'avait rien d'une provocation susurrée. C'était une mise en garde.

— Richard s'est enfin trouvé une paire de couilles, mais il a décidé de l'utiliser contre Jean-Claude.

Il l'avait dit en souriant, avec une expression contenant la même promesse que sa démarche quelques instants plus tôt. Il passa ses mains sur ma nuque et les fit descendre le long de mes clavicules.

— Qu'est-ce que ça veut dire ? lui soufflai-je à l'oreille.

Il tourna ma tête vers lui comme pour mieux flirter avec moi, de sorte que Richard et le reste de la meute ne puissent pas voir mon visage.

— Richard a l'intention de retirer tous ses loups à Jean-Claude.

Je me réjouis de l'initiative de Jason, parce que je ne parvins pas à dissimuler le choc que j'éprouvais. Je luttai pour reprendre une contenance, et Jason éclata de rire, bien que je n'aie absolument rien dit, à plus forte raison, rien dit de drôle. Il me prit le visage à deux mains pour me laisser le temps de me ressaisir.

— Toi aussi ? chuchotai-je.

— Moi aussi, répondit-il en remuant à peine les lèvres.

Sans se départir de son sourire, il réussit à me faire voir avec ses yeux combien cela lui déplaisait.

Soudain, Shang-Da fut près de nous. Il voulut prendre le bras de Jason, qui s'écarta juste assez pour se mettre hors de sa portée. Si vous aviez assisté à la scène, peut-être ne vous seriez-vous même pas rendu compte de ce qui se passait.

Un grondement sourd s'échappa de la bouche humaine de Shang-Da, un son qui fit se dresser mes cheveux sur la nuque.

Jason grogna en retour, et il se tenait si près de moi que je le sentis sur ma peau. Cela me fit frissonner assez fort pour qu'on le voie de loin.

— Shang-Da, dit Richard.

Un seul mot – juste son nom –, mais son garde du corps ne fit pas d'autre tentative pour s'emparer de Jason. Baissant la tête, il se contenta de dire d'une voix grondante :

— Un homme ne peut pas servir deux maîtres.

Il tentait d'être discret, aussi s'était-il penché au-dessus de moi plutôt que de Jason. À mon avis, il ne craignait pas que je lui emporte la moitié de la figure d'un coup de dents. Je levai les yeux vers son visage presque assez proche pour que je l'embrasse et demandai :

— Tes instructions sont de rappeler à Jason qui est son chef de meute ?

Son regard glissa de Jason à moi avec une égale animosité.

— Les ordres de mon Ulfric ne te concernent pas.

Il avait chuchoté parce qu'il tentait de ne pas montrer aux méchants qu'il y avait de la dissension dans nos rangs. Je compris que, malgré toute son antipathie pour moi,

Shang-Da n'approuvait pas totalement ce que Richard était en train de faire, pas alors que nous avions des ennemis en visite.

J'aperçus un mouvement du coin de l'œil. Jean-Claude s'était approché de Richard, et tous deux parlaient avec empressement à voix basse. Jean-Claude fit un pas en avant pour pouvoir chuchoter comme Shang-Da et moi, mais Richard recula.

Plus loin, je vis que Musette se tenait toujours auprès d'Asher. Ils n'étaient pas seuls : les léopards-garous s'étaient déployés autour du vampire, pas exactement pour le protéger, mais pour s'assurer qu'on ne puisse pas l'atteindre sans les toucher d'abord.

Micah capta mon regard et m'adressa un infime hochement de tête qui disait clairement : « Je m'occupe de ça jusqu'à ce que tu aies les mains libres. » Il n'est pas du genre à se laisser distraire. Merle surplombait tout le monde telle une montagne de cuir noir coléreuse toisant la frêle silhouette tout de blanc vêtue. Quant à Musette, elle semblait redevenue elle-même, et elle seule.

Shang-Da aussi observait la vampire. C'était presque comme s'il sentait d'où venait le danger. Nous pivotâmes l'un vers l'autre en même temps. Nous étions assez près pour nous embrasser ; ça aurait pu être un mouvement intime, mais ce n'était qu'effrayant. Parce que, pour la première fois depuis que nous nous connaissions, nous nous comprenions parfaitement.

Je ne me donnai pas la peine de répliquer que j'étais le Bolverk du clan et que, par conséquent, les ordres de l'Ulfric me concernaient bel et bien. Shang-Da désapprouvait le fait que je joue un rôle quelconque au sein de la meute. Alors, j'optai pour la logique. Je me penchai vers lui et chuchotai :

— Quoi que Richard veuille faire, le moment est très mal choisi. Nous avons déjà assez de problèmes.

Quelque chose passa dans ses yeux, et il baissa légèrement la tête mais se rapprocha encore de moi, de sorte que ses courts cheveux noirs effleurèrent le sommet de mon crâne.

— Je lui ai parlé. Il n'écoute personne, ce soir. (Il planta son regard dans le mien et, cette fois, je n'eus pas de mal à identifier ce que ses yeux exprimaient : de la douleur.) Sylvie lui a déjà demandé d'attendre le départ de nos ennemis.

— Je ne la vois pas, soufflai-je en jetant un coup d'œil à la ronde sans réfléchir.

— Elle n'est pas là, confirma Shang-Da.

Je dus sursauter, car il précisa :

— Elle n'est pas morte.

Je reculai juste assez pour le dévisager.

— Richard s'est battu avec elle.

— Disons plutôt qu'elle s'est battue avec lui.

J'écarquillai les yeux.

— Il a gagné.

Shang-Da acquiesça.

— Elle est blessée ?

— Oui.

— Grièvement ?

— Assez, répondit-il, et pour la toute première fois, je décelai sur son visage quelque chose qui n'était pas de l'approbation.

Demain, il recommencerait à me détester mais, ce soir-là, nous étions dans une situation dangereuse, et Shang-Da était un trop bon guerrier pour ne pas s'en rendre compte, même si Richard en était incapable.

— Jason doit venir avec moi, dit-il sur un ton qui n'avait rien de suppliant (ce n'était pas son genre), mais dans lequel perçait une certaine douceur, une volonté de compromis.

— Pour l'instant.

Jason s'était rapproché derrière moi, m'utilisant comme bouclier humain contre Shang-Da. Et, parce que c'était

Jason, il en profitait pour frotter son corps presque nu contre mon dos couvert de soie et de velours. Il déposa un doux baiser dans ma nuque, et je frissonnai.

—Je ne peux pas redevenir un simple membre de la meute, je ne peux pas.

Je savais ce qu'il voulait dire ou, du moins, je le pensais. Je répondis sans chercher son regard tandis qu'il continuait à embrasser la peau nue à la jonction de mon cou et de mes épaules. Du coup, j'avais un peu de mal à me concentrer.

—Juste pour ce soir.

—Mais comment fais-tu, Anita ? Comment fais-tu pour que tout le monde veuille te baiser ?

C'était Richard. Quand il est vraiment furieux, il peut se montrer plus hargneux que n'importe lequel des hommes avec lesquels je suis jamais sortie. Le fait qu'il ait utilisé le verbe « baiser » me disait jusqu'où il était capable de pousser l'agressivité, ce soir-là. Dieu, je n'avais vraiment pas envie de faire ça : patauger dans sa merde émotionnelle pendant que les grands méchants vampires nous grignoteraient par-derrière.

J'étais assez près de Shang-Da pour voir ses yeux. Il n'aimait pas ce que son Ulfric venait de dire. Je lui touchai la joue, ce qui le fit sursauter. Puis je me penchai suffisamment pour que, du point de vue de Richard, ça puisse ressembler à un baiser, et je chuchotai tout contre sa bouche :

—Jason est à vous ce soir, mais seulement ce soir.

Shang-Da ne s'écarta pas, et je sentis son souffle sur mes lèvres quand il répliqua :

—Nous en discuterons.

Il voulut se redresser, mais je le retins d'une main sur sa nuque.

—Il n'y aura pas de discussion.

Ses traits se durcirent. Il ajouta assez de force dans son mouvement pour que je sois obligée de le lâcher ou de l'empoigner par les cheveux afin de l'empêcher de se redresser. Je le lâchai.

Il me tendit la main :

— Ton Ulfric veut que tu prennes ta place parmi les loups.

Sa voix ne contenait qu'une seule émotion à peine perceptible : de la colère.

Jason s'écarta de moi en laissant courir ses doigts sur chaque centimètre carré de peau nue qu'il put trouver. J'en frissonnais encore lorsque Shang-Da lui posa une main sur le bras et l'entraîna vers le reste des loups. Jason continua à me fixer tel un enfant obligé de suivre un inconnu effrayant. Mais il ne courait pas de danger immédiat, et on ne pouvait malheureusement pas en dire autant de tout le monde dans cette pièce.

— J'aurais peut-être dû te nommer Érato plutôt que Bolverk.

Entre autres choses, Érato était la muse de la poésie érotique. Les loups-garous ont donné son nom à la femelle chargée d'aider les petits nouveaux à contrôler leur bête pendant l'amour. Le pendant masculin d'Érato porte le titre d'Éros, dieu de l'amour et du désir. Les premiers rapports sexuels des métamorphes récemment contaminés provoquent plus d'accidents que n'importe quelle autre occasion. Après tout, l'orgasme est une perte de contrôle.

Je fixai Richard à travers la pièce, soutins le regard de ses yeux bruns et ne ressentis rien. Je n'étais pas en colère. Se disputer ainsi devant Musette et son escorte était trop ridicule, non, pire que ridicule : idiot.

— Nous en discuterons sur le chemin du retour, répondis-je d'une voix normale, raisonnable.

Quelque chose passa sur le visage de Richard, quelque chose qui suinta à travers ses boucliers si fermement dressés. De la rage. Il était tellement furieux… Il avait retourné cette fureur contre lui et sombré dans une dépression qui l'avait rongé jusqu'à ce qu'il taillade ses cheveux. Depuis, il avait réussi à se sortir de sa dépression, mais sa colère était toujours là et, s'il ne pouvait pas la diriger vers l'intérieur, il devait la diriger vers l'extérieur. Un extérieur qui semblait exclusivement concentré sur moi. Génial, vraiment génial.

— Si tu es Bolverk, viens rejoindre ta meute, lança-t-il, la voix vibrant d'une rage qu'il avait du mal à contenir.

Je clignai des yeux.

— Je te demande pardon. Qu'est-ce que tu viens de dire ?

— Si tu es vraiment le Bolverk de notre clan, tu dois te tenir parmi nous.

Il soutint mon regard et, en lui, je ne décelai plus aucune hésitation, plus aucune douceur. J'avais longtemps rêvé du jour où il cesserait d'hésiter. Jamais je n'aurais imaginé que ça donnerait ça.

Jamil rebroussa chemin, tenant Stephen dans ses bras. Gregory s'accrochait toujours à la main de son frère, de sorte qu'ils se déplaçaient ensemble. Quand Jamil eut regagné les rangs de la meute, Richard lança :

— Gregory n'est pas l'un des nôtres. Il ne peut pas rester là.

Je n'entendis pas ce que Jamil répondit, mais je crois qu'il tenta de convaincre Richard qu'il n'était pas nécessaire de renvoyer le frère de Stephen. Richard secoua la tête. Alors, Jamil fit une erreur. Il me jeta un coup d'œil et me demanda de l'aide du regard. Il l'avait déjà fait plusieurs fois, comme à peu près tous les autres loups. Mais ce soir-là, Richard le vit, le comprit, et ne le toléra pas.

Il saisit le poignet de Gregory et tenta de l'arracher à Stephen. Celui-ci hurla et se débattit dans les bras de Jamil, s'accrochant des deux mains au bras de son frère.

J'en avais assez. Peu m'importait que Belle soit témoin de la suite. Je me dirigeai vers la meute.

— Richard, tu es cruel.

Il continua à tenter de séparer les jumeaux.

— Je croyais que c'était ce que tu voulais.

— Je voulais que tu sois fort, pas cruel.

Je les avais presque rejoints, et je ne savais pas trop ce que je ferais une fois que je les aurais atteints.

— Tu es forte *et* cruelle.

— En fait, je suis forte et pragmatique, nuance.

Je m'arrêtai près d'eux et je compris aussitôt que je n'oserais toucher ni Richard ni les jumeaux. Si je le faisais, nous en viendrions aux mains, je le sentais.

Stephen poussait un gémissement aigu et pitoyable, comme celui d'un bébé lapin qui se fait dévorer tout cru. Il tentait frénétiquement de se raccrocher à Gregory qui, de son côté, pleurait et refusait de le lâcher.

— Le pragmatisme, c'est dire que tu nous humilies devant un membre du Conseil. La cruauté, c'est dire que tu m'as nommée Bolverk parce que tu n'as pas les couilles pour faire le sale boulot toi-même.

Il cessa de tirer sur les bras des jumeaux, et Jamil profita de son hésitation pour s'éloigner. Évidemment, cela me laissa seule face à Richard. Et je constatai combien il était imposant d'un point de vue physique. C'est un de ces types qui n'a l'air de rien. Le temps que vous vous rendiez compte de sa véritable stature et que vous vous disiez « Ah, merde », il est trop tard.

Nous nous foudroyâmes du regard. J'avais gardé mon calme jusqu'à ce qu'il s'attaque à Stephen et Gregory. Mais une fois que je suis en colère, en général, je le reste. J'adore être en colère. C'est mon seul passe-temps.

Une dizaine de remarques cruelles se bousculaient dans ma tête, mais je n'ouvris pas la bouche : je craignais trop ce qui pourrait en sortir. Je m'avançai, couvrant la distance qui nous séparait encore. Dans ses yeux, je vis passer autre chose que de la colère : de la panique. Il ne voulait pas que je m'approche de lui. Bien.

Je continuai à avancer, et Richard recula d'un pas. Puis il parut se rendre compte de ce qu'il venait de faire. Lorsque je fis encore un pas, il resta où il était. Je ne m'arrêtai que lorsque mon ample jupe frôla ses jambes, recouvrant le bout de ses chaussures cirées. Je me tenais si près de lui qu'il aurait été plus naturel de nous enlacer que de rester plantés là sans nous toucher comme nous le faisions.

Mon regard remonta le long de son corps et se planta dans le sien, brillant de la certitude que je savais ce que dissimulait chaque centimètre carré de ce smoking si conservateur.

Mais Richard ne s'intéressait pas à mon visage; il n'avait d'yeux que pour mon décolleté. Je pris une grande inspiration qui souleva le renflement de mes seins comme si une main invisible les avait poussés par-dessous.

Alors, il leva les yeux vers moi et nos regards se croisèrent. Une rage pure se lisait sur ses traits, une rage dépourvue de forme et de dessein, pareille à un de ces immenses feux de forêt qui commencent par dévorer les arbres. Puis, à un moment donné, ils adoptent une vie propre, comme s'ils n'avaient plus besoin de rien pour les alimenter. Ils brûlent, s'étendent et ravagent tout sur leur passage, non parce qu'il leur faut du combustible pour exister, mais parce que c'est ce qu'ils font, ce qu'ils sont.

J'affrontai la rage de Richard avec la mienne. La sienne était encore toute neuve; elle n'avait pas eu le temps de le consumer jusqu'aux tréfonds de son âme, de se creuser un espace qui ne contenait plus rien d'autre qu'elle. La mienne était ancienne, presque aussi vieille que moi. Si Richard voulait se battre, je me battrais avec lui. Si Richard voulait baiser, je baiserais avec lui. À cet instant, l'un aurait été aussi dommageable que l'autre. Pour nous deux.

Sa bête réagit à sa colère comme un chien à la voix de son maître. Chez un lycanthrope, toute émotion forte est susceptible de déclencher une transformation et, en matière d'émotion, Richard ne pouvait pas faire plus fort que ça.

L'énergie de sa bête jaillit à la surface telle la chaleur d'une route bitumée en été, une ondulation visible de pouvoir qui dansa le long de ma peau nue. Il fut un temps où Richard pouvait me faire jouir rien qu'en propulsant sa bête à l'intérieur de mon corps. Ce soir, nous allions faire d'autres choses. Je doutais qu'elles soient aussi plaisantes.

Musette s'approcha de son pas glissant, dans sa robe blanche souillée de sang. Ses yeux étaient redevenus bleus. Elle passa ses mains au travers de l'énergie de la bête de Richard, entre nous deux mais sans nous toucher, et se mit littéralement à jouer avec cette énergie.

— Oh, que tu serais bon à manger. Très bon. Très, très bon.

Elle éclata du genre de rire qui vous ferait vous retourner dans un bar, le genre de rire conçu pour attirer l'attention. Un son qui n'allait pas du tout avec le sang en train de sécher sur son visage tel un masque.

Richard laissa sa rage emplir ses yeux et la dirigea vers elle. Je crois que son regard aurait fait reculer n'importe qui d'autre dans la pièce. Mais Musette continua à rire.

Richard pivota vers elle. Sa colère se moquait de la cible qu'il choisirait ; n'importe qui ferait l'affaire.

— Cela ne vous regarde pas. Quand nous en aurons terminé avec les affaires de la meute, alors seulement nous parlerons aux vampires.

Musette rejeta la tête en arrière et s'esclaffa. Elle rit jusqu'à ce que des larmes coulent sur ses joues, ouvrant des sillons propres dans le sang à moitié figé. Puis son rire mourut lentement et, quand elle rouvrit les yeux, ses prunelles avaient la couleur du miel ambré.

Le souffle de Richard s'étrangla dans sa gorge. J'étais assez près de lui pour le sentir cesser de respirer quelques instants.

Un parfum de roses nous enveloppa.

— Tu te souviens de moi, loup, je le sens dans ta peur. (Le contralto ronronnant de Belle Morte frissonna le long de ma peau et je vis Richard frémir.) Je jouerai avec toi plus tard. Mais pour l'instant… (elle se tourna vers Asher) c'est avec lui que je veux jouer.

Asher était toujours plaqué contre le mur, dans cette parfaite immobilité dont seuls les anciens sont capables. Il s'était abîmé dans le silence de l'éternité, essayant de se soustraire à l'attention de la vampire, essayant de se dissimuler à la vue. Ça n'allait pas marcher.

Tandis que le corps de Musette glissait vers lui, Belle commença à s'en déverser. Sa robe d'or foncé se superposa à la blanche. Ses cheveux noirs se répandirent autour d'elle en ondulant, agités par le vent de son pouvoir.

— Que se passe-t-il ? chuchota Richard.

Je n'étais même pas sûre qu'il attende une réponse, mais je lui en fournis une quand même.

— Musette est le vaisseau de Belle Morte.

Sans détacher son regard de la silhouette spectrale de Belle, qui enveloppait le corps de Musette ainsi qu'un fourreau, il demanda :

— Qu'est-ce que ça signifie ?

— Ça signifie qu'on est dans la merde. Un tombereau de merde.

Alors, il tourna ses yeux vers moi.

— Je suis Ulfric, Anita. La visite d'une vampire de haut rang n'y change rien.

— Très bien, Richard. Sois Ulfric ; fais-toi plaisir. Mais ne nous détruis pas tous au passage.

La vague de sa peur avait emporté une partie de sa colère. Il était impossible de se trouver si près du pouvoir de Belle sans éprouver de la peur.

— Je suis Ulfric, ou je ne le suis pas. Je suis le maître, ou je suis l'esclave. Je ne peux pas être les deux à la fois.

Je haussai les sourcils.

— En fait, si. (Je levai une main.) Mais je n'ai pas le temps de palabrer ce soir, Richard. Nous en discuterons demain si nous sommes encore en vie, d'accord ?

Il se rembrunit.

— Elle n'est pas là en personne, Anita. Ce ne sont que des tours de passe-passe métaphysiques. Ça ne peut pas être si terrible.

Alors, je compris que Richard vivait toujours dans cet autre monde, le monde où les gens respectent les règles et où il ne se passe jamais rien de vraiment horrible. Ce doit être un endroit agréable, ce monde occupé par les gens comme Richard. J'ai toujours admiré le paysage, mais je n'y ai jamais habité. Le problème, c'est que Richard n'y habite pas non plus, même s'il refuse de l'accepter.

Le premier hurlement déchira le silence.

Les léopards-garous avaient tous reculé et s'étaient accroupis aux pieds de Belle Morte. Seul Micah demeurait debout. Il s'était placé devant Asher, mais il n'est pas beaucoup plus grand que moi, et il ne pouvait pas le dissimuler complètement.

Je regardai Richard. Il y avait tant de douleur dans ses yeux... Je compris que jamais il ne se réveillerait et ne sentirait l'odeur du sang. Jamais il ne changerait vraiment.

Je me détournai de lui et me dirigeai vers Asher et Micah. Jean-Claude m'emboîta le pas et m'offrit sa main. Je la pris. Personne d'autre ne bougea. Les rats-garous ne pouvaient pas attaquer Musette. Les léopards faisaient de leur mieux, mais ça n'allait pas suffire. Seuls les loups auraient pu nous aider, et Richard ne voulait pas les y autoriser.

À cet instant, je me demandai combien de temps s'écoulerait encore avant que je me mette à détester Richard.

Chapitre 48

Je ne comprenais pas pourquoi Asher hurlait. Je ne voyais pas de sang, pas de plaies, et pourtant il hurlait à pleins poumons. Puis, en approchant, je me rendis compte que la chair de son visage se résorbait. On aurait dit que sa peau s'affaissait sur les os de son crâne, comme si le contact de Belle aspirait non pas son sang, mais sa substance même.

Je risquai un coup d'œil à Jean-Claude. Il eut l'air atterré l'espace d'une seconde, puis son expression redevint absolument neutre. Je le sentis se retirer dans ce vide où il se dissimule quand il est profondément affecté par quelque chose.

— Si elle continue à le vider ainsi, elle va finir par le tuer, dit-il sur un ton neutre.

— Mais vous êtes immunisé contre son contact, n'est-ce pas ? Elle ne vous a pas créé.

— Elle est notre sourdre de sang. Aucun de nous n'est immunisé contre son contact.

Je m'arrêtai et poussai Jean-Claude en arrière.

— Alors restez là. Je n'ai pas besoin de devoir sauver deux d'entre vous.

Il ne discuta pas, mais son regard dériva par-dessus mon épaule pour se fixer sur Asher. Je n'étais pas sûre qu'il m'ait entendue, et je n'avais pas le temps de vérifier.

Je venais de m'élancer lorsque Micah repoussa Belle, la repoussa en utilisant tout son corps et rompit son contact avec Asher. Celui-ci s'affaissa lentement contre le mur, et le visage étincelant de Belle embrassa Micah.

À l'instant où leurs lèvres se touchèrent, je sentis l'ardeur emplir la pièce comme de l'eau chaude, éclaboussant ma peau en gouttes brûlantes. Stoppée dans mon élan, je trébuchai. Je recouvrai mon équilibre et restai là, tiraillée entre Asher qui gisait par terre et Micah que Belle avait emprisonné dans son étreinte flamboyante. J'aurais pu le drainer en quelques jours avec mon ardeur, mais une partie de moi savait que Belle pouvait y arriver plus vite.

Asher tendit vers moi une main squelettique, aux doigts pareils à des brindilles enveloppées dans du papier. Micah tentait de s'écarter du corps de Musette/Belle, mais celle-ci le tenait fermement, les bras verrouillés dans son dos, ses lèvres écarlates et brillantes répandant une brume rouge sur son visage. L'espace d'un instant, je sentis Asher mourir, s'estomper, faute d'un terme plus approprié. Jean-Claude se dirigea vers lui, mais il n'avait pas de vie à partager.

Puis la croix plaquée sur ma poitrine s'embrasa.

Elle me brûla la chair comme si le scotch noir retenait toute la chaleur à l'intérieur. Avec un cri de douleur, j'arrachai le scotch, et la croix jaillit de mon décolleté, blanche et aveuglante telle une étoile captive au bout d'une chaîne.

Micah tituba en arrière, s'arrachant à Belle Morte. Jean-Claude étendit son manteau de velours noir sur Asher et sur lui-même. Les autres vampires se dissimulèrent le visage et sifflèrent. J'aperçus un mouvement du coin de l'œil et, une fraction de seconde plus tard, Angelito me percuta. Il ne restait plus personne pour l'arrêter. La croix était une épée à double tranchant.

Il me souleva de terre avec un seul bras et, de sa main libre, empoigna ma croix. Je lui enfonçai dans la gorge trois doigts raidis comme une pointe de lance. Il s'étrangla et me laissa tomber, mais ne lâcha pas la croix. La chaîne se brisa, mordant dans la chair de ma nuque avant de rester dans la main d'Angelito. Dès cet instant, la lumière commença à s'éteindre.

Le corps de Musette se tourna vers moi, mais ses yeux étaient deux puits de feu doré et, cette fois, ce n'était pas comme si un autre corps se superposait au sien, mais comme si je voyais double. Mes yeux voyaient Musette avec des yeux de la mauvaise couleur. Mais dans ma tête, c'était Belle. Belle en chair et en os, un peu plus grande que son émissaire, ses longs cheveux noirs ondulant jusqu'à ses genoux, le col de sa robe révélant un triangle de chair blanche, son visage scintillant comme s'il était sculpté dans de la nacre, ses lèvres esquissant une moue parfaite. Ses mains aux ongles cuivrés me saisirent les bras et jouèrent avec le velours de mes manches. Elle m'attira contre elle et se pencha pour m'embrasser.

Dans ma tête, une petite voix hurla : « Ne la laisse pas te toucher ! » Mais je ne pouvais pas bouger, ne pouvais pas me dérober, n'étais même pas sûre d'en avoir envie.

Cette bouche si rouge descendit vers la mienne. Son souffle caressa mes lèvres. Le monde s'emplit d'un parfum de roses. Puis, soudain, je goûtai le baiser d'Asher, le goûtai comme si j'avais embrassé le vampire la seconde précédente. Cela me fit ouvrir les yeux et m'aida à m'écarter de Belle – m'aida à vouloir lui échapper.

Elle me toisait, ses yeux pareils à deux lacs de feu doré, deux mares d'eau brune reflétant la lumière du soleil. Je compris que je m'étais pâmée et qu'elle me tenait comme si elle m'avait renversée pendant un tango. Une de ses mains, passée derrière ma tête, me redressa tandis que sa bouche revenait à ma rencontre.

Je sentis un mouvement et levai les yeux. Richard approchait. Belle le vit aussi.

— Interpose-toi et je dresse de nouveau l'ardeur contre toi, loup. Tu n'as amené aucune femme avec toi. As-tu pensé que cela te sauverait ? Parce que ça ne sera pas le cas. L'ardeur veut juste être nourrie. Elle se moque de la façon dont tu t'y prends.

Richard hésita. Je sentis le goût de sa peur dans ma bouche mais, en dessous, celui du baiser d'Asher s'attardait.

Soudain, Jean-Claude apparut à côté de Belle.

— C'est moi que tu veux. (Il écarta les bras en un geste théâtral qui déploya l'obscurité de son manteau et le noir de ses cheveux.) Je suis là.

J'ignore ce qui se serait passé ensuite ou ce que Belle aurait répondu parce que, l'instant d'après, je fus submergée par le souvenir de l'orgasme que m'avait donné Asher.

Cela me tomba dessus comme quand j'étais avec Jason, mais en beaucoup plus fort, à la fois bien meilleur et bien pire. Cela m'arqua le dos, me fit convulser dans les bras de Belle, m'arracha un cri de surprise et me fit griffer l'air, et le visage de Belle. Alors, la vampire me laissa tomber. Vaguement, comme à travers une fenêtre blanchie par le givre, je vis ses mains se saisir de Jean-Claude.

Richard me rattrapa avant que je touche le sol et me serra dans ses bras. Il semblait si inquiet ! Une de ses mains me toucha le visage.

— Anita, tu es blessée ?

Je réussis à secouer la tête mais, malgré la proximité de Richard, malgré son expression radoucie et sincèrement inquiète pour moi, je tournai la tête vers Asher. Je ne pus m'en empêcher. Ses cheveux ressemblaient à des guirlandes de Noël dorées ; cassants et dénués de vie, ils pendaient autour d'un visage décharné, dont les lèvres formaient une ligne fine et dure qui dévoilait ses crocs. Seuls ses yeux lui ressemblaient encore, deux mares de feu bleu clair pareilles à un ciel hivernal brûlant. À peine les avais-je vus que je voulus me dégager de l'étreinte de Richard et ramper vers Asher.

— Anita, Anita, qu'est-ce qui ne va pas ?

Richard me retint et me tourna de force vers lui.

Je recouvrai l'usage de ma voix, et tout ce que je pus dire fut :

— Asher.

Il jeta un coup d'œil au vampire affaissé par terre, avec une expression clairement dégoûtée.

— Je sais, Anita. Je suis désolé.

Je ne savais pas trop de quoi il s'excusait, et je n'en avais cure. Je sentais confusément que j'avais un autre problème à régler, quelque chose que j'avais oublié. Mais je ne pouvais penser à rien sinon aux yeux d'Asher et au fait que je devais le rejoindre. Je le devais.

Richard se leva brusquement, m'entraînant avec lui. J'entendis un raclement pareil à celui d'un millier de griffes minuscules. Des rats, des centaines de rats se déversèrent en une vague poilue et couinante sur le sol de la caverne.

Le pouvoir d'Asher céda de nouveau, et je sus ce qu'il lui en avait coûté de me relâcher. J'étais la seule capable de lui fournir assez d'énergie pour le maintenir en vie.

Richard émit un petit son consterné et pivota, si bien que je pus voir ce qui lui avait inspiré cette réaction. Les deux vampires dont j'avais fait sauter la cervelle se relevaient lentement. Ils étaient guéris. Leur étrange visage aux yeux de chat était de nouveau intact, sans même une cicatrice pour indiquer l'endroit où ma balle les avait atteints.

— Merde, lâchai-je.

Une des hyènes-garous péta les plombs et tira dans la masse grouillante des rats. Le son suivant fut une seconde détonation. Un trou dans le dos, le métamorphe s'écroula au milieu des rats. Ceux-ci l'escaladèrent et le recouvrirent presque instantanément. Nous ne voyions plus son corps, mais entendions les bruits… Rien n'aurait pu masquer les bruits. Je n'étais pas assez près de l'endroit d'où les coups de feu avaient été tirés pour qu'ils m'aient assourdie et, pour la première fois de ma vie, je le regrettais amèrement.

Les dents minuscules qui déchiquetaient la chair du métamorphe, les couinements qui se disputaient un homme encore vivant quelques secondes plus tôt parurent tous nous submerger. Un des rats-garous fixait le flingue qu'il tenait comme si l'arme venait d'apparaître dans sa main. Il tourna vers nous son visage livide. Je crois qu'il articula « Je suis désolé » juste avant que Bobby Lee glapisse :

— Jetez vos armes, jetez-les immédiatement ! Que personne ne tire !

Il lança son propre flingue à travers la pièce, et les autres rats-garous firent de même.

Certaines des hyènes baissèrent leur arme, mais une seule d'entre elles s'en débarrassa. Bobby Lee s'agenouilla et posa les mains sur sa tête, doigts entrelacés. Claudia fut la suivante, et l'un après l'autre, tous les rats-garous l'imitèrent. Je savais pourquoi : ils craignaient que Musette/Belle les utilise contre nous. Mais je n'aurais pas voulu être à genoux par terre quand les vrais rats arriveraient à mon niveau.

Je recouvrai suffisamment mes esprits pour me souvenir que Jean-Claude était peut-être en danger mortel. Mais il n'en avait pas l'air. Même si Belle tenait son beau visage entre ses mains, il était toujours debout, les mains posées sur celles de la vampire. Son visage demeurait parfait, intact. Un doux sourire jouait sur ses lèvres. C'était Belle qui avait les yeux écarquillés et l'air mécontente. Il ne pouvait pas la drainer comme elle avait drainé Asher mais, curieusement, elle semblait avoir du mal à le drainer, lui.

Je savais que c'était elle qui avait appelé les rats. En revanche, je ne pensais pas qu'elle soit responsable de la régénération des deux enfants de la nuit. Ceux-ci s'aidaient mutuellement à se redresser. Pour l'instant, ils ne regardaient pas Belle, ni personne d'autre.

J'eus quelques secondes pour me demander s'ils étaient du genre rancunier. Puis la vague de rats s'abattit sur la première hyène-garou, et des dents minuscules mordirent à travers le cuir noir de ses vêtements. Des hurlements s'élevèrent, bientôt suivis par des détonations. Quelques corps poilus explosèrent sous l'impact des balles, mais ils étaient si nombreux... Cependant, je remarquai qu'ils s'écartaient pour contourner les rats-garous agenouillés, comme s'il s'agissait de gros rochers émergeant d'un torrent.

— Tu peux tenir debout ? me demanda Richard.

— Je crois.

Il me déposa doucement à terre, puis jeta un coup d'œil aux loups, qui n'étaient toujours pas intervenus. Apparemment, sa bagarre avec Sylvie avait été assez violente pour que nul n'ose lui désobéir. Jason se débattait pour échapper à Shang-Da, qui lui avait fait une clé de bras mais, malgré leur expression mécontente, aucun des autres n'esquissait le moindre geste. Qu'est-ce que Richard avait bien pu faire à Sylvie ?

Soudain, le monde s'emplit d'une odeur de musc de loup, de feuilles pourrissantes et de résine de pin, comme si mon épaule poilue venait d'effleurer un arbre de Noël encore couvert de rosée par une belle matinée d'hiver. Je sentis cette partie de moi qui était la bête de Richard jaillir du tréfonds de mon corps et se répandre sur ma peau tel le souffle du vent.

Richard me dévisageait de ses yeux ambrés de loup. Il avait ouvert les marques entre nous ; il les avait ouvertes en grand. Rejetant la tête en arrière, il hurla, et une dizaine de gorges lui répondirent. Puis la meute s'élança telle une vague noire de destruction.

Shang-Da et Jamil restèrent debout derrière Richard, révélant des griffes à la place de leurs ongles – la métamorphose partielle dont étaient capables tous les alphas. Quant aux autres, je les sentis se glisser hors de leur peau humaine avec des explosions d'énergie qui résonnèrent jusque dans mes entrailles.

À présent, je sentais que Jean-Claude avait scellé son extrémité du triumvirat aussi hermétiquement que possible. Je le voyais mais, pour une fois, je ne le percevais d'aucune autre façon qu'avec mes sens humains. Il s'attendait à mourir, et il ne voulait pas nous entraîner avec lui.

Je ramassai un des flingues que les rats-garous avaient laissé tomber et me sentis instantanément rassérénée. Son poids dans ma main avait quelque chose de très réconfortant.

Malheureusement, un autre serviteur humain avait eu la même idée que moi. Angelito tira sur une hyène-garou qui partit en vrille et s'écroula au milieu des rats. Hurlant et se tordant, l'homme tenta de repousser les créatures qui l'attaquaient à grands coups de dents. Je tirai sur les rats les plus proches de lui, mais ils étaient trop nombreux. C'était comme tirer dans l'eau : ça faisait un trou, mais qui se refermait aussitôt.

Je ne connaissais qu'un moyen d'arrêter les rats. Le long du canon de mon flingue, je visai la tête de Musette/Belle. Si je la tuais, ils retourneraient d'où ils étaient venus.

Je vidai mes poumons et m'immobilisai pour tirer sur ma cible, beaucoup trop proche de Jean-Claude à mon goût. Un rat sauta sur ma main et y planta ses dents. Les autres prirent ma robe d'assaut, leurs griffes traversant le lourd tissu. Je hurlai et, soudain, Micah apparut près de moi.

Accroupi, il siffla, et les rats s'éparpillèrent en couinant de terreur. Ceux qui m'escaladaient déjà semblaient immunisés contre la peur. Micah m'aida à les arracher un par un et à les rejeter dans la masse grouillante. Les blessés se firent aussitôt dévorer par leurs congénères.

Les vrais rats paraissaient plus effrayés par les léopards-garous que par les loups. Alors, les léopards se déployèrent depuis le mur du fond, sifflant et forçant les rongeurs à reculer devant eux pour dégager un espace de plus en plus large.

Les deux enfants de la nuit que je croyais avoir tués s'étaient fait pousser des griffes et des crocs jamais vus sur aucun vampire. Ils se frayaient un chemin parmi les loups-garous dans une giclée de sang et d'os blancs.

Une grande main se leva dans le dos de Shang-Da, et je tirai sans réfléchir – capable de viser parce que je me tenais dans le cercle dégagé par les léopards. La tête de la créature explosa de nouveau. Désormais, je savais que, pour qu'elle reste morte, nous devrions lui arracher le cœur et brûler son corps. Répandre ses cendres sur différents cours d'eau ne pourrait pas faire de mal non plus.

Shang-Da eut le temps de me jeter le plus bref des coups d'œil ; puis l'autre créature bondit et les projeta à terre tous les trois. Les rats les engloutirent.

La voix de Belle s'éleva au-dessus du brouhaha telle une tempête, un coup de tonnerre qui nous figea tous en pleine action, y compris la marée de rongeurs.

— Assez !

Elle s'écarta de Jean-Claude, qui se mit à rire. Ce n'était pas son rire magique qui glissait sur la peau et faisait naître le désir ; c'était un rire ordinaire, une expression de joie à l'état pur.

— La bataille est terminée, dit Belle, et bien que toujours grave, sa voix avait perdu son ronronnement sexy.

Elle ne paraissait pas en colère, juste totalement désarçonnée, comme si elle venait d'éprouver la plus grande surprise de sa non-vie.

Les rats se retirèrent ainsi qu'un océan poilu. Ils couinèrent leur indignation mais se retirèrent. La plupart des loups-garous étaient couverts de minuscules traces de morsures écarlates. Les restes des hyènes-garous qui étaient tombées semblaient avoir été attaqués par quelque chose de beaucoup plus gros.

— Tu ne peux pas te nourrir de moi, lança Jean-Claude d'une voix aussi exultante que son rire l'avait été. Tu ne peux pas reprendre ce que tu m'as donné parce que je n'appartiens plus à ta lignée. Désormais, je suis le sourdre de sang de ma propre lignée.

Belle le dévisagea sous ce masque de neutralité que je connaissais si bien. Elle dissimulait ses véritables sentiments.

— Je sais ce que ça signifie, Jean-Claude.

— Tu ne peux plus me traiter comme un inférieur, Belle. Il existe tout un tas de règles de politesse à observer entre deux sourdres de sang.

Elle lissa sa jupe d'un geste familier, un geste que Jean-Claude faisait souvent. Nerveuse, Belle Morte était nerveuse.

— J'avais le droit de faire ce que j'ai fait, car je l'ignorais. Tout comme toi.

— C'est vrai. Mais à présent que nous savons, tu vas emmener tes gens et t'en aller. Quittez notre territoire dès ce soir car, si vous vous y trouvez encore demain, la sentence sera la mort.

— Tu n'oserais pas tuer ma Musette ? s'exclama Belle avec une pointe d'inquiétude.

— Être capable de tuer Musette légalement, sans conséquences politiques… (Jean-Claude fit claquer sa langue.) C'est le vœu le plus cher de beaucoup de maîtres vampires. Je n'hésiterais pas une seconde, Belle. Tu sens que je dis vrai.

La vampire se raidit légèrement.

— Je garderai le contrôle de Musette jusqu'à ce que nous ayons quitté ton territoire. Elle peut avoir des réactions malheureuses, parfois.

— Il serait regrettable qu'elle perde son sang-froid ici, à Saint Louis, acquiesça Jean-Claude sur un ton vacant, dont la joie s'estompait peu à peu.

Cherry apparut à côté de moi.

— Navrée de vous interrompre. Je ne suis pas une experte en vampires, mais je crois qu'Asher est en train de mourir.

Chapitre 49

Asher gisait contre le mur du fond, squelette à la peau de parchemin séché reposant sur un lit de guirlandes dorées – tout ce qui restait de sa glorieuse chevelure. Ses vêtements s'étaient affaissés sur son corps décharné tel un ballon dégonflé. Ses paupières étaient closes, et seule la rondeur de ses globes oculaires en dessous demeurait intacte. Tout le reste semblait avoir fondu.

Je tombai à genoux près de lui parce que, tout à coup, mes jambes ne me portaient plus.

— Il n'est pas mort, lança la voix enfantine de Valentina.

La fillette se garda pourtant bien d'approcher. Réconfortante mais pas stupide.

Je scrutai ce qui restait de toute cette beauté et ne parvins pas à la croire.

— Regarde avec autre chose que tes yeux, ma petite, me conseilla Jean-Claude.

Il ne s'agenouilla pas. Il resta debout face à Belle Morte, comme s'il se méfiait trop pour lui tourner le dos.

Je fis ce qu'il suggérait ; je regardai avec mon pouvoir plutôt qu'avec mes yeux. Et je décelai une étincelle à l'intérieur d'Asher, une petite partie de lui qui brûlait encore. Il n'était pas mort, mais il aurait aussi bien pu l'être. Je levai la tête vers Jean-Claude.

— Il est trop faible pour prendre du sang.

— Et il n'a pas de servante humaine ni d'animal à appeler, compléta Belle Morte. Il est dépourvu de… (elle parut chercher le mot suivant) ressources, acheva-t-elle enfin.

« Ressources », quelle façon élégante de présenter ça. Mais quelque mot qu'on utilise, la vampire avait raison. Asher ne pouvait se nourrir que de sang, et s'il était trop faible pour boire… Je ne pus même pas achever cette pensée.

— Belle Morte pourrait le sauver, dit Jean-Claude d'une voix neutre, vide.

Je le dévisageai, puis reportai mon attention sur la vampire qui se tenait face à lui.

— Que voulez-vous dire ?

— C'est elle qui l'a créé, et c'est un sourdre de sang. Elle pourrait tout simplement lui rendre une partie de l'énergie qu'elle lui a volée.

— Je n'ai rien volé du tout, contra Belle Morte avec une pointe de colère. On ne peut dérober que ce qui appartient à autrui ; or, Asher est mien tout entier, la moindre parcelle de sa peau, la moindre goutte de son sang. Il ne vit que parce que je l'y autorise.

Jean-Claude eut un petit geste.

— « Volée » n'est peut-être pas le terme exact, mais tu peux quand même lui rendre une partie de son énergie vitale. Assez pour qu'il soit capable de boire du sang.

— Je pourrais, mais je ne le ferai pas.

La colère de Belle était un vent brûlant qui me mordait la peau.

— Pourquoi ? demandai-je, parce qu'apparemment personne d'autre ne voulait le faire et que je devais savoir.

— Je n'ai pas à me justifier auprès de toi, Anita.

Je tenais toujours le flingue récupéré par terre. Soudain, il pesa dans ma main comme pour me rappeler sa présence. Je me levai et le braquai vers la poitrine de Musette.

— Si Asher meurt, Musette le suit.

— Jusqu'ici, ton petit joujou ne s'est pas avéré très efficace contre les vampires, répliqua Belle sur un ton désinvolte.

Évidemment, ce n'était pas son corps que j'étais sur le point de cribler de balles.

— Je pense que les enfants de la Mère sont des cas particuliers. Ils peuvent probablement survivre à tout hormis au feu. Ça m'étonnerait qu'il en aille de même pour Musette.

Je vidai tout l'air de mes poumons pour devenir aussi immobile que possible. Ma main libre était posée dans le creux de mes reins, les doigts calés sur mes fesses. C'est ma position préférée quand je m'entraîne au stand de tir.

— Angelito t'arrêtera, dit simplement Belle.

Je jetai un coup d'œil au colosse. Trois loups-garous le maintenaient à genoux, mais bon.

— S'il s'interpose, ça ne me dérange pas de le tuer avec sa maîtresse. De toute façon, il ne lui survivra probablement pas.

Les yeux de Belle Morte s'écarquillèrent légèrement.

— Tu n'oserais pas.

— Bien sûr que si.

Et je lui adressai un sourire qui ne monta pas jusqu'à mes yeux parce que mon regard était rivé sur la poitrine de Musette. J'ignorais la forme spectrale qui l'enveloppait, me concentrais sur la robe blanche souillée de sang. Et plus je me concentrais, plus l'image se dédoublait. Je voyais Musette avec mes yeux et la silhouette de Belle avec mon esprit. Du coup, je me demandai dans quelle mesure les autres voyaient Belle, si je ne la percevais pas mieux à cause de ma nécromancie. Je pourrais toujours poser la question plus tard. Beaucoup plus tard.

— Jean-Claude, tu ne peux pas la laisser faire.

— Ma petite est parfois trop impulsive, mais elle vient de me rappeler que les règles ont changé. En tant que sourdre de sang, j'ai le droit de punir une de tes envoyées pour avoir blessé mon bras droit. C'est parfaitement conforme à nos règles.

—Quand je me suis nourrie d'Asher, j'ignorais qu'il était le bras droit d'un sourdre de sang.

Mon bras ne tremblait pas encore, mais ça n'allait pas durer. On ne peut pas maintenir éternellement une position de tir à une seule main. Ou même à deux.

—Maintenant, vous le savez. Donc, si vous le laissez mourir quand même, ce sera comme si vous aviez sciemment tué le bras droit d'un sourdre de sang.

—Nous avons parfaitement le droit de prendre la vie de Musette en échange de celle d'Asher, ajouta Jean-Claude. Tu devrais être plus prudente, Belle. Envoyer loin de toi des gens auxquels tu tiens, ce n'est la manière idéale de les garder sains et saufs.

Je luttais pour maîtriser mon bras. Mais j'allais finir par perdre la bataille.

—Je vais faciliter votre choix, Belle. Ou vous aidez Asher immédiatement, ou je bute Musette.

La seule chose identique dans la vision de mes yeux et celle de mon esprit, c'étaient ces yeux couleur de miel ambré. Ils me fixèrent, et je sentis l'attraction qu'ils exerçaient sur moi. Belle voulait que je baisse mon arme, et mon bras me faisait mal, alors, pourquoi ne pas obtempérer ? Je commençai à baisser le bras et me ressaisis un instant avant que Jean-Claude me touche l'épaule.

Je levai de nouveau le bras. Mais le simple mouvement que je venais de faire avait stimulé la production d'acide lactique. À présent, je pourrais tenir la position plus longtemps.

—Si tu veux jouer avec la vie de Musette, c'est ton choix, dit Jean-Claude.

Et sa voix dansa sur ma peau, me fit frissonner de telle sorte que ma main se crispa sur le flingue et que seul mon entraînement m'empêcha d'appuyer sur la détente. Mais je ne lui demandai pas d'arrêter, parce que Belle avait utilisé sa marque sur moi pour m'embrumer l'esprit. Ça faisait longtemps qu'un vampire ne m'avait pas eue aussi facilement.

Le désir de Jean-Claude courait sur ma peau tandis que la peur coulait dans mes veines comme de la glace. Belle n'était pas vaincue, loin s'en fallait. L'arrogance ne servirait qu'à faire plus de victimes dans nos rangs. Donc, pas d'arrogance : juste la vérité.

— Ce que vous devez vous demander, Belle, dis-je très calmement parce que je me concentrais sur ma respiration et sur la stabilité de mon bras, c'est : votre amour pour Musette est-il plus fort que votre haine pour Asher ?

— On ne peut haïr un être inférieur, Anita : on peut seulement le punir.

Jean-Claude ne prononça qu'un mot :

— Menteuse.

Elle tourna vers lui ses yeux de miel ambré, et je n'y vis pas le moindre vestige d'affection. Belle Morte haïssait aussi Jean-Claude. Elle les haïssait tous les deux. Ils m'avaient expliqué pourquoi : ils étaient les deux seuls hommes qui aient jamais volontairement renoncé à ses faveurs. Ils l'avaient quittée, et personne ne quittait Belle Morte, parce que personne ne pouvait le vouloir.

Curieusement, leur départ avait endommagé l'image que la vampire avait d'elle-même. Mais je me gardai de le lui faire remarquer, car la blesser dans son amour-propre ne nous aurait pas aidés. Pour préserver sa fierté, elle serait capable de laisser mourir Asher et Musette, j'en étais presque sûre.

Je ravalai les paroles qui me brûlaient la langue et luttai pour contrôler mon visage, mais j'avais oublié que Belle était un sourdre de sang et qu'elle m'avait déjà marquée une fois. Ce n'était pas de mon visage que j'aurais dû m'inquiéter.

Sa voix résonna dans ma tête comme un rêve porté par le parfum des roses.

—Ma fierté n'est pas si fragile, Anita.

Un baiser de Jean-Claude sur ma joue chassa l'odeur de roses et la voix ronronnante de Belle.

—*Ma petite, tu vas bien ?*

J'acquiesçai.

—Prouvez-le, réclamai-je. Soignez Asher.

Jean-Claude ne me demanda pas à qui je parlais. Il avait entendu à travers moi ou deviné – ou il préférait ne pas me mettre de bâtons dans les roues parce que le temps pressait.

—À force de parler, vous allez le tuer, dit Valentina.

Tout le monde regarda l'enfant vampire, à part moi. Je continuai à viser la poitrine de Musette.

—Si tu ne lui donnes pas bientôt le baiser de la vie, même tes pouvoirs ne suffiront plus à l'atteindre, Belle Morte, insista Valentina.

Belle lutta pour conserver une expression neutre, mais sa colère filtra et se répandit dans la pièce. Ou peut-être y étais-je plus sensible que les autres.

—Aurais-tu changé de camp, petite morte ?

—Non, mais je ne veux pas perdre Musette accidentellement. Choisir de tuer Asher, c'est une chose. Laisser passer ta chance de le sauver, c'en est une autre.

Je voulais me tourner vers Valentina, mais je ne pouvais pas. De toute façon, elle devait ressembler à tous les anciens quand ils se cachent ou se mettent en danger : le visage dénué d'expression, pareil à un masque.

Quelque chose passa entre les deux vampires. Quelque chose que je ne pus déchiffrer. Belle prit une inspiration agacée, lissa ses jupons et s'avança. Elle n'avait pas la même démarche gracieuse que Musette. Je me demandai si les vampires avaient du mal à glisser quand ils étaient nerveux, parce que Belle était nerveuse ; je le sentais.

Comme elle se déplaçait, je baissai mon flingue. Si elle sauvait Asher, j'épargnerais Musette. C'était ce que j'avais proposé. Et puis, mon épaule et ma main commençaient à me faire mal. Si j'avais su que je devrais tenir cette position si longtemps, j'aurais pris mon flingue à deux mains.

Tandis qu'elle traversait la pièce, Belle Morte parut se ressaisir. Le temps de rejoindre Asher, elle glissait elle aussi, et la robe blanche de Musette avait complètement disparu sous l'or foncé de la sienne, du moins, à mes yeux.

Elle s'agenouilla près du corps d'Asher. Je ne pouvais pas le considérer autrement que comme un corps. Déjà, je prenais mes distances. Je fus choquée de comprendre que je ne croyais pas que Belle parviendrait à le sauver. Il me semblait déjà mort, si mort…

Les mains de Jean-Claude me pressèrent les épaules, et je sentis qu'il avait dressé ses boucliers. Il ne voulait pas partager ses sentiments avec moi. Je ne pouvais pas l'en blâmer. C'était trop personnel, trop effrayant.

Je ne sentais plus Richard non plus. Je dus lui jeter un coup d'œil pour m'assurer qu'il se trouvait toujours dans la pièce, si hermétiques étaient ses boucliers. Je n'avais rien remarqué quand il les avait dressés. Bizarre. J'aurais pourtant dû. Il capta mon regard et ne put réprimer une expression compatissante, presque douloureuse. À mon avis, ce n'était pas pour Asher qu'il souffrait.

Les mains de Jean-Claude se crispèrent et cela ramena mon attention vers Belle. Ses cheveux pendaient autour d'elle ainsi qu'une cape noire, de sorte qu'on entrevoyait à peine l'or foncé de sa robe entre ses longues mèches.

Je sentis Jean-Claude se rassembler, comme si mobiliser sa volonté lui coûtait un effort physique. Il soupira et s'ébroua tel un oiseau qui arrange ses plumes. Puis il fit un pas sur le côté et m'offrit son bras en un geste très formel. J'hésitai un instant avant de le prendre. Ses boucliers étaient toujours dressés ; il continuait à me dissimuler ses émotions, mais inutile d'être plus que son amie pour deviner ce qu'il devait ressentir. Son cœur saignait de voir Asher dans cet état. Le mien saignait aussi, et je ne partageais pas des siècles d'histoire commune avec Asher.

Il m'entraîna vers la vampire agenouillée et vers ce qui restait d'un homme que nous aimions tous les deux. Jamais je ne saurais si mes sentiments pour lui étaient nés de ceux de Jean-Claude. Ça semblait probable, mais je ne parvenais pas à faire le tri entre mes sentiments et les siens. Ce qui ne me paniquait pas comme cela aurait dû le faire. J'en avais marre d'avoir tout le temps peur. J'étais prête à essayer de me montrer aussi courageuse avec mon cœur que je le suis généralement avec le reste de ma personne. Et puis j'avais fait attention avec Richard, et nous avions quand même fini par nous briser mutuellement le cœur.

Je lui jetai un coup d'œil tout en m'avançant au bras de Jean-Claude. Mon cœur se serrait toujours à sa vue. Plus tôt dans la journée, j'avais envisagé une réconciliation. Je suis toujours prête à me réconcilier avec Richard, chaque fois qu'il cède d'un pouce. Le problème, c'est qu'il reprend systématiquement le pouce en question.

Il surprit mon coup d'œil et, dans son regard, je vis quelque chose… une douleur, un deuil aussi profond et aussi vaste que l'océan. Je l'aimais. Je l'aimais vraiment. Peut-être l'aimerais-je toujours. J'avais une horrible envie de me précipiter vers lui, de le laisser me soulever dans ses bras, de chasser cette douleur de ses yeux. Mais il ne me soulèverait probablement pas dans ses bras. Il se contenterait sans doute de me regarder sans comprendre. Et à cause de ça, je le détesterais. Je ne voulais pas le détester.

Je me détournai de lui. Je ne voulais pas qu'il voie mon chagrin sur mon visage, et encore moins les prémices de la haine.

Je le sentis près de moi avant qu'il me touche. Surprise, je levai les yeux. Son expression était aussi indéchiffrable que possible pour lui. Il ne me souleva pas dans ses bras, mais il m'offrit le gauche. J'hésitai comme je l'avais fait avec Jean-Claude puis, lentement, je le pris. Il posa sa main libre – si chaude, si solide – sur la mienne, la pressant contre les muscles de son avant-bras.

Je baissai les yeux pour qu'il ne voie pas combien ça m'affectait. Nous avions tous dressé des boucliers d'enfer, chacun s'efforçant de rester à l'abri de ses propres pensées.

Richard et Jean-Claude échangèrent un regard par-dessus ma tête. J'ignore ce qui passa entre eux. Ça pouvait paraître stupide de communiquer ainsi alors qu'il nous suffisait d'ouvrir les marques qui faisaient de nous un triumvirat pour que chacun puisse lire dans l'esprit des deux autres. Mais c'était la première fois depuis des mois que Richard se trouvait à nos côtés. Nous marchions tous les trois sur des œufs.

Chapitre 50

Agenouillée près d'Asher, Belle inclina la tête vers lui comme pour l'embrasser. Mais je remarquai qu'elle se retenait pour ne pas toucher son corps, une main posée sur le sol et l'autre appuyée sur le mur. Malgré sa posture très intime, elle prenait garde à ne pas provoquer plus de contact entre eux que strictement nécessaire. Ce qui gâchait quelque peu son effet.

J'aurais dû sentir le pouvoir qu'elle déversait en lui, mais mes boucliers étaient trop hermétiques. Je ne suis pas encore assez douée pour filtrer les émotions et les perceptions. Quand je me concentre à ce point, rien ne rentre et rien ne sort. Pourtant, je voulais sentir ce que faisait Belle, sentir si l'étincelle grandissait à l'intérieur d'Asher.

J'entrouvris mes boucliers comme on élargit l'obturateur d'un appareil photo, de manière infime, juste de quoi me projeter vers cette étincelle.

Je goûtai le baiser d'Asher sur ma bouche comme si j'avais bu un vin parfumé à lui. L'étincelle s'était muée en flamme, une flamme froide qui emplissait son corps, et Belle continuait à déverser de l'énergie en lui. Asher hurla dans ma tête, et ce cri silencieux me fit vaciller. Si Richard et Jean-Claude ne m'avaient pas retenue, je serais tombée à genoux.

— Anita, que se passe-t-il ? demanda Richard.

— Ma petite, ça va ?

Je n'eus pas le temps de leur expliquer. Je me dégageai, et ils ne tentèrent pas de me retenir.

J'empoignai Belle par les cheveux et par une épaule, et ce fut presque choquant de sentir les anglaises de Musette entre mes doigts comme je la tirais en arrière. Je m'étais attendue à palper les douces ondulations des cheveux de Belle, mais celle-ci n'était pas là, pas vraiment. Elle n'avait jamais été là. Sa présence n'était pas une illusion, mais elle n'était pas exactement réelle non plus.

Je l'écartai violemment d'Asher, et elle glissa sur le sol dans la robe blanche souillée de Musette. Mais ce fut la voix de Belle qui tonna :

— Comment oses-tu poser les mains sur moi ?

— Vous essayez de le lier de nouveau à vous, comme autrefois. Il ne veut pas de ça.

— Sans le pouvoir que je peux lui insuffler, il s'estompera et mourra.

La vampire regarda autour d'elle comme si elle s'attendait que quelqu'un la relève. Mais les seules personnes qui auraient voulu le faire étaient sous bonne garde, et les autres n'esquissèrent pas le moindre geste. Finalement, elle se redressa seule, mais sans rien à quoi s'accrocher et avec les baleines de son corset pour la gêner, je vous assure que ce ne fut pas un mouvement gracieux. C'était bon de savoir que même les vampires ne peuvent pas se soustraire aux inconvénients de certaines modes.

Belle tourna vers moi des yeux étincelants de feu brun.

— Sans moi, Asher mourra. Regarde-le. Vois ce qu'il reste de lui. Ce n'est pas assez pour qu'il survive.

Son pouvoir avait reconstitué un peu de chair sous cette peau desséchée, mais pas beaucoup. Il me semblait que je discernais chaque muscle et chaque ligament d'Asher, comme sur un diagramme de physiologie montrant les différents points d'attache. Ça ne ressemblait toujours pas à une personne. Les cheveux restaient pareils à un amas de guirlandes de Noël, la peau semblable à du parchemin délavé plaqué sur une silhouette d'une maigreur obscène. Mais les yeux, les yeux paraissaient humains, à l'exception de leur extraordinaire couleur bleu pâle. Avant même qu'Asher devienne un vampire, ils devaient être stupéfiants.

Asher était tout entier dans ces yeux. Prisonnier de cette fragile coquille à moitié morte. Il leva les yeux vers moi et, dans son regard, je sentis le poids de tout ce qu'il était.

— Du sang pourrait lui sauver la vie, mais pas lui rendre ce qu'il a perdu, poursuivit Belle. Seule sa créatrice, ou celle qui a aspiré son essence, peut lui restituer cela.

Elle se tenait là, des ténèbres flamboyantes jaillissant du visage de Musette. Elle n'ajouta pas que, puisqu'elle était à la fois la créatrice d'Asher et celle qui lui avait volé son essence, elle seule pouvait lui rendre sa gloire initiale. Elle avait trop de classe pour souligner l'évidence. Mais celle-ci demeura suspendue dans les airs entre nous.

— Il a juste besoin de pouvoir, contrai-je. Pas forcément le vôtre.

— S'il avait une servante humaine ou un animal à appeler, oui. (Belle ne put, ou ne voulut pas, dissimuler la profonde satisfaction dans sa voix.) Mais il est seul. Se lier de nouveau à moi est l'unique choix dont il dispose, à moins que tu veuilles qu'il passe le reste de l'éternité dans cet état.

Sa satisfaction vira à la cruauté sans qu'elle daigne même battre des cils.

— Vous ne pouvez pas le laisser comme ça, intervint Richard avec de la pitié et, plus encore, de l'horreur sur le visage. Être lié à Belle Morte ne peut pas être pire.

— Si tu avais connu son étreinte, tu ne serais pas si catégorique, répliqua Jean-Claude.

Richard lui jeta un coup d'œil, puis reporta son attention sur Asher et Belle Morte.

—Je ne comprends pas.

—Non, en effet. (Levant les yeux vers lui, je lui touchai le bras très légèrement.) Imagine-toi à jamais enfermé avec Raina.

Une grimace de dégoût passa sur son visage avant qu'il réussisse à se contrôler. Je porte toujours en moi un morceau du munin de Raina, sa mémoire spirituelle. Raina était une sadique, mais elle protégeait férocement les gens même qu'elle torturait. Elle aurait eu besoin d'une bonne thérapie. Au final, pour toute thérapie, elle avait eu droit à des balles en argent. Je n'ai jamais culpabilisé de l'avoir tuée. C'est drôle, hein ?

Richard acquiesça.

—Je comprends, mais… (Il fit un geste impuissant en direction d'Asher.) Ce n'est pas…

Incapable de trouver ses mots, il n'acheva pas sa phrase.

Je ne pouvais pas l'en blâmer. Tout mon vocabulaire m'abandonnait aussi à la pensée que cela puisse être le sort d'Asher pour les siècles à venir. Ce n'était pas supportable ; ce n'était tout simplement pas supportable. Mais je ne pouvais pas forcer Belle à lui rendre son énergie sans conséquences. Car telle est la nature de l'énergie vampirique : elle crée des liens. Elle est conçue pour attacher un vampire à son créateur et, à travers celui-ci, au Conseil.

Chaque vampire doit appartenir à un autre, sans quoi toute leur structure de pouvoir s'effondrerait. Il existe des métamorphes indépendants, mais pas de vampires sans maître. Lorsqu'ils perdent le leur, ils se sentent forcés d'en chercher un nouveau, de trouver quelqu'un d'autre à qui prêter serment afin qu'il les gouverne. Sans maître, un vampire mineur peut même mourir, s'endormir à l'aube et ne jamais se réveiller.

Je savais tout cela. Je le savais et je m'en fichais. Je percevais… non pas les pensées, mais la volonté d'Asher.

Il préférait une mort propre et rapide à ce tourment interminable. Ou au fait de redevenir l'esclave de Belle.

Je me laissai tomber à genoux près de lui. Je pouvais lui donner cette mort propre et rapide. Dieu sait que c'était un domaine dans lequel je m'y connaissais. Je tendis la main vers lui et hésitai. Je ne voulais pas le toucher, ne voulais pas sentir en quoi s'était transformée sa peau encore si vivante la veille. Je ne voulais pas que cela soit mon dernier souvenir de lui. Mais je déteste la lâcheté, presque plus que n'importe quoi d'autre au monde. Si Asher pouvait être prisonnier de ce corps sans devenir fou, je pouvais bien le toucher à l'intérieur de corps.

Doucement, très doucement, je posai ma main sur son visage. Sa peau était pareille à du papier : aussi fine, aussi sèche, aussi cassante. Il me semblait que, si j'appuyais, mes doigts s'y enfonceraient comme à travers les pages d'un vieux livre manié trop brutalement.

J'avais oublié que le contact physique renforce tous les pouvoirs vampiriques. Un moment, je touchais le visage d'Asher aussi délicatement que possible, et la seconde d'après, je m'effondrais sur lui de tout mon poids, me tordant au souvenir de son corps contre le mien.

Des mains m'empoignèrent et m'arrachèrent à lui. Je me débattis et donnai un coup de coude dans un entrejambe. Les mains ne me lâchèrent pas, mais j'entendis vaguement quelqu'un crier mon nom : « Anita, Anita, Anita ! »

Je clignai des yeux et ce fut comme si je me réveillais, à ceci près que je ne m'étais jamais endormie. Richard me tenait toujours, mais sa posture disait qu'il avait mal quelque part.

J'ouvris la bouche pour m'excuser, et ce qui en sortit ne fut pas une excuse.

— Pourquoi nous as-tu arrêtés ?

— J'ai cru que tu allais l'écraser.

Je n'eus qu'à le dévisager pour savoir qu'il était sincère. Quelques instants plus tôt, n'avais-je pas craint que mes doigts passent au travers de la peau d'Asher? Mais d'une façon inexplicable, je savais que ça n'arriverait pas. Qu'il était beaucoup plus solide qu'il en avait l'air.

Jean-Claude nous rejoignit, et son expression me dit qu'il avait compris ce qui échappait toujours à Richard. Mais Richard n'a jamais rien pigé à la mort. Ce n'est pas son domaine d'expertise. Jean-Claude me toucha doucement la joue, comme s'il craignait que je me brise.

—Il s'est nourri de toi. De ton souvenir de lui.

Je hochai la tête.

—Oui.

—Combien de vampires peux-tu servir? demanda Belle.

Apparemment, Jean-Claude n'avait pas été le seul à s'en apercevoir.

Je compris qu'elle croyait qu'Asher m'avait marquée, mais ce n'était pas tout à fait ça.

—Il ne m'a pas marquée, Belle, si c'est ce que vous pensez.

—Dans ce cas, comment peut-il se nourrir de ta force?

—Surprise, grimaçai-je. À mon avis, Jean-Claude n'est pas le seul vampire qui ait acquis de nouveaux pouvoirs.

—C'est impossible, protesta Belle.

—Mais c'est vrai, répliquai-je sans chercher à dissimuler le triomphe dans ma voix.

Nous n'avions plus besoin d'elle, à présent; elle pouvait aller se faire foutre.

Richard me tenait toujours les bras. Je levai les yeux vers lui.

—Lâche-moi, Richard.

Il fronça les sourcils. Ou il ne comprenait pas, ou il ne voulait pas comprendre.

Je répétai plus gentiment:

—Lâche-moi, Richard, s'il te plaît.

Il regarda Asher qui gisait contre le mur, l'air toujours aux trois quarts mort.

— La dernière fois que nous en avons discuté, tu avais le même principe que moi. Personne ne se nourrissait de toi.

Je scrutai son visage tandis qu'il détaillait ce qui restait de la beauté d'Asher. Dans son regard, je cherchai quelque chose auquel je puisse parler, auquel je puisse expliquer la situation, mais je n'étais pas sûre qu'une quelconque partie de lui soit capable de comprendre.

— Si je ne le laisse pas se nourrir, Richard, il restera dans cet état. Il ne mourra pas, il ne se décomposera pas. Il continuera simplement à exister tel que tu le vois.

Richard s'arracha à la contemplation d'Asher et reporta son attention sur moi.

— Il n'a pas bu ton sang.

— C'est plutôt un échange d'énergie, comme avec l'ardeur.

Soudain, je compris que Richard ne savait peut-être pas que j'avais ouvert mon lit à Asher. Par le passé, j'avais plus d'une fois prétendu qu'un homme était mon petit ami ou mon amant pour duper les méchants. Richard pouvait très bien croire qu'il s'agissait d'un nouveau mensonge. Et le moment était mal choisi pour lui expliquer tous les détails les moins reluisants.

Plus tard, j'aurais tout le loisir de découvrir s'il pensait ce qu'il avait dit dans ma tête, qu'il se moquait de savoir avec qui je couchais parce que nous ne sortions plus ensemble. S'il le pensait, ça me blesserait. S'il ne le pensait pas, découvrir de quoi il retournait vraiment avec Asher le blesserait. Dans un cas comme dans l'autre, ça pouvait attendre.

— As-tu déjà laissé Asher se nourrir de toi auparavant ?

J'ignore ce que j'aurais répondu, parce qu'à cet instant Richard lâcha un de mes bras et, lentement, leva la main pour me toucher le menton. Je savais ce qu'il s'apprêtait à faire, et je ne pouvais pas l'en empêcher. Il tourna ma tête sur le côté, exposant les traces de morsure dans mon cou.

—Quand as-tu commencé à donner ton sang ?

—La nuit dernière.

Il laissa retomber sa main, et je ramenai ma tête face à lui. Un seul regard me suffit. Comme moi, Richard pense que le sexe est le moindre des deux maux. Et le problème des moindres maux, c'est que quelque chose doit assumer la place de mal supérieur face à eux.

—Juste à Jean-Claude, ou… ?

Il jeta un coup d'œil à Asher.

—Nous en parlerons demain, Richard, je te le promets. Mais pour l'instant, il faut que je l'aide.

Il secoua la tête.

—Ces marques dans ton cou sont celles de Jean-Claude, oui ou non ?

Je soupirai et baissai le nez. J'aurais pu me forcer à soutenir son regard, mais merde, je n'avais ni le temps ni l'énergie de me disputer avec lui. Pas maintenant.

—Non, répondis-je.

De nouveau, il jeta un coup d'œil à Asher.

—Ce sont les siennes ?

—Oui.

—Comment peux-tu les laisser se nourrir de toi ?

—Si je ne l'avais pas fait la nuit dernière, ce soir, Asher serait mort, ou lié à Belle pour l'éternité.

Il fronça les sourcils.

—Tu savais qu'il serait capable de pomper ton énergie ?

Je fis un signe de dénégation.

—Non, mais Musette voulait le ramener à Belle sous prétexte qu'il n'appartenait à personne. Alors, nous avons fait en sorte qu'il nous appartienne.

—Nous ?

Et la première personne que regarda Richard, ce fut Micah. Qui conserva une expression aussi neutre que possible.

— Pas Micah et moi, le détrompai-je. Jean-Claude et moi.

Richard jeta un coup d'œil au vampire, puis reporta son attention sur le métamorphe.

— Comment peux-tu la laisser faire ça ?

— Je l'aurais nourri moi-même si ça avait servi à quelque chose, répondit Micah, imperturbable.

Richard secoua la tête, perplexe.

— Je ne te comprends pas.

Micah se contenta de soutenir son regard quelques instants avant de se tourner vers moi. Et dans ses yeux, je vis qu'il mesurait ce que tout ça me coûtait, ce que ça nous coûtait à tous les deux, ce que ça nous coûtait à tous.

Richard avait lâché mon autre bras. Il avait même reculé d'un pas, comme s'il ne supportait plus de se tenir aussi près de moi. Comme si j'avais fait quelque chose d'impur. Si seulement il savait ! Mais le côté sexe ne l'aurait peut-être pas perturbé autant. Peut-être réservait-il son dégoût au côté nourriture. Mes règles morales n'étaient plus assez strictes pour lui.

Soupirant, je me tournai vers Jean-Claude.

— Puisque vous étiez là quand Asher a bu mon sang, peut-être pourra-t-il se nourrir de vous à travers moi.

Jean-Claude opina.

— Peut-être.

— Si vous voulez bien essayer, touchez-moi pendant que je le touche et baissez vos boucliers. À nous deux, je pense que nous pouvons le ramener au stade où boire du sang suffira à lui rendre sa beauté et sa vigueur naturelles.

— Je veux bien essayer.

Je luttai contre mon envie de jeter un coup d'œil à Richard.

— Je sais.

Et je m'éloignai de Jean-Claude comme de Richard pour me diriger vers Asher. Je voulais lui rendre sa santé mais, franchement, j'en avais assez des hommes de ma vie pour cette nuit.

Chapitre 51

Jean-Claude et moi nous agenouillâmes près d'Asher. La première giclée d'énergie l'avait suffisamment ragaillardi pour qu'il esquisse un sourire – un sourire bien pâle comparé à son radieux sourire d'antan –, mais je fus si soulagée de le voir que je souris en retour.

De ma main gauche, j'agrippai celle de Jean-Claude, et je posai la droite sur la joue d'Asher. Dès l'instant où nos peaux entrèrent en contact, il fut la plus belle chose que j'avais jamais vue. Rien ne m'importait sinon continuer à le toucher ; rien ne m'importait sinon être avec lui. Rien ne m'importait sinon Asher. Comme si le monde s'était réduit à ses yeux et à son corps. Le soleil tournait autour de lui, je le savais.

Dans un coin reculé de mon esprit, je sus qu'Asher n'avait pas utilisé ses pouvoirs vampiriques sur moi. Que ce que j'éprouvais avant que nous couchions ensemble était réel. Parce que ça, ce que je ressentais en ce moment, ne l'était pas. Je n'avais jamais éprouvé cela pour personne. Ce n'était pas de l'amour ni même du désir : c'était de l'obsession. La conviction que je mourrais si je ne pouvais pas le toucher. Je savais que c'était faux, mais je le pensais quand même. Que Dieu me vienne en aide : je le pensais quand même.

Je luttai pour libérer ma main gauche. Quelqu'un s'y accrochait, m'empêchant de la poser sur Asher. Je devais le toucher avec mes deux mains. Je m'allongeai sur lui et lui caressai avidement tout le corps.

Ses mains emprisonnèrent mon visage. Une petite partie de moi se rendait compte que leur contact évoquait celui d'une paire de vieux gants de cuir remplis de brindilles. Mais pour la première fois depuis que j'étais l'objet de tours de passe-passe vampiriques, je ne luttai pas. Je laissai le pouvoir d'Asher transformer ce qui aurait pu être horrible en une scène érotique et sublime.

Je m'ouvris totalement et laissai Asher me rouler comme un torrent trop longtemps contenu qui, soudain libéré, se répand sur une terre assoiffée. Je ne surfai pas sur la vague de son pouvoir : ce fut elle qui me submergea tel un raz-de-marée, me plaqua sur le sable et me maintint au fond de l'océan. Ce n'était pas que je ne me noyais pas : c'était que je me moquais de me noyer.

Je me réveillai, si « réveiller » est le terme juste, pressée par son corps contre la pierre froide du sol. Mes yeux levés contemplaient un nuage de cheveux que la lumière faisait scintiller ainsi qu'un voile doré. Je passai mes doigts au travers ; ils étaient de nouveau doux et vivants. Ses joues avaient retrouvé leur volume et, pour l'une d'elles, la texture rugueuse du tissu cicatriciel.

Je touchai ces marques familières. Asher tourna complètement la tête vers moi, et mon souffle s'étrangla dans ma gorge. Depuis le bombé de son front jusqu'à la ligne de sa mâchoire en passant par le renflement de ses lèvres, il était redevenu parfait. Ses yeux reposaient au milieu de son visage sublime tels des saphirs de glace sertis parmi des perles et de l'or.

Cette vision me fit partir d'un rire joyeux. Asher posa une main sur ma joue, et je me tordis le cou pour déposer un baiser dans sa paume. Le poids de son corps sur le mien était l'une des meilleures sensations que j'aie jamais eues, parce qu'elle prouvait qu'il était revenu et qu'il allait bien.

Il roula sur le côté et, dos au mur, me redressa à demi en position assise sur ses cuisses. Puis il pivota en me tenant dans ses bras pour faire face à Belle Morte, qui se trouvait de l'autre côté de la pièce. Je n'eus pas besoin de voir son visage pour deviner que le regard qu'il lui jetait n'avait rien d'amical.

— Impressionnant, tu ne trouves pas ? lança Jean-Claude à Belle Morte.

— Non, je ne trouve pas, répliqua la vampire avec raideur. Il ne peut se nourrir que de l'énergie de ceux dont il a bu le sang et roulé l'esprit. Et tu sais aussi bien que moi que tu ne peux pas l'autoriser à infliger ça à toutes ses victimes. Sinon, un défilé de pauvres humains fous d'amour le suivront comme son ombre partout où il ira.

Je n'aimais pas beaucoup le « pauvres humains fous d'amour », mais je ne relevai pas. Nous étions en train de remporter la bataille. On ne discute pas lorsqu'on va gagner.

— Quoi qu'il en soit, Asher est redevenu lui-même. Nous n'avons plus besoin de toi ; aussi, je vous invite, toi et les tiens, à quitter notre territoire d'ici demain soir.

— Sans ça, tu tueras mes envoyés ?

— Oui.

— Ma vengeance serait terrible.

— Non, Belle, contra Jean-Claude. Selon la loi du Conseil, tu ne peux pas punir un autre sourdre de sang comme tu le ferais avec un vampire de ta lignée. Ta haine serait terrible, mais ta vengeance devrait attendre.

— Pas si le chef du Conseil me donne raison.

— J'ai touché votre Très Chère Maman, Belle, lui rappelai-je. Elle se moque de votre vengeance. D'ailleurs, elle se moque pas mal de tout le monde, que ce soit vous, moi ou n'importe qui d'autre.

— La Mère dort depuis très longtemps, Anita. Lorsqu'elle se réveillera, peut-être voudra-t-elle prendre sa retraite et quitter le Conseil.

J'éclatai de rire et, cette fois, ça n'eut rien de joyeux.

— Prendre sa retraite ! Les vampires ne prennent pas leur retraite. Ils meurent, mais ils ne prennent pas leur retraite.

Cela ne se vit pas sur son visage. Je le lus plutôt dans l'immobilité de ses épaules, le mouvement de son bras. J'ignore ce qui la trahit exactement et ce qui me permit de le voir. Le pouvoir d'Asher, peut-être, ou quelque chose d'autre. Mais je le vis, et une idée à la fois merveilleuse et terrible s'imposa à moi.

— Vous avez l'intention de la tuer. Vous voulez tuer les Ténèbres Originelles et devenir le chef du Conseil.

Ce fut sans ciller qu'elle répliqua :

— Ne sois pas stupide. Nul ne s'attaque à la Douce Mère.

— Oui, je sais, et il y a une bonne raison à ça. Elle vous tuerait, Belle. Elle vous écrabouillerait et détruirait tout ce que vous êtes.

Belle lutta mais ne parvint pas à empêcher son arrogance de remonter à la surface. J'imagine que, si vous êtes vivante depuis plus longtemps que le Christ est mort, vous finissez par vous sentir toute-puissante.

— Si tu déclares la guerre à quiconque, en tant que sourdre de sang de ma propre lignée, je ne serai pas obligé de te soutenir, et mes gens n'auront pas à répondre à ton appel, lança Jean-Claude. Tu ne trouveras nulle aide auprès de nous.

— De l'aide ? auprès de vous, mes deux petites calamités ? Je ne manque pas d'autres hommes pour jouer le rôle qui vous était dévolu autrefois. (Belle se détourna dans une envolée des jupons de Musette.) Venez, mes chéris. Allons-nous-en et nettoyons nos souliers de la terre de cette ville de province.

— Un instant, maîtresse. (C'était Valentina. Elle s'inclina profondément dans sa robe blanche et dorée tout empesée.) Mon honneur et celui de Bartolomé ont été souillés par le mensonge de Musette.

— Et alors, ma petite chérie ?

Valentina demeura penchée très bas, comme si elle pouvait tenir cette position éternellement.

—Nous sollicitons la permission de rester ici pour nous racheter auprès des métamorphes.

—Non, répondit sèchement Belle.

Valentina leva les yeux vers elle.

—Ils ont été violentés comme moi, et nous n'avons fait qu'empirer leurs tourments. Je te supplie de nous laisser rester ici pour réparer les dégâts que nous avons involontairement causés.

—Bartolomé, appela Belle.

Le jeune garçon s'avança et mit un genou en terre, tête baissée.

—Oui, maîtresse.

—Est-ce aussi ce que tu désires ?

—Non, maîtresse, mais l'honneur exige que nous réparions notre faute. (Alors, il leva les yeux, et quelque chose du gamin qu'il avait dû être passa sur son visage.) Ce sont des adultes, à présent, mais les cicatrices infligées aux enfants qu'ils furent demeurent profondes. Valentina et moi les avons rouvertes. Je le regrette, et tu sais mieux que quiconque combien le regret est un sentiment rare chez moi.

Je m'attendais à ce que Belle leur ordonne, non, à ce qu'elle les force à la suivre, mais ce ne fut pas le cas.

—Très bien, dit-elle. Dans ce cas, restez jusqu'à ce que votre honneur ait été restauré, puis revenez-moi. (Elle jeta un coup d'œil à Jean-Claude.) Du moins, si tu les y autorises ?

Jean-Claude hocha la tête.

—Jusqu'à ce que leur honneur ait été restauré, oui.

Je n'étais pas d'accord, mais quelque chose sur le visage de Belle, quelque chose sur le visage de Jean-Claude, quelque chose dans la raideur du corps d'Asher me disait qu'il se passait des choses que je ne comprenais probablement pas.

— Si les loups avaient la bonté de ramener nos invités à leurs appartements, puis de les escorter jusqu'à l'aéroport…

Richard parut se réveiller en sursaut, comme si lui aussi était sous le coup d'un enchantement. Mais je ne pensais pas que ce soit ça. Il m'observait dans les bras d'Asher. Micah se tenait contre le mur sur notre droite et Nathaniel avait rampé jusqu'à nous. Je levai une main pour l'inviter à poser sa tête sur mes cuisses.

— Nous allons les raccompagner, dit Richard d'une voix blanche.

Il ouvrit la bouche comme pour ajouter quelque chose, puis se détourna. Comme s'il leur avait donné un signal, ses loups se mirent en mouvement. Ils rassemblèrent les envoyés de Belle et les poussèrent hors de la pièce.

Par-dessus son épaule, Belle jeta un dernier regard à Valentina et à Bartolomé, qui se tenaient immobiles dans leurs vêtements blanc et or. Un regard qui en disait très long. Je n'en serai jamais certaine, mais je crois que Belle Morte culpabilisait vis-à-vis de Bartolomé. Elle se sentait responsable de Valentina parce qu'un de ses descendants avait commis l'indicible envers elle. Mais la transformation de Bartolomé enfant n'avait été que le produit d'un calcul fructueux.

Je ne pense pas que Belle soit du genre à perdre le sommeil pour ses calculs passés. Il n'en restait pas moins qu'elle l'avait condamné à passer l'éternité dans le corps d'un enfant, un enfant doté d'appétits d'homme. Alors, même si le prétexte était plutôt faible, elle accédait à leur souhait. Elle leur donnait la permission de demeurer parmi nous parce que la culpabilité est une motivation puissante, même chez les morts-vivants.

Chapitre 52

Je me réveillai dans le noir, entourée par le poids réconfortant de plusieurs corps. La qualité de l'obscurité et le rai de lumière en provenance de la salle de bains voisine m'apprirent que je me trouvais dans le lit de Jean-Claude. Je me souvins qu'il nous l'avait laissés parce que c'était presque l'aube et qu'aucun de nous ne voulait rejouer la scène de la veille.

Curieusement, ce qui venait de se passer avec Asher semblait avoir apaisé mon ardeur. Ou peut-être étais-je juste trop crevée. Autrefois, j'en aurais déduit que mon contrôle s'améliorait, mais j'ai cessé de faire des suppositions à propos de l'ardeur. Je me suis trompée trop souvent.

Il n'y avait pas assez de lumière pour y voir clairement, mais les boucles qui me chatouillaient le cou me disaient que le visage pressé au creux de mon épaule était celui de Micah. Son bras reposait, lourd et tiède, en travers de mon ventre, et il avait glissé une jambe entre les miennes. Un autre bras me barrait les hanches ; un autre visage était enfoui contre mon flanc et un second corps était roulé en boule près de moi. Je n'eus pas vraiment besoin de toucher le crâne de Nathaniel pour savoir que c'était lui.

Le rai de lumière en provenance de la salle de bains révélait un bras pâle et mince jeté négligemment en travers de la jambe tendue de Micah. C'était tout ce qui dépassait du monticule de couvertures. Je connaissais ce bras, et je devinai que, sous les couvertures qu'ils avaient piquées, se trouvaient Zane et le reste de Cherry. Ça ne me dérange plus de dormir en tas, mais ça me dérange de partager mon lit avec des voleurs de couette. Cherry toute seule, ça peut encore aller. Mais quand Zane est avec elle, ou bien je passe la nuit à me battre pour chaque centimètre carré de couvertures – ce qui n'est pas très reposant –, ou bien je capitule. J'ai appris à mes dépens qu'il est particulièrement difficile de s'accrocher à des draps de soie pendant qu'on dort.

J'ignorais ce qui m'avait réveillée, mais je savais que les léopards-garous avaient une meilleure ouïe et un meilleur odorat que moi. S'ils pionçaient toujours, ce n'était probablement qu'un rêve.

Puis je l'entendis. Une sonnerie légère, très légère. Celle de mon téléphone, qui semblait être tombé au fond d'un puits. Je tentai de me redresser mais n'y parvins pas : j'étais clouée au lit par Micah et Nathaniel.

Il y eut un grognement, et le bras mince jeté par-dessus la jambe de Micah disparut sous la montagne de couvertures qui se dressait au pied du lit. L'instant d'après, je captai un glissement, un choc étouffé, un juron et le bruit de mains palpant des vêtements. Ce fut d'une voix ensommeillée que Cherry lança :

— Oui ?

Un silence, puis :

— Non, ce n'est pas Anita. Une minute.

Son autre main donna une bourrade à la montagne de couvertures.

— Quoi ? s'exclama la voix mécontente de Zane.

— Téléphone, grogna Cherry.

La main de Zane saisit l'appareil et, avant que je puisse protester, le léopard dit :

— Allô ? (Il se tut quelques instants.) Oui, elle est là. Je vous la passe.

Une main pâle plus masculine que celle de Cherry jaillit des couvertures et agita vaguement le portable dans ma direction, mais je ne pouvais toujours pas bouger. Et je n'avais pas le bras assez long pour attraper le téléphone.

Finalement, je repoussai le bras de Micah et tentai de m'asseoir.

— Micah, bouge un peu. Il faut que je réponde au téléphone.

Il émit un son inarticulé et roula de l'autre côté, me présentant son dos nu. Mais Nathaniel fut plus rapide que moi. Il prit le portable de la main de Zane.

— C'est de la part de qui ? demanda-t-il d'une voix presque réveillée.

Je réussis enfin à m'asseoir.

— Donne-moi ce téléphone, réclamai-je.

Nathaniel obtempéra en disant :

— C'est Zerbrowski.

Je courbai la tête un instant, soupirai et portai l'appareil à mon oreille.

— Ouais, Zerbrowski, qu'est-ce qui se passe encore ?

— *Combien de gens y a-t-il dans ton lit, Blake ?*

— Ça ne te regarde pas.

— *On dirait qu'il y avait une fille, dans le lot. Je ne te connaissais pas ce genre de penchants.*

J'appuyai sur le petit bouton de ma montre pour éclairer le cadran.

— Zerbrowski, j'ai dormi moins de deux heures. Si tu m'appelles juste pour t'enquérir de ma vie amoureuse, je me recouche tout de suite.

— *Non, non, désolé.* (Il rit doucement.) *Ça m'a surpris, c'est tout. Je te promets que je vais mettre une sourdine sur les vannes mais, d'habitude, tu ne me files pas tant de munitions. Tu ne peux pas m'en vouloir de m'être laissé distraire.*

— Je t'ai dit que j'avais dormi moins de deux heures ?

— *Il me semble*, répondit-il sur un ton épouvantablement guilleret, le ton de quelqu'un qui avait déjà bu un café ce matin-là.

— Je compte jusqu'à trois. Si tu ne m'as rien dit d'intéressant d'ici là, je raccroche et j'éteins mon téléphone.

— *Nous avons une nouvelle victime.*

Je reculai en me dandinant pour m'adosser à la tête de lit.

— Je t'écoute.

Micah resta couché en chien de fusil, tourné de l'autre côté, mais Nathaniel revint se lover contre moi. La montagne de couvertures ne bougeait plus. À mon avis, Cherry et Zane s'étaient déjà rendormis.

— *C'est de nouveau le métamorphe violeur.*

Toute bonne humeur s'était envolée de la voix de Zerbrowski, et il paraissait las. Je me demandai combien d'heures il avait dormi cette nuit.

À présent, j'étais tout à fait réveillée, et j'avais la gorge nouée.

— Quand ?

— *On l'a retrouvée juste après l'aube. Ça ne fait pas longtemps que nous sommes là.*

— Je vais venir, mais est-ce que Dolph est avec vous ?

— *Non. Il est en congé.* (Zerbrowski baissa la voix.) *La hiérarchie lui a donné le choix : congé volontaire payé, ou mise à pied sans solde.*

— D'accord. Où êtes-vous ?

Il m'indiqua une adresse à Chesterfield.

— Décidément, il ne tape que dans les beaux quartiers, commentai-je.

— *Ouais*, répondit Zerbrowski, et ce seul mot contenait toute la lassitude du monde.

Je faillis lui demander comment il tenait le coup, mais ç'aurait été une entorse à l'étiquette masculine. Entre eux, les mecs font semblant de ne pas remarquer que quelque chose cloche. Ils doivent se dire que, s'ils l'ignorent assez fort, le problème finira par disparaître. Parfois, parce que je suis une fille, j'enfreins l'étiquette. Mais ce jour-là, je me retins. Zerbrowski avait une longue journée devant lui, et il était responsable de l'enquête. Il ne pouvait pas se permettre d'examiner ses sentiments. L'important, c'était qu'il soit en état de faire son boulot, pas qu'il comprenne ce qu'il éprouvait.

Il commença à m'expliquer le chemin et je dus lui demander d'attendre, le temps que je prenne un papier et un crayon. Bien entendu, il n'y en avait pas dans la pièce. J'en fus réduite à écrire sur le miroir de la salle de bains avec un rouge à lèvres. Le temps que je m'y résolve, Zerbrowski hurlait de rire.

— *Merci, Blake*, hoqueta-t-il. *J'en avais vraiment besoin.*

— Ravie d'avoir égayé ta journée, dis-je en regagnant le lit.

Je pensai à ce que Jason avait dit, à propos du fait qu'un loup-garou aurait pu suivre la piste du meurtrier. Je soumis l'idée à Zerbrowski, qui garda un silence de mort pendant une bonne minute.

— *Je ne vois aucun moyen de faire accepter à quiconque la présence d'un autre métamorphe sur cette scène de crime.*

— C'est toi qui commandes.

— *Non, Anita. Si tu fais venir un autre métamorphe, il finira en salle d'interrogatoire comme Schuyler. Toute cette affaire ne va pas tarder à virer à la chasse aux sorcières.*

— Que veux-tu dire ?

— *Je veux dire qu'on va bientôt convoquer tous les métamorphes connus pour les interroger.*

— L'Association pour la défense des lycanthropes va prendre les armes.

— *Oui, mais pas avant qu'un bon paquet d'innocents aient défilé dans nos locaux.*

— Ce n'est pas un des métamorphes du coin, Zerbrowski.

— *Je ne peux pas raconter à ma hiérarchie que l'assassin n'a pas l'odeur de la meute locale, Anita. On me répliquera que, bien entendu, les loups-garous de Saint Louis essaient de se dédouaner parce qu'ils ne veulent pas être associés à cette merde.*

— Moi, je crois Jason.

— *Et peut-être que moi aussi. Ou pas. Mais ça n'a aucune importance, Anita. Vraiment. Les gens sont terrifiés. Une réclamation d'urgence vient d'être déposée au Sénat, visant à faire rétablir les lois sur la vermine dans le Missouri.*

— Les lois sur la vermine ? comme celles qui traînent encore dans les livres de certains États de l'Ouest ?

— *Ouais. Butez-le d'abord et, si un test sanguin prouve que c'était un lycanthrope, ce sera considéré comme de la légitime défense plutôt que comme un meurtre ; donc, il n'y aura pas de procès.*

— Ça ne passera jamais, dis-je avec une quasi-certitude.

— *Probablement pas tout de suite. Mais encore quelques victimes aussi salement amochées, et je n'en jurerais pas.*

— J'aimerais dire que les gens ne sont pas si stupides.

— *Mais tu n'es pas si naïve.*

— En effet.

Zerbrowski soupira.

— *Et ce n'est pas tout.*

Il n'avait vraiment pas l'air content en disant ça. Je redressai le dos contre la tête de lit, forçant Nathaniel à rajuster sa position.

— On dirait que tu es sur le point de m'annoncer une très mauvaise nouvelle, Zerbrowski.

— *C'est juste que... Je ne veux pas être obligé de me battre en même temps contre toi, contre Dolph et contre ma hiérarchie.*

— Que se passe-t-il, Zerbrowski ? Pourquoi me battrais-je contre toi ?

— *Souviens-toi, Anita : c'est Dolph qui était responsable de l'enquête jusqu'ici.*

— Crache le morceau.

Mon estomac était noué par l'appréhension, comme si je redoutais ce qu'il allait dire.

— *Il y avait un message sur la première scène de viol.*

— Je n'ai rien vu.

— *Il se trouvait près de la porte de derrière, et Dolph ne t'a pas laissé l'occasion de le voir. Moi-même, je n'en ai eu vent que beaucoup plus tard.*

— Que disait ce message, Zerbrowski ?

Des tas de pensées se bousculaient dans ma tête. Le message m'était-il destiné ? ou parlait-il de moi ?

— *Le premier disait : « Elle aussi, nous l'avons épinglée. »*

Il me fallut quelques secondes pour comprendre, ou pour avoir l'impression de comprendre à quoi cela faisait référence. La première scène de crime, l'homme cloué au mur de son salon. Jusque-là, rien n'avait permis de le relier aux victimes du métamorphe.

— Tu penses au type de Wildwood ? Ça pourrait signifier n'importe quoi, Zerbrowski.

— *C'est ce que nous avons pensé jusqu'au deuxième viol, celui pour lequel Dolph n'a pas voulu qu'on t'appelle.*

— Vous avez trouvé un autre message, dis-je doucement.

— *« Encore une d'épinglée. »*

— Ça pourrait quand même être une coïncidence. « Épingler », en argot, ça veut dire « baiser ».

— *Mais le message d'aujourd'hui était : « Il n'en restait pas assez pour une crucifixion. »*

— Le boucher qui massacre ces femmes n'est pas assez méthodique, pas assez carré pour avoir commis le premier meurtre.

— *Je sais. Mais nous n'avons pas parlé des clous à la presse, ni du fait que le type était crucifié. Seul l'assassin pouvait le savoir.*

— Un des assassins, rectifiai-je. Ce meurtre-là était une œuvre collective. (J'eus une idée.) Avez-vous trouvé plus d'un type de sperme sur les scènes de crime ?

— *Non.*

— Alors, quoi ? Le violeur veut nous faire savoir qu'il y a un lien entre les meurtres. Pourquoi ?

— *Pourquoi chacun de ces cinglés fait-il ce qu'il fait ? Parce que ça l'amuse, je suppose.*

— Il faisait quoi dans la vie, le type crucifié ?

— *C'était un ancien militaire.*

— On ne se paie pas ce genre de baraque et de piscine intérieure avec une retraite de l'armée.

— *Il était devenu importateur. Il voyageait autour du monde, et il ramenait des choses.*

— De la drogue ?

— *Pas à notre connaissance.*

J'eus une deuxième idée, un record après seulement deux heures de sommeil.

— Tu peux me faire la liste des pays où il allait ?

— *Pourquoi ?*

Je le rencardai sur ce que le téléphone arabe ne lui avait pas encore appris au sujet de Heinrick.

— Si la victime fréquentait les mêmes coins, ça pourrait signifier quelque chose.

— *Un indice. Un véritable indice. Je n'en ai pas vu depuis si longtemps que je ne saurai peut-être pas quoi en faire*, soupira Zerbrowski.

— Vous avez des tas d'indices. C'est juste qu'ils ne vous servent à rien.

— Toi aussi, tu as remarqué ?

— Note que, si Heinrick connaissait la victime, nous ne serons toujours pas plus avancés.

— *Ce n'est pas faux. Ramène-toi le plus vite possible. Et sans métamorphe.*

— Pigé.

— *Je l'espère.*

Je l'entendis lancer à l'écart du combiné :

— *J'arrive tout de suite !* (Puis il s'adressa de nouveau à moi.) *Magne-toi*, dit-il.

Et il raccrocha. Apparemment, nous avions tous pris la mauvaise habitude de Dolph : aucun de nous ne se donnait plus la peine de dire « au revoir ».

Chapitre 53

Je m'attendais à ce que le spectacle ne soit pas beau à voir, parce que la dernière scène de crime avait été assez gerbante. Mais je ne m'attendais pas à ça. Ou notre violeur était passé à la salle de bains pour son deuxième meurtre, ou nous avions un nouvel assassin sur les bras.

En entrant dans la maison, j'avais senti la même odeur de viande hachée que la fois précédente. Zerbrowski m'avait donné de petits bottillons en plastique à enfiler par-dessus mes Nike et tendu la boîte de gants chirurgicaux en marmonnant que le plancher était un peu crade. Jamais je n'aurais cru qu'il soit si doué pour les euphémismes.

La pièce était rouge. Rouge comme si quelqu'un avait repeint les murs mais fait un boulot inégal. Selon les endroits, le sang était cerise, écarlate ou rubis, voire brique là où il avait commencé à sécher, une couleur si sombre qu'elle paraissait presque noire, mais jetait quand même des éclats pareils à ceux du grenat. Je m'efforçai de détailler les différentes teintes en conservant une froideur et une distance intellectuelles, jusqu'à ce que je voie quelque chose de long, fin et en relief collé au mur par le sang, tel un morceau d'intestin jeté par un boucher désinvolte.

Soudain, j'eus très chaud et je dus détourner mon regard des murs. Mais par terre, c'était pire. Le sol était carrelé, et le carrelage n'absorbe pas le liquide. Il était couvert de sang sur une telle épaisseur que le liquide n'avait pas réussi à sécher et continuait à briller. D'accord, la salle de bains n'était pas immense, mais ça faisait quand même beaucoup de sang pour une seule pièce.

Je me calai contre le chambranle de la porte, les bottillons de plastique qui enveloppaient mes pieds posés dans la zone à peu près propre, non loin des deux vasques et de la coiffeuse avec son tabouret assorti. La chambre à coucher se trouvait au-delà, mais le lit était soigneusement fait, encore intact.

Un petit rebord de marbre retenait le lac de sang à l'intérieur de la salle de bains proprement dite, un petit rebord conçu pour empêcher que l'eau coule dans la partie lavabos et coiffeuse. Comme j'étais reconnaissante envers ce petit rebord !

Je reportai mon attention sur les murs. Dans le coin du fond se dressait une grande douche, un modèle pour trois personnes. Le sang avait éclaboussé son paravent vitré et séché en formant une croûte rouge pomme d'api. Mais elle n'était pas aussi repeinte que les autres murs ; je ne savais pas pourquoi.

Le plus gros du reste de l'espace était occupé par une baignoire. Pas aussi grande que celle de Jean-Claude, mais presque aussi grande que celle que j'ai fait installer chez moi. J'adore cette baignoire ; je savais pourtant que plusieurs jours s'écouleraient avant que je puisse m'en servir. La scène qui s'offrait à moi allait me gâcher ce plaisir pour un bon moment.

La baignoire était pleine de sang pâle. Du sang de la couleur des roses rouge sombre laissées trop longtemps au soleil, qui ont viré au rose délavé, un rose qui n'a jamais l'air rose d'origine. De l'eau ensanglantée et rougeâtre montait presque jusqu'au bord, comme du punch dans un verre.

Mauvaise analogie. Mauvaise analogie.

Penser à de la nourriture ou de la boisson n'était pas une bonne idée, compris-je très vite. Je dus détourner les yeux et regarder dans la partie lavabos et coiffeuse. Ce faisant, j'aperçus le lit et les policiers qui s'agitaient dans la chambre. Aucun d'eux ne s'était porté volontaire pour me servir de guide. Je ne pouvais pas les en blâmer, mais je me sentais tout à coup très seule. Ils se trouvaient pourtant dans la pièce d'à côté, mais ils me semblaient distants d'un millier de kilomètres. Assez loin pour ne pas m'entendre si je me mettais à hurler.

Je pris appui de l'autre côté du chambranle pour atteindre la coiffeuse et les lavabos attenants. Une main agrippant le rebord de céramique fraîche d'une des vasques, je fis couler de l'eau sur l'autre. Lorsqu'elle fut assez froide, je m'aspergeai le visage. Il n'y avait pas de serviette ; sans doute avait-elle été mise dans un sachet plastique et envoyée au labo d'analyses, où des experts y chercheraient des cheveux, des fibres, ce genre de choses.

Je sortis mon tee-shirt de mon jean et m'essuyai avec. Quelques taches sombres se déposèrent sur le tissu : les restes de mon maquillage de la veille. Je levai les yeux vers le grand miroir presque éblouissant dans la lumière des néons. J'avais de gros cernes de mascara et d'eye-liner. Quand on vous dit qu'un produit est waterproof, on vous ment. Ça signifie juste qu'il résiste un peu mieux à l'eau que la moyenne. J'utilisai l'ourlet de mon tee-shirt pour nettoyer les plus gros des dégâts. Certes, il se couvrit de traces noires, mais peu importait.

Zerbrowski me jeta un coup d'œil depuis le seuil de la pièce.

— Comment ça va ?

Je hochai la tête parce que je ne me sentais pas capable de parler. Il grimaça, et je me serais sentie beaucoup mieux si j'avais pu appréhender sa remarque suivante, mais j'étais trop sonnée pour ça. Les vannes de Zerbrowski n'avaient pas d'importance. Rien n'avait d'importance. Parce que, si quelque chose avait eu de l'importance, je n'aurais pas pu retourner dans la partie de la salle de bains qui abritait la baignoire, et je devais y retourner. Donc, rien n'avait d'importance. J'étais vide et insensible.

— Qui était la fille de ce matin ? On a fait un pari avec les gars. Certains pensent que c'est ta meilleure amie, Ronnie Sims. Moi, je n'y crois pas : elle est toujours mordue du prof de la fac de Washington. Je pense plutôt à la métamorphe blonde qui traîne toujours chez toi. Alors, laquelle des deux ?

Je clignai des yeux sans répondre. Zerbrowski fronça les sourcils et entra.

— Anita, ça va ?

Je secouai la tête.

— Non, ça ne va pas.

Son expression n'était plus qu'inquiète. Il s'approcha et fit mine de me prendre le bras, mais se ravisa.

— Quel est le problème ?

Je restai appuyée sur le bord du lavabo mais, de ma main libre, fis un geste derrière moi sans regarder ce que je désignais. Je ne voulais pas regarder ce que je désignais.

Zerbrowski jeta un coup d'œil dans la direction que j'indiquais et reporta très vite son attention sur moi.

— Oui, et alors ?

Je le fixai sans rien dire. Il haussa les épaules.

— Ouais, c'est crade. Mais ce n'est pas la première fois que tu vois un truc crade.

Je baissai la tête de façon à ne plus voir que le robinet doré.

— J'ai pris un mois de congé, Zerbrowski. Je croyais que j'avais besoin de vacances, et c'était le cas, mais un mois, ce n'était peut-être pas suffisant.

— Où veux-tu en venir ?

Je levai les yeux vers le miroir. Au milieu de mon visage d'une pâleur presque spectrale, ils ressemblaient à deux trous noirs que les restes d'eye-liner faisaient paraître encore plus grands et plus dramatiques. J'avais l'air totalement paumée et avais envie de répondre : « Je ne suis pas sûre de vouloir continuer à faire ce boulot. » Mais les mots qui sortirent de ma bouche furent :

— Je croyais que la scène de la chambre à coucher était horrible. Ça, c'est pire.

Zerbrowski opina.

Je voulus prendre une grande inspiration, me souvins de l'odeur juste à temps et ne pris qu'une toute petite inspiration, ce qui fut moins apaisant pour mon mental mais bien préférable pour mon estomac.

— Ça va aller.

Zerbrowski ne discuta pas, parce que, la plupart du temps, il me traite selon les règles de l'étiquette masculine. Si un mec vous dit que ça va aller, vous le prenez au mot, même si vous ne le croyez pas. La seule exception, c'est quand des vies sont en jeu. Là, vous pouvez enfreindre les règles, mais le type avec lequel vous les avez enfreintes ne vous adressera probablement plus jamais la parole.

Je me redressai, agrippant toujours le bord du lavabo. Je clignai des yeux deux ou trois fois en me regardant dans le miroir, puis rebroussai chemin vers la baignoire. Je pouvais le faire. Je devais le faire. Je devais être capable de voir ce qui se trouvait là et d'y réfléchir de manière logique. C'était dur d'exiger ça de moi-même ; je l'admettais enfin. J'admettais que voir des choses comme celle qui se trouvait dans la baignoire détruisait lentement mon âme.

Je l'avais admis et, maintenant, il était temps de passer outre.

Je me retrouvai sur le seuil de la partie salle de bains proprement dite. Zerbrowski m'avait suivie, mais il resta planté derrière moi. Il n'y avait pas vraiment la place de se tenir à deux de front.

Je balayai du regard les murs couverts de sang et de tripes.

— Combien de gens ont été tués là-dedans ?

— Pourquoi ?

— Ne fais pas le malin avec moi, Zerbrowski. Je n'ai vraiment pas la patience de le supporter, aujourd'hui.

— Pourquoi ? répéta-t-il, légèrement sur la défensive.

Je lui jetai un coup d'œil par-dessus mon épaule.

— C'est quoi, ton problème ?

Il ne désigna pas le carnage. L'espace d'une seconde ou deux, je crus qu'il allait me dire de me mêler de mes affaires, mais il finit par répondre :

— Si c'était Dolph qui avait demandé pourquoi, tu aurais répondu ; tu n'aurais pas cherché à discuter avec lui.

Je soupirai.

— C'est dur de prendre sa place, c'est ça ?

— Non, mais j'en ai ras-le-bol de devoir me répéter, alors que personne n'oblige jamais Dolph à le faire.

Je le dévisageai et sentis un sourire retrousser le coin de mes lèvres.

— En fait, moi, je l'y oblige tout le temps.

Zerbrowski me rendit mon sourire.

— C'est possible. Mais toi, tu es une vraie emmerdeuse.

— Inutile de me féliciter : c'est un don.

Debout sur le seuil de la salle de bains, nous nous regardâmes en souriant. Rien n'avait changé dans cette petite chambre des horreurs. Il n'y avait pas une goutte de sang en moins par terre, ni un centimètre de tripailles en moins sur les murs, mais nous nous sentions tous les deux rassérénés.

— Maintenant, dis-je sans me départir de mon sourire, combien de gens ont été tués là-dedans ?

Le sourire de Zerbrowski se changea en large grimace.

— Pourquoi me le demandes-tu ?

— Sale bâtard.

Il remua les sourcils par-dessus le bord de ses lunettes.

— Tu n'es pas la première à me dire ça, malgré toutes les dénégations de ma mère.

Je ne pus m'empêcher de rire et sus que j'avais perdu.

— Parce que, Zerbrowski, il n'y a que deux murs complets dans cette pièce, et ils sont couverts de sang comme si on avait égorgé une personne devant chacun d'eux.

— Et la baignoire ?

— L'eau est juste rougeâtre. Je n'ai jamais vu personne se vider de son sang dans une baignoire ; donc, j'ignore si l'eau serait aussi claire ou beaucoup plus foncée. Mais mon instinct me dit que personne n'a été saigné à mort dans cette baignoire. Si quelqu'un y a été tué, le plus gros de son sang se trouve par terre et sur les murs.

— Tu en es certaine ?

— Non, parce que, comme je viens de te le dire, je n'ai jamais vu personne se vider de son sang dans une baignoire. Mais par ailleurs, je me demande pourquoi elle est si pleine, presque à ras bord. On ne peut pas remplir autant la plupart des baignoires, à cause du petit trou situé sous le robinet pour les empêcher de déborder. Celle-là est si pleine qu'on ne pourrait même pas y entrer sans foutre de l'eau partout sur le sol.

Zerbrowski avait observé mon visage pendant que je parlais. Lorsque je me tus, son regard glissa vers la pièce au-delà, puis vers le carrelage propre sur lequel nous nous tenions.

— J'ai raison. Il y a au moins deux victimes, n'est-ce pas ?

Zerbrowski avait repris le contrôle de son expression. Il leva les yeux vers moi, impassible.

— Peut-être.

Je soupirai, mais de frustration plutôt que d'autre chose.

— Écoute, je bosse avec Dolph depuis des années, et je l'aime bien. Je respecte ses méthodes de travail. Mais putain, Zerbrowski, tu n'es pas obligé de te montrer aussi cachottier que lui ! J'ai toujours détesté le jeu des vingt questions. On va essayer quelque chose de nouveau, d'accord ? Je demande et tu réponds.

Il faillit sourire.

— Peut-être, répéta-t-il.

Je réprimai mon envie de hurler et dis très calmement :

— Au moins deux personnes ont été tuées, massacrées contre les murs.

Je me forçai à me détourner et à scruter les murs en question. À présent que j'avais un autre être humain à qui parler et qu'il m'avait mise un tout petit peu en colère, je pouvais de nouveau réfléchir. Les murs n'étaient pas littéralement repeints en rouge. À certains endroits, on voyait le carrelage à travers mais, comme il était brun, ça avait l'air pire que ça l'était, et Dieu sait que c'était déjà bien assez terrible à la base.

Je me retournai vers Zerbrowski.

— Disons, deux personnes tuées, une contre chaque mur. Ou en tout cas, deux personnes égorgées, éventrées ou tailladées contre chaque mur. (Je reportai mon attention sur la baignoire.) Il y a des morceaux de corps là-dedans ?

— Dolph t'enverrait à la pêche.

Je levai les yeux.

— Peut-être. Probablement. Mais tu n'es pas Dolph, et je ne suis pas d'humeur.

— Nous avons laissé les morceaux là-dedans spécialement pour toi, Anita. (Zerbrowski leva les mains.) Ce n'est pas une plaisanterie. Tu es notre experte en monstres, et jamais cette définition ne s'est aussi bien appliquée qu'à ce tueur.

Là, il marquait un point.

— C'est un monstre, certes, mais est-ce un monstre humain ou quelque chose d'autre ? Là est la question à soixante-quatre milliards de dollars.

— Je croyais que c'était la question à soixante-quatre mille dollars.

— Tout augmente. J'espère au moins que tu as des gants longs à me prêter.

— Pas sur moi, non.
— Je te déteste.
— Tu n'es pas la première à me le dire aujourd'hui, répliqua Zerbrowski d'une voix de nouveau lasse.
— Je vais foutre du sang partout.
Il farfouilla sous un des lavabos et en sortit un sac-poubelle.
— Mets tes bottillons là-dedans avant de sortir.
— Qu'est-ce que je peux bien apprendre en allant à la pêche dans cette foutue baignoire ?
— Probablement rien d'utile.
Je secouai la tête.
— Alors pourquoi devrais-je le faire ?
— Parce que nous avons préservé cette scène intacte pour toi. Nous n'avons pas sondé cette foutue baignoire, comme tu dis, de peur de bousiller un indice surnaturel, un truc d'arcane que tu aurais remarqué et qui nous aurait échappé.
— Arcane, répétai-je. Katie a recommencé à te lire des livres pour les grands ?
Zerbrowski sourit.
— Plus vite tu t'y mettras, plus vite tu auras terminé, et plus vite nous pourrons tous foutre le camp d'ici.
— Je ne cherche pas à gagner du temps, mentis-je.
— Bien sûr que si. Et je ne peux pas t'en vouloir.
Je jetai un coup d'œil à la baignoire, puis regardai Zerbrowski en plissant les yeux.
— Si je ne trouve pas un indice qui déchire tout, je te mets mon pied au cul.
Il grimaça.
— Pour ça, il faudra déjà que tu m'attrapes.
Je secouai la tête, pris une minuscule inspiration et franchis le seuil de la salle de bains.

Chapitre 54

Le sang se referma sur mon bottillon de plastique. Il ne montait pas assez haut pour recouvrir mon pied, mais ce n'était pas loin. Même à travers ma chaussure, je sentais qu'il était froid ; pas glacé mais, disons, à température ambiante. Peut-être était-ce seulement mon imagination. Je n'aurais pas dû être capable de sentir une chose pareille à travers une double couche de plastique et de cuir. Pourtant, il me semblait que tel était le cas. Mon imagination n'est pas toujours un atout sur les scènes de crime.

J'avançai mon pied lentement, prudemment, en continuant à m'accrocher au chambranle le plus longtemps possible. En fait, cette partie de la salle de bains n'était pas si large ; il n'y avait pas loin de la porte à la baignoire. Je ne lâchai la première que pour agripper férocement le bord de la seconde avec mes mains protégées par des gants chirurgicaux. Lorsque mes deux pieds furent plantés sur le sol aussi fermement que possible, je regardai dans la baignoire.

Elle semblait remplie d'une sorte de soupe rougeâtre. Je savais que c'était surtout de l'eau, mais cette couleur… Elle me faisait penser aux tasses qu'on utilise pour teindre les œufs de Pâques, un modèle maousse dans lequel on n'aurait pas bien réussi le mélange de colorants et obtenu une teinte qui n'était ni vraiment rouge ni tout à fait rose, mais quelque part entre les deux. Je m'accrochai à l'image des œufs de

Pâques évoquant le souvenir d'une odeur de vinaigre et de temps plus riants.

L'eau paraissait plus lourde, plus dense qu'elle devait l'être réellement. Ce n'était sans doute qu'une illusion mais, soudain, j'eus la vision de quelque chose flottant juste sous la surface, quelque chose qui s'apprêtait à jaillir de la baignoire pour me prendre à la gorge. Je savais que ce n'était pas vrai. J'avais seulement vu trop de films d'horreur. Pourtant, mon cœur était dans ma gorge, et il battait la chamade.

Par-dessus mon épaule, je jetai un coup d'œil à Zerbrowski.

— Vous n'avez pas de bleus pour faire ça ?

— À ton avis, qui a repêché le premier morceau ? répliqua-t-il.

— Ça expliquerait pourquoi j'ai vu un type en tenue vomir ses boyaux dans les buissons en arrivant.

— C'est sa première semaine.

— Espèce de salaud.

— Peut-être, mais personne d'autre ne voulait mettre sa main là-dedans. Quand tu auras fini de regarder, les techniciens vont pomper l'eau et la filtrer en quête d'indices. Mais la primeur de la découverte te revient. Dis-moi que l'assassin n'est pas un lycanthrope, Anita, et je transmets aux médias. Ça calmera la chasse aux sorcières.

— Mais pas l'hystérie collective. Si c'est l'œuvre d'un deuxième tueur, nous avons sur les bras deux des pires psychopathes dont j'aie jamais croisé le chemin. J'aimerais prouver que ce n'est pas un métamorphe mais, si ça ne l'est pas, ça pose un autre problème.

Zerbrowski cligna des yeux.

— Tu préférerais vraiment que ce soit le même métamorphe ?

— Traditionnellement, deux tueurs font plus de dégâts qu'un seul.

— Tu continues à réfléchir comme un flic plutôt que comme une experte en monstres, Anita.

— Merci.

Je reportai mon attention sur la baignoire et, soudain, je sus que j'allais le faire. Pas question que j'enfonce mon bras plus haut que le bord de mon gant en plastique. Ça aurait été vraiment trop craignos niveau hygiène. Mais si je pouvais trouver quelque chose pas trop loin de la surface, je le repêcherais.

L'eau était froide, même à travers le plastique chirurgical. J'y plongeai ma main et la sentis ramper le long de ma peau. Elle n'avait même pas atteint la base de mes doigts quand je touchai quelque chose de solide.

L'espace d'un instant, je me figeai. Puis je pris une petite inspiration et fis courir ma main le long de l'objet. Il était mou et ferme en même temps. De la chair. Lorsque je touchai un os, je le saisis pour le sortir de l'eau. C'était ce qui restait d'un bras de femme. Comme l'eau dégoulinait tout le long, j'aperçus l'os d'un blanc rosâtre à l'endroit où le membre avait été arraché, au niveau de l'épaule. Sa tête était broyée. Il existe des outils capables de faire ce genre de dégâts, mais je doutais que l'assassin se soit donné la peine de les utiliser.

Je mis le bras de côté et recommençai à fouiller là où je l'avais trouvé. Cette fois, ma main s'enfonça davantage, et je sortis de l'eau un os presque dénudé, auquel ne s'accrochaient plus que des lambeaux de chair. Ça ne ressemblait pas à un morceau d'être humain, et je préférai ne pas le considérer comme tel. Je l'examinai comme s'il appartenait à un animal dont j'aurais découvert la carcasse dans les bois, et que je tentais d'identifier quel autre genre d'animal l'avait tué.

De grandes dents, des mâchoires puissantes. Très peu de véritables prédateurs auraient eu la force de broyer un os de cette façon, mais la plupart des lycanthropes l'avaient. De toute façon, je doutais qu'une hyène se soit échappée du zoo local et réfugiée dans une salle de bains de banlieue pour en massacrer les occupants.

Je laissai l'os retomber doucement dans l'eau rougeâtre, le tenant pour ne pas qu'il fasse d'éclaboussures. Puis je me détournai de la baignoire, revins prudemment vers la porte, ôtai mes gants, les jetai dans le sac-poubelle que Zerbrowski me tenait ouvert, pris appui sur le chambranle, enlevai les bottillons en plastique, leur fis suivre le même chemin et sortis de cet endroit horrible.

Je ne m'arrêtai qu'une fois parvenue dans la chambre. Ici, l'air semblait plus propre, plus respirable.

Zerbrowski m'avait suivie. Mais ce fut Merlioni qui lança :

— Elle l'a fait, pas vrai ?

— Ouaip, confirma Zerbrowski.

Merlioni émit un bruit triomphant.

— Je le savais. J'ai gagné !

Je les dévisageai tour à tour.

— Je suis désolée, vous avez dit quoi ?

Zerbrowski n'eut même pas le bon goût de paraître embarrassé en répondant :

— On avait parié sur le fait que tu fouillerais dans la baignoire ou pas.

Je secouai la tête et soupirai.

— Vous êtes vraiment de fieffés salopards.

— Fieffés, oooh, grimaça Merlioni. Si vous nous insultez avec des mots compliqués, Blake, nous ne comprendrons jamais.

Je reportai mon attention sur Zerbrowski.

— C'est un métamorphe. Je ne peux pas dire si c'est le même. La première victime a été tuée dans son lit. Et la deuxième ?

— Aussi.

— Cette fois, ça s'est passé dans la salle de bains, et il y a au moins deux corps en morceaux dans la baignoire.

— Pourquoi deux ?

— Parce que le tas monte beaucoup trop haut pour qu'il n'y en ait qu'un seul, surtout en tenant compte du fait qu'il en a bouffé une partie.

— Tu dis « il » comme si tu savais que c'est un homme, fit remarquer Zerbrowski.

Je secouai la tête.

— Je n'ai pas de certitude, mais je suppose que c'en est un, parce qu'il n'existe pas beaucoup de femmes capables de faire ce genre de chose. Quelques-unes, mais pas beaucoup.

— Nous avons un témoin qui rapporte avoir vu la propriétaire de la maison et une de ses amies rentrer vers 2 heures du matin. (Zerbrowski avait fermé les yeux comme s'il se remémorait une citation.) Elles avaient l'air saoules, et un homme les accompagnait.

— Vous avez un témoin ?

— Si le type qui a raccompagné les deux femmes était notre métamorphe et pas une partie de ce qui se trouve dans la baignoire, oui.

Je n'avais pas pensé à ça.

— Je suppose qu'il pourrait être dans la baignoire, acquiesçai-je. Au fait, pourquoi l'eau monte-t-elle si haut ? Pourquoi la valve d'évacuation n'a-t-elle pas fonctionné ?

— D'après le bleu, un bout de corps a été enfoncé dedans.

Je frissonnai.

— Le pauvre. Pas étonnant qu'il ait vomi.

— Sur ce coup-là, j'ai perdu, grimaça Merlioni.

— Quel coup ?

— La plupart d'entre nous ont parié que vous dégueuleriez aussi.

— Qui a parié le contraire ?

Zerbrowski se racla la gorge.

— Moi.

— Tu as gagné quoi ?

— Un dîner pour deux chez *Tony's*.

— Et vous, vous avez gagné quoi, pour le coup de la baignoire ? demandai-je à Merlioni.

— Du fric.

Je secouai la tête.

— Je vous déteste tous.

Je me dirigeai vers la porte.

— Attendez, me retint Merlioni. On a encore un pari en cours. Qui était la nana au téléphone quand Zerbrowski vous a réveillée ?

J'étais sur le point de lui balancer une repartie cinglante quand une voix venue du couloir m'arrêta net.

— Vous n'aviez rien vu d'aussi affreux depuis le Nouveau-Mexique, non ?

Pivotant, je découvris mon agent du FBI préféré sur le seuil de la chambre. L'agent spécial Bradley Bradford me sourit et me tendit la main.

Chapitre 55

Bradford appartient à la Section de recherches spéciales, une nouvelle division créée pour traiter les crimes surnaturels. La dernière fois que nous avons bossé ensemble, c'était sur une série de meurtres particulièrement dégueu au Nouveau-Mexique.

Je pris sa main et la serrai chaleureusement. Il me sourit. Je crois que chacun de nous était content de voir l'autre. Puis son regard balaya la pièce et se posa sur Zerbrowski.

— Sergent Zerbrowski, vous devez avoir la belle vie.

Zerbrowski s'approcha de nous.

— Que voulez-vous dire, agent Bradford ?

Celui-ci lui tendit une mince enveloppe en kraft.

— Il y a un magasin en face de la discothèque où les deux femmes se sont rendues hier soir. Après avoir été cambriolé l'année dernière, le proprio a fait installer un joli système de surveillance.

Toute velléité d'humour enfuie, ce fut sur un ton très sérieux que Zerbrowski lança :

— Et ?

— On a trouvé une image du type décrit par le voisin, celui qui est rentré avec les deux femmes hier soir. Ils sont passés ensemble juste devant la vitrine du magasin. (Bradley ouvrit l'enveloppe.) J'ai pris la liberté d'en faire un tirage papier.

— Que vous avez distribué à tous vos hommes, supposa Merlioni.

—Non, inspecteur. C'est le seul exemplaire, et je suis venu directement vous l'apporter.

Merlioni avait l'air de vouloir dire quelque chose, mais Zerbrowski le prit de vitesse.

—Peu m'importe qui résout cette affaire du moment que nous attrapons ce type.

—C'est bien mon avis, acquiesça Bradford.

J'avais du mal à le croire. La dernière fois que je lui avais parlé, sa petite division était menacée de démantèlement ; il était question que leurs affaires soient de nouveau confiées à l'Unité d'Investigation, celle qui s'occupe des tueurs en série. Bradford est un mec bien ; il se soucie réellement plus de mettre les criminels sous les verrous que de recevoir une promotion. Mais il se soucie également de sa nouvelle unité. Il pense qu'elle est nécessaire aux autorités fédérales et je suis d'accord avec lui. Alors, pourquoi nous remettre l'unique exemplaire de cette photo ? Nous la montrer était logique ; nous la donner ne l'était pas.

—Qu'en pensez-vous, Anita ? me demanda-t-il.

Je baissai les yeux sur la photo. C'était un cliché en noir et blanc, d'assez bonne qualité, pour une fois. Les deux femmes riaient, la tête levée vers l'homme de haute taille qui se trouvait entre elles. J'avais déjà vu la brune de gauche sur certaines photos, au rez-de-chaussée. Je n'avais pas pensé à demander le nom de la propriétaire de la maison, ou plutôt, je n'avais pas voulu le savoir. Sinon, il m'aurait été encore plus difficile d'entrer dans cette salle de bains et de farfouiller au milieu de ses restes.

L'autre femme, celle de droite, me paraissait vaguement familière.

—Elle ne figure pas sur une photo de groupe, en bas ? Une photo prise pendant une soirée ?

—On va vérifier, dit Zerbrowski.

—Et le type ? s'enquit Bradford.

Je le détaillai. L'homme qui était peut-être notre meurtrier ou qui gisait peut-être en morceaux au fond de la baignoire était grand et large d'épaules. Il avait attaché ses cheveux bruns et raides en une queue-de-cheval sur laquelle une des deux femmes tirait d'un air taquin. Son visage aux pommettes bien découpées semblait plutôt séduisant. Pas autant que celui de Richard, mais dans le même style athlétique et assez classique. Pourtant, rien que de le voir en photo, quelque chose chez lui me foutait les jetons.

C'était sans doute parce que je savais que, quelques heures plus tard, les deux femmes qui l'accompagnaient connaîtraient une mort atroce. Probablement un tour de mon imagination. Tout de même, je n'aimais pas l'expression de son visage levé vers la caméra. Et soudain, je compris ce qui me dérangeait.

— Il a repéré la caméra, dis-je.

Zerbrowski fronça les sourcils.

— Pardon ?

— Regarde la tête qu'il fait. Il a repéré la caméra, et ça ne lui a pas plu d'être filmé.

— Il savait probablement déjà ce qu'il allait leur faire, enchaîna Merlioni. Il ne voulait pas être vu avec ses futures victimes.

— C'est possible, oui.

Je continuai à scruter le visage de l'homme, qui me semblait familier mais que je ne parvenais pas à replacer.

— Vous le connaissez ? interrogea Bradford.

Je levai les yeux vers lui. Il me regardait d'un air innocent, mais je ne m'y laissai pas prendre.

— Pourquoi devrais-je le connaître ?

— Eh bien, si c'est notre homme, c'est un métamorphe. Je pensais que vous auriez déjà pu le croiser dans les parages.

Bradford mentait, je le sentais. Mais je n'étais pas assez dénuée de tact pour l'accuser devant témoins. Puis mon portable sonna, m'épargnant la peine de trouver quelque chose à répondre. Ce jour-là, j'avais pensé à le garder sur moi, accroché à ma ceinture juste au cas où Musette et Cie rechigneraient à quitter la ville comme prévu. Traitez-moi de parano si ça vous chante, mais je ne leur faisais pas confiance.

— Allô ?

— *Anita Blake ?*

C'était une voix de femme que je ne reconnus pas.

— Oui, qui est à l'appareil ?

— *Inspecteur O'Brien.*

Curieusement, entre les histoires de politique vampirique et le nouveau meurtre, je n'avais pas eu beaucoup le temps de penser au terroriste international Leopold Heinrick.

— Inspecteur, ravie de vous entendre. Il y a du nouveau ?

— *Nous avons identifié les deux photos qui vous disaient quelque chose.*

— Vraiment ? Je suis impressionnée. Elles étaient de très mauvaise qualité.

— *C'est grâce au lieutenant Nicols. Vous l'avez rencontré une fois.*

Il me fallut quelques secondes pour me souvenir.

— C'est lui qui gérait l'interrogatoire au cimetière de Lindel.

— *Absolument. Il a désigné les deux mêmes photos, et comme vous ne vous êtes rencontrés qu'une fois…*

Avant qu'elle puisse achever sa phrase, je m'exclamai :

— Les gardes du corps ! Les putains de gardes du corps ! Canducci et…

— *Balfour.*

— Ouais, c'est ça. Comment ai-je pu ne pas m'en souvenir ?

— *Vous les avez vus une seule fois, de nuit. Et d'après ce que m'a raconté Nicols, la veuve s'est joliment donnée en spectacle.*

— C'est vrai, mais quand même. Vous avez pu les faire venir pour les interroger ?

— *Personne ne sait où ils sont. Ils ont démissionné de leur boulot à l'agence de sécurité le lendemain de votre rencontre. Ils n'y travaillaient que depuis deux semaines. Et toutes les références qu'ils ont fournies nous ont conduits dans des impasses.*

— Merde.

Je baissai les yeux vers les photos que Bradford tenait toujours devant moi. Et soudain, je compris pourquoi le type me paraissait familier. C'était un autre des associés connus de Heinrick. Ou du moins, il lui ressemblait étonnamment. Mais une telle coïncidence m'aurait beaucoup étonnée.

Je levai les yeux sur Bradford, qui continuait à tenir patiemment la photo à la hauteur la plus confortable pour que je puisse l'examiner, plus bas que nécessaire pour Zerbrowski et Merlioni. Peut-être était-ce juste de la politesse, et peut-être pas. Il soutint mon regard sans ciller, avec une expression neutre de flic.

— Et si je vous disais qu'en ce moment même j'ai sous les yeux la photo d'un autre des associés connus de Heinrick et qu'il se trouve également à Saint Louis ?

Bradford ne broncha pas, contrairement à Zerbrowski et à Merlioni, qui eurent l'air surpris.

— *Où vous êtes-vous procuré cette photo ?* s'enquit O'Brien.

— C'est une longue histoire, mais ce type est recherché dans une affaire de meurtres locale.

— *Quel type ?*

— Je crois que c'était le seul qui avait les cheveux longs. Il ne les portait pas en queue-de-cheval comme là, mais ils lui arrivaient au moins aux épaules.

J'entendis un bruissement de papiers à l'autre bout de la ligne.

— *Je l'ai.* (Il y eut un nouveau bruissement, puis O'Brien siffla tout bas.) *Roy Van Anders. C'est un type très dangereux, Blake.*

— Dangereux comment ?

— *Curieusement, nous n'avons reçu son dossier qu'aujourd'hui. Des photos de scènes de crime qui vous retourneraient l'estomac.*

— Beaucoup de sang, pas beaucoup de restes ? suggérai-je.

Je sentis Zerbrowski se raidir à côté de moi.

— *Oui. Comment le savez-vous ?*

— Je pense que la scène de crime sur laquelle je me trouve actuellement est l'œuvre de M. Van Anders.

— *Vous enquêtez sur cette histoire de lycanthrope, n'est-ce pas ?*

— Oui.

— *Rien dans son dossier ne précise que Van Anders en soit un. Pour nous, c'est juste un malade mental qui aime violer et tuer des femmes.*

— Quelqu'un s'est déjà demandé comment il démembrait les corps ou ce que devenaient les morceaux manquants ?

— *Je n'ai pas encore eu le temps de tout lire mais, apparemment, non. La plupart de ses crimes ont été commis dans des pays où c'est déjà un miracle que nous ayons pu nous procurer des photos. Faibles moyens techniques et très peu d'argent pour mener des enquêtes pointues.*

— Pas besoin de gros moyens pour faire la différence entre un outil et des dents.

— *Des tas de tueurs en série utilisent leurs dents, Blake*, répliqua O'Brien comme si elle se sentait tenue de défendre l'honneur de toutes les polices du monde.

— Je sais bien, mais… Oh et puis merde, peu importe. Ce qui importe, c'est que ce type se trouve à Saint Louis en ce moment et que nous avons des moyens techniques dignes de ce nom, et au moins un peu d'argent pour traquer les criminels.

— *Vous avez raison, Blake. Concentrons-nous sur le présent.*

— Avons-nous de quoi justifier l'interrogatoire de Heinrick et de son pote, à présent ?

— *Je crois que oui. Nous pouvons toujours affirmer que Heinrick est au courant des passe-temps de son associé. Ce qui ferait de lui un complice passif, à tout le moins.*

— J'arrive dès que je peux.

— *Blake, ce n'est pas votre affaire. Vous êtes l'une des victimes potentielles, donc trop impliquée pour vous montrer objective.*

— Ne faites pas ça, O'Brien. J'ai été fair-play avec vous.

— *Ce n'est pas un jeu, Blake, c'est un boulot. À moins que vous vouliez récolter tous les lauriers ?*

— Je me fous des lauriers comme de l'an quarante. Je veux juste être là quand vous cuisinerez Heinrick.

— *Si vous arrivez à temps, vous pourrez assister à l'interrogatoire. Mais nous ne vous attendrons pas.*

— D'accord, O'Brien, d'accord, c'est vous la responsable de l'enquête.

— *C'est très aimable à vous de vous en souvenir.*

Et elle me raccrocha au nez.

— Salope, lâchai-je avec conviction.

Zerbrowski et Merlioni m'observaient d'un air avide, mais pas Bradford. Même s'il sait faire une tête de flic, ce n'est pas un acteur. Je leur racontai ce qu'O'Brien venait de me dire, et Zerbrowski s'indigna, non parce qu'elle m'avait écartée, mais parce qu'elle n'avait pas pensé à prévenir quelqu'un de la BIS.

— Elle les a mis en garde à vue pourquoi ? parce qu'ils te suivaient comme des toutous ? Nous, on a quatre meurtres à leur coller sur le dos, peut-être plus. (Il me dévisagea.) Tu veux qu'on t'emmène là-bas dans une patrouilleuse avec le gyrophare allumé, histoire d'arriver avant qu'elle bousille notre enquête ?

Le « notre enquête » me plut tout autant que le fait qu'il propose de m'emmener. Même s'il n'avait pas été en pétard contre moi, à sa place, Dolph ne l'aurait pas fait.

Je hochai la tête.

— J'adorerais me pointer en fanfare et lui agiter des drapeaux juridictionnels sous le nez.

Zerbrowski grimaça.

— Laisse-moi dix minutes pour donner leurs instructions aux gars et retrouve-moi au rez-de-chaussée. On empruntera une patrouilleuse. Les gens se poussent toujours plus vite pour une patrouilleuse que pour une voiture banalisée.

Il sortit en trombe et dévala l'escalier en fredonnant tout bas.

Merlioni le suivit en criant :

— Et qui va devoir rester avec l'équipe de nettoyage ?

À mon avis, il n'avait aucune envie de traîner dans le coin, fût-ce pour se contenter de superviser le ménage.

Je me retrouvai seule avec Bradford. Ça devait être la première fois que deux fédéraux se retrouvaient seuls sur une scène de crime : la plupart des flics d'État détestent les fédéraux, qui le leur rendent bien.

Je levai les yeux vers lui.

— Maintenant que j'ai établi toutes les connexions que vous vouliez me faire établir, dites-moi vraiment pourquoi vous êtes venu ici.

Il referma l'enveloppe en kraft et me la tendit.

— Pour résoudre un crime.

— Vous en attribuer le mérite ajouterait au prestige de votre unité. La dernière fois que je vous ai parlé, vous en aviez besoin.

Il me dévisagea prudemment.

— Bradley, vous êtes là à titre officiel ?

— Oui.

Je scrutai son masque inexpressif.

— Vous êtes là à titre officiel en tant qu'agent du FBI, et rien que ça ?

— Je ne comprends pas où vous voulez en venir.

— Une fois, vous m'avez dit que j'avais attiré l'attention de certaines branches les moins scrupuleuses du gouvernement. Van Anders travaille-t-il pour elles ?

— Aucun gouvernement sain d'esprit ne voudrait d'un animal comme lui sur son territoire.

— Parlez-moi, Bradley. Parlez-moi, sinon, lors de notre prochaine rencontre, je ne vous ferai pas autant confiance que maintenant.

Il soupira et parut soudain fatigué. Il se frotta les yeux du pouce et de l'index.

— Ces meurtres ont été portés à notre attention. Mais j'avais déjà vu ce genre de crime. Ailleurs, dans un pays dont le gouvernement était plus préoccupé par le fait de rester au pouvoir que par la protection des femmes vulnérables.

Dans ses yeux, je vis passer quelque chose de lointain et de douloureux.

— Vous m'avez dit que vous aviez arrêté ce genre de boulot.

— C'est le cas. (Il me fixa droit dans les yeux. Plus de regard de flic : il était sincère.) Les types comme Van Anders sont l'une des raisons pour lesquelles je n'ai pas pu continuer. Mais lorsque certaines personnes ont découvert qu'il était lâché en liberté sur le sol américain, elles n'ont pas été contentes du tout. J'ai reçu la permission exceptionnelle de vous donner un coup de main ici.

— Et quel est le prix à payer pour ce coup de main ?

— Heinrick sera escorté hors du pays. On n'identifiera jamais le deuxième homme avec qui il a été arrêté. Le dossier disparaîtra.

— Heinrick est soupçonné de terrorisme. Vous croyez que les flics le laisseront filer comme ça ?

— Il est recherché dans cinq pays avec lesquels nous avons des accords en béton armé, Anita. À qui le livrerions-nous ? Mieux vaut le relâcher tout simplement.

— Vous ne voulez pas savoir ce qu'il est venu faire en ville ? Moi, je veux savoir pourquoi il me suivait.

— Je vous ai déjà dit ce que ce genre de personne pouvait attendre de vous.

— Que je relève des morts pour eux. Un leader politique par ci, quelques gardes du corps zombies par là…, tentai-je de plaisanter.

Mais Bradford ne rit pas.

— Vous vous souvenez de l'homme que vous avez trouvé cloué au mur de son salon ?

— Ouais.

— Il connaissait Heinrick et Van Anders, et il les trouvait trop extrémistes. Il a foutu le camp et il s'est planqué, mais pas assez bien.

— Si c'était une exécution, pourquoi la maquiller en meurtre rituel ?

— Pour que ça n'ait pas l'air d'une exécution.

— Quelle importance pour eux ?

Bradford secoua la tête.

— C'était un message, Anita. Ils voulaient qu'il meure, et d'une façon assez sensationnelle pour que ça fasse la une des journaux. Pour que ça serve d'avertissement aux gens comme lui et moi, ceux qui sont partis.

— Vous ne pouvez pas en être certain, Bradley.

— Pas complètement, mais je sais que toutes les personnes impliquées veulent que Van Anders soit capturé et que Heinrick disparaisse.

— Et les autres ?

— Aucune idée.

— Ont-ils lâché l'affaire pour de bon ou dois-je continuer à m'inquiéter ?

— À votre place, Anita, je continuerais à m'inquiéter.

— Génial. (Quelque chose me traversa l'esprit.) Je sais que tout ça est officieux pour vous. Ça tombe bien, parce que j'ai un truc officieux à vous demander.

— Je ne peux rien vous promettre, mais allez-y.

Je lui donnai le nom de Léo Harlan et une description générale, parce que ce n'est pas si difficile de changer de nom.

— Il dit qu'il est un assassin et je le crois. Il dit qu'il est ici en vacances et je le crois aussi. Mais Saint Louis grouille soudain de terroristes internationaux, et je suis curieuse de savoir si mon client a des rapports avec eux.

— Je vérifierai.

— S'il figure dans l'un de vos hit-parades, je l'éviterai et je refuserai de relever son ancêtre. Dans le cas contraire, je ferai le boulot.

— Même si c'est un assassin ?

Je haussai les épaules.

— Qui suis-je pour lancer des pierres, Bradley ? J'essaie de ne pas juger les autres plus que nécessaire.

— À moins que vous mollissiez vis-à-vis des assassins.

— Ce qui ne serait guère étonnant vu que tous mes amis sont des criminels, des monstres ou des flics.

Cela le fit sourire.

D'en bas, Zerbrowski appela :

— Yo, Anita, on se casse !

Je donnai mon numéro de portable à Bradford. Il le nota. Je m'élançai dans l'escalier.

Chapitre 56

O'Brien avait déjà commencé l'interrogatoire lorsque nous arrivâmes. À Saint Louis, les gens n'ont pas l'air de comprendre que, quand une voiture de police se déplace toutes sirènes hurlantes, il faut s'écarter de son chemin. Au contraire, la patrouilleuse semblait attirer un bloc compact de curieux. Les conducteurs des autres véhicules étaient si occupés à essayer de comprendre pourquoi nous étions pressés à ce point qu'ils en oubliaient de nous laisser passer.

Je n'avais jamais vu Zerbrowski si furieux. En fait, je n'étais même pas sûre de l'avoir déjà vu furieux tout court, pas pour de vrai. Il avait fait assez de barouf pour que quelqu'un aille chercher O'Brien en salle d'interrogatoire mais, depuis, elle se bornait à nous répéter :

— Heinrick sera à vous dès que nous en aurons terminé avec lui, sergent.

La voix de Zerbrowski descendit si bas que, quand il parla, ça me fit presque mal aux oreilles. Il articulait bien et il faisait traîner chaque syllabe, mais sa voix était assez brûlante pour me rendre nerveuse.

— Ne pensez-vous pas, inspecteur, que l'interroger au sujet d'un tueur en série qui a déjà massacré trois personnes – peut-être quatre – est plus important que de découvrir pourquoi il suivait un marshal fédéral ?

— Je l'interroge au sujet du tueur en série, répliqua O'Brien. (Un petit pli se forma entre ses sourcils.) Comment ça, « trois, peut-être quatre » ?

— Nous n'avons pas fini de compter les morceaux sur la dernière scène de crime. Il pourrait y avoir deux victimes.

— Vous n'en êtes pas sûrs ?

Zerbrowski souffla d'un air irrité.

— Vous ignorez tout de ces crimes. Vous n'en savez pas suffisamment pour l'interroger sans nous.

Sa voix tremblait de l'effort qu'il faisait pour ne pas se mettre à hurler.

— Vous pouvez peut-être venir, sergent, mais pas elle, dit O'Brien en me désignant du pouce.

— En fait, inspecteur, techniquement, vous ne pouvez pas m'exclure de l'interrogatoire maintenant que Heinrick est suspect dans une affaire de crimes surnaturels, fis-je valoir.

Elle me fixa sans ciller, d'un regard ouvertement hostile.

— Je n'ai eu aucun mal à vous exclure la dernière fois, Blake.

— Ah, dis-je en sentant s'inscrire sur mon visage un sourire que je ne pus refréner. Mais à ce moment-là, Heinrick était juste soupçonné de terrorisme et coupable de simple port d'armes illégales, rien que de très terre à terre. Et rien qui appartienne à ma juridiction. Mais comme vous l'avez fait remarquer vous-même l'autre jour, je ne suis pas un marshal fédéral ordinaire. Ma juridiction est très restreinte. Je n'ai aucun statut légal concernant les crimes normaux ; en revanche, je peux intervenir sur n'importe quelle affaire de crimes paranormaux, n'importe où dans ce pays. Je n'ai pas besoin d'attendre qu'on m'y invite.

Je savais que j'avais l'air affreusement contente de moi en disant ça, mais je ne pouvais pas m'en empêcher. O'Brien faisait sa chieuse ; elle devait être punie.

Elle grimaça comme si elle avait mordu dans quelque chose d'amer.

—C'est mon enquête.

—En fait, O'Brien, c'est l'enquête de tout le monde, maintenant. La mienne parce que la loi fédérale me donne autorité. Celle de Zerbrowski parce que c'est une affaire surnaturelle et qu'elle tombe donc sous la juridiction de la BIS. En fait, de nous tous, vous êtes la moins qualifiée pour vous en occuper. Les crimes n'ont pas été commis sur votre territoire, et vous n'auriez même pas su que Heinrick y était mêlé si nous ne vous avions pas si généreusement fait part de nos informations.

—Nous avons été fair-play avec vous, enchaîna Zerbrowski. Soyez fair-play avec nous, et tout le monde y gagnera.

Sa voix était redevenue presque normale.

O'Brien tendit un doigt vers moi en un geste un peu trop théâtral à mon goût.

—Mais c'est son nom qui figurera dans les journaux.

Je secouai la tête.

—Doux Jésus, O'Brien, tout ça pour ça? Vous voulez faire la première page?

—Je sais qu'élucider une affaire de meurtres en série pourrait me faire passer sergent.

—Si vous voulez qu'on vous attribue tout le mérite, soit. Mais tâchons de finir le boulot avant de nous demander qui en récoltera les fruits, d'accord?

—C'est facile pour vous de dire ça, Blake. Comme vous l'avez dit, vous ne faites pas carrière dans la police. Recevoir tous les lauriers ne vous servira à rien, mais vous les recevrez quand même.

Zerbrowski s'écarta du mur auquel il était adossé. Il tendit la main vers les dossiers posés sur le bureau et ouvrit celui du dessus, juste assez pour en sortir une photo qu'il jeta plus qu'il ne poussa en direction d'O'Brien.

Le cliché représentait une tache de couleurs, essentiellement du rouge, au milieu de laquelle on distinguait des formes. Je ne le regardai pas de trop près : j'avais déjà contemplé cette scène en vrai ; je ne tenais pas à la revoir.

O'Brien baissa les yeux vers la photo, fronça les sourcils, faillit tendre la main pour la prendre et plissa les yeux d'un air concentré. Je l'observai tandis qu'elle essayait de discerner ce qu'elle voyait et que son esprit se rebellait de toutes ses forces. Quand elle comprit, je le sus à la brusque pâleur de son visage. Elle s'assit lentement dans le fauteuil de son côté du bureau.

— Elles sont toutes comme ça ? demanda-t-elle d'une voix blanche.

Elle semblait avoir du mal à détacher son regard de la photo.

— Oui, répondit Zerbrowski avec douceur.

Il avait obtenu le résultat qu'il voulait et n'éprouvait pas le besoin de se rengorger.

O'Brien leva les yeux vers moi et je vis l'effort physique que cela lui coûta de s'arracher à la contemplation du massacre.

— Une fois de plus, vous serez la petite chérie des médias, dit-elle sur un ton détaché, comme si ça n'avait plus d'importance.

— Sans doute. Mais pas parce que je l'aurai cherché.

— Ce n'est pas votre faute : vous êtes tellement photogénique, commenta-t-elle avec une pointe de mépris résiduel.

Puis elle fronça les sourcils et baissa de nouveau les yeux vers la photo. Elle parut entendre ce qu'elle venait de dire et, face à cet abominable cliché, comprendre combien sa remarque était déplacée.

— Je ne voulais pas…

Elle se ressaisit et prit une expression coléreuse mais, désormais, celle-ci ressemblait à un masque derrière lequel elle se dissimulait.

— Ne vous en faites pas, O'Brien, dit Zerbrowski sur son ton taquin habituel. (Je le connaissais assez bien pour appréhender sa remarque suivante, mais pas O'Brien.) Nous voyons très bien ce que vous avez voulu dire. Anita est si foutrement mignonne.

O'Brien eut un faible sourire.

— Quelque chose comme ça, oui. (Puis son sourire disparut comme s'il n'avait jamais existé, cédant la place à une brusquerie toute professionnelle dont elle ne semblait jamais s'éloigner de beaucoup.) Veiller à ce que ça ne se reproduise pas est plus important que décider qui récoltera les lauriers.

— Je suis ravi que nous soyons tous d'accord, acquiesça Zerbrowski.

O'Brien se leva. Elle repoussa la photo vers Zerbrowski en faisant de son mieux pour ne pas la regarder, cette fois.

— Vous pouvez interroger Heinrick et son copain, même s'il n'est pas très bavard.

— Mettons notre stratégie au point avant d'y aller, suggérai-je.

O'Brien et Zerbrowski me regardèrent tous deux.

— Nous savons que Van Anders est coupable, mais nous ignorons s'il est le seul, fis-je valoir.

— Vous pensez qu'un des hommes que nous détenons ici pourrait l'avoir aidé à faire ça ? s'enquit O'Brien en désignant la photo que Zerbrowski était en train de ranger.

— Je n'en sais rien.

Je jetai un coup d'œil à Zerbrowski et me demandai s'il pensait la même chose que moi. Le premier message disait : « Elle aussi, nous l'avons épinglée. » « Nous ». Je voulais m'assurer que Heinrick ne faisait pas partie de ce « nous ». Parce que, s'il en faisait partie, il n'irait nulle part, pas si je pouvais l'en empêcher. Je me fichais réellement de savoir qui tirerait la gloire de cette affaire. Je voulais juste qu'elle soit résolue. Je voulais juste ne plus jamais avoir à contempler quelque chose d'aussi affreux que cette salle de bains, cette baignoire et son… contenu.

Avant, je croyais que j'aidais la police parce que j'avais le sens de la justice, un désir de protéger les innocents, voire un complexe héroïque. Depuis quelque temps, je commence à comprendre qu'il m'arrive de vouloir résoudre une affaire pour des raisons bien plus égoïstes. Pour ne plus avoir à me rendre sur des scènes de crime aussi abominables que celle-là.

Chapitre 57

Heinrick était assis derrière la petite table, affalé dans sa chaise, ce qui n'est pas aussi facile qu'il y paraît avec un dossier droit. Ses cheveux blonds soigneusement coupés étaient toujours bien peignés, mais il avait posé ses lunettes devant lui et son visage semblait plus jeune sans elles.

D'après son dossier, il était plus proche de la quarantaine que de la trentaine. Il n'en avait pas l'air. Il avait un visage innocent, une impression mensongère, je le savais. Quiconque paraît aussi innocent passé trente ans est un menteur ou a été touché par la main de Dieu. Curieusement, je n'imaginais pas Leopold Heinrick en candidat à la béatification. Autrement dit, il mentait. À propos de quoi ? Là était toute la question.

Un gobelet de polystyrène plein de café attendait devant lui depuis assez longtemps pour que la crème ait commencé à se séparer du liquide sombre, formant des motifs pâles à la surface.

Quand nous entrâmes, Zerbrowski et moi, il leva la tête vers nous. Quelque chose passa brièvement dans ses yeux clairs – intérêt, curiosité, inquiétude ? –, mais disparut avant que j'aie pu l'identifier. Heinrick remit ses lunettes d'un air dégagé. Ainsi, il faisait plus près de son âge réel. La monture coupait la ligne de son visage, de sorte que c'était la première chose qu'on remarquait.

— Vous voulez une autre tasse de café ? demandai-je en m'asseyant.

Zerbrowski s'adossa au mur près de la porte. Nous avions décidé que je commencerais par interroger Heinrick pour voir si j'arrivais à lui soutirer quelque chose. Zerbrowski m'avait fait comprendre très clairement que cette tâche me revenait, mais personne, moi y compris, ne voulait que je reste seule avec Heinrick. Il me suivait, et nous ne savions toujours pas pourquoi. L'agent Bradford pensait que quelqu'un voulait me faire relever les morts dans un dessein peu avouable. Mais il n'en était pas certain. Donc, la prudence était de mise jusqu'à nouvel ordre. En fait, la prudence devrait toujours être de mise.

— Non, répondit Heinrick. Plus de café.

Je tenais un gobelet fumant dans une main et une pile de dossiers dans l'autre. Je posai le gobelet sur la table et pris mon temps pour arranger les dossiers en une pile bien nette. Heinrick leur jeta un coup d'œil, puis reporta sur moi un regard serein.

— Vous en avez déjà trop bu ? demandai-je.

— Non.

Son expression était à la fois neutre et attentive, avec une pointe de méfiance. Quelque chose l'inquiétait. Les dossiers ? La pile était trop haute. Nous l'avions fait exprès. Ceux du bas n'avaient rien à voir avec Leopold Heinrick, Van Anders ou l'homme sans nom qui attendait dans une autre pièce, au bout du couloir.

Il est impossible d'avoir un dossier militaire anonyme ; pourtant, cet Américain aux cheveux sombres y était parvenu. Son dossier comportait tellement de gros traits de marqueur noir qu'il était pratiquement illisible. Le fait que personne ne veuille l'identifier, mais que les autorités soient prêtes à admettre qu'il avait autrefois appartenu aux forces armées avait quelque chose de perturbant. Cela me poussait à m'interroger sur ce que mon gouvernement tramait dans le dos des honnêtes citoyens.

— Vous voulez quelque chose d'autre à boire ?
Heinrick secoua la tête.
— Nous risquons d'en avoir pour un moment.
— Et parler, ça donne soif, lança Zerbrowski depuis le fond de la pièce.
Heinrick ne lui jeta qu'un bref coup d'œil.
— Mais se taire, ça économise la salive, répliqua-t-il avec un frémissement des lèvres, presque un sourire.
— Si à un moment, durant cet interrogatoire, vous avez envie de nous dire pourquoi vous me filiez, j'adorerai l'entendre, mais ce n'est pas la raison principale de notre présence ici.
Là, il parut perplexe.
— Quand vous nous avez arrêtés, ça paraissait très important pour vous de le découvrir.
— Ça l'était. Et j'ai toujours envie de le savoir. Mais nos priorités ont changé.
Heinrick fronça les sourcils.
— Vous parlez par énigmes, mademoiselle Blake. Je suis las de ces petits jeux.
Il n'y avait pas de peur en lui. Il semblait fatigué, méfiant et pas franchement à la fête, mais pas effrayé non plus. Il n'avait pas peur de la police, de moi ou d'aller en prison. Je ne percevais en lui aucune trace de cette anxiété qui habite la plupart des gens durant un interrogatoire de police. Bizarre. D'après Bradford, notre gouvernement allait laisser filer Heinrick. Celui-ci s'en doutait-il ? En était-il persuadé ? Si oui, comment pouvait-il le savoir ? Pourquoi n'avait-il pas du tout peur d'aller croupir dans une cellule de la prison de Saint Louis ?
J'ouvris le premier dossier. Il contenait des photos en noir et blanc de vieilles scènes de crime, des femmes que Van Anders avait tuées à l'étranger, bien loin d'ici. Je les disposai soigneusement devant Heinrick. Certaines étaient

de si mauvaise qualité que, si vous ne saviez pas qu'elles montraient des restes humains, vous ne pouviez pas le deviner. Van Anders avait réduit ses victimes à l'état de test de Rorschach.

À présent, Heinrick avait l'air ennuyé, presque dégoûté.

— Votre inspecteur O'Brien me les a déjà montrées. Elle m'a déjà servi ses bobards.

— De quels bobards parlez-vous ? demandai-je en sirotant une gorgée de café.

Il n'était même pas mauvais. En tout cas, il était chaud. Tout en buvant, je scrutai le visage de Heinrick. Celui-ci croisa les bras sur sa poitrine.

— Elle m'a raconté que des crimes semblables à ceux-ci avaient été commis dans votre ville.

— Qu'est-ce qui vous fait croire qu'elle mentait ?

Heinrick commença à dire quelque chose, puis referma la bouche, pinça les lèvres et se contenta de me foudroyer du regard, ses yeux clairs étincelant de colère.

J'ouvris le deuxième dossier et me levai pour disposer des photos couleur par-dessus celles en noir et blanc. Je dessinai une ligne de mort écarlate devant Heinrick et je vis toute couleur déserter son visage. Lorsque je me rassis, il était presque grisâtre.

— Cette femme a été tuée voilà trois jours.

Je sortis un nouveau dossier de la pile, l'ouvris et déployai en éventail les clichés qu'il contenait, mais sans les mettre devant Heinrick parce que je n'étais pas totalement sûre de réussir à remettre les bonnes photos dans le bon dossier à la fin. En principe, elles devaient être marquées au dos mais, comme ce n'était pas moi qui l'avais fait, je préférais ne pas prendre de risques. Il n'aurait plus manqué que je me plante. Pendant un procès, les avocats de la défense n'aiment rien tant que pouvoir plaider le vice de forme.

Je désignai les photos étalées devant moi.

— Cette femme a été tuée il y a deux jours.

Zerbrowski s'avança et me tendit un sachet plastique contenant une poignée de Polaroïd. Je le lançai à travers la table de sorte qu'il glissa vers Heinrick. Celui-ci le rattrapa automatiquement avant que le sac tombe de son côté. Quand il vit le cliché du dessus, ses yeux s'agrandirent.

— Ces femmes sont mortes la nuit dernière. Nous pensons qu'elles étaient deux mais, en vérité, nous n'avons pas fini de rassembler les morceaux et nous n'en sommes pas totalement certains. Il pourrait y en avoir trois, ou peut-être juste une, mais ça ferait beaucoup de sang pour une seule personne, vous ne trouvez pas ?

Heinrick posa soigneusement le sachet de Polaroïd sur la table, de manière à ce qu'il ne touche pas les autres photos. Il balaya du regard les clichés disposés devant lui, les yeux écarquillés et le visage d'une pâleur mortelle.

— Que voulez-vous savoir ? demanda-t-il d'une voix étranglée, comme si respirer – et, à plus forte raison, parler – lui coûtait un gros effort.

— Nous voulons empêcher que cela se reproduise, répondis-je.

Heinrick fixait les photos comme s'il ne pouvait en détacher son regard.

— Il avait promis de ne pas le faire ici. Il m'avait juré qu'il pouvait se contrôler.

— Qui ? demandai-je doucement.

Certes, le gouvernement lui avait donné un nom, mais c'était le même gouvernement qui ne voulait pas nous fournir celui du comparse américain de Heinrick.

— Van Anders, chuchota-t-il. (Il leva les yeux vers moi et, sous le choc, je vis de la surprise.) L'autre inspecteur a dit que vous saviez que c'était Van Anders.

Génial. Rien de tel que fournir à votre suspect plus d'informations que lui-même vous en donne.

Je haussai les épaules.

— Sans témoins oculaires, c'est dur d'être certains.

Quelque chose qui ressemblait à de l'espoir brilla dans les yeux de Heinrick, qui commença à reprendre des couleurs.

— Vous pensez que ça pourrait être quelqu'un d'autre ? pas Van Anders ?

Je me remis à farfouiller dans les dossiers, et il frémit. Je trouvai la mince chemise en carton qui contenait la photo de Van Anders et des deux femmes. Je la lui montrai.

— Votre copain et les victimes du massacre de la nuit dernière.

Le mot « massacre » le fit frémir de nouveau et la couleur qui avait regagné son visage s'évanouit derechef. Ses lèvres paraissaient exsangues. Pendant une seconde, je crus qu'il allait s'évanouir. Ça ne m'était encore jamais arrivé qu'un suspect s'évanouisse devant moi.

— Alors, c'est lui, chuchota-t-il d'une voix rauque.

Il posa son front sur la table.

— Vous voulez de l'eau, ou quelque chose de plus fort ? demandai-je… même si, en vérité, je n'avais rien de plus fort à lui offrir que du café.

On n'a pas le droit de saouler les suspects. Dingue, hein ?

Heinrick releva la tête. Il semblait sur le point de vomir.

— Je leur avais dit qu'il était malade. Je leur avais demandé de ne pas le mettre dans l'équipe.

— Vous l'avez demandé à qui ?

Il se redressa légèrement.

— J'ai accepté de venir ici à contrecœur. Je savais que l'équipe avait été constituée trop précipitamment. Quand on bâcle ce genre de tâche, ça finit toujours mal.

— Quelle tâche ?

— Vous recruter pour une mission.

— Quelle mission ?

Il secoua la tête.

— Ça n'a plus d'importance. Certains des nôtres vous ont filmée en train de relever un homme dans un cimetière local. Il n'avait pas l'air assez vivant pour satisfaire le dessein de mes employeurs. Il ressemblait à un zombie. Ça ne pouvait pas convenir.

— Convenir pour quoi ?

— Pour faire croire à la population de leur pays que le chef du gouvernement est toujours en vie.

— Quel pays ?

De nouveau, Heinrick fit un signe de dénégation, et l'ombre d'un sourire passa sur ses lèvres.

— Je ne resterai pas longtemps ici, mademoiselle Blake. Mes employeurs y veilleront. Ou ils s'arrangeront pour me faire libérer très bientôt, lavé de toute accusation, ou ils me feront tuer.

— Vous prenez ça très calmement.

— Je pense qu'ils me feront libérer.

— Mais vous n'en êtes pas sûr.

— Peu de choses sont certaines dans la vie.

— Moi, j'en connais une.

Heinrick me dévisagea en silence. Je crois qu'il en avait déjà dit plus qu'il en avait l'intention à la base ; aussi préférait-il se taire complètement.

— Van Anders tuera quelqu'un d'autre ce soir, affirmai-je.

Ce fut le regard morne que Heinrick lâcha :

— J'avais déjà bossé avec lui il y a des années, avant de savoir ce qu'il était. Je n'aurais pas dû le croire quand il m'a dit qu'il contrôlait sa rage. J'aurais dû me douter de ce qui se passerait.

— Vos employeurs vont-ils le laisser continuer à massacrer des femmes ?

De nouveau, Heinrick me dévisagea avec une expression que je ne pus déchiffrer : détermination, culpabilité, autre chose ?

— Je sais où loge Van Anders. Je vais vous donner l'adresse. Dans les circonstances présentes, mes employeurs souhaiteraient qu'on l'élimine. Il est devenu un boulet, pour eux.

Nous notâmes l'adresse qu'il nous dicta. Après ça, je ne me ruai pas hors de la pièce parce que, contrairement à ce qui se passe dans les films, je savais qu'on ne me laisserait pas participer à la capture. L'Unité de réserve mobile, l'équipe d'intervention spéciale de Saint Louis, se chargerait de ça toute seule. Face à des gars équipés d'armures complètes et d'armes automatiques, les flics ordinaires et moi ne faisions pas le poids.

J'ouvris un dernier dossier et montrai à Heinrick l'homme crucifié au mur de son salon.

— Pourquoi aviez-vous besoin que Van Anders fasse ça ? Ce n'est pas son genre de meurtre.

— J'ignore de quoi vous parlez.

Il avait l'intention de nier. Soit. Même si nous avions pu l'inculper, je doute que nous aurions pu le garder assez longtemps sous les verrous pour qu'il voie l'intérieur d'un tribunal.

— Nous avons que c'est vous et votre équipe qui avez fait ça. Nous savons même pourquoi.

Du moins, si Bradford avait raison.

— Vous ne savez rien, répliqua Heinrick, l'air très sûr de lui.

— On vous a demandé de l'exécuter parce qu'il s'était enfui. Parce qu'il ne voulait plus rien avoir à faire avec des gens comme vous et Van Anders.

Alors, Heinrick me dévisagea avec une pointe d'inquiétude. Il se demandait ce que je savais au juste. Pas grand-chose. Mais ça suffirait peut-être.

— Qui a eu l'idée de le crucifier ? demandai-je.

— Van Anders. (Heinrick semblait avoir avalé quelque chose d'amer. Il eut un petit sourire.) Peu importe, mademoiselle Blake. Je ne serai jamais jugé.

— Peut-être pas, mais j'aime bien savoir qui est responsable de quoi.

Il acquiesça et dit :

— Van Anders était tellement furieux qu'on l'ait abattu d'abord ! Il nous a demandé à quoi ça servait de crucifier quelqu'un qui ne se débat pas. (Il me dévisagea, le regard hanté.) À ce moment, j'aurais dû comprendre ce qu'il avait l'intention de faire.

— Et les runes, qui en a eu l'idée ?

Il secoua la tête.

— Vous venez de me soutirer ma dernière confession par surprise.

— Il reste une chose que je ne comprends pas.

En fait, il en restait des tas, mais ce n'est jamais bon d'avoir l'air paumé devant les méchants.

— Je ne m'enfoncerai pas tout seul, mademoiselle Blake.

— Si vous saviez de quoi Van Anders était capable, pourquoi l'avoir emmené ? Pourquoi l'avoir inclus dans l'équipe ?

— C'est un loup-garou, comme vous l'a appris l'état de ses victimes. Certains pensent que, vous aussi, vous êtes une métamorphe. Nous avions besoin de quelqu'un qui pourrait vous neutraliser sans risque d'infection, si vous vous débattiez.

— Vous aviez l'intention de m'enlever ?

— En dernier recours.

— Mais vous avez renoncé parce que mon zombie n'a pas plu à Balfour et à Canducci ?

— Ce ne sont pas leurs vrais noms, mais oui. On nous avait rapporté que vous étiez capable de relever des zombies qui se croyaient toujours vivants et pouvaient se faire passer pour humains. Mes employeurs ont été très déçus quand ils ont vu l'enregistrement.

Je devais un petit mot de remerciement à Marianne et à son chapitre. S'ils ne m'avaient pas fait la leçon, j'aurais relevé un magnifique zombie et, en ce moment même, je serais peut-être à la merci de Van Anders. Finalement, je vais envoyer des fleurs à Marianne. Une carte, ça me paraît un peu léger.

Je tentai encore quelques questions, mais Leopold Heinrick avait déjà dit tout ce qu'il avait l'intention de dire. Il finit par réclamer un avocat, et l'interrogatoire prit fin.

Je ressortis dans la grande salle. C'était le chaos. Des gens criaient et couraient dans tous les sens. Je captai au vol les mots « agent abattu ». J'empoignai au passage l'inspecteur Webster, le blond trop bavard qui faisait du mauvais café.

— Que s'est-il passé ?

Ce fut O'Brien qui répondit à sa place.

— Les types de l'Unité de réserve mobile qui sont allés cueillir Van Anders… Il les a massacrés. Il y a au moins un mort, peut-être plus.

— Merde.

O'Brien avait déjà enfilé sa veste et sortait son sac à main d'un tiroir.

— Où est Zerbrowski ?

— En route.

— Vous pouvez m'emmener ?

Elle me dévisagea.

— Où ça ? Je vais à l'hôpital.

— Vous ne devriez pas plutôt vous rendre sur la scène du crime ?

— Moi, je vais vous emmener, offrit Webster.

O'Brien le foudroya du regard.

— Je passerai à l'hôpital plus tard. Je vous le promets.

Elle secoua la tête et s'élança vers la porte. Les bureaux se vidaient à toute allure. Certains flics filaient à l'hôpital; d'autres sur les lieux du crime pour voir s'ils pouvaient se rendre utiles. D'autres encore allaient voir la famille des agents blessés ou morts. Mais personne ne resterait les bras ballants. Si vous voulez commettre un crime dans une grande ville, attendez qu'un policier vienne de se faire abattre : ses collègues lâcheront tout ce qu'ils sont en train de faire.

Moi, j'avais l'intention de me rendre sur la scène de crime pour aider les flics à comprendre ce qui avait mal tourné. Parce que, pour que Van Anders ait pu neutraliser toute une Unité de réserve mobile à lui seul, quelque chose avait forcément mal tourné. Ces types sont formés pour capturer des terroristes, gérer les prises d'otages, les affaires de drogue, les guerres de gangs et les fuites de produits toxiques. Citez une saloperie au hasard, et ils savent comment y réagir. Donc, quelque chose avait terriblement mal tourné. Toute la question était de savoir quoi.

Chapitre 58

J'avais déjà contemplé suffisamment d'« œuvres » de Van Anders pour m'être préparée au pire. Ce qui m'attendait dans le hall en était très loin. Comparé aux autres scènes de crime, ça paraissait limite immaculé.

Un agent en uniforme se tenait près de la fenêtre, au fond du hall. Il n'y avait plus de vitre, juste quelques éclats de verre accrochés au cadre métallique, comme si quelque chose de gros avait été projeté au travers. Je ne m'attardai pas sur la pensée d'un des membres de l'élite policière de Saint Louis faisant une chute mortelle et allant s'écraser sur le trottoir en contrebas.

La fenêtre mise à part, il n'y avait pas grand-chose à voir. Quelques éclaboussures de sang sur la moquette brun clair. Deux taches d'un rouge si vif qu'elles semblaient presque artificielles sur les murs blancs. C'était tout. Van Anders n'avait pas eu le temps de s'éclater. Il avait tué un agent, peut-être deux, mais il n'avait pas pu s'amuser avec, pas eu le loisir de les découper. Je me demandai si ça l'avait mis en colère, s'il s'était senti lésé.

Quelques agents allaient et venaient dans le hall, mais le bruit de voix en provenance de l'appartement à la porte d'entrée ouverte était pareil au murmure d'un océan. Un océan triste, furieux et perplexe.

L'appartement était intact. Il n'y avait pas eu de combat à l'intérieur. Tout avait commencé et s'était terminé dans le hall.

L'inspecteur Webster m'avait accompagnée. Il se tenait toujours sur le seuil, parce qu'il n'y avait pas la place d'entrer. Sur une scène de crime, il y a toujours plus de flics qu'il vous semble nécessaire, mais jamais encore je n'avais vu une foule pareille. Les gens étaient serrés comme des sardines. On se serait cru dans une soirée branchée, à ceci près que tous les visages étaient atterrés, choqués ou fous de rage. Personne ne passait un bon moment, je vous le garantis.

Zerbrowski m'avait appelée sur mon portable pendant le trajet. Tout le monde réclamait des réponses, des réponses au sujet des monstres, des réponses qu'il ne pouvait pas donner parce qu'il ne savait rien, bordel, pour reprendre ses propres paroles.

J'hésitai entre crier le nom de Zerbrowski ou l'appeler sur son portable. D'habitude, ma petite taille ne me dérange pas trop, mais là, je ne voyais rien à travers la foule et je n'étais pas assez grande pour voir par-dessus.

Je jetai un coup d'œil à Webster, qui flirtait avec le mètre quatre-vingt.

— Vous voyez le sergent Zerbrowski quelque part ?

Webster me parut soudain encore plus grand. Je pris conscience que, jusque-là, il s'était tenu artistiquement avachi, comme le font certaines personnes qui ont poussé trop vite à l'adolescence et qui n'ont pas aimé ça. Le dos droit et le regard balayant la foule, j'estimai sa taille réelle à un mètre quatre-vingt-deux, voire quatre-vingt-cinq. Je suis assez douée pour deviner ce genre de chose.

— Il est au fond, annonça Webster en rétrécissant à vue d'œil, ses épaules se voûtant et sa colonne vertébrale semblant se tasser de nouveau.

Je secouai la tête.

— Vous pouvez attirer son attention ?

Webster eut ce genre de sourire taquin que Jason et Zerbrowski m'ont appris à redouter.

— Je pourrais vous hisser sur mes épaules. Il serait obligé de vous remarquer.

Je lui jetai un regard qui flétrit instantanément son sourire. Il haussa les épaules.

— Désolé.

Mais il disait ça de la même façon que Jason, comme s'il ne regrettait pas le moins du monde.

Ou Zerbrowski a plus de talent psychique que je lui en prête, ou il essayait d'échapper au type qui lui gueulait dessus. C'était un des officiers de l'Unité de réserve mobile en tenue de combat intégrale. Il portait toujours son armure noire, mais il avait perdu son casque et son masque, et roulait des yeux fous comme un cheval sur le point de détaler.

Zerbrowski m'aperçut et le soulagement qui s'inscrivit sur son visage fut si intense qu'il me fit presque peur.

— Agent Elsworthy, voici Anita Blake, le marshal Anita Blake. C'est notre experte en monstres.

Elsworthy fronça les sourcils et cligna des yeux un peu trop rapidement, comme si les mots peinaient à atteindre son cerveau et à prendre un sens pour lui. J'avais déjà vu assez de chocs post-traumatiques pour reconnaître les symptômes. Pourquoi ce type ne se trouvait-il pas à l'hôpital avec le reste de son unité ?

— Désolé, articula Zerbrowski en m'adressant une grimace d'excuse.

Elsworthy continua à cligner des yeux. Il avait du mal à focaliser son regard, comme s'il contemplait une scène qui se déroulait uniquement dans sa tête. Merde alors. L'instant d'avant, il invectivait Zerbrowski et, maintenant, il revivait le carnage, du moins le supposais-je. Il était tout pâle, le visage couvert d'une fine pellicule de sueur probablement glacée.

Je me penchai vers Zerbrowski et grondai :

— Pourquoi n'est-il pas à l'hôpital avec les autres ?

— Il a refusé d'y aller. Il a dit qu'il voulait demander à la BIS comment diable un loup-garou peut se faire pousser des griffes quand il est toujours sous sa forme humaine.

Je dus réagir à la question, parce que Zerbrowski plissa les yeux et me dévisagea par-dessus le bord de ses lunettes.

— Je lui ai dit que ça n'était pas possible. Me serais-je trompé ?

Je hochai la tête.

— Seuls les métamorphes très puissants peuvent le faire. Je n'en ai connu qu'une poignée capables de se transformer de manière aussi partielle et localisée.

Zerbrowski baissa encore la voix.

— Ç'aurait été bien de le savoir avant que les gars fassent irruption chez Van Anders.

— Je pensais qu'une personne de chaque unité, minimum, se rendait à Quantico pour suivre le cours sur les créatures et les phénomènes surnaturels.

— C'est le cas.

Je secouai la tête d'un air dégoûté.

— Quoi, je devrais supposer que j'en sais davantage sur les monstres que le putain de FBI ?

— Peut-être que oui, répondit doucement Zerbrowski.

Et cela me calma net. Difficile de me foutre en rogne alors qu'Elsworthy continuait à cligner des yeux avec l'air hébété de l'innocent qui vient d'échapper à un affreux massacre.

— Vous ne trouvez pas qu'il fait chaud ? marmonna-t-il.

Sur ce coup-là, il avait raison. Trop de gens dans un endroit trop exigu.

— Inspecteur Webster, vous voulez bien emmener Elsworthy dans le hall pour qu'il puisse respirer un peu ?

Webster obtempéra sans discuter et Elsworthy le suivit de même. On aurait dit qu'il avait épuisé toute sa colère avant mon arrivée, qu'il ne restait plus en lui que le choc et l'horreur de ce qui venait de se passer.

Zerbrowski et moi restâmes dans notre petit coin.

— Qu'est-ce qui a merdé ? demandai-je.

— Je me suis fait gueuler dessus par Elsworthy et, mieux encore, par le capitaine Parker. Il attend à l'hôpital que je ramène mes fesses et que je lui explique comment diable Van Anders a pu faire ce qu'il a fait.

— Et qu'a-t-il fait exactement ?

Zerbrowski sortit son sempiternel calepin de sa poche. On aurait dit que quelqu'un l'avait piétiné dans la boue. Zerbrowski le feuilleta jusqu'à ce qu'il trouve les bonnes pages.

— Quand les gars sont arrivés, Van Anders a coopéré complètement. Il avait l'air surpris, comme s'il ne comprenait pas pourquoi on voulait l'arrêter. Il s'est laissé mettre les menottes et fouiller. Puis les deux officiers tactiques, Bates et Meyer, l'ont entraîné dans le hall pendant que le reste de l'unité se regroupait et vérifiait qu'il n'y avait rien d'intéressant dans l'appartement. (Il leva les yeux vers moi.) La procédure standard.

— À quel moment cela a-t-il dérapé ?

— Après ça, les récits deviennent un peu confus. Meyer n'a plus jamais répondu à la radio. Bates s'est mis à hurler « agent abattu », et quelque chose comme « il a des griffes ». Elsworthy et son collègue… (Zerbrowski tourna une page de son calepin) Tucker se sont précipités dehors, juste à temps pour voir que Van Anders avait des griffes alors qu'il était toujours sous sa forme humaine. Franchement, j'étais prêt à croire qu'ils hallucinaient.

Je secouai la tête.

— Non, c'est possible. (Je résistai à l'envie de me masser les tempes. Je sentais poindre un début de migraine.) Chaque fois que j'ai vu un lycanthrope faire ça, ses griffes ont jailli comme cinq lames de cran d'arrêt. L'officier… Bates, c'est ça ?… n'a pas dû avoir le temps de réagir.

— Meyer, corrigea Zerbrowski. Bates est toujours vivant.

Je hochai la tête. C'est important de se rappeler qui est mort et qui est vivant.

— J'imagine qu'à peine ses griffes sorties Van Anders a poignardé Meyer comme avec un couteau.

— Apparemment, le kevlar n'arrête pas les griffes de métamorphe, constata Zerbrowski.

— Le kevlar n'est pas fait pour arrêter une attaque de pointe avec une lame. Or, c'est ainsi que Van Anders a utilisé ses griffes, devinai-je.

Zerbrowski acquiesça.

— Il s'est servi de sa victime empalée au bout de son bras comme d'un bouclier. Il l'a manipulée comme… un pantin, selon Elsworthy.

— Elsworthy aurait dû partir à l'hôpital avec les autres.

— Il avait l'air bien quand je suis arrivé, Anita, je te jure. Je ne peux pas blâmer les gars de ne pas l'avoir forcé à y aller.

— En tout cas, il n'a plus l'air bien, maintenant.

— Nous pourrons le déposer à l'hôpital quand nous partirons.

Je dévisageai Zerbrowski.

— Pourquoi ai-je l'impression que nous n'irons pas seulement pour apporter notre soutien moral aux blessés et à leur famille ?

— Tu es drôlement perspicace ce soir.

— Zerbrowski…

— J'ai dit au capitaine Parker que je viendrais immédiatement dès que le marshal Blake m'aurait rejoint.

— Enfoiré.

— Il pose des questions sur les lycanthropes auxquelles je ne peux pas répondre. Dolph saurait peut-être, mais il est hors de question que je le fasse venir ici. Nous avons réussi à étouffer le plus gros de ce qui s'est passé pendant l'interrogatoire de ton copain poilu mais, s'il pète les plombs dans un lieu public…

Il secoua la tête.

Sur ce coup-là, j'étais d'accord avec lui.

— D'accord, je vais t'accompagner à l'hosto et voir si je peux répondre aux questions du capitaine.

— Mais d'abord, il faut que tu voies ça, dit Zerbrowski avec un sourire auquel le lieu se prêtait mal.

— Que je voie quoi ? demandai-je, soupçonneuse.

Sans un mot, il se détourna et m'entraîna vers le fond du hall, en direction de la fenêtre brisée. Webster avait emmené Elsworthy à l'autre bout du hall, le plus loin possible de la fenêtre en question. Bonne idée.

Lorsque nous fûmes assez près, je remarquai quelque chose à côté de la fenêtre : deux trous de balle bien nets dans le mur. Il suffit d'une pichenette pour faire basculer les flingues de la Réserve mobile en mode automatique, mais on apprend aux agents à tirer une balle à la fois. Avec deux collègues à terre et un monstre en liberté, ils s'étaient quand même souvenus de leur entraînement.

Zerbrowski fit signe au type en uniforme de reculer pour qu'on puisse discuter tranquillement. Il n'y avait presque pas de débris de verre sur la moquette, parce que le plus gros avait dû tomber à l'extérieur.

— Van Anders a jeté quelqu'un par la fenêtre ? demandai-je.

— Il s'est jeté, lui, répondit Zerbrowski.

Je le fixai.

— Nous sommes au vingtième étage. Même un loup-garou ne peut pas se tirer indemne de ce genre de chute. Ça ne le tuerait pas, mais ça lui ferait sacrément mal.

— Oh, il n'est pas descendu. Il est monté.

Zerbrowski me fit signe d'approcher de la fenêtre.

Cette fenêtre ne me plaisait pas du tout. Son rebord était presque assez bas pour qu'on puisse l'enjamber. Ça donne une meilleure vue mais, en l'absence de vitre, rien ne s'interposait entre moi et le vide.

— Attention aux éclats de verre, et ne regarde pas en bas. Mais crois-moi, Anita, ça vaut le coup de se pencher un peu au dehors et de regarder en haut. Sur le côté droit.

Je posai une main sur le mur et trouvai une portion de cadre métallique dépourvue de débris de verre, à laquelle je pus m'agripper. L'air du dehors m'assaillit telles des mains avides de m'arracher à la sécurité de l'immeuble. Je n'ai pas peur du vide, mais j'ai peur d'y tomber. Alors, je luttai contre mon envie quasi irrésistible de baisser les yeux, parce que, si je faisais ça, je n'arriverais jamais à me pencher comme Zerbrowski le voulait.

Très lentement, je me penchai vers l'extérieur en me tordant le cou vers le haut et la droite. Au début, je ne compris pas ce que je voyais. Il y avait des trous dans la façade de l'immeuble, des trous qui remontaient aussi loin que portait ma vision. Des trous d'assez petite taille, disposés à intervalles réguliers.

Je rentrai prudemment la tête à l'intérieur, prenant garde à la fois aux débris de verre et à ne pas perdre l'équilibre. Les sourcils froncés, je me tournai vers Zerbrowski.

— J'ai vu les trous, mais qu'est-ce que c'est ?

— Van Anders leur a fait le coup de Spider-Man. Le sniper et le guetteur étaient postés de l'autre côté de l'immeuble. Ils n'ont rien pu faire.

Je sentis mes yeux s'écarquiller.

— Tu veux dire qu'il a enfoncé ses mains dans la façade pour l'escalader ?

Zerbrowski acquiesça en souriant.

— Le capitaine Parker a gueulé qu'il ne savait pas non plus que les loups-garous pouvaient faire ça.

Par-dessus mon épaule, je jetai un coup d'œil à la fenêtre.

— Le capitaine Parker n'est pas le seul qui l'ignorait. Je veux dire, je sais que les métamorphes sont costauds, mais ça ne les empêche pas de s'égratigner, de se couper ou de se briser des os. Même s'ils récupèrent vite, ils souffrent autant que des humains normaux. (Je levai les yeux vers le plafond comme si je pouvais voir les trous au travers.) Et si Van Anders avait reçu une balle, il devait déjà avoir salement mal.

Zerbrowski opina.

— Aura-t-il besoin de se rendre aux urgences ou de voir un docteur ?

— J'en doute. S'il est assez puissant pour se transformer partiellement, j'imagine que ses capacités de régénération ne sont pas piquées des vers non plus. Auquel cas, il sera guéri dans deux heures, peut-être moins. Pour peu qu'il se transforme, quand il redeviendra humain, il sera comme neuf.

— Nous avons prévenu tous les services d'urgence, juste au cas où.

— Ça ne peut pas faire de mal, mais ça m'étonnerait que vous l'attrapiez comme ça.

— Alors, comment allons-nous l'attraper, Anita ? Comment attrape-t-on ce genre de créature ?

Je dévisageai Zerbrowski.

— Tu as demandé à tes supérieurs ce qu'ils pensaient de la possibilité d'utiliser d'autres loups-garous pour pister Van Anders ?

— Ils me l'ont formellement interdit.

— Ils seront peut-être plus réceptifs à cette idée, maintenant.

— Tu crois que tes copains accepteraient que je les promène en laisse ?

— Franchement, je pensais la tenir moi-même.

Mon téléphone sonna et cela me fit sursauter. Je pris l'appel. À l'autre bout de la ligne résonna une voix inconnue.

Ce n'est pas souvent que j'ai l'occasion de parler au chef de la police du Missouri.

Je débitai beaucoup de « Oui, monsieur » et de « Non, monsieur ». Puis la tonalité résonna à mon oreille et je restai plantée là, mon portable à la main, tandis que Zerbrowski me dévisageait bizarrement.

— À qui parlais-tu ?

— Ils viennent d'émettre un ordre d'exécution pour Van Anders.

Zerbrowski écarquilla les yeux.

— Il n'est pas question que tu te lances à sa poursuite seule.

Je secouai la tête.

— Je n'en avais pas l'intention.

Il n'eut pas l'air de me croire. Je dus lui donner ma parole que je ne tenterais pas d'abattre Van Anders sans renforts pour me couvrir. Des renforts, j'en aurais. Le chef de la police venait de me dire qu'ils avaient décidé de suivre mon conseil et d'utiliser des loups-garous pour pister Van Anders. Donc, j'aurais des renforts, si j'arrivais à convaincre Richard de m'en donner.

Je réclamai des sacs à indices et fouillai le panier de linge sale de Van Anders. Avec des gants. Pas pour ne pas mettre mon odeur sur ses fringues, mais parce que je ne voulais pas toucher quoi que ce soit qui ait été en contact avec son corps. Je scellai les sacs plastique en espérant que ça suffirait aux loups pour trouver la piste de Van Anders. Nous commencerions au pied de l'immeuble. Van Anders s'était peut-être enfui en grimpant, mais il avait bien dû redescendre quelque part.

Zerbrowski nous conduisit à l'hôpital, lui, l'agent Elsworthy et moi, afin que le capitaine Parker puisse gueuler contre nous. Bates était mort en salle d'opération.

Zerbrowski dut se laisser faire sans broncher, parce qu'un sergent est moins gradé qu'un capitaine. Et je me laissai faire parce que je sentais la peur de Parker. Je ne le blâmais pas d'avoir la trouille. Je pense que nous l'avions tous : chacun de ceux qui s'étaient trouvés dans le hall de l'immeuble, chacun de ceux qui avaient pénétré dans cet appartement. En vérité, chaque flic de Saint Louis aurait dû avoir la trouille. Parce que, quand il se produit quelque chose comme ça, c'est toujours à la police de faire le ménage. Enfin, à la police et à votre exécutrice préférée. Nous avions tous la trouille, et non sans raison.

Chapitre 59

J'étais passée voir Richard chez lui. Nous nous étions assis à la table de la cuisine où nous avions si souvent pris notre petit déjeuner le week-end. Il buvait du thé. Je sirotais un café. Il évitait mon regard, et je ne savais pas par où commencer.

Il me prit par surprise en attaquant :

— Si tu t'étais cantonnée à mes principes moraux, Asher serait mort, à l'heure qu'il est, ou pire, prisonnier de cette monstrueuse garce en Europe.

J'étais à peu près certaine qu'il parlait de Belle Morte.

— C'est vrai, acquiesçai-je en m'efforçant de conserver une voix neutre.

Je voulais en venir droit au fait et demander à Richard de me prêter quelques loups mais, d'ordinaire, l'approcher direct ne donne pas de bons résultats, avec lui. Il ne faut pas grand-chose pour l'offenser. Et j'avais besoin de sa coopération, pas d'une nouvelle bagarre.

— Tout de même, je ne comprends pas comment tu peux les laisser se nourrir de toi, Anita.

Richard leva enfin les yeux vers moi. Ils étaient pleins d'une douleur et d'une confusion si aiguës que cela me fit mal.

— Je ne suis plus très bien placée pour jeter des pierres à quiconque, Richard.

— À cause de l'ardeur.

Je hochai la tête.

—Je ne peux toujours pas te laisser te nourrir de moi, dit-il.

—Je comprends.

Il scruta mon visage.

—Alors que fais-tu ici ?

Pensait-il vraiment que ça allait être une réconciliation larmoyante, que j'allais le supplier de revenir dans mon lit ? Une partie de moi s'en offusquait ; une partie de moi s'en attristait, et aucune partie de moi n'avait de temps à perdre avec ça.

—Le loup-garou qui tue et viole des femmes à Saint Louis a échappé à la police, aujourd'hui.

—Je n'ai rien vu aux infos.

—Nous essayons de rester discrets.

—Tu es là pour affaires, constata-t-il d'une voix douce.

—Je suis là pour empêcher d'autres femmes de mourir.

Il se leva de la table et, un instant, je craignis qu'il sorte de la pièce, mais il saisit la théière et se resservit.

—Ce n'est pas un de mes loups, Anita.

—Je le sais.

Il pivota vers moi et, je perçus les premiers frémissements de sa colère.

—Alors que me veux-tu ?

Je soupirai.

—Richard, je t'aime, et je t'aimerai peut-être toujours, mais je n'ai pas le temps de me battre avec toi, pas maintenant.

—Pourquoi pas maintenant ? aboya-t-il.

J'ouvris le dossier que j'avais apporté et en sortis la première photo. Je la levai pour qu'il puisse la voir. Il fronça les sourcils et plissa les yeux. Enfin, il comprit ce qu'il regardait et une expression de dégoût absolu s'inscrivit sur son visage. Il se détourna.

—Pourquoi me montres-tu ça ?

— Ce type a déjà tué trois femmes ici et plus d'une demi-douzaine dans d'autres pays. Sans compter toutes celles qui ont pu échapper à notre attention. En ce moment même, il est là-dehors ; il choisit sa prochaine victime.

— Je n'y peux rien.

— Mais moi si. À condition que tu me donnes quelques loups pour le pister.

Alors, Richard me jeta un coup d'œil et détourna très vite le regard parce que je brandissais toujours la photo.

— Le pister ? comme des chiens de chasse ?

— Non. La plupart des chiens refusent de pister les métamorphes parce qu'ils ont trop peur d'eux.

— Nous ne sommes pas des animaux, Anita.

— En effet. Mais sous votre forme animale, vous avez l'odorat d'un animal et l'intelligence d'un humain. Vous pouvez à la fois pister et réfléchir.

— Tu voudrais que je fasse ça pour toi ?

Je secouai la tête et reposai la photo, puis étalai toute la pile sur la table.

— Non, mais Jason s'est porté volontaire, et Jamil accepterait sûrement si tu le lui demandais. Je suggérerais bien Sylvie mais, à ce qu'il paraît, elle n'est pas en état de faire grand-chose.

— Elle m'a défié et elle a perdu, se défendit Richard. (Malgré lui, il ne pouvait s'empêcher de jeter des coups d'œil aux photos.) Vire ça de ma table.

— Il est dehors en ce moment, Richard. Sur le point de charcuter une nouvelle femme.

— D'accord, d'accord. Emmène Jason, emmène Jamil, emmène qui tu voudras.

— Merci.

Je rassemblai les photos et me levai.

— Tu n'étais pas obligée de procéder de cette façon, Anita.

— De quelle façon ?

— Si brutalement. Tu aurais pu juste me demander.

— Tu aurais dit oui ?

— Je l'ignore, mais ces photos vont me hanter.

— J'ai vu les victimes en vrai, Richard. Tes cauchemars ne pourront pas être pires que les miens.

Il bougea si vite que je ne le vis presque pas faire et me saisit le bras.

— Une partie de moi trouve ces photos horribles, comme de juste, mais une partie de moi les trouve appétissantes. (Ses doigts s'enfoncèrent dans mon bras. J'allais avoir des bleus.) Une partie de moi n'y voit que de la viande.

Il laissa un grondement filtrer entre ses dents blanches si bien alignées.

— Je suis désolée que tu détestes ce que tu es, Richard.

Il me lâcha si vite que je faillis tomber.

— Prends les loups dont tu as besoin et va-t'en.

— Si je pouvais agiter une baguette magique et te rendre humain, purement humain, je le ferais.

Il me dévisagea. Ses yeux étaient devenus ambrés comme ceux d'un loup.

— Je te crois, mais les baguettes magiques n'existent pas. Je suis ce que je suis, et rien n'y changera jamais rien.

— Je suis désolée, Richard.

— J'ai décidé de vivre.

— Je te demande pardon ?

— J'ai essayé de mourir. Mais c'est terminé. Je vais vivre, quoi que ça puisse signifier.

— Tant mieux. Mais je préférerais que tu aies l'air un minimum heureux de ton choix.

— Vas-y, Anita. Tu as un assassin à capturer.

Certes. Et le temps jouait contre nous. Mais je détestais laisser Richard de cette façon.

— Je ferai ce que je pourrai pour t'aider, Richard, tu le sais.

— Comme tu aides tous tes amis.

Je secouai la tête, récupérai le dossier et me dirigeai vers la porte.

— Quand tu voudras discuter plutôt que te battre, appelle-moi.

— Et quand tu voudras discuter plutôt qu'attraper des assassins, appelle-moi.

Nous en restâmes là. Mais même s'il m'avait laissé faire, je n'aurais pas eu le temps de lui tenir la main. Van Anders courait en liberté, et il pouvait faire tant de mal à tant de gens ! Qu'est-ce qu'un peu de tension émotionnelle entre deux ex comparé au fait de neutraliser un monstre pareil ?

Chapitre 60

Jason et Jamil nous accompagnèrent sous leur forme humaine, Norman et Patricia sous leur forme de loups. J'avais déjà rencontré Norman sous sa forme humaine, mais je ne parvenais pas à mettre un visage sur Patricia. Pour moi, c'était juste une grande louve au poil très long et presque blanc. Norman et elle étaient hauts comme des poneys ; il fallut les mettre en laisse. Aujourd'hui plus que n'importe quel autre jour, je ne voulais pas qu'un flic aperçoive un énorme loup courant en liberté dans les rues de Saint Louis. À mon avis, ils devaient être d'humeur à tirer d'abord et à poser des questions ensuite.

J'ouvris les deux sachets hermétiques dans lesquels j'avais fourré les fringues sales de Van Anders. Les loups les reniflèrent et poussèrent un grognement. Tirant sur leur laisse, ils suivirent sa piste depuis le trottoir derrière son immeuble, à travers toute la ville et jusqu'à un centre commercial.

La police surveillait les aéroports, les gares routières et les autoroutes. Pendant ce temps, Van Anders était tranquillement assis dans la zone de restauration du centre commercial d'Eastfield. Il avait planqué ses cheveux sous une casquette et ajouté une paire de lunettes de soleil bon marché. Ce n'était pas si nul comme déguisement. J'étais mal placée pour critiquer : je portais une casquette sous laquelle j'avais fourré mes cheveux, et la première paire de lunettes de soleil qui m'était tombée sous la main. Je déteste quand les méchants me copient. Pour aller avec ça, j'avais enfilé un immense tee-shirt et un jean tellement large qu'il menaçait de tomber sur mes Nike. Comme je suis petite, je ressemblais à des milliers d'ados qui traînent dans les centres commerciaux américains.

J'avais nommé Jason et Jamil marshals adjoints. Ils restèrent hors de vue, mais me prévinrent que Van Anders les sentirait tôt ou tard. J'avais montré mon badge aux agents de surveillance. Et pris la décision de ne pas appeler la police ni faire évacuer les lieux. J'avais un ordre d'exécution émis par le tribunal. Je n'étais pas tenue de donner un avertissement à notre homme. Je n'avais rien à faire, sinon le tuer.

C'était le milieu de l'après-midi, il n'y avait donc pas trop de monde dans la zone restauration. Tant mieux. Mais un groupe d'ados occupait la table la plus proche de Van Anders. Pourquoi n'étaient-ils pas en cours ? À la table suivante, j'aperçus une mère avec un bébé dans une poussette et deux enfants un peu plus âgés. Deux enfants qui n'étaient pas attachés dans leur siège mais qui couraient dans tous les sens tandis qu'elle essayait de faire manger un yaourt au petit dernier.

Les gamins se trouvaient encore à cinq bons mètres de Van Anders. Les ados étaient épouvantablement près, mais je ne voyais pas comment les faire décamper sans me trahir. Je cherchais le courage de passer devant la mère de famille et ses gamins quand les ados se levèrent et s'en furent en abandonnant leurs déchets sur la table.

Van Anders était aussi isolé que je pouvais l'espérer à l'intérieur d'un centre commercial. Je n'avais aucune intention de le laisser s'échapper une deuxième fois. Il était trop dangereux. À cet instant, je pris la décision de mettre en danger tous ces braves gens. La mère avec son bébé au menton plein de yaourt et les deux gamins qui couraient en hurlant devraient s'en remettre à leur bonne étoile. J'étais raisonnablement certaine de parvenir à contrôler la situation, mais je n'en étais pas complètement certaine. La seule chose dont j'étais sûre, c'est que j'allais me faire Van Anders ici et maintenant. Pas question d'attendre.

J'avais mon Firestar plaqué le long de la cuisse, cran de sécurité ôté et balle chambrée, longtemps avant d'atteindre la table de la mère de famille. Mon badge de marshal fédéral était clippé à la poche de mon tee-shirt, au cas où un courageux civil apercevrait le flingue et déciderait de sauver Van Anders.

En passant devant la table de la petite famille, je levai mon Firestar. Je crois que ce fut le hoquet de stupéfaction de la femme qui alerta Van Anders. Il se tourna vers moi, vit mon badge, m'adressa un sourire carnassier et mordit à pleines dents dans son sandwich.

— Vous allez me dire de lever les mains en l'air ? lança-t-il, la bouche pleine, avec ce qui me parut être un accent hollandais.

— Non, répondis-je simplement.

Et je lui tirai dessus.

L'impact le fit voltiger hors de sa chaise, et je fis feu une deuxième fois avant qu'il touche le sol. La première balle, tirée précipitamment, n'était pas mortelle, mais la seconde l'atteignit en pleine poitrine. Je lui en mis deux de plus dans la carcasse avant de m'approcher suffisamment pour voir sa bouche s'ouvrir et se refermer. Du sang coula au coin de ses lèvres, faisant virer sa chemise bleue au violet.

Je décrivis un large cercle pour avoir une ligne de tir dégagée sur sa tête. Il gisait sur le dos, se vidant de son sang ; pourtant il réussit à tousser et à s'éclaircir suffisamment la voix pour dire :

— Les flics doivent… donner un avertissement. Ils ne peuvent pas… tirer sans sommation.

J'expulsai tout l'air de mes poumons et visai son front juste au-dessus des yeux.

— Je ne suis pas flic, Van Anders. Je suis l'Exécutrice.

Il écarquilla les yeux et souffla :

— Non.

J'appuyai sur la détente et vis le plus gros de son visage exploser en une bouillie impossible à identifier. Ses yeux m'avaient paru plus bleus sur les photos.

Chapitre 61

Bradford m'appela chez moi, ce soir-là. Curieusement, après avoir fait sauter la cervelle d'un type devant tout un tas de mamans et de gamins de banlieue, je n'étais pas d'humeur à aller bosser.

J'étais déjà sous les couvertures avec Sigmund, mon pingouin en peluche préféré, et Micah pelotonné contre moi. D'habitude, sa chaleur me réconforte bien plus qu'un camion entier de peluches mais, ce soir, j'avais besoin de serrer quelque chose très fort sur ma poitrine. Micah est merveilleux, mais Sigmund ne m'accuse jamais d'être infantile ou assoiffée de sang. À vrai dire, Micah ne l'a pas encore fait non plus, mais je continue à croire que ça finira par arriver.

— *Vous êtes passée aux infos nationales, et la une du* Post-Dispatch *vous montre en train d'exécuter Van Anders,* m'annonça Bradford.

— Ouais, après coup, j'ai vu que j'étais en face d'un magasin de photo. Je suis une petite veinarde, répondis-je d'une voix lasse, plus lasse que lasse, même.

Mais qu'y a-t-il au-delà de la lassitude ? la mort ?

— *Ça va aller ?* s'enquit Bradford.

J'agrippai l'un des bras de Micah et appuyai ma tête contre sa poitrine nue. J'avais toujours froid. Comment pouvais-je avoir froid sous cette montagne de couvertures ?

— J'ai des amis à la maison. Ils vont m'empêcher de trop gamberger.

— *Il fallait éliminer Van Anders, Anita.*

— Je sais.

— *Alors pourquoi cette voix bizarre ?*

— Vous n'avez pas lu le passage de l'article où ils disent qu'un gamin de trois ans hurlait hystériquement qu'il ne voulait pas que je le tue comme le méchant monsieur, pas vrai ?

— *S'il vous avait échappé…*

— Arrêtez, Bradley. Arrêtez. Avant de m'approcher de lui, j'avais déjà décidé que la santé psychologique des témoins n'importait pas autant que leur sécurité physique. Je ne le regrette pas. Pas trop.

— *D'accord ; dans ce cas, je vais juste vous parler boutique. Nous pensons que Léo Harlan est plus connu sous le nom de Harlan Knox. Il a bossé pour certaines des personnes qui employaient également Heinrick et Van Anders.*

— Pourquoi ne suis-je pas surprise ?

— *Nous avons appelé le numéro qu'il vous a donné. Sa boîte vocale dit qu'il a résilié sa ligne en ne laissant qu'un seul message.*

J'attendis.

— *Vous n'allez pas me demander lequel ?*

— Parlez, Bradley.

— *D'accord. Ça disait : « Mademoiselle Blake, désolé que nous n'ayons pu relever mon ancêtre. Au cas où vous vous poseriez la question, il est bien réel. Mais étant donné les circonstances, j'ai préféré jouer la discrétion. Et la mission est annulée, pour le moment. » Vous avez une idée de ce que ça signifie ? De quelle mission s'agit-il ?*

— De celle qui les a amenés ici, j'imagine. C'est devenu trop compliqué. Merci de m'avoir tenue au courant.

— *Ne me remerciez pas, Anita. Si je n'avais pas tenté de vous enrôler dans notre unité comme agent fédéral, vous n'auriez peut-être jamais attiré l'attention du commanditaire de Heinrick.*

— Vous ne pouvez pas continuer à culpabiliser, Bradley. Il faut traiter ça comme du lait renversé : passer l'éponge et basta.

— *C'est également valable pour Van Anders.*

— J'ai toujours été plus douée pour donner des conseils que pour en recevoir. Vous devriez le savoir, depuis le temps.

Bradford rit et dit :

— *Faites attention à vous, d'accord ?*

— Promis. Vous aussi.

— *Au revoir, Anita. À la prochaine.*

J'étais en train de répondre : « À la prochaine » quand il me raccrocha au nez. Sérieusement, pourquoi les défenseurs de la loi sont-ils tous aussi grossiers au téléphone ?

Nathaniel entra dans la chambre avec notre exemplaire de *La Toile de Charlotte.*

— Il était dans la cuisine, et il y a un deuxième marque-page à l'intérieur. Je crois que Zane ou quelqu'un d'autre a commencé à le lire.

Je me pelotonnai plus étroitement contre Micah, qui me serra dans ses bras tièdes comme s'il pouvait chasser toutes mes idées noires en appuyant dessus assez fort.

— Il n'a qu'à se l'acheter, bougonnai-je.

Nathaniel sourit. Micah déposa un baiser sur le sommet de ma tête.

— Qui va lire, ce soir ? demanda Nathaniel.

— Moi, répondit Micah. À moins qu'Anita veuille le faire.

J'enfouis mon visage dans le creux de son bras.

— Non, ce soir, je préfère écouter.

Nathaniel tendit le livre à Micah et grimpa dans le lit avec nous. J'ignore si ce fut grâce à la chaleur combinée des deux hommes ou à la voix grave de Micah, mais je ne tardai pas à me réchauffer. Je n'avais pas lu *La Toile de Charlotte* depuis des années. Il était temps que je me rattrape. Sur ça, et sur des tas d'autres choses qui n'impliquaient ni de se balader avec un flingue ni de tuer des gens.

Chapitre 62

Dolph est toujours en congé, mais je tente d'arranger une entrevue entre lui, sa femme, leur fils et leur future bru. Je ne suis pas sûre qu'il y ait encore matière à discussion, mais Lucille – Mme Dolph – tient à ce que j'essaie. J'essaierai.

Richard semble avoir trouvé une certaine sérénité. Pas suffisamment pour qu'on puisse se remettre ensemble. Mais je me réjouis qu'il n'ait plus de pulsions suicidaires. À ce stade, je veux qu'il soit heureux et en bonne santé plus que je le veux auprès de moi.

Asher, Jean-Claude et moi avons passé un accord. Je suppose qu'on peut dire que nous sortons ensemble. Ce n'est pas la première fois que je sors avec deux hommes, mais c'est la première fois que je sors avec les deux au même endroit et à la même heure.

Le père de Stephen et de Gregory est toujours en ville. Valentina et Bartolomé ont demandé à Jean-Claude la permission de le tuer. Jean-Claude a dit qu'ils pouvaient, à condition que les jumeaux soient d'accord. Mais le psy de Stephen pense que ce serait mieux que les garçons règlent ça eux-mêmes.

— Génial, il faut qu'on le bute de nos propres mains, a commenté Gregory.

— Ce n'est pas ce qu'il a voulu dire, a protesté Stephen.

Tous deux cherchent encore un moyen de gérer le retour de leur cauchemar d'enfance. Sur ce coup-là, je suis d'accord avec Valentina et Bartolomé : il faudrait tuer ce salopard. Mais je ne ferai pas le choix à leur place, pas si leur psy pense que ça risque de causer encore plus de dégâts. Dieu sait qu'ils en ont déjà assez subi.

Mais parce qu'ils n'ont pas pu régler leur dette d'honneur, les deux enfants vampires sont restés à Saint Louis. Outre l'histoire de la dette d'honneur, m'est avis que Valentina ne veut pas se trouver dans les parages de Belle Morte quand sa maîtresse s'attaquera à la Mère de Toutes Ténèbres. Franchement, moi non plus.

Certaines nuits, je rêve d'obscurité vivante. Tant que je dors avec une croix, ça va, mais si j'oublie, Très Chère Maman vient me hanter. Je me ferais bien tatouer un crucifix si je ne craignais pas qu'il s'embrase en sa présence.

La Réserve mobile m'a inscrite sur la liste de ses experts civils. Ils m'appelleront s'ils ont besoin de moi. Le capitaine Parker a piqué une crise en apprenant que les cours donnés à Quantico n'étaient pas franchement à jour. Ça, c'est parce que les gens du FBI n'ont pas assez d'amis chez les monstres. Sinon ils seraient mieux renseignés.

Larry est revenu en ville, dûment qualifié pour porter le titre de marshal fédéral et de chasseur de vampires. Le mariage est prévu pour octobre. Tammy menace de me faire demoiselle d'honneur. Ah, c'est beau l'amitié !

Micah, Nathaniel et moi continuons à lire *La Toile de Charlotte.*

« Les criquets chantaient dans l'herbe. Ils chantaient la chanson de la fin de l'été, une chanson triste et monotone. *L'été est fini et envolé*, chantaient-ils, *fini et envolé, fini et envolé…* »

Certaines personnes trouvent ce chapitre déprimant, mais ça a toujours été un de mes préférés. L'été est fini et envolé, mais l'automne est là, et octobre arrivera bientôt – le mois de l'année où le ciel est le plus bleu. Pour la première fois depuis des années – non, pour la première fois tout court –, j'ai quelqu'un à prendre par la main pour aller me promener sous ce beau ciel bleu. Richard et moi avons toujours eu l'intention de le faire, mais il avait son boulot, j'avais le mien, et nous n'avons jamais pris le temps. Maintenant, j'ai Micah. Et je découvre qu'il faut prendre le temps de faire les choses importantes. Il faut se battre pour sculpter de petits bouts de bonheur dans sa vie, sans quoi, les urgences du quotidien dévorent tout.

Quand nous aurons fini *La Toile de Charlotte*, Nathaniel veut lire *L'Île au trésor*. Ça me va.

Découvrez un extrait de la suite des aventures d'Anita Blake

RÊVES D'INCUBE

Traduit de l'anglais (États-Unis) par Isabelle Troin

Disponible chez Milady

Chapitre premier

C'était un mariage d'octobre. La mariée était une sorcière qui élucidait des crimes surnaturels. Le marié gagnait sa vie en relevant les morts et en éliminant des vampires. Ça ressemblait à une blague de Halloween, mais ça n'en était pas une.

Les garçons d'honneur portaient le smoking noir traditionnel, avec un nœud papillon orange et une chemise blanche. Les demoiselles d'honneur avaient des robes de bal orange, et ce n'est pas souvent qu'on voit des robes de bal aux couleurs de Halloween. Pendant un moment, j'avais eu la trouille de devoir claquer 300 dollars pour une de ces horreurs. Mais puisque je faisais partie de l'entourage du marié, j'avais pu opter pour un smoking.

Larry Kirkland, mon collègue et ami – et le futur époux – n'en avait pas démordu. Il avait refusé de m'obliger à porter une robe, à moins que j'y tienne absolument. Mmmh, laissez-moi réfléchir. Trois cents dollars ou plus pour une robe de bal orange que je brûlerais plutôt que de la porter une seconde fois, ou moins de 100 dollars pour la location d'un smoking qui n'encombrerait pas ma penderie par la suite. Il n'y avait pas photo.

J'avais pris le smoking. J'avais quand même dû acheter une paire de chaussures noires lacées : la boutique de location n'avait pas de 38 dans les modèles pour femme.

Tant pis. Malgré les pompes à 70 dollars que je ne remettrais probablement jamais, je trouvais que je m'en tirais bien.

En regardant les quatre demoiselles d'honneur descendre l'allée centrale de l'église bondée dans leur meringue orange, les cheveux coiffés avec des anglaises et plus maquillées que je les avais jamais vues, je me sentais franchement chanceuse. Elles tenaient de petits bouquets ronds de fleurs orange et blanches attachées à l'aide de dentelle noire et de rubans brique et noirs. Moi, je n'avais qu'à rester debout près de l'autel, une main sur le poignet opposé. L'organisatrice du mariage avait dû croire que les garçons d'honneur se cureraient le nez, ou tout autre geste aussi embarrassant, si leurs mains n'étaient pas occupées. Aussi nous avait-elle informés que nous devrions prendre cette position. Pas de mains dans les poches, pas de bras croisés, pas de doigts pendouillant devant l'entrejambe.

J'étais arrivée en retard à la répétition – quelle surprise ! –, et la femme qui s'occupait du déroulement de l'événement avait eu l'air de penser que j'aurais une influence civilisatrice sur les garçons, juste parce que je me trouvais être une fille. Elle n'avait pas mis longtemps à piger que j'étais tout aussi mal dégrossie qu'eux. Franchement, je trouvais qu'on s'était tous assez bien tenus. Simplement, elle ne semblait pas à l'aise entourée de tous ces hommes. Et de moi. Peut-être à cause du flingue que je portais.

Mais aucun des garçons d'honneur, moi incluse, ne lui avait donné de raison de se plaindre. C'était le grand jour de Larry, et nous ne voulions pas le lui gâcher. Oh, c'était aussi celui de Tammy.

La mariée entra dans l'église au bras de son père. Sa mère était déjà assise au premier rang, vêtue d'une robe couleur melon pâle qui lui allait plutôt bien. Elle rayonnait et pleurait, l'air à la fois misérable et délirant de joie. Mme Reynolds était la raison de ce mariage en grande pompe à l'église.

Larry, comme Tammy, aurait préféré quelque chose de plus simple mais, apparemment, Tammy ne savait pas dire « non » à sa mère, et Larry essayait juste d'éviter de contrarier ses futurs beaux-parents.

L'inspecteur Tammy Reynolds était une vision toute de blanc vêtue, et le voile qui recouvrait son visage tenait du rêve brumeux. Elle aussi était plus maquillée qu'à son habitude, mais ce côté dramatique allait bien avec son décolleté brodé de perles et son ample jupe à crinoline. Sa robe semblait capable de descendre l'allée toute seule, ou, du moins, de tenir debout sans personne à l'intérieur. La coiffeuse avait lissé ses cheveux et les avait tirés en arrière, dégageant complètement son visage spectaculaire. Je n'avais encore jamais remarqué combien l'inspecteur Tammy était belle.

Je me tenais au bout de la file des garçons d'honneur – les trois frères de Larry –, de sorte que je dus me tordre légèrement le cou pour voir le marié. Mais ça en valait la peine. Il était si pâle que ses taches de rousseur se détachaient sur sa peau comme des éclaboussures d'encre. Ses yeux bleus étaient écarquillés, et on avait lissé ses courtes boucles rousses pour les plaquer sur son crâne. Il avait fière allure… pourvu qu'il ne s'évanouisse pas.

Il regardait Tammy comme s'il venait de recevoir un coup de marteau entre les yeux. Évidemment, si quelqu'un avait passé deux heures à le maquiller, il aurait été sublime, lui aussi. Mais les mecs n'ont pas à se soucier de ce genre de chose. Voilà une inégalité qui a la peau dure : la femme doit être renversante le jour de son mariage ; l'homme n'a qu'à rester planté là et tâcher de ne pas se ridiculiser.

Je me redressai et m'efforçai d'en faire autant. J'avais attaché mes cheveux pendant qu'ils étaient encore mouillés, si bien qu'ils étaient lisses et plaqués sur mon crâne. Puisque je n'avais pas l'intention de les couper, c'était ce que je pouvais faire de mieux pour ressembler à un garçon. D'autres parties de mon anatomie, cependant, venaient contrarier mes efforts. J'ai des courbes, et ce n'est pas parce que je porte un smoking qu'elles disparaissent. Oh, personne ne s'en était plaint, mais l'organisatrice avait levé les yeux au ciel en me voyant. Pourtant, elle s'était contentée de dire :

— Vous n'êtes pas assez maquillée.

— Les autres garçons d'honneur ne le sont pas du tout, avais-je répliqué.

— Vous ne voulez pas être jolie ?

Comme je me trouvais déjà plutôt pas mal, je n'avais pu lui faire qu'une seule réponse :

— Pas particulièrement.

Ça avait été ma dernière conversation avec la dame qui organisait le mariage. Après ça, elle m'avait évitée ostensiblement. À mon avis, elle m'avait rabaissée exprès, parce que je ne l'avais pas aidée à visser les autres garçons d'honneur. Elle semblait croire que le simple fait de posséder toutes les deux des ovaires plutôt que des couilles aurait dû nous rendre solidaires.

Pourquoi aurais-je dû me soucier de mon apparence ? C'était le grand jour de Tammy et de Larry, pas le mien. Si – et c'est un très gros « si » – je me marie un jour, je m'en préoccuperai sérieusement. Jusque-là, je me réserve le droit de m'en foutre. Et puis j'étais déjà beaucoup plus maquillée qu'en temps normal… où je ne me maquille pas *du tout*. Ma belle-mère, Judith, me répète sans cesse que, quand j'arriverai à la trentaine, je changerai d'avis sur tous ces trucs de filles. Il ne me reste que trois ans d'ici là mais, pour le moment, je ne suis pas terrassée par la panique.

M. Reynolds plaça la main de sa fille dans celle de Larry. Tammy mesure huit centimètres de plus que ce dernier et davantage quand elle porte des talons. Je me tenais assez près du marié pour voir le regard que lui jeta M. Reynolds. Ce n'était pas un regard amical. Tammy était enceinte de trois mois, presque quatre, et c'était la faute de Larry. Ou plutôt, c'était la faute de Larry et de Tammy mais, apparemment, son père ne le voyait pas de cet œil. Non, M. Nathan Reynolds blâmait définitivement Larry, comme si le malheureux avait enlevé Tammy dans son lit alors qu'elle était encore vierge et l'avait ramenée chez elle déflorée, avec un polichinelle dans le tiroir.

M. Reynolds souleva le voile de Tammy, révélant son beau visage soigneusement maquillé. Il l'embrassa solennellement sur la joue, jeta un dernier regard noir à Larry et, un sourire affable aux lèvres, se tourna pour rejoindre sa femme sur le banc de devant. Le fait qu'il ait changé d'expression à ce point pour faire face au reste de l'église et des invités me préoccupait un peu. Ça ne me plaisait pas que le nouveau beau-père de Larry soit un si bon comédien. Du coup, je me demandai ce qu'il faisait dans la vie. Si je suis d'un naturel soupçonneux, c'est parce que je bosse avec la police depuis longtemps. Le cynisme est si contagieux !

Nous nous tournâmes tous vers l'autel, et la cérémonie habituelle commença. Au fil des ans, j'ai assisté à des dizaines de mariages, presque tous chrétiens, presque tous conventionnels, si bien que les mots me sont devenus étrangement familiers. Parfois, on ne se rend pas compte qu'on a mémorisé quelque chose jusqu'à ce qu'on l'entende de nouveau et qu'on se rende compte que c'est le cas. « Mes bien chers frères, mes bien chères sœurs, nous sommes réunis aujourd'hui pour unir cet homme et cette femme par les liens sacrés du mariage… »

CPI
AUBIN IMPRIMEUR